D1115130

Dominique Brillon

COLLECTION FOLIO

Dominique Brillon

Marcel Proust

À la recherche du temps perdu

I

Du côté
de chez Swann

Gallimard

*Le texte de la présente édition
est conforme au texte de l'édition de la Pléiade,
revu et établi sur les manuscrits autographes
par Pierre Clarac et André Ferré.*

ISBN 2-07-036821-1

Dominique Brillon

PREMIÈRE PARTIE

Combray

I

Longtemps, je me suis couché de bonne heure. Parfois, à
peine ma bougie éteinte, mes yeux se fermaient si vite que je
n'avais pas le temps de me dire : « Je m'endors. » Et, une
demi-heure après, la pensée qu'il était temps de chercher le
sommeil m'éveillait ; je voulais poser le volume que je croyais
avoir dans les mains et souffler ma lumière ; je n'avais pas
cessé en dormant de faire des réflexions sur ce que je venais
de lire, mais ces réflexions avaient pris un tour un peu
particulier ; il me semblait que j'étais moi-même ce dont
parlait l'ouvrage : une église, un quatuor, la rivalité de
François Iᵉʳ et de Charles-Quint. Cette croyance survivait
pendant quelques secondes à mon réveil ; elle ne choquait
pas ma raison, mais pesait comme des écailles sur mes yeux
et les empêchait de se rendre compte que le bougeoir n'était
plus allumé. Puis elle commençait à me devenir inintelligible, comme après la métempsycose les pensées d'une existence antérieure ; le sujet du livre se détachait de moi, j'étais
libre de m'y appliquer ou non ; aussitôt je recouvrais la vue et

j'étais bien étonné de trouver autour de moi une obscurité, douce et reposante pour mes yeux, mais peut-être plus encore pour mon esprit, à qui elle apparaissait comme une chose sans cause, incompréhensible, comme une chose vraiment obscure. Je me demandais quelle heure il pouvait être ; j'entendais le sifflement des trains qui, plus ou moins éloigné, comme le chant d'un oiseau dans une forêt, relevant les distances, me décrivait l'étendue de la campagne déserte où le voyageur se hâte vers la station prochaine ; et le petit chemin qu'il suit va être gravé dans son souvenir par l'excitation qu'il doit à des lieux nouveaux, à des actes inaccoutumés, à la causerie récente et aux adieux sous la lampe étrangère qui le suivent encore dans le silence de la nuit, à la douceur prochaine du retour.

J'appuyais tendrement mes joues contre les belles joues de l'oreiller qui, pleines et fraîches, sont comme les joues de notre enfance. Je frottais une allumette pour regarder ma montre. Bientôt minuit. C'est l'instant où le malade qui a été obligé de partir en voyage et a dû coucher dans un hôtel inconnu, réveillé par une crise, se réjouit en apercevant sous la porte une raie de jour. Quel bonheur, c'est déjà le matin ! Dans un moment les domestiques seront levés, il pourra sonner, on viendra lui porter secours. L'espérance d'être soulagé lui donne du courage pour souffrir. Justement il a cru entendre des pas ; les pas se rapprochent, puis s'éloignent. Et la raie de jour qui était sous sa porte a disparu. C'est minuit ; on vient d'éteindre le gaz ; le dernier domestique est parti et il faudra rester toute la nuit à souffrir sans remède.

Je me rendormais, et parfois je n'avais plus que de courts réveils d'un instant, le temps d'entendre les craquements organiques des boiseries, d'ouvrir les yeux pour fixer le kaléidoscope de l'obscurité, de goûter grâce à une lueur momentanée de conscience le sommeil où étaient plongés les meubles, la chambre, le tout dont je n'étais qu'une petite partie et à l'insensibilité duquel je retournais vite m'unir. Ou bien en dormant j'avais rejoint sans effort un âge à jamais

révolu de ma vie primitive, retrouvé telle de mes terreurs
enfantines comme celle que mon grand-oncle me tirât par
mes boucles et qu'avait dissipée le jour — date pour moi
d'une ère nouvelle — où on les avait coupées. J'avais oublié
cet événement pendant mon sommeil, j'en retrouvais le
souvenir aussitôt que j'avais réussi à m'éveiller pour échapper aux mains de mon grand-oncle, mais par mesure de
précaution j'entourais complètement ma tête de mon oreiller
avant de retourner dans le monde des rêves.

Quelquefois, comme Ève naquit d'une côte d'Adam, une
femme naissait pendant mon sommeil d'une fausse position
de ma cuisse. Formée du plaisir que j'étais sur le point de
goûter, je m'imaginais que c'était elle qui me l'offrait. Mon
corps qui sentait dans le sien ma propre chaleur voulait s'y
rejoindre, je m'éveillais. Le reste des humains m'apparaissait
comme bien lointain auprès de cette femme que j'avais
quittée, il y avait quelques moments à peine ; ma joue était
chaude encore de son baiser, mon corps courbaturé par le
poids de sa taille. Si, comme il arrivait quelquefois, elle avait
les traits d'une femme que j'avais connue dans la vie, j'allais
me donner tout entier à ce but : la retrouver, comme ceux
qui partent en voyage pour voir de leurs yeux une cité désirée
et s'imaginent qu'on peut goûter dans une réalité le charme
du songe. Peu à peu son souvenir s'évanouissait, j'avais
oublié la fille de mon rêve.

Un homme qui dort tient en cercle autour de lui le fil des
heures, l'ordre des années et des mondes. Il les consulte
d'instinct en s'éveillant et y lit en une seconde le point de la
terre qu'il occupe, le temps qui s'est écoulé jusqu'à son
réveil ; mais leurs rangs peuvent se mêler, se rompre. Que
vers le matin, après quelque insomnie, le sommeil le prenne
en train de lire, dans une posture trop différente de celle où il
dort habituellement, il suffit de son bras soulevé pour arrêter
et faire reculer le soleil, et à la première minute de son réveil,
il ne saura plus l'heure, il estimera qu'il vient à peine de se
coucher. Que s'il s'assoupit dans une position encore plus

déplacée et divergente, par exemple après dîner assis dans un fauteuil, alors le bouleversement sera complet dans les mondes désorbités, le fauteuil magique le fera voyager à toute vitesse dans le temps et dans l'espace, et au moment d'ouvrir les paupières, il se croira couché quelques mois plus tôt dans une autre contrée. Mais il suffisait que, dans mon lit même, mon sommeil fût profond et détendît entièrement mon esprit ; alors celui-ci lâchait le plan du lieu où je m'étais endormi et, quand je m'éveillais au milieu de la nuit, comme j'ignorais où je me trouvais, je ne savais même pas au premier instant qui j'étais ; j'avais seulement dans sa simplicité première le sentiment de l'existence comme il peut frémir au fond d'un animal ; j'étais plus dénué que l'homme des cavernes ; mais alors le souvenir — non encore du lieu où j'étais, mais de quelques-uns de ceux que j'avais habités et où j'aurais pu être — venait à moi comme un secours d'en haut pour me tirer du néant d'où je n'aurais pu sortir tout seul ; je passais en une seconde par-dessus des siècles de civilisation, et l'image confusément entrevue de lampes à pétrole, puis de chemises à col rabattu, recomposait peu à peu les traits originaux de mon moi.

Peut-être l'immobilité des choses autour de nous leur est-elle imposée par notre certitude que ce sont elles et non pas d'autres, par l'immobilité de notre pensée en face d'elles. Toujours est-il que, quand je me réveillais ainsi, mon esprit s'agitant pour chercher, sans y réussir, à savoir où j'étais, tout tournait autour de moi dans l'obscurité, les choses, les pays, les années. Mon corps, trop engourdi pour remuer, cherchait, d'après la forme de sa fatigue, à repérer la position de ses membres pour en induire la direction du mur, la place des meubles, pour reconstruire et pour nommer la demeure où il se trouvait. Sa mémoire, la mémoire de ses côtes, de ses genoux, de ses épaules, lui présentait successivement plusieurs des chambres où il avait dormi, tandis qu'autour de lui les murs invisibles, changeant de place selon la forme de la pièce imaginée, tourbillonnaient dans les ténèbres. Et avant même que ma pensée, qui hésitait au seuil des temps et des formes, eût identifié le logis en rapprochant les circonstances, lui, — mon corps, — se rappelait pour chacun le genre du lit, la place des portes, la prise de jour des fenêtres, l'existence d'un couloir, avec la pensée que j'avais en m'y endormant et que je retrouvais au réveil. Mon côté ankylosé, cherchant à deviner son orientation, s'imaginait, par exemple, allongé face au mur dans un grand lit à baldaquin, et aussitôt je me disais : « Tiens, j'ai fini par m'endormir quoique maman ne soit pas venue me dire bonsoir », j'étais à la campagne chez mon grand-père, mort depuis bien des années ; et mon corps, le côté sur lequel je reposais, gardiens fidèles d'un passé que mon esprit n'aurait jamais dû oublier, me rappelaient la flamme de la veilleuse de verre de Bohême, en forme d'urne, suspendue au plafond par des chaînettes, la cheminée en marbre de Sienne, dans ma chambre à coucher de Combray, chez mes grands-parents, en des jours lointains qu'en ce moment je me figurais actuels sans me les représenter exactement, et que je reverrais mieux tout à l'heure quand je serais tout à fait éveillé.

Puis renaissait le souvenir d'une nouvelle attitude : le mur filait dans une autre direction : j'étais dans ma chambre chez Mme de Saint-Loup, à la campagne ; mon Dieu ! il est au moins dix heures, on doit avoir fini de dîner ! J'aurai trop prolongé la sieste que je fais tous les soirs en rentrant de ma promenade avec Mme de Saint-Loup, avant d'endosser mon habit. Car bien des années ont passé depuis Combray, où dans nos retours les plus tardifs c'étaient les reflets rouges du couchant que je voyais sur le vitrage de ma fenêtre. C'est un autre genre de vie qu'on mène à Tansonville, chez Mme de Saint-Loup, un autre genre de plaisir que je trouve à ne sortir qu'à la nuit, à suivre au clair de lune ces chemins où je jouais jadis au soleil ; et la chambre où je me serai endormi au lieu de m'habiller pour le dîner, de loin je l'aperçois, quand nous rentrons, traversée par les feux de la lampe, seul phare dans la nuit.

Ces évocations tournoyantes et confuses ne duraient jamais que quelques secondes ; souvent ma brève incertitude du lieu où je me trouvais ne distinguait pas mieux les unes des autres les diverses suppositions dont elle était faite, que nous n'isolons, en voyant un cheval courir, les positions successives que nous montre le kinétoscope. Mais j'avais revu tantôt l'une, tantôt l'autre des chambres que j'avais habitées dans ma vie, et je finissais par me les rappeler toutes dans les longues rêveries qui suivaient mon réveil : chambres d'hiver où quand on est couché, on se blottit la tête dans un nid qu'on se tresse avec les choses les plus disparates, un coin de l'oreiller, le haut des couvertures, un bout de châle, le bord du lit et un numéro des *Débats roses,* qu'on finit par cimenter ensemble selon la technique des oiseaux en s'y appuyant indéfiniment ; où, par un temps glacial, le plaisir qu'on goûte est de se sentir séparé du dehors (comme l'hirondelle de mer qui a son nid au fond d'un souterrain dans la chaleur de la terre) et où, le feu étant entretenu toute la nuit dans la cheminée, on dort dans un grand manteau d'air chaud et fumeux, traversé des lueurs des tisons qui se rallument, sorte d'impalpable alcôve, de chaude caverne creusée au sein de la chambre même, zone ardente et mobile en ses contours thermiques, aérée de souffles qui nous rafraîchissent la figure et viennent des angles, des parties voisines de la fenêtre ou éloignées du foyer, et qui se sont refroidies ; — chambres d'été où l'on aime être uni à la nuit tiède, où le clair de lune appuyé aux volets entr'ouverts jette jusqu'au pied du lit son échelle enchantée, où on dort presque en plein air, comme la mésange balancée par la brise à la pointe d'un rayon ; — parfois la chambre Louis XVI, si gaie que même le premier soir je n'y avais pas été trop malheureux, et où les colonnettes qui soutenaient légèrement le plafond s'écartaient avec tant de grâce pour montrer et réserver la place du lit ; — parfois au contraire celle, petite et si élevée de plafond, creusée en forme de pyramide dans la hauteur de deux étages et partiellement revêtue d'acajou, où, dès la première seconde, j'avais été intoxiqué moralement par l'odeur inconnue du vétiver, convaincu de l'hostilité des rideaux violets et de l'insolente indifférence de la pendule qui jacassait tout haut comme si je n'eusse pas été là ; où une étrange et impitoyable glace à pieds quadrangulaire, barrant obliquement un des angles de la pièce, se creusait à vif dans la douce plénitude de mon champ visuel accoutumé un emplacement qui n'était pas prévu ; où ma pensée, s'efforçant pendant des heures de se disloquer, de s'étirer en hauteur pour prendre exactement la forme de la chambre et arriver à remplir jusqu'en haut son gigantesque entonnoir, avait souffert bien de dures nuits, tandis que j'étais étendu dans mon lit, les yeux levés, l'oreille anxieuse, la narine rétive, le cœur battant, jusqu'à ce que l'habitude eût changé la couleur des rideaux, fait taire la pendule, enseigné la pitié à la glace oblique et cruelle, dissimulé, sinon chassé complètement, l'odeur du vétiver, et notamment diminué la hauteur apparente du plafond. L'habitude ! aménageuse habile mais bien lente, et qui commence par laisser souffrir notre esprit pendant des semaines dans une installation provisoire, mais que malgré tout il est bien heureux de trouver, car sans l'habitude et réduit à ses seuls moyens, il serait impuissant à nous rendre un logis habitable.

Certes, j'étais bien éveillé maintenant, mon corps avait viré une dernière fois et le bon ange de la certitude avait tout arrêté autour de moi, m'avait couché sous mes couvertures, dans ma chambre, et avait mis approximativement à leur place dans l'obscurité ma commode, mon bureau, ma cheminée, la fenêtre sur la rue et les deux portes. Mais j'avais beau savoir que je n'étais pas dans les demeures dont l'ignorance du réveil m'avait en un instant sinon présenté l'image distincte, du moins fait croire la présence possible, le branle était donné à ma mémoire ; généralement je ne cherchais pas à me rendormir tout de suite ; je passais la plus grande partie de la nuit à me rappeler notre vie d'autrefois à Combray chez ma grand'tante, à Balbec, à Paris, à Donciè-

res, à Venise, ailleurs encore, à me rappeler les lieux, les
personnes que j'y avais connues, ce que j'avais vu d'elles, ce
qu'on m'en avait raconté.

A Combray, tous les jours dès la fin de l'après-midi,
longtemps avant le moment où il faudrait me mettre au lit et
rester, sans dormir, loin de ma mère et de ma grand'mère,
ma chambre à coucher redevenait le point fixe et douloureux
de mes préoccupations. On avait bien inventé, pour me
distraire les soirs où on me trouvait l'air trop malheureux, de
me donner une lanterne magique dont, en attendant l'heure
du dîner, on coiffait ma lampe ; et, à l'instar des premiers
architectes et maîtres verriers de l'âge gothique, elle substituait à l'opacité des murs d'impalpables irisations, de
surnaturelles apparitions multicolores, où des légendes
étaient dépeintes comme dans un vitrail vacillant et momentané. Mais ma tristesse n'en était qu'accrue, parce que rien
que le changement d'éclairage détruisait l'habitude que
j'avais de ma chambre et grâce à quoi, sauf le supplice du
coucher, elle m'était devenue supportable. Maintenant je ne
la reconnaissais plus et j'y étais inquiet, comme dans une
chambre d'hôtel ou de « chalet » où je fusse arrivé pour la
première fois en descendant de chemin de fer.
     Au pas saccadé de son cheval, Golo, plein d'un affreux
dessein, sortait de la petite forêt triangulaire qui veloutait
d'un vert sombre la pente d'une colline, et s'avançait en
tressautant vers le château de la pauvre Geneviève de
Brabant. Ce château était coupé selon une ligne courbe qui
n'était autre que la limite d'un des ovales de verre ménagés
dans le châssis qu'on glissait entre les coulisses de la
lanterne. Ce n'était qu'un pan de château, et il avait devant
lui une lande où rêvait Geneviève, qui portait une ceinture
bleue. Le château et la lande étaient jaunes et je n'avais pas
attendu de les voir pour connaître leur couleur, car, avant les
verres du châssis, la sonorité mordorée du nom de Brabant
me l'avait montrée avec évidence. Golo s'arrêtait un instant

pour écouter avec tristesse le boniment lu à haute voix par
ma grand'tante, et qu'il avait l'air de comprendre parfaitement, conformant son attitude, avec une docilité qui n'excluait pas une certaine majesté, aux indications du texte ;
puis il s'éloignait du même pas saccadé. Et rien ne pouvait
arrêter sa lente chevauchée. Si on bougeait la lanterne, je
distinguais le cheval de Golo qui continuait à s'avancer sur
les rideaux de la fenêtre, se bombant de leurs plis, descendant dans leurs fentes. Le corps de Golo lui-même, d'une
essence aussi surnaturelle que celui de sa monture, s'arrangeait de tout obstacle matériel, de tout objet gênant qu'il
rencontrait en le prenant comme ossature et en se le rendant
intérieur, fût-ce le bouton de la porte sur lequel s'adaptait
aussitôt et surnageait invinciblement sa robe rouge ou sa
figure pâle toujours aussi noble et aussi mélancolique, mais
qui ne laissait paraître aucun trouble de cette transvertébra-
tion.

Certes je leur trouvais du charme à ces brillantes projections qui semblaient émaner d'un passé mérovingien et
promenaient autour de moi des reflets d'histoire si anciens.
Mais je ne peux dire quel malaise me causait pourtant cette
intrusion du mystère et de la beauté dans une chambre que
j'avais fini par remplir de mon moi au point de ne pas faire
plus attention à elle qu'à lui-même. L'influence anesthé-
siante de l'habitude ayant cessé, je me mettais à penser, à
sentir, choses si tristes. Ce bouton de la porte de ma
chambre, qui différait pour moi de tous les autres boutons de
porte du monde en ceci qu'il semblait ouvrir tout seul, sans
que j'eusse besoin de le tourner, tant le maniement m'en était
devenu inconscient, le voilà qui servait maintenant de corps
astral à Golo. Et dès qu'on sonnait le dîner, j'avais hâte de
courir à la salle à manger où la grosse lampe de la
suspension, ignorante de Golo et de Barbe-Bleue, et qui
connaissait mes parents et le bœuf à la casserole, donnait sa
lumière de tous les soirs, et de tomber dans les bras de
maman que les malheurs de Geneviève de Brabant me

rendaient plus chère, tandis que les crimes de Golo me faisaient examiner ma propre conscience avec plus de scrupules.

Après le dîner, hélas, j'étais bientôt obligé de quitter maman qui restait à causer avec les autres, au jardin s'il faisait beau, dans le petit salon où tout le monde se retirait s'il faisait mauvais. Tout le monde, sauf ma grand'mère qui trouvait que « c'est une pitié de rester enfermé à la campagne » et qui avait d'incessantes discussions avec mon père, les jours de trop grande pluie, parce qu'il m'envoyait lire dans ma chambre au lieu de rester dehors. « Ce n'est pas comme cela que vous le rendrez robuste et énergique, disait-elle tristement, surtout ce petit qui a tant besoin de prendre des forces et de la volonté. » Mon père haussait les épaules et il examinait le baromètre, car il aimait la météorologie, pendant que ma mère, évitant de faire du bruit pour ne pas le troubler, le regardait avec un respect attendri, mais pas trop fixement pour ne pas chercher à percer le mystère de ses supériorités. Mais ma grand'mère, elle, par tous les temps, même quand la pluie faisait rage et que Françoise avait précipitamment rentré les précieux fauteuils d'osier de peur qu'ils ne fussent mouillés, on la voyait dans le jardin vide et fouetté par l'averse, relevant ses mèches désordonnées et grises pour que son front s'imbibât mieux de la salubrité du vent et de la pluie. Elle disait : « Enfin, on respire ! » et parcourait les allées détrempées — trop symétriquement alignées à son gré par le nouveau jardinier dépourvu du sentiment de la nature et auquel mon père avait demandé depuis le matin si le temps s'arrangerait — de son petit pas enthousiaste et saccadé, réglé sur les mouvements divers qu'excitaient dans son âme l'ivresse de l'orage, la puissance de l'hygiène, la stupidité de mon éducation et la symétrie des jardins, plutôt que sur le désir, inconnu d'elle, d'éviter à sa jupe prune les taches de boue sous lesquelles elle disparaissait jusqu'à une hauteur qui était toujours pour sa femme de chambre un désespoir et un problème.

Quand ces tours de jardin de ma grand'mère avaient lieu après dîner, une chose avait le pouvoir de la faire rentrer : c'était — à un des moments où la révolution de sa promenade la ramenait périodiquement, comme un insecte, en face des lumières du petit salon où les liqueurs étaient servies sur la table à jeu — si ma grand'tante lui criait : « Bathilde ! viens donc empêcher ton mari de boire du cognac ! » Pour la taquiner, en effet (elle avait apporté dans la famille de mon père un esprit si différent que tout le monde la plaisantait et la tourmentait), comme les liqueurs étaient défendues à mon grand-père, ma grand'tante lui en faisait boire quelques gouttes. Ma pauvre grand'mère entrait, priait ardemment son mari de ne pas goûter au cognac ; il se fâchait, buvait tout de même sa gorgée, et ma grand'mère repartait, triste, découragée, souriante pourtant, car elle était si humble de cœur et si douce que sa tendresse pour les autres et le peu de cas qu'elle faisait de sa propre personne et de ses souffrances se conciliaient dans son regard en un sourire où, contrairement à ce qu'on voit dans le visage de beaucoup d'humains, il n'y avait d'ironie que pour elle-même, et pour nous tous comme un baiser de ses yeux qui ne pouvaient voir ceux qu'elle chérissait sans les caresser passionnément du regard. Ce supplice que lui infligeait ma grand'tante, le spectacle des vaines prières de ma grand'mère et de sa faiblesse, vaincue d'avance, essayant inutilement d'ôter à mon grand-père le verre à liqueur, c'était de ces choses à la vue desquelles on s'habitue plus tard jusqu'à les considérer en riant et à prendre le parti du persécuteur assez résolument et gaiement pour se persuader à soi-même qu'il ne s'agit pas de persécution ; elles me causaient alors une telle horreur que j'aurais aimé battre ma grand'tante. Mais dès que j'entendais : « Bathilde, viens donc empêcher ton mari de boire du cognac ! » déjà homme par la lâcheté, je faisais ce que nous faisons tous, une fois que nous sommes grands, quand il y a devant nous des souffrances et des injustices : je ne voulais pas les voir ; je montais

sangloter tout en haut de la maison à côté de la salle
d'études, sous les toits, dans une petite pièce sentant l'iris, et
que parfumait aussi un cassis sauvage poussé au dehors entre
les pierres de la muraille et qui passait une branche de fleurs
par la fenêtre entr'ouverte. Destinée à un usage plus spécial
et plus vulgaire, cette pièce, d'où l'on voyait pendant le jour
jusqu'au donjon de Roussainville-le-Pin, servit longtemps de
refuge pour moi, sans doute parce qu'elle était la seule qu'il
me fût permis de fermer à clef, à toutes celles de mes
occupations qui réclamaient une inviolable solitude : la
lecture, la rêverie, les larmes et la volupté. Hélas ! je ne savais
pas que, bien plus tristement que les petits écarts de régime
de son mari, mon manque de volonté, ma santé délicate,
l'incertitude qu'ils projetaient sur mon avenir, préoccupaient
ma grand'mère au cours de ces déambulations incessantes de
l'après-midi et du soir, où on voyait passer et repasser,
obliquement levé vers le ciel, son beau visage aux joues
brunes et sillonnées, devenues au retour de l'âge presque
mauves comme les labours à l'automne, barrées, si elle
sortait, par une voilette à demi relevée, et sur lesquelles,
amené là par le froid ou quelque triste pensée, était toujours
en train de sécher un pleur involontaire.

Ma seule consolation, quand je montais me coucher, était
que maman viendrait m'embrasser quand je serais dans mon
lit. Mais ce bonsoir durait si peu de temps, elle redescendait
si vite, que le moment où je l'entendais monter, puis où
passait dans le couloir à double porte le bruit léger de sa robe
de jardin en mousseline bleue, à laquelle pendaient de petits
cordons de paille tressée, était pour moi un moment douloureux. Il annonçait celui qui allait le suivre, où elle m'aurait
quitté, où elle serait redescendue. De sorte que ce bonsoir
que j'aimais tant, j'en arrivais à souhaiter qu'il vînt le plus
tard possible, à ce que se prolongeât le temps de répit où
maman n'était pas encore venue. Quelquefois quand, après
m'avoir embrassé, elle ouvrait ma porte pour partir, je
voulais la rappeler, lui dire « embrasse-moi une fois

encore », mais je savais qu'aussitôt elle aurait son visage fâché, car la concession qu'elle faisait à ma tristesse et à mon agitation en montant m'embrasser, en m'apportant ce baiser de paix, agaçait mon père qui trouvait ces rites absurdes, et elle eût voulu tâcher de m'en faire perdre le besoin, l'habitude, bien loin de me laisser prendre celle de lui demander, quand elle était déjà sur le pas de la porte, un baiser de plus. Or la voir fâchée détruisait tout le calme qu'elle m'avait apporté un instant avant, quand elle avait penché vers mon lit sa figure aimante, et me l'avait tendue comme une hostie pour une communion de paix où mes lèvres puiseraient sa présence réelle et le pouvoir de m'endormir. Mais ces soirs-là, où maman en somme restait si peu de temps dans ma chambre, étaient doux encore en comparaison de ceux où il y avait du monde à dîner et où, à cause de cela, elle ne montait pas me dire bonsoir. Le monde se bornait habituellement à M. Swann, qui, en dehors de quelques étrangers de passage, était à peu près la seule personne qui vînt chez nous à Combray, quelquefois pour dîner en voisin (plus rarement depuis qu'il avait fait ce mauvais mariage, parce que mes parents ne voulaient pas recevoir sa femme), quelquefois après le dîner, à l'improviste. Les soirs où, assis devant la maison sous le grand marronnier, autour de la table de fer, nous entendions au bout du jardin, non pas le grelot profus et criard qui arrosait, qui étourdissait au passage de son bruit ferrugineux, intarissable et glacé, toute personne de la maison qui le déclenchait en entrant « sans sonner », mais le double tintement timide, ovale et doré de la clochette pour les étrangers, tout le monde aussitôt se demandait : « Une visite, qui cela peut-il être ? » mais on savait bien que cela ne pouvait être que M. Swann ; ma grand'tante parlant à haute voix, pour prêcher d'exemple, sur un ton qu'elle s'efforçait de rendre naturel, disait de ne pas chuchoter ainsi ; que rien n'est plus désobligeant pour une personne qui arrive et à qui cela fait croire qu'on est en train de dire des choses qu'elle ne doit pas entendre ; et on

envoyait en éclaireur ma grand'mère, toujours heureuse
d'avoir un prétexte pour faire un tour de jardin de plus, et
qui en profitait pour arracher subrepticement au passage
quelques tuteurs de rosiers afin de rendre aux roses un peu
de naturel, comme une mère qui, pour les faire bouffer, passe
la main dans les cheveux de son fils que le coiffeur a trop
aplatis.

Nous restions tous suspendus aux nouvelles que ma
grand'mère allait nous apporter de l'ennemi, comme si on
eût pu hésiter entre un grand nombre possible d'assaillants,
et bientôt après mon grand-père disait : « Je reconnais la
voix de Swann. » On ne le reconnaissait en effet qu'à la voix,
on distinguait mal son visage au nez busqué, aux yeux verts,
sous un haut front entouré de cheveux blonds presque roux,
coiffés à la Bressant, parce que nous gardions le moins de
lumière possible au jardin pour ne pas attirer les moustiques,
et j'allais, sans en avoir l'air, dire qu'on apportât les sirops ;
ma grand'mère attachait beaucoup d'importance, trouvant
cela plus aimable, à ce qu'ils n'eussent pas l'air de figurer
d'une façon exceptionnelle, et pour les visites seulement.
M. Swann, quoique beaucoup plus jeune que lui, était très
lié avec mon grand-père, qui avait été un des meilleurs amis
de son père, homme excellent mais singulier, chez qui,
paraît-il, un rien suffisait parfois pour interrompre les élans
du cœur, changer le cours de la pensée. J'entendais plusieurs
fois par an mon grand-père raconter à table des anecdotes
toujours les mêmes sur l'attitude qu'avait eue M. Swann le
père, à la mort de sa femme qu'il avait veillée jour et nuit.
Mon grand-père qui ne l'avait pas vu depuis longtemps était
accouru auprès de lui dans la propriété que les Swann
possédaient aux environs de Combray, et avait réussi, pour
qu'il n'assistât pas à la mise en bière, à lui faire quitter un
moment, tout en pleurs, la chambre mortuaire. Ils firent
quelques pas dans le parc où il y avait un peu de soleil. Tout
d'un coup, M. Swann prenant mon grand-père par le bras
s'était écrié : « Ah ! mon vieil ami, quel bonheur de se

promener ensemble par ce beau temps ! Vous ne trouvez pas
ça joli, tous ces arbres, ces aubépines et mon étang dont vous
ne m'avez jamais félicité ? Vous avez l'air comme un bonnet
de nuit. Sentez-vous ce petit vent ? Ah ! on a beau dire, la vie
a du bon tout de même, mon cher Amédée ! » Brusquement
le souvenir de sa femme morte lui revint, et trouvant sans
doute trop compliqué de chercher comment il avait pu à un
pareil moment se laisser aller à un mouvement de joie, il se
contenta, par un geste qui lui était familier chaque fois
qu'une question ardue se présentait à son esprit, de passer la
main sur son front, d'essuyer ses yeux et les verres de son
lorgnon. Il ne put pourtant pas se consoler de la mort de sa
femme, mais pendant les deux années qu'il lui survécut, il
disait à mon grand-père : « C'est drôle, je pense très souvent
à ma pauvre femme, mais je ne peux y penser beaucoup à la
fois. » « Souvent mais peu à la fois, comme le pauvre père
Swann », était devenu une des phrases favorites de mon
grand-père qui la prononçait à propos des choses les plus
différentes. Il m'aurait paru que ce père de Swann était un
monstre, si mon grand-père que je considérais comme
meilleur juge et dont la sentence, faisant jurisprudence pour
moi, m'a souvent servi dans la suite à absoudre des fautes
que j'aurais été enclin à condamner, ne s'était récrié : « Mais
comment ? c'était un cœur d'or ! »

Pendant bien des années, où pourtant, surtout avant son
mariage, M. Swann, le fils, vint souvent les voir à Combray,
ma grand'tante et mes grands-parents ne soupçonnèrent pas
qu'il ne vivait plus du tout dans la société qu'avait fréquentée sa famille et que sous l'espèce d'incognito que lui faisait
chez nous ce nom de Swann, ils hébergeaient — avec la
parfaite innocence d'honnêtes hôteliers qui ont chez eux,
sans le savoir, un célèbre brigand — un des membres les plus
élégants du Jockey-Club, ami préféré du comte de Paris et du
prince de Galles, un des hommes les plus choyés de la haute
société du faubourg Saint-Germain.

L'ignorance où nous étions de cette brillante vie mondaine

que menait Swann tenait évidemment en partie à la réserve et à la discrétion de son caractère, mais aussi à ce que les bourgeois d'alors se faisaient de la société une idée un peu hindoue, et la considéraient comme composée de castes fermées où chacun, dès sa naissance, se trouvait placé dans le rang qu'occupaient ses parents, et d'où rien, à moins des hasards d'une carrière exceptionnelle ou d'un mariage inespéré, né pouvait vous tirer pour vous faire pénétrer dans une caste supérieure. M. Swann, le père, était agent de change ; le « fils Swann » se trouvait faire partie pour toute sa vie d'une caste où les fortunes, comme dans une catégorie de contribuables, variaient entre tel et tel revenu. On savait quelles avaient été les fréquentations de son père, on savait donc quelles étaient les siennes, avec quelles personnes il était « en situation » de frayer. S'il en connaissait d'autres, c'étaient relations de jeune homme sur lesquelles des amis anciens de sa famille, comme étaient mes parents, fermaient d'autant plus bienveillamment les yeux qu'il continuait, depuis qu'il était orphelin, à venir très fidèlement nous voir ; mais il y avait fort à parier que ces gens inconnus de nous qu'il voyait étaient de ceux qu'il n'aurait pas osé saluer si, étant avec nous, il les avait rencontrés. Si l'on avait voulu à toute force appliquer à Swann un coefficient social qui lui fût personnel, entre les autres fils d'agents de situation égale à celle de ses parents, ce coefficient eût été pour lui un peu inférieur parce que, très simple de façons et ayant toujours eu une « toquade » d'objets anciens et de peinture, il demeurait maintenant dans un vieil hôtel où il entassait ses collections et que ma grand'mère rêvait de visiter, mais qui était situé quai d'Orléans, quartier que ma grand'tante trouvait infamant d'habiter. « Êtes-vous seulement connaisseur ? Je vous demande cela dans votre intérêt, parce que vous devez vous faire repasser des croûtes par les marchands », lui disait ma grand'tante ; elle ne lui supposait en effet aucune compétence, et n'avait pas haute idée, même au point de vue intellectuel, d'un homme qui, dans la conversation, évitait les sujets sérieux et montrait une précision fort prosaïque, non seulement quand il nous donnait, en entrant dans les moindres détails, des recettes de cuisine, mais même quand les sœurs de ma grand'mère parlaient de sujets artistiques. Provoqué par elles à donner son avis, à exprimer son admiration pour un tableau, il gardait un silence presque désobligeant, et se rattrapait en revanche s'il pouvait fournir sur le musée où il se trouvait, sur la date où il avait été peint, un renseignement matériel. Mais d'habitude il se contentait de chercher à nous amuser en racontant chaque fois une histoire nouvelle qui venait de lui arriver avec des gens choisis parmi ceux que nous connaissions, avec le pharmacien de Combray, avec notre cuisinière, avec notre cocher. Certes ces récits faisaient rire ma grand'tante, mais sans qu'elle distinguât bien si c'était à cause du rôle ridicule que s'y donnait toujours Swann ou de l'esprit qu'il mettait à les conter : « On peut dire que vous êtes un vrai type, monsieur Swann ! » Comme elle était la seule personne un peu vulgaire de notre famille, elle avait soin de faire remarquer aux étrangers, quand on parlait de Swann, qu'il aurait pu, s'il avait voulu, habiter boulevard Haussmann ou avenue de l'Opéra, qu'il était le fils de M. Swann qui avait dû lui laisser quatre ou cinq millions, mais que c'était sa fantaisie. Fantaisie qu'elle jugeait au reste devoir être si divertissante pour les autres qu'à Paris, quand M. Swann venait le 1er janvier lui apporter son sac de marrons glacés, elle ne manquait pas, s'il y avait du monde, de lui dire : « Eh bien ! Monsieur Swann, vous habitez toujours près de l'Entrepôt des vins, pour être sûr de ne pas manquer le train quand vous prenez le chemin de Lyon ? » Et elle regardait du coin de l'œil, par-dessus son lorgnon, les autres visiteurs.

Mais si l'on avait dit à ma grand'tante que ce Swann qui en tant que fils Swann était parfaitement « qualifié » pour être reçu par toute la « belle bourgeoisie », par les notaires ou les avoués les plus estimés de Paris (privilège qu'il semblait laisser tomber un peu en quenouille), avait, comme

en cachette, une vie toute différente ; qu'en sortant de chez
nous, à Paris, après nous avoir dit qu'il rentrait se coucher, il
rebroussait chemin à peine la rue tournée et se rendait dans
tel salon que jamais l'œil d'aucun agent ou associé d'agent ne
contempla, cela eût paru aussi extraordinaire à ma tante
qu'aurait pu l'être pour une dame plus lettrée la pensée
d'être personnellement liée avec Aristée dont elle aurait
compris qu'il allait, après avoir causé avec elle, plonger au
sein des royaumes de Thétis, dans un empire soustrait aux
yeux des mortels, et où Virgile nous le montre reçu à bras
ouverts ; ou, pour s'en tenir à une image qui avait plus de
chance de lui venir à l'esprit, car elle l'avait vue peinte sur
nos assiettes à petits fours de Combray, d'avoir eu à dîner
Ali-Baba, lequel, quand il se saura seul, pénétrera dans la
caverne éblouissante de trésors insoupçonnés.

Un jour qu'il était venu nous voir à Paris, après dîner, en
s'excusant d'être en habit, Françoise ayant, après son départ,
dit tenir du cocher qu'il avait dîné « chez une princesse », —
« Oui, chez une princesse du demi-monde ! » avait répondu
ma tante en haussant les épaules sans lever les yeux de sur
son tricot, avec une ironie sereine.

Aussi, ma grand'tante en usait-elle cavalièrement avec lui.
Comme elle croyait qu'il devait être flatté par nos invitations, elle trouvait tout naturel qu'il ne vînt pas nous voir
l'été sans avoir à la main un panier de pêches ou de
framboises de son jardin, et que de chacun de ses voyages
d'Italie il m'eût rapporté des photographies de chefs-
d'œuvre.

On ne se gênait guère pour l'envoyer quérir dès qu'on
avait besoin d'une recette de sauce gribiche ou de salade à
l'ananas pour des grands dîners où on ne l'invitait pas, ne lui
trouvant pas un prestige suffisant pour qu'on pût le servir à
des étrangers qui venaient pour la première fois. Si la
conversation tombait sur les princes de la Maison de
France : « des gens que nous ne connaîtrons jamais ni vous
ni moi et nous nous en passons, n'est-ce pas », disait ma

grand'tante à Swann qui avait peut-être dans sa poche une lettre de Twickenham ; elle lui faisait pousser le piano et tourner les pages les soirs où la sœur de ma grand'mère chantait, ayant, pour manier cet être ailleurs si recherché, la naïve brusquerie d'un enfant qui joue avec un bibelot de collection sans plus de précautions qu'avec un objet bon marché. Sans doute le Swann que connurent à la même époque tant de clubmen était bien différent de celui que créait ma grand'tante, quand le soir, dans le petit jardin de Combray, après qu'avaient retenti les deux coups hésitants de la clochette, elle injectait et vivifiait de tout ce qu'elle savait sur la famille Swann l'obscur et incertain personnage qui se détachait, suivi de ma grand'mère, sur un fond de ténèbres, et qu'on reconnaissait à la voix. Mais même au point de vue des plus insignifiantes choses de la vie, nous ne sommes pas un tout matériellement constitué, identique pour tout le monde et dont chacun n'a qu'à aller prendre connaissance comme d'un cahier des charges ou d'un testament ; notre personnalité sociale est une création de la pensée des autres. Même l'acte si simple que nous appelons « voir une personne que nous connaissons » est en partie un acte intellectuel. Nous remplissons l'apparence physique de l'être que nous voyons de toutes les notions que nous avons sur lui, et dans l'aspect total que nous nous représentons, ces notions ont certainement la plus grande part. Elles finissent par gonfler si parfaitement les joues, par suivre en une adhérence si exacte la ligne du nez, elles se mêlent si bien de nuancer la sonorité de la voix comme si celle-ci n'était qu'une transparente enveloppe, que chaque fois que nous voyons ce visage et que nous entendons cette voix, ce sont ces notions que nous retrouvons, que nous écoutons. Sans doute, dans le Swann qu'ils s'étaient constitué, mes parents avaient omis par ignorance de faire entrer une foule de particularités de sa vie mondaine qui étaient cause que d'autres personnes, quand elles étaient en sa présence, voyaient les élégances régner dans son visage et s'arrêter à son nez busqué comme à leur frontière naturelle ; mais aussi ils avaient pu entasser dans ce visage désaffecté de son prestige, vacant et spacieux, au fond de ces yeux dépréciés, le vague et doux résidu — mi-mémoire, mi-oubli — des heures oisives passées ensemble après nos dîners hebdomadaires, autour de la table de jeu ou au jardin, durant notre vie de bon voisinage campagnard. L'enveloppe corporelle de notre ami en avait été si bien bourrée, ainsi que de quelques souvenirs relatifs à ses parents, que ce Swann-là était devenu un être complet et vivant, et que j'ai l'impression de quitter une personne pour aller vers une autre qui en est distincte, quand, dans ma mémoire, du Swann que j'ai connu plus tard avec exactitude, je passe à ce premier Swann — à ce premier Swann dans lequel je retrouve les erreurs charmantes de ma jeunesse et qui d'ailleurs ressemble moins à l'autre qu'aux personnes que j'ai connues à la même époque, comme s'il en était de notre vie ainsi que d'un musée où tous les portraits d'un même temps ont un air de famille, une même tonalité — à ce premier Swann rempli de loisir, parfumé par l'odeur du grand marronnier, des paniers de framboises et d'un brin d'estragon.

Pourtant un jour que ma grand'mère était allée demander un service à une dame qu'elle avait connue au Sacré-Cœur (et avec laquelle, à cause de notre conception des castes, elle n'avait pas voulu rester en relations, malgré une sympathie réciproque), la marquise de Villeparisis, de la célèbre famille de Bouillon, celle-ci lui avait dit : « Je crois que vous connaissez beaucoup M. Swann qui est un grand ami de mes neveux des Laumes. » Ma grand'mère était revenue de sa visite enthousiasmée par la maison qui donnait sur des jardins et où Mme de Villeparisis lui conseillait de louer, et aussi par un giletier et sa fille, qui avaient leur boutique dans la cour et chez qui elle était entrée demander qu'on fît un point à sa jupe qu'elle avait déchirée dans l'escalier. Ma grand'mère avait trouvé ces gens parfaits, elle déclarait que la petite était une perle et que le giletier était l'homme le plus

distingué, le mieux qu'elle eût jamais vu. Car pour elle, la
distinction était quelque chose d'absolument indépendant du
rang social. Elle s'extasiait sur une réponse que le giletier lui
avait faite, disant à maman : « Sévigné n'aurait pas mieux
dit ! », et en revanche, d'un neveu de Mme de Villeparisis
qu'elle avait rencontré chez elle : « Ah ! ma fille, comme il est
commun ! »

Or le propos relatif à Swann avait eu pour effet, non pas de
relever celui-ci dans l'esprit de ma grand'mère, mais d'y
abaisser Mme de Villeparisis. Il semblait que la considération
que, sur la foi de ma grand'mère, nous accordions à Mme de
Villeparisis, lui créât un devoir de ne rien faire qui l'en rendît
moins digne et auquel elle avait manqué en apprenant
l'existence de Swann, en permettant à des parents à elle de le
fréquenter. « Comment ! elle connaît Swann ? Pour une
personne que tu prétendais parente du maréchal de Mac-
Mahon ! » Cette opinion de mes parents sur les relations de
Swann leur parut ensuite confirmée par son mariage avec
une femme de la pire société, presque une cocotte, que,
d'ailleurs, il ne chercha jamais à présenter, continuant à
venir seul chez nous, quoique de moins en moins, mais
d'après laquelle ils crurent pouvoir juger — supposant que
c'était là qu'il l'avait prise — le milieu, inconnu d'eux, qu'il
fréquentait habituellement.

Mais une fois, mon grand-père lut dans un journal que
M. Swann était un des plus fidèles habitués des déjeuners du
dimanche chez le duc de X..., dont le père et l'oncle avaient
été les hommes d'État les plus en vue du règne de Louis-
Philippe. Or mon grand-père était curieux de tous les petits
faits qui pouvaient l'aider à entrer par la pensée dans la vie
privée d'hommes comme Molé, comme le duc Pasquier,
comme le duc de Broglie. Il fut enchanté d'apprendre que
Swann fréquentait des gens qui les avaient connus. Ma
grand'tante au contraire interpréta cette nouvelle dans un
sens défavorable à Swann : quelqu'un qui choisissait ses
fréquentations en dehors de la caste où il était né, en dehors

de sa « classe » sociale, subissait à ses yeux un fâcheux déclassement. Il lui semblait qu'on renonçât d'un coup au fruit de toutes les belles relations avec des gens bien posés, qu'avaient honorablement entretenues et engrangées pour leurs enfants les familles prévoyantes (ma grand'tante avait même cessé de voir le fils d'un notaire de nos amis parce qu'il avait épousé une altesse et était par là descendu pour elle du rang respecté de fils de notaire à celui d'un de ces aventuriers, anciens valets de chambre ou garçons d'écurie, pour qui on raconte que les reines eurent parfois des bontés). Elle blâma le projet qu'avait mon grand-père d'interroger Swann, le soir prochain où il devait venir dîner, sur ces amis que nous lui découvrions. D'autre part les deux sœurs de ma grand'mère, vieilles filles qui avaient sa noble nature, mais non son esprit, déclarèrent ne pas comprendre le plaisir que leur beau-frère pouvait trouver à parler de niaiseries pareilles. C'étaient des personnes d'aspirations élevées et qui à cause de cela même étaient incapables de s'intéresser à ce qu'on appelle un potin, eût-il même un intérêt historique, et d'une façon générale à tout ce qui ne se rattachait pas directement à un objet esthétique ou vertueux. Le désintéressement de leur pensée était tel, à l'égard de tout ce qui, de près ou de loin, semblait se rattacher à la vie mondaine, que leur sens auditif — ayant fini par comprendre son inutilité momentanée dès qu'à dîner la conversation prenait un ton frivole ou seulement terre à terre sans que ces deux vieilles demoiselles aient pu la ramener aux sujets qui leur étaient chers, — mettait alors au repos ses organes récepteurs et leur laissait subir un véritable commencement d'atrophie. Si alors mon grand-père avait besoin d'attirer l'attention des deux sœurs, il fallait qu'il eût recours à ces avertissements physiques dont usent les médecins aliénistes à l'égard de certains maniaques de la distraction : coups frappés à plusieurs reprises sur un verre avec la lame d'un couteau, coïncidant avec une brusque interpellation de la voix et du regard, moyens violents que ces psychiatres transportent

souvent dans les rapports courants avec des gens bien
portants, soit par habitude professionnelle, soit qu'ils croient
tout le monde un peu fou.

Elles furent plus intéressées quand la veille du jour où
Swann devait venir dîner, et leur avait personnellement
envoyé une caisse de vin d'Asti, ma tante, tenant un numéro
du *Figaro* où à côté du nom d'un tableau qui était à une
Exposition de Corot, il y avait ces mots : « de la collection de
M. Charles Swann », nous dit : « Vous avez vu que Swann a
" les honneurs " du *Figaro* ? — Mais je vous ai toujours dit
qu'il avait beaucoup de goût, dit ma grand'mère. —
Naturellement toi, du moment qu'il s'agit d'être d'un autre
avis que *nous,* répondit ma grand'tante qui, sachant que ma
grand'mère n'était jamais du même avis qu'elle, et n'étant
pas bien sûre que ce fût à elle-même que nous donnions
toujours raison, voulait nous arracher une condamnation en
bloc des opinions de ma grand'mère contre lesquelles elle
tâchait de nous solidariser de force avec les siennes. Mais
nous restâmes silencieux. Les sœurs de ma grand'mère ayant
manifesté l'intention de parler à Swann de ce mot du *Figaro*,
ma grand'tante le leur déconseilla. Chaque fois qu'elle voyait
aux autres un avantage, si petit fût-il, qu'elle n'avait pas, elle
se persuadait que c'était non un avantage, mais un mal, et
elle les plaignait pour ne pas avoir à les envier. « Je crois que
vous ne lui feriez pas plaisir ; moi je sais bien que cela me
serait très désagréable de voir mon nom imprimé tout vif
comme cela dans le journal, et je ne serais pas flattée du tout
qu'on m'en parlât. » Elle ne s'entêta pas d'ailleurs à
persuader les sœurs de ma grand'mère ; car celles-ci par
horreur de la vulgarité poussaient si loin l'art de dissimuler
sous des périphrases ingénieuses une allusion personnelle,
qu'elle passait souvent inaperçue de celui même à qui elle
s'adressait. Quant à ma mère, elle ne pensait qu'à tâcher
d'obtenir de mon père qu'il consentît à parler à Swann non
de sa femme, mais de sa fille qu'il adorait et à cause de
laquelle, disait-on, il avait fini par faire ce mariage. « Tu

pourrais ne lui dire qu'un mot, lui demander comment elle va. Cela doit être si cruel pour lui. » Mais mon père se fâchait : « Mais non ! tu as des idées absurdes. Ce serait ridicule. »

Mais le seul d'entre nous pour qui la venue de Swann devint l'objet d'une préoccupation douloureuse, ce fut moi. C'est que les soirs où des étrangers, ou seulement M. Swann, étaient là, maman ne montait pas dans ma chambre. Je dînais avant tout le monde et je venais ensuite m'asseoir à table, jusqu'à huit heures où il était convenu que je devais monter ; ce baiser précieux et fragile que maman me confiait d'habitude dans mon lit au moment de m'endormir, il me fallait le transporter de la salle à manger dans ma chambre et le garder pendant tout le temps que je me déshabillais, sans que se brisât sa douceur, sans que se répandît et s'évaporât sa vertu volatile, et, justement ces soirs-là où j'aurais eu besoin de le recevoir avec plus de précaution, il fallait que je le prisse, que je le dérobasse brusquement, publiquement, sans même avoir le temps et la liberté nécessaires pour porter à ce que je faisais cette attention des maniaques qui s'efforcent de ne pas penser à autre chose pendant qu'ils ferment une porte, pour pouvoir, quand l'incertitude maladive leur revient, lui opposer victorieusement le souvenir du moment où ils l'ont fermée.

Nous étions tous au jardin quand retentirent les deux coups hésitants de la clochette. On savait que c'était Swann ; néanmoins tout le monde se regarda d'un air interrogateur et on envoya ma grand'mère en reconnaissance. « Pensez à le remercier intelligiblement de son vin, vous savez qu'il est délicieux et la caisse est énorme », recommanda mon grand-père à ses deux belles-sœurs. « Ne commencez pas à chuchoter, dit ma grand'tante. Comme c'est confortable d'arriver dans une maison où tout le monde parle bas ! — Ah ! voilà M. Swann. Nous allons lui demander s'il croit qu'il fera beau demain », dit mon père. Ma mère pensait qu'un mot d'elle effacerait toute la peine que dans notre famille on avait pu faire à Swann depuis son mariage. Elle trouva le moyen de l'emmener un peu à l'écart. Mais je la suivis ; je ne pouvais me décider à la quitter d'un pas en pensant que tout à l'heure il faudrait que je la laisse dans la salle à manger et que je remonte dans ma chambre sans avoir comme les autres soirs la consolation qu'elle vînt m'embrasser. « Voyons, monsieur Swann, lui dit-elle, parlez-moi un peu de votre fille ; je suis sûre qu'elle a déjà le goût des belles œuvres comme son papa. — Mais venez donc vous asseoir avec nous tous sous la véranda », dit mon grand-père en s'approchant. Ma mère fut obligée de s'interrompre, mais elle tira de cette contrainte même une pensée délicate de plus, comme les bons poètes que la tyrannie de la rime force à trouver leurs plus grandes beautés : « Nous reparlerons d'elle quand nous serons tous les deux, dit-elle à mi-voix à Swann. Il n'y a qu'une maman qui soit digne de vous comprendre. Je suis sûre que la sienne serait de mon avis. » Nous nous assîmes tous autour de la table de fer. J'aurais voulu ne pas penser aux heures d'angoisse que je passerais ce soir seul dans ma chambre sans pouvoir m'endormir ; je tâchais de me persuader qu'elles n'avaient aucune importance, puisque je les aurais oubliées demain matin, de m'attacher à des idées d'avenir qui auraient dû me conduire comme sur un pont au delà de l'abîme prochain qui m'effrayait. Mais mon esprit tendu par ma préoccupation, rendu convexe comme le regard que je dardais sur ma mère, ne se laissait pénétrer par aucune impression étrangère. Les pensées entraient bien en lui, mais à condition de laisser dehors tout élément de beauté ou simplement de drôlerie qui m'eût touché ou distrait. Comme un malade grâce à un anesthésique assiste avec une pleine lucidité à l'opération qu'on pratique sur lui, mais sans rien sentir, je pouvais me réciter des vers que j'aimais ou observer les efforts que mon grand-père faisait pour parler à Swann du duc d'Audiffret-Pasquier, sans que les premiers me fissent éprouver aucune émotion, les seconds aucune gaîté. Ces efforts furent infruc-

tueux. A peine mon grand-père eut-il posé à Swann une
question relative à cet orateur qu'une des sœurs de ma
grand'mère, aux oreilles de qui cette question résonna
comme un silence profond mais intempestif et qu'il était poli
de rompre, interpella l'autre : « Imagine-toi, Céline, que j'ai
fait la connaissance d'une jeune institutrice suédoise qui m'a
donné sur les coopératives dans les pays scandinaves des
détails tout ce qu'il y a de plus intéressants. Il faudra qu'elle
vienne dîner ici un soir. — Je crois bien ! répondit sa sœur
Flora, mais je n'ai pas perdu mon temps non plus. J'ai
rencontré chez M. Vinteuil un vieux savant qui connaît
beaucoup Maubant, et à qui Maubant a expliqué dans le
plus grand détail comment il s'y prend pour composer un
rôle. C'est tout ce qu'il y a de plus intéressant. C'est un
voisin de M. Vinteuil, je n'en savais rien ; et il est très
aimable. — Il n'y a pas que M. Vinteuil qui ait des voisins
aimables », s'écria ma tante Céline d'une voix que la timidité
rendait forte et la préméditation, factice, tout en jetant sur
Swann ce qu'elle appelait un regard significatif. En même
temps ma tante Flora qui avait compris que cette phrase
était le remerciement de Céline pour le vin d'Asti, regardait
également Swann avec un air mêlé de congratulation et
d'ironie, soit simplement pour souligner le trait d'esprit de sa
sœur, soit qu'elle enviât Swann de l'avoir inspiré, soit qu'elle
ne pût s'empêcher de se moquer de lui parce qu'elle le
croyait sur la sellette. « Je crois qu'on pourra réussir à avoir
ce monsieur à dîner, continua Flora ; quand on le met sur
Maubant ou sur Mme Materna, il parle des heures sans
s'arrêter. — Ce doit être délicieux », soupira mon grand-père
dans l'esprit de qui la nature avait malheureusement aussi
complètement omis d'inclure la possibilité de s'intéresser
passionnément aux coopératives suédoises ou à la composition des rôles de Maubant, qu'elle avait oublié de fournir
celui des sœurs de ma grand'mère du petit grain de sel qu'il
faut ajouter soi-même, pour y trouver quelque saveur, à un
récit sur la vie intime de Molé ou du comte de Paris.

« Tenez, dit Swann à mon grand-père, ce que je vais vous dire a plus de rapports que cela n'en a l'air avec ce que vous me demandiez, car sur certains points les choses n'ont pas énormément changé. Je relisais ce matin dans Saint-Simon quelque chose qui vous aurait amusé. C'est dans le volume sur son ambassade d'Espagne ; ce n'est pas un des meilleurs, ce n'est guère qu'un journal, mais du moins un journal merveilleusement écrit, ce qui fait déjà une première différence avec les assommants journaux que nous nous croyons obligés de lire matin et soir. — Je ne suis pas de votre avis, il y a des jours où la lecture des journaux me semble fort agréable... », interrompit ma tante Flora, pour montrer qu'elle avait lu la phrase sur le Corot de Swann dans *le Figaro*. « Quand ils parlent de choses ou de gens qui nous intéressent ! » enchérit ma tante Céline. « Je ne dis pas non, répondit Swann étonné. Ce que je reproche aux journaux, c'est de nous faire faire attention tous les jours à des choses insignifiantes, tandis que nous lisons trois ou quatre fois dans notre vie les livres où il y a des choses essentielles. Du moment que nous déchirons fiévreusement chaque matin la bande du journal, alors on devrait changer les choses et mettre dans le journal, moi je ne sais pas, les... Pensées de Pascal ! (il détacha ce mot d'un ton d'emphase ironique pour ne pas avoir l'air pédant). Et c'est dans le volume doré sur tranches que nous n'ouvrons qu'une fois tous les dix ans, ajouta-t-il en témoignant pour les choses mondaines ce dédain qu'affectent certains hommes du monde, que nous lirions que la reine de Grèce est allée à Cannes ou que la princesse de Léon a donné un bal costumé. Comme cela la juste proportion serait rétablie. » Mais regrettant de s'être laissé aller à parler même légèrement de choses sérieuses : « Nous avons une bien belle conversation, dit-il ironiquement, je ne sais pas pourquoi nous abordons ces « sommets », et se tournant vers mon grand-père : « Donc Saint-Simon raconte que Maulévrier avait eu l'audace de tendre la main à ses fils. Vous savez, c'est ce Maulévrier dont il dit :

« Jamais je ne vis dans cette épaisse bouteille que de l'humeur, de la grossièreté et des sottises. » — « Épaisses ou non, je connais des bouteilles où il y a tout autre chose », dit vivement Flora, qui tenait à avoir remercié Swann elle aussi, car le présent de vin d'Asti s'adressait aux deux. Céline se mit à rire. Swann interloqué reprit : « Je ne sais si ce fut ignorance ou panneau, écrit Saint-Simon, il voulut donner la main à mes enfants. Je m'en aperçus assez tôt pour l'en empêcher. » Mon grand-père s'extasiait déjà sur « ignorance ou panneau », mais Mlle Céline, chez qui le nom de Saint-Simon — un littérateur — avait empêché l'anesthésie complète des facultés auditives, s'indignait déjà : « Comment ? Vous admirez cela ? Eh bien ! c'est du joli ! Mais qu'est-ce que cela peut vouloir dire ; est-ce qu'un homme n'est pas autant qu'un autre ? Qu'est-ce que cela peut faire qu'il soit duc ou cocher, s'il a de l'intelligence et du cœur ? Il avait une belle manière d'élever ses enfants, votre Saint-Simon, s'il ne leur disait pas de donner la main à tous les honnêtes gens. Mais c'est abominable, tout simplement. Et vous osez citer cela ? » Et mon grand-père navré, sentant l'impossibilité, devant cette obstruction, de chercher à faire raconter à Swann les histoires qui l'eussent amusé, disait à voix basse à maman : « Rappelle-moi donc le vers que tu m'as appris et qui me soulage tant dans ces moments-là. Ah ! oui : " Seigneur, que de vertus vous nous faites haïr ! " Ah ! comme c'est bien ! »

Je ne quittais pas ma mère des yeux, je savais que quand on serait à table, on ne me permettrait pas de rester pendant toute la durée du dîner et que, pour ne pas contrarier mon père, maman ne me laisserait pas l'embrasser à plusieurs reprises devant le monde, comme si ç'avait été dans ma chambre. Aussi je me promettais, dans la salle à manger, pendant qu'on commencerait à dîner et que je sentirais approcher l'heure, de faire d'avance de ce baiser qui serait si court et furtif, tout ce que j'en pouvais faire seul, de choisir avec mon regard la place de la joue que j'embrasserais, de préparer ma pensée pour pouvoir, grâce à ce commencement mental de baiser, consacrer toute la minute que m'accorderait maman à sentir sa joue contre mes lèvres, comme un peintre qui ne peut obtenir que de courtes séances de pose, prépare sa palette et a fait d'avance de souvenir, d'après ses notes, tout ce pour quoi il pouvait à la rigueur se passer de la présence du modèle. Mais voici qu'avant que le dîner fût sonné mon grand-père eut la férocité inconsciente de dire : « Le petit a l'air fatigué, il devrait monter se coucher. On dîne tard du reste ce soir. » Et mon père, qui ne gardait pas aussi scrupuleusement que ma grand'mère et que ma mère la foi des traités, dit : « Oui, allons, va te coucher. » Je voulus embrasser maman, à cet instant on entendit la cloche du dîner. « Mais non, voyons, laisse ta mère, vous vous êtes assez dit bonsoir comme cela, ces manifestations sont ridicules. Allons, monte ! » Et il me fallut partir sans viatique ; il me fallut monter chaque marche de l'escalier, comme dit l'expression populaire, à « contre cœur », montant contre mon cœur qui voulait retourner près de ma mère parce qu'elle ne lui avait pas, en m'embrassant, donné licence de me suivre. Cet escalier détesté où je m'engageais toujours si tristement, exhalait une odeur de vernis qui avait en quelque sorte absorbé, fixé, cette sorte particulière de chagrin que je ressentais chaque soir, et la rendait peut-être plus cruelle encore pour ma sensibilité parce que, sous cette forme olfactive, mon intelligence n'en pouvait plus prendre sa part. Quand nous dormons et qu'une rage de dents n'est encore perçue par nous que comme une jeune fille que nous nous efforçons deux cents fois de suite de tirer de l'eau ou que comme un vers de Molière que nous nous répétons sans arrêter, c'est un grand soulagement de nous réveiller et que notre intelligence puisse débarrasser l'idée de rage de dents de tout déguisement héroïque ou cadencé. C'est l'inverse de ce soulagement que j'éprouvais quand mon chagrin de monter dans ma chambre entrait en moi d'une façon infiniment plus rapide, presque instantanée, à la fois insi-

dieuse et brusque, par l'inhalation — beaucoup plus toxique
que la pénétration morale — de l'odeur de vernis particulière
à cet escalier. Une fois dans ma chambre, il fallut boucher
toutes les issues, fermer les volets, creuser mon propre
tombeau, en défaisant mes couvertures, revêtir le suaire de
ma chemise de nuit. Mais avant de m'ensevelir dans le lit de
fer qu'on avait ajouté dans la chambre parce que j'avais trop
chaud l'été sous les courtines de reps du grand lit, j'eus un
mouvement de révolte, je voulus essayer d'une ruse de
condamné. J'écrivis à ma mère en la suppliant de monter
pour une chose grave que je ne pouvais lui dire dans ma
lettre. Mon effroi était que Françoise, la cuisinière de ma
tante, qui était chargée de s'occuper de moi quand j'étais à
Combray, refusât de porter mon mot. Je me doutais que pour
elle, faire une commission à ma mère quand il y avait du
monde lui paraîtrait aussi impossible que pour le portier
d'un théâtre de remettre une lettre à un acteur pendant qu'il
est en scène. Elle possédait à l'égard des choses qui peuvent
ou ne peuvent pas se faire un code impérieux, abondant,
subtil et intransigeant sur des distinctions insaisissables ou
oiseuses (ce qui lui donnait l'apparence de ces lois antiques
qui, à côté de prescriptions féroces comme de massacrer les
enfants à la mamelle, défendent avec une délicatesse exagé-
rée de faire bouillir le chevreau dans le lait de sa mère, ou de
manger dans un animal le nerf de la cuisse). Ce code, si l'on
en jugeait par l'entêtement soudain qu'elle mettait à ne pas
vouloir faire certaines commissions que nous lui donnions,
semblait avoir prévu des complexités sociales et des raffine-
ments mondains tels que rien dans l'entourage de Françoise
et dans sa vie domestique de village n'avait pu les lui
suggérer ; et l'on était obligé de se dire qu'il y avait en elle un
passé français très ancien, noble et mal compris, comme dans
ces cités manufacturières où de vieux hôtels témoignent qu'il
y eut jadis une vie de cour, et où les ouvriers d'une usine de
produits chimiques travaillent au milieu de délicates sculptures qui représentent le miracle de saint Théophile ou les

quatre fils Aymon. Dans le cas particulier, l'article du code à
cause duquel il était peu probable que sauf le cas d'incendie
Françoise allât déranger maman en présence de M. Swann
pour un aussi petit personnage que moi, exprimait simplement le respect qu'elle professait non seulement pour les
parents — comme pour les morts, les prêtres et les rois —
mais encore pour l'étranger à qui on donne l'hospitalité,
respect qui m'aurait peut-être touché dans un livre mais qui
m'irritait toujours dans sa bouche, à cause du ton grave et
attendri qu'elle prenait pour en parler, et davantage ce soir
où le caractère sacré qu'elle conférait au dîner avait pour
effet qu'elle refuserait d'en troubler la cérémonie. Mais pour
mettre une chance de mon côté, je n'hésitai pas à mentir et à
lui dire que ce n'était pas du tout moi qui avais voulu écrire à
maman, mais que c'était maman qui, en me quittant,
m'avait recommandé de ne pas oublier de lui envoyer une
réponse relativement à un objet qu'elle m'avait prié de
chercher; et elle serait certainement très fâchée si on ne lui
remettait pas ce mot. Je pense que Françoise ne me crut pas,
car, comme les hommes primitifs dont les sens étaient plus
puissants que les nôtres, elle discernait immédiatement, à
des signes insaisissables pour nous, toute vérité que nous
voulions lui cacher; elle regarda pendant cinq minutes
l'enveloppe comme si l'examen du papier et l'aspect de
l'écriture allaient la renseigner sur la nature du contenu ou
lui apprendre à quel article de son code elle allait se référer.
Puis elle sortit d'un air résigné qui semblait signifier :
« C'est-il pas malheureux pour les parents d'avoir un enfant
pareil ! » Elle revint au bout d'un moment me dire qu'on
n'en était encore qu'à la glace, qu'il était impossible au
maître d'hôtel de remettre la lettre en ce moment devant tout
le monde, mais que, quand on serait aux rince-bouches, on
trouverait le moyen de la faire passer à maman. Aussitôt
mon anxiété tomba ; maintenant ce n'était plus comme tout à
l'heure pour jusqu'à demain que j'avais quitté ma mère,
puisque mon petit mot allait, la fâchant sans doute (et

doublement parce que ce manège me rendrait ridicule aux
yeux de Swann), me faire du moins entrer invisible et ravi
dans la même pièce qu'elle, allait lui parler de moi à l'oreille ;
puisque cette salle à manger interdite, hostile, où, il y avait
un instant encore, la glace elle-même — le « granité » — et
les rince-bouches me semblaient recéler des plaisirs malfaisants et mortellement tristes parce que maman les goûtait
loin de moi, s'ouvrait à moi et, comme un fruit devenu doux
qui brise son enveloppe, allait faire jaillir, projeter jusqu'à
mon cœur enivré l'attention de maman tandis qu'elle lirait
mes lignes. Maintenant je n'étais plus séparé d'elle ; les
barrières étaient tombées, un fil délicieux nous réunissait. Et
puis, ce n'était pas tout : maman allait sans doute venir !
    L'angoisse que je venais d'éprouver, je pensais que Swann
s'en serait bien moqué s'il avait lu ma lettre et en avait
deviné le but ; or, au contraire, comme je l'ai appris plus
tard, une angoisse semblable fut le tourment de longues
années de sa vie, et personne aussi bien que lui peut-être
n'aurait pu me comprendre ; lui, cette angoisse qu'il y a à
sentir l'être qu'on aime dans un lieu de plaisir où l'on n'est
pas, où l'on ne peut pas le rejoindre, c'est l'amour qui la lui a
fait connaître, l'amour, auquel elle est en quelque sorte
prédestinée, par lequel elle sera accaparée, spécialisée ; mais
quand, comme pour moi, elle est entrée en nous avant qu'il
ait encore fait son apparition dans notre vie, elle flotte en
l'attendant, vague et libre, sans affectation déterminée, au
service un jour d'un sentiment, le lendemain d'un autre,
tantôt de la tendresse filiale ou de l'amitié pour un camarade.
Et la joie avec laquelle je fis mon premier apprentissage
quand Françoise revint me dire que ma lettre serait remise,
Swann l'avait bien connue aussi, cette joie trompeuse que
nous donne quelque ami, quelque parent de la femme que
nous aimons, quand, arrivant à l'hôtel ou au théâtre où elle
se trouve, pour quelque bal, redoute ou première où il va la
retrouver, cet ami nous aperçoit errant dehors, attendant
désespérément quelque occasion de communiquer avec elle.

Il nous reconnaît, nous aborde familièrement, nous demande ce que nous faisons là. Et comme nous inventons que nous avons quelque chose d'urgent à dire à sa parente ou amie, il nous assure que rien n'est plus simple, nous fait entrer dans le vestibule et nous promet de nous l'envoyer avant cinq minutes. Que nous l'aimons — comme en ce moment j'aimais Françoise —, l'intermédiaire bien intentionné qui d'un mot vient de nous rendre supportable, humaine et presque propice la fête inconcevable, infernale, au sein de laquelle nous croyions que des tourbillons ennemis, pervers et délicieux entraînaient loin de nous, la faisant rire de nous, celle que nous aimons ! Si nous en jugeons par lui, le parent qui nous a accosté et qui est lui aussi un des initiés des cruels mystères, les autres invités de la fête ne doivent rien avoir de bien démoniaque. Ces heures inaccessibles et suppliciantes où elle allait goûter des plaisirs inconnus, voici que par une brèche inespérée nous y pénétrons ; voici qu'un des moments dont la succession les aurait composées, un moment aussi réel que les autres, même peut-être plus important pour nous, parce que notre maîtresse y est plus mêlée, nous nous le représentons, nous le possédons, nous y intervenons, nous l'avons créé presque : le moment où on va lui dire que nous sommes là, en bas. Et sans doute les autres moments de la fête ne devaient pas être d'une essence bien différente de celui-là, ne devaient rien avoir de plus délicieux et qui dût tant nous faire souffrir, puisque l'ami bienveillant nous a dit : « Mais elle sera ravie de descendre ! Cela lui fera beaucoup plus de plaisir de causer avec vous que de s'ennuyer là-haut. » Hélas ! Swann en avait fait l'expérience, les bonnes intentions d'un tiers sont sans pouvoir sur une femme qui s'irrite de se sentir poursuivie jusque dans une fête par quelqu'un qu'elle n'aime pas. Souvent, l'ami redescend seul.

Ma mère ne vint pas, et sans ménagements pour mon amour-propre (engagé à ce que la fable de la recherche dont elle était censée m'avoir prié de lui dire le résultat ne fût pas démentie) me fit dire par Françoise ces mots : « Il n'y a pas de réponse » que depuis j'ai si souvent entendus des concierges de « palaces » ou des valets de pied de tripots, rapporter à quelque pauvre fille qui s'étonne : « Comment, il n'a rien dit, mais c'est impossible ! Vous avez pourtant bien remis ma lettre. C'est bien, je vais attendre encore. » Et — de même qu'elle assure invariablement n'avoir pas besoin du bec supplémentaire que le concierge veut allumer pour elle, et reste là, n'entendant plus que les rares propos sur le temps qu'il fait échangés entre le concierge et un chasseur qu'il envoie tout d'un coup, en s'apercevant de l'heure, faire rafraîchir dans la glace la boisson d'un client — ayant décliné l'offre de Françoise de me faire de la tisane ou de rester auprès de moi, je la laissai retourner à l'office, je me couchai et je fermai les yeux en tâchant de ne pas entendre la voix de mes parents qui prenaient le café au jardin. Mais au bout de quelques secondes, je sentis qu'en écrivant ce mot à maman, en m'approchant, au risque de la fâcher, si près d'elle que j'avais cru toucher le moment de la revoir, je m'étais barré la possibilité de m'endormir sans l'avoir revue, et les battements de mon cœur de minute en minute devenaient plus douloureux parce que j'augmentais mon agitation en me prêchant un calme qui était l'acceptation de mon infortune. Tout à coup mon anxiété tomba, une félicité m'envahit comme quand un médicament puissant commence à agir et nous enlève une douleur : je venais de prendre la résolution de ne plus essayer de m'endormir sans avoir revu maman, de l'embrasser coûte que coûte, bien que ce fût avec la certitude d'être ensuite fâché pour longtemps avec elle, — quand elle remonterait se coucher. Le calme qui résultait de mes angoisses finies me mettait dans une allégresse extraordinaire, non moins que l'attente, la soif et la peur du danger. J'ouvris la fenêtre sans bruit et m'assis au pied de mon lit ; je ne faisais presque aucun mouvement afin qu'on ne m'entendît pas d'en bas. Dehors, les choses semblaient, elles aussi, figées en une muette attention à ne pas troubler le clair de lune, qui doublant et reculant chaque chose par l'extension devant elle de son reflet, plus dense et concret qu'elle-même, avait à la fois aminci et agrandi le paysage comme un plan replié jusque-là, qu'on développe. Ce qui avait besoin de bouger, quelque feuillage de marronnier, bougeait. Mais son frissonnement minutieux, total, exécuté jusque dans ses moindres nuances et ses dernières délicatesses, ne bavait pas sur le reste, ne se fondait pas avec lui, restait circonscrit. Exposés sur ce silence qui n'en absorbait rien, les bruits les plus éloignés, ceux qui devaient venir de jardins situés à l'autre bout de la ville, se percevaient détaillés avec un tel « fini » qu'ils semblaient ne devoir cet effet de lointain qu'à leur pianissimo, comme ces motifs en sourdine si bien exécutés par l'orchestre du Conservatoire que, quoiqu'on n'en perde pas une note, on croit les entendre cependant loin de la salle du concert et que tous les vieux abonnés — les sœurs de ma grand'mère aussi quand Swann leur avait donné ses places — tendaient l'oreille comme s'ils avaient écouté les progrès lointains d'une armée en marche qui n'aurait pas encore tourné la rue de Trévise.

Je savais que le cas dans lequel je me mettais était de tous celui qui pouvait avoir pour moi, de la part de mes parents, les conséquences les plus graves, bien plus graves en vérité qu'un étranger n'aurait pu le supposer, de celles qu'il aurait cru que pouvaient produire seules des fautes vraiment honteuses. Mais dans l'éducation qu'on me donnait, l'ordre des fautes n'était pas le même que dans l'éducation des autres enfants, et on m'avait habitué à placer avant toutes les autres (parce que sans doute il n'y en avait pas contre lesquelles j'eusse besoin d'être plus soigneusement gardé) celles dont je comprends maintenant que leur caractère commun est qu'on y tombe en cédant à une impulsion nerveuse. Mais alors on ne prononçait pas ce mot, on ne déclarait pas cette origine qui aurait pu me faire croire que j'étais excusable d'y succomber ou même peut-être incapable

d'y résister. Mais je les reconnaissais bien à l'angoisse qui les
précédait comme à la rigueur du châtiment qui les suivait ; et
je savais que celle que je venais de commettre était de la
même famille que d'autres pour lesquelles j'avais été sévèrement puni, quoique infiniment plus grave. Quand j'irais me
mettre sur le chemin de ma mère au moment où elle
monterait se coucher, et qu'elle verrait que j'étais resté levé
pour lui redire bonsoir dans le couloir, on ne me laisserait
plus rester à la maison, on me mettrait au collège le
lendemain, c'était certain. Eh bien ! dussé-je me jeter par la
fenêtre cinq minutes après, j'aimais encore mieux cela. Ce
que je voulais maintenant c'était maman, c'était lui dire
bonsoir, j'étais allé trop loin dans la voie qui menait à la
réalisation de ce désir pour pouvoir rebrousser chemin.

J'entendis les pas de mes parents qui accompagnaient
Swann ; et quand le grelot de la porte m'eut averti qu'il
venait de partir, j'allai à la fenêtre. Maman demandait à
mon père s'il avait trouvé la langouste bonne et si M. Swann
avait repris de la glace au café et à la pistache. « Je l'ai
trouvée bien quelconque, dit ma mère ; je crois que la
prochaine fois il faudra essayer d'un autre parfum. — Je ne
peux pas dire comme je trouve que Swann change, dit ma
grand'tante, il est d'un vieux ! » Ma grand'tante avait
tellement l'habitude de voir toujours en Swann un même
adolescent qu'elle s'étonnait de le trouver tout à coup moins
jeune que l'âge qu'elle continuait à lui donner. Et mes
parents du reste commençaient à lui trouver cette vieillesse
anormale, excessive, honteuse et méritée des célibataires, de
tous ceux pour qui il semble que le grand jour qui n'a pas de
lendemain soit plus long que pour les autres, parce que pour
eux il est vide et que les moments s'y additionnent depuis le
matin sans se diviser ensuite entre des enfants. « Je crois
qu'il a beaucoup de soucis avec sa coquine de femme qui vit
au su de tout Combray avec un certain monsieur de Charlus.
C'est la fable de la ville. » Ma mère fit remarquer qu'il avait
pourtant l'air bien moins triste depuis quelque temps. « Il

fait aussi moins souvent ce geste qu'il a tout à fait comme son
père de s'essuyer les yeux et de se passer la main sur le front.
Moi je crois qu'au fond il n'aime plus cette femme. — Mais
naturellement il ne l'aime plus, répondit mon grand-père.
J'ai reçu de lui il y a déjà longtemps une lettre à ce sujet, à
laquelle je me suis empressé de ne pas me conformer, et qui
ne laisse aucun doute sur ses sentiments, au moins d'amour,
pour sa femme. Hé bien ! vous voyez, vous ne l'avez pas
remercié pour l'Asti, ajouta mon grand-père en se tournant
vers ses deux belles-sœurs. — Comment, nous ne l'avons pas
remercié ? je crois, entre nous, que je lui ai même tourné cela
assez délicatement, répondit ma tante Flora. — Oui, tu as
très bien arrangé cela : je t'ai admirée, dit ma tante Céline.
— Mais toi, tu as été très bien aussi. — Oui, j'étais assez fière
de ma phrase sur les voisins aimables. — Comment, c'est
cela que vous appelez remercier ! s'écria mon grand-père.
J'ai bien entendu cela, mais du diable si j'ai cru que c'était
pour Swann. Vous pouvez être sûres qu'il n'a rien compris.
— Mais voyons, Swann n'est pas bête, je suis certaine qu'il a
apprécié. Je ne pouvais cependant pas lui dire le nombre de
bouteilles et le prix du vin ! » Mon père et ma mère restèrent
seuls, et s'assirent un instant ; puis mon père dit : « Hé bien !
si tu veux, nous allons monter nous coucher. — Si tu veux,
mon ami, bien que je n'aie pas l'ombre de sommeil ; ce n'est
pas cette glace au café si anodine qui a pu pourtant me tenir
si éveillée ; mais j'aperçois de la lumière dans l'office et
puisque la pauvre Françoise m'a attendue, je vais lui
demander de dégrafer mon corsage pendant que tu vas te
déshabiller. » Et ma mère ouvrit la porte treillagée du
vestibule qui donnait sur l'escalier. Bientôt, je l'entendis qui
montait fermer sa fenêtre. J'allai sans bruit dans le couloir ;
mon cœur battait si fort que j'avais de la peine à avancer,
mais du moins il ne battait plus d'anxiété, mais d'épouvante
et de joie. Je vis dans la cage de l'escalier la lumière projetée
par la bougie de maman. Puis je la vis elle-même, je
m'élançai. A la première seconde, elle me regarda avec

étonnement, ne comprenant pas ce qui était arrivé. Puis sa figure prit une expression de colère, elle ne me disait même pas un mot, et en effet pour bien moins que cela on ne m'adressait plus la parole pendant plusieurs jours. Si maman m'avait dit un mot, ç'aurait été admettre qu'on pouvait me reparler et d'ailleurs cela peut-être m'eût paru plus terrible encore, comme un signe que devant la gravité du châtiment qui allait se préparer, le silence, la brouille, eussent été puérils. Une parole, c'eût été le calme avec lequel on répond à un domestique quand on vient de décider de le renvoyer ; le baiser qu'on donne à un fils qu'on envoie s'engager alors qu'on le lui aurait refusé si on devait se contenter d'être fâché deux jours avec lui. Mais elle entendit mon père qui montait du cabinet de toilette où il était allé se déshabiller, et pour éviter la scène qu'il me ferait, elle me dit d'une voix entrecoupée par la colère : « Sauve-toi, sauve-toi, qu'au moins ton père ne t'ait vu ainsi attendant comme un fou ! » Mais je lui répétais : « Viens me dire bonsoir », terrifié en voyant que le reflet de la bougie de mon père s'élevait déjà sur le mur, mais aussi usant de son approche comme d'un moyen de chantage et espérant que maman, pour éviter que mon père me trouvât encore là si elle continuait à refuser, allait me dire : « Rentre dans ta chambre, je vais venir. » Il était trop tard, mon père était devant nous. Sans le vouloir, je murmurai ces mots que personne n'entendit : « Je suis perdu ! »

Il n'en fut pas ainsi. Mon père me refusait constamment des permissions qui m'avaient été consenties dans les pactes plus larges octroyés par ma mère et ma grand'mère, parce qu'il ne se souciait pas des « principes » et qu'il n'y avait pas avec lui de « Droit des gens ». Pour une raison toute contingente, ou même sans raison, il me supprimait au dernier moment telle promenade si habituelle, si consacrée qu'on ne pouvait m'en priver sans parjure, ou bien, comme il avait encore fait ce soir, longtemps avant l'heure rituelle, il me disait : « Allons, monte te coucher, pas d'explication ! »

Mais aussi, parce qu'il n'avait pas de principes (dans le sens de ma grand'mère), il n'avait pas à proprement parler d'intransigeance. Il me regarda un instant d'un air étonné et fâché, puis dès que maman lui eut expliqué en quelques mots embarrassés ce qui était arrivé, il lui dit : « Mais va donc avec lui, puisque tu disais justement que tu n'as pas envie de dormir, reste un peu dans sa chambre, moi je n'ai besoin de rien. — Mais, mon ami, répondit timidement ma mère, que j'aie envie ou non de dormir, ne change rien à la chose, on ne peut pas habituer cet enfant... — Mais il ne s'agit pas d'habituer, dit mon père en haussant les épaules, tu vois bien que ce petit a du chagrin, il a l'air désolé, cet enfant ; voyons, nous ne sommes pas des bourreaux ! Quant tu l'auras rendu malade, tu seras bien avancée ! Puisqu'il y a deux lits dans sa chambre, dis donc à Françoise de te préparer le grand lit et couche pour cette nuit auprès de lui. Allons, bonsoir, moi qui ne suis pas si nerveux que vous, je vais me coucher. »

On ne pouvait pas remercier mon père ; on l'eût agacé par ce qu'il appelait des sensibleries. Je restai sans oser faire un mouvement ; il était encore devant nous, grand, dans sa robe de nuit blanche sous le cachemire de l'Inde violet et rose qu'il nouait autour de sa tête depuis qu'il avait des névralgies, avec le geste d'Abraham dans la gravure d'après Benozzo Gozzoli que m'avait donnée M. Swann, disant à Sarah qu'elle a à se départir du côté d'Isaac. Il y a bien des années de cela. La muraille de l'escalier où je vis monter le reflet de sa bougie n'existe plus depuis longtemps. En moi aussi bien des choses ont été détruites que je croyais devoir durer toujours et de nouvelles se sont édifiées donnant naissance à des peines et à des joies nouvelles que je n'aurais pu prévoir alors, de même que les anciennes me sont devenues difficiles à comprendre. Il y a bien longtemps aussi que mon père a cessé de pouvoir dire à maman : « Va avec le petit. » La possibilité de telles heures ne renaîtra jamais pour moi. Mais depuis peu de temps, je recommence à très bien percevoir, si je prête l'oreille, les sanglots que j'eus la force de

contenir devant mon père et qui n'éclatèrent que quand je
me retrouvai seul avec maman. En réalité ils n'ont jamais
cessé ; et c'est seulement parce que la vie se tait maintenant
davantage autour de moi que je les entends de nouveau,
comme ces cloches de couvents que couvrent si bien les
bruits de la ville pendant le jour qu'on les croirait arrêtées
mais qui se remettent à sonner dans le silence du soir.

Maman passa cette nuit-là dans ma chambre ; au moment
où je venais de commettre une faute telle que je m'attendais à
être obligé de quitter la maison, mes parents m'accordaient
plus que je n'eusse jamais obtenu d'eux comme récompense
d'une belle action. Même à l'heure où elle se manifestait par
cette grâce, la conduite de mon père à mon égard gardait ce
quelque chose d'arbitraire et d'immérité qui la caractérisait,
et qui tenait à ce que généralement elle résultait plutôt de
convenances fortuites que d'un plan prémédité. Peut-être
même que ce que j'appelais sa sévérité, quand il m'envoyait
me coucher, méritait moins ce nom que celle de ma mère ou
ma grand'mère, car sa nature, plus différente en certains
points de la mienne que n'était la leur, n'avait probablement
pas deviné jusqu'ici combien j'étais malheureux tous les
soirs, ce que ma mère et ma grand'mère savaient bien ; mais
elles m'aimaient assez pour ne pas consentir à m'épargner de
la souffrance, elles voulaient m'apprendre à la dominer afin
de diminuer ma sensibilité nerveuse et fortifier ma volonté.
Pour mon père, dont l'affection pour moi était d'une autre
sorte, je ne sais pas s'il aurait eu ce courage : pour une fois où
il venait de comprendre que j'avais du chagrin, il avait dit à
ma mère : « Va donc le consoler. » Maman resta cette nuit-
là dans ma chambre et, comme pour ne gâter d'aucun
remords ces heures si différentes de ce que j'avais eu le droit
d'espérer, quand Françoise, comprenant qu'il se passait
quelque chose d'extraordinaire en voyant maman assise près
de moi, qui me tenait la main et me laissait pleurer sans me
gronder, lui demanda : « Mais Madame, qu'a donc Monsieur à pleurer ainsi ? » maman lui répondit : « Mais il ne

sait pas lui-même, Françoise, il est énervé ; préparez-moi vite
le grand lit et montez vous coucher. » Ainsi, pour la première
fois, ma tristesse n'était plus considérée comme une faute
punissable mais comme un mal involontaire qu'on venait de
reconnaître officiellement, comme un état nerveux dont je
n'étais pas responsable ; j'avais le soulagement de n'avoir
plus à mêler de scrupules à l'amertume de mes larmes, je
pouvais pleurer sans péché. Je n'étais pas non plus médiocre-
ment fier vis-à-vis de Françoise de ce retour des choses
humaines, qui, une heure après que maman avait refusé de
monter dans ma chambre et m'avait fait dédaigneusement
répondre que je devrais dormir, m'élevait à la dignité de
grande personne et m'avait fait atteindre tout d'un coup à
une sorte de puberté du chagrin, d'émancipation des larmes.
J'aurais dû être heureux : je ne l'étais pas. Il me semblait que
ma mère venait de me faire une première concession qui
devait lui être douloureuse, que c'était une première abdication de sa part devant l'idéal qu'elle avait conçu pour moi, et
que pour la première fois, elle, si courageuse, s'avouait
vaincue. Il me semblait que si je venais de remporter une
victoire c'était contre elle, que j'avais réussi, comme auraient
pu faire la maladie, des chagrins, ou l'âge, à détendre sa
volonté, à faire fléchir sa raison, et que cette soirée commençait une ère, resterait comme une triste date. Si j'avais osé
maintenant, j'aurais dit à maman : « Non je ne veux pas, ne
couche pas ici. » Mais je connaissais la sagesse pratique,
réaliste comme on dirait aujourd'hui, qui tempérait en elle la
nature ardemment idéaliste de ma grand'mère, et je savais
que, maintenant que le mal était fait, elle aimerait mieux
m'en laisser du moins goûter le plaisir calmant et ne pas
déranger mon père. Certes, le beau visage de ma mère
brillait encore de jeunesse ce soir-là où elle me tenait si
doucement les mains et cherchait à arrêter mes larmes ; mais
justement il me semblait que cela n'aurait pas dû être, sa
colère eût été moins triste pour moi que cette douceur
nouvelle que n'avait pas connue mon enfance ; il me semblait

que je venais d'une main impie et secrète de tracer dans son
âme une première ride et d'y faire apparaître un premier
cheveu blanc. Cette pensée redoubla mes sanglots, et alors je
vis maman, qui jamais ne se laissait aller à aucun attendrissement avec moi, être tout d'un coup gagnée par le mien et
essayer de retenir une envie de pleurer. Comme elle sentit
que je m'en étais aperçu, elle me dit en riant : « Voilà mon
petit jaunet, mon petit serin, qui va rendre sa maman aussi
bêtasse que lui, pour peu que cela continue. Voyons, puisque
tu n'as pas sommeil ni ta maman non plus, ne restons pas à
nous énerver, faisons quelque chose, prenons un de tes
livres. » Mais je n'en avais pas là. « Est-ce que tu aurais
moins de plaisir si je sortais déjà les livres que ta grand'mère
doit te donner pour ta fête ? Pense bien : tu ne seras pas déçu
de ne rien avoir après-demain ? » J'étais au contraire
enchanté et maman alla chercher un paquet de livres dont je
ne pus deviner, à travers le papier qui les enveloppait, que la
taille courte et large, mais qui, sous ce premier aspect,
pourtant sommaire et voilé, éclipsaient déjà la boîte à
couleurs du Jour de l'An et les vers à soie de l'an dernier.
C'était *la Mare au Diable, François le Champi, la Petite Fadette* et
les Maîtres Sonneurs. Ma grand'mère, ai-je su depuis, avait
d'abord choisi les poésies de Musset, un volume de Rousseau
et *Indiana ;* car si elle jugeait les lectures futiles aussi
malsaines que les bonbons et les pâtisseries, elle ne pensait
pas que les grands souffles du génie eussent sur l'esprit même
d'un enfant une influence plus dangereuse et moins vivifiante
que sur son corps le grand air et le vent du large. Mais mon
père l'ayant presque traitée de folle en apprenant les livres
qu'elle voulait me donner, elle était retournée elle-même à
Jouy-le-Vicomte chez le libraire pour que je ne risquasse pas
de ne pas avoir mon cadeau (c'était un jour brûlant et elle
était rentrée si souffrante que le médecin avait averti ma
mère de ne pas la laisser se fatiguer ainsi) et elle s'était
rabattue sur les quatre romans champêtres de George Sand.

« Ma fille, disait-elle à maman, je ne pourrais me décider à donner à cet enfant quelque chose de mal écrit. »

En réalité, elle ne se résignait jamais à rien acheter dont on ne pût tirer un profit intellectuel, et surtout celui que nous procurent les belles choses en nous apprenant à chercher notre plaisir ailleurs que dans les satisfactions du bien-être et de la vanité. Même quand elle avait à faire à quelqu'un un cadeau dit utile, quand elle avait à donner un fauteuil, des couverts, une canne, elle les cherchait « anciens », comme si, leur longue désuétude ayant effacé leur caractère d'utilité, ils paraissaient plutôt disposés pour nous raconter la vie des hommes d'autrefois que pour servir aux besoins de la nôtre. Elle eût aimé que j'eusse dans ma chambre des photographies des monuments ou des paysages les plus beaux. Mais au moment d'en faire l'emplette, et bien que la chose représentée eût une valeur esthétique, elle trouvait que la vulgarité, l'utilité reprenaient trop vite leur place dans le mode mécanique de représentation, la photographie. Elle essayait de ruser et, sinon d'éliminer entièrement la banalité commerciale, du moins de la réduire, d'y substituer, pour la plus grande partie, de l'art encore, d'y introduire comme plusieurs « épaisseurs » d'art : au lieu de photographies de la Cathédrale de Chartres, des Grandes Eaux de Saint-Cloud, du Vésuve, elle se renseignait auprès de Swann si quelque grand peintre ne les avait pas représentés, et préférait me donner des photographies de la Cathédrale de Chartres par Corot, des Grandes Eaux de Saint-Cloud par Hubert Robert, du Vésuve par Turner, ce qui faisait un degré d'art de plus. Mais si le photographe avait été écarté de la représentation du chef-d'œuvre ou de la nature et remplacé par un grand artiste, il reprenait ses droits pour reproduire cette interprétation même. Arrivée à l'échéance de la vulgarité, ma grand'mère tâchait de la reculer encore. Elle demandait à Swann si l'œuvre n'avait pas été gravée, préférant, quand c'était possible, des gravures anciennes et ayant encore un intérêt au delà d'elles-mêmes, par exemple celles qui représentent un chef-d'œuvre dans un état où nous ne pouvons plus le voir aujourd'hui (comme la gravure de la *Cène* de Léonard avant sa dégradation, par Morghen). Il faut dire que les résultats de cette manière de comprendre l'art de faire un cadeau ne furent pas toujours très brillants. L'idée que je pris de Venise d'après un dessin du Titien qui est censé avoir pour fond la lagune, était certainement beaucoup moins exacte que celle que m'eussent donnée de simples photographies. On ne pouvait plus faire le compte à la maison, quand ma grand'tante voulait dresser un réquisitoire contre ma grand'mère, des fauteuils offerts par elle à de jeunes fiancés ou à de vieux époux qui, à la première tentative qu'on avait faite pour s'en servir, s'étaient immédiatement effondrés sous le poids d'un des destinataires. Mais ma grand'mère aurait cru mesquin de trop s'occuper de la solidité d'une boiserie où se distinguaient encore une fleurette, un sourire, quelquefois une belle imagination du passé. Même ce qui dans ces meubles répondait à un besoin, comme c'était d'une façon à laquelle nous ne sommes plus habitués, la charmait comme les vieilles manières de dire où nous voyons une métaphore, effacée, dans notre moderne langage, par l'usure de l'habitude. Or, justement, les romans champêtres de George Sand qu'elle me donnait pour ma fête, étaient pleins ainsi qu'un mobilier ancien, d'expressions tombées en désuétude et redevenues imagées, comme on n'en trouve plus qu'à la campagne. Et ma grand'mère les avait achetés de préférence à d'autres comme elle eût loué plus volontiers une propriété où il y aurait eu un pigeonnier gothique ou quelqu'une de ces vieilles choses qui exercent sur l'esprit une heureuse influence en lui donnant la nostalgie d'impossibles voyages dans le temps.

Maman s'assit à côté de mon lit ; elle avait pris *François le Champi* à qui sa couverture rougeâtre et son titre incompréhensible donnaient pour moi une personnalité distincte et un attrait mystérieux. Je n'avais jamais lu encore de vrais romans. J'avais entendu dire que George Sand était le type

du romancier. Cela me disposait déjà à imaginer dans
François le Champi quelque chose d'indéfinissable et de
délicieux. Les procédés de narration destinés à exciter la
curiosité ou l'attendrissement, certaines façons de dire qui
éveillent l'inquiétude et la mélancolie, et qu'un lecteur un
peu instruit reconnaît pour communs à beaucoup de romans,
me paraissaient simplement — à moi qui considérais un livre
nouveau non comme une chose ayant beaucoup de sembla-
bles, mais comme une personne unique, n'ayant de raison
d'exister qu'en soi — une émanation troublante de l'essence
particulière à *François le Champi*. Sous ces événements si
journaliers, ces choses si communes, ces mots si courants, je
sentais comme une intonation, une accentuation étrange.
L'action s'engagea ; elle me parut d'autant plus obscure que
dans ce temps-là, quand je lisais, je rêvassais souvent
pendant des pages entières à tout autre chose. Et aux lacunes
que cette distraction laissait dans le récit, s'ajoutait, quand
c'était maman qui me lisait à haute voix, qu'elle passait toutes
les scènes d'amour. Aussi tous les changements bizarres qui
se produisent dans l'attitude respective de la meunière et de
l'enfant et qui ne trouvent leur explication que dans les
progrès d'un amour naissant me paraissaient empreints d'un
profond mystère dont je me figurais volontiers que la source
devait être dans ce nom inconnu et si doux de « Champi »
qui mettait sur l'enfant qui le portait sans que je susse
pourquoi, sa couleur vive, empourprée et charmante. Si ma
mère était une lectrice infidèle, c'était aussi, pour les
ouvrages où elle trouvait l'accent d'un sentiment vrai, une
lectrice admirable par le respect et la simplicité de l'interprétation, par la beauté et la douceur du son. Même dans la vie,
quand c'étaient des êtres et non des œuvres d'art qui
excitaient ainsi son attendrissement ou son admiration,
c'était touchant de voir avec quelle déférence elle écartait de
sa voix, de son geste, de ses propos, tel éclat de gaîté qui eût
pu faire mal à cette mère qui avait autrefois perdu un enfant,
tel rappel de fête, d'anniversaire, qui aurait pu faire penser

ce vieillard à son grand âge, tel propos de ménage qui aurait
paru fastidieux à ce jeune savant. De même, quand elle lisait
la prose de George Sand, qui respire toujours cette bonté,
cette distinction morale que maman avait appris de ma
grand'mère à tenir pour supérieures à tout dans la vie, et que
je ne devais lui apprendre que bien plus tard à ne pas tenir
également pour supérieures à tout dans les livres, attentive à
bannir de sa voix toute petitesse, toute affectation qui eût pu
empêcher le flot puissant d'y être reçu, elle fournissait toute
la tendresse naturelle, toute l'ample douceur qu'elles réclamaient à ces phrases qui semblaient écrites pour sa voix et
qui pour ainsi dire tenaient tout entières dans le registre de
sa sensibilité. Elle retrouvait pour les attaquer dans le ton
qu'il faut, l'accent cordial qui leur préexiste et les dicta, mais
que les mots n'indiquent pas ; grâce à lui elle amortissait au
passage toute crudité dans les temps des verbes, donnait à
l'imparfait et au passé défini la douceur qu'il y a dans la
bonté, la mélancolie qu'il y a dans la tendresse, dirigeait la
phrase qui finissait vers celle qui allait commencer, tantôt
pressant, tantôt ralentissant la marche des syllabes pour les
faire entrer, quoique leurs quantités fussent différentes, dans
un rythme uniforme, elle insufflait à cette prose si commune
une sorte de vie sentimentale et continue.

Mes remords étaient calmés, je me laissais aller à la
douceur de cette nuit où j'avais ma mère auprès de moi. Je
savais qu'une telle nuit ne pourrait se renouveler ; que le plus
grand désir que j'eusse au monde, garder ma mère dans ma
chambre pendant ces tristes heures nocturnes, était trop en
opposition avec les nécessités de la vie et le vœu de tous, pour
que l'accomplissement qu'on lui avait accordé ce soir pût
être autre chose que factice et exceptionnel. Demain mes
angoisses reprendraient et maman ne resterait pas là. Mais
quand mes angoisses étaient calmées, je ne les comprenais
plus ; puis demain soir était encore lointain ; je me disais que
j'aurais le temps d'aviser, bien que ce temps-là ne pût
m'apporter aucun pouvoir de plus, puisqu'il s'agissait de

choses qui ne dépendaient pas de ma volonté et que seul me faisait paraître plus évitables l'intervalle qui les séparait encore de moi.

C'est ainsi que, pendant longtemps, quand, réveillé la nuit je me ressouvenais de Combray, je n'en revis jamais que cette sorte de pan lumineux, découpé au milieu d'indistinctes ténèbres, pareil à ceux que l'embrasement d'un feu de Bengale ou quelque projection électrique éclairent et sectionnent dans un édifice dont les autres parties restent plongées dans la nuit : à la base assez large, le petit salon, la salle à manger, l'amorce de l'allée obscure par où arriverait M. Swann, l'auteur inconscient de mes tristesses, le vestibule où je m'acheminais vers la première marche de l'escalier, si cruel à monter, qui constituait à lui seul le tronc fort étroit de cette pyramide irrégulière; et, au faîte, ma chambre à coucher avec le petit couloir à porte vitrée pour l'entrée de maman; en un mot, toujours vu à la même heure, isolé de tout ce qu'il pouvait y avoir autour, se détachant seul sur l'obscurité, le décor strictement nécessaire (comme celui qu'on voit indiqué en tête des vieilles pièces pour les représentations en province) au drame de mon déshabillage; comme si Combray n'avait consisté qu'en deux étages reliés par un mince escalier et comme s'il n'y avait jamais été que sept heures du soir. A vrai dire, j'aurais pu répondre à qui m'eût interrogé que Combray comprenait encore autre chose et existait à d'autres heures. Mais comme ce que je m'en serais rappelé m'eût été fourni seulement par la mémoire volontaire, la mémoire de l'intelligence, et comme les renseignements qu'elle donne sur le passé ne conservent rien de lui, je n'aurais jamais eu envie de songer à ce reste de Combray. Tout cela était en réalité mort pour moi.

Mort à jamais? C'était possible.

Il y a beaucoup de hasard en tout ceci, et un second

hasard, celui de notre mort, souvent ne nous permet pas d'attendre longtemps les faveurs du premier.

Je trouve très raisonnable la croyance celtique que les âmes de ceux que nous avons perdus sont captives dans quelque être inférieur, dans une bête, un végétal, une chose inanimée, perdues en effet pour nous jusqu'au jour, qui pour beaucoup ne vient jamais, où nous nous trouvons passer près de l'arbre, entrer en possession de l'objet qui est leur prison. Alors elles tressaillent, nous appellent, et sitôt que nous les avons reconnues, l'enchantement est brisé. Délivrées par nous, elles ont vaincu la mort et reviennent vivre avec nous.

Il en est ainsi de notre passé. C'est peine perdue que nous cherchions à l'évoquer, tous les efforts de notre intelligence sont inutiles. Il est caché hors de son domaine et de sa portée, en quelque objet matériel (en la sensation que nous donnerait cet objet matériel) que nous ne soupçonnons pas. Cet objet, il dépend du hasard que nous le rencontrions avant de mourir, ou que nous ne le rencontrions pas.

Il y avait déjà bien des années que, de Combray, tout ce qui n'était pas le théâtre et le drame de mon coucher, n'existait plus pour moi, quand un jour d'hiver, comme je rentrais à la maison, ma mère, voyant que j'avais froid, me proposa de me faire prendre, contre mon habitude, un peu de thé. Je refusai d'abord et, je ne sais pourquoi, me ravisai. Elle envoya chercher un de ces gâteaux courts et dodus appelés Petites Madeleines qui semblent avoir été moulés dans la valve rainurée d'une coquille de Saint-Jacques. Et bientôt, machinalement, accablé par la morne journée et la perspective d'un triste lendemain, je portai à mes lèvres une cuillerée du thé où j'avais laissé s'amollir un morceau de madeleine. Mais à l'instant même où la gorgée mêlée de miettes de gâteau toucha mon palais, je tressaillis, attentif à ce qui se passait d'extraordinaire en moi. Un plaisir délicieux m'avait envahi, isolé, sans la notion de sa cause. Il m'avait aussitôt rendu les vicissitudes de la vie indifférentes, ses désastres inoffensifs, sa brièveté illusoire, de la même façon qu'opère

l'amour, en me remplissant d'une essence précieuse : ou
plutôt cette essence n'était pas en moi, elle était moi. J'avais
cessé de me sentir médiocre, contingent, mortel. D'où avait
pu me venir cette puissante joie ? Je sentais qu'elle était liée
au goût du thé et du gâteau, mais qu'elle le dépassait
infiniment, ne devait pas être de même nature. D'où venait-
elle ? Que signifiait-elle ? Où l'appréhender ? Je bois une
seconde gorgée où je ne trouve rien de plus que dans la
première, une troisième qui m'apporte un peu moins que la
seconde. Il est temps que je m'arrête, la vertu du breuvage
semble diminuer. Il est clair que la vérité que je cherche n'est
pas en lui, mais en moi. Il l'y a éveillée, mais ne la connaît
pas, et ne peut que répéter indéfiniment, avec de moins en
moins de force, ce même témoignage que je ne sais pas
interpréter et que je veux au moins pouvoir lui redemander
et retrouver intact, à ma disposition, tout à l'heure, pour un
éclaircissement décisif. Je pose la tasse et me tourne vers mon
esprit. C'est à lui de trouver la vérité. Mais comment ? Grave
incertitude, toutes les fois que l'esprit se sent dépassé par lui-
même ; quand lui, le chercheur, est tout ensemble le pays
obscur où il doit chercher et où tout son bagage ne lui sera de
rien. Chercher ? pas seulement : créer. Il est en face de
quelque chose qui n'est pas encore et que seul il peut réaliser,
puis faire entrer dans sa lumière.

   Et je recommence à me demander quel pouvait être cet
état inconnu, qui n'apportait aucune preuve logique, mais
l'évidence, de sa félicité, de sa réalité devant laquelle les
autres s'évanouissaient. Je veux essayer de le faire réapparaî-
tre. Je rétrograde par la pensée au moment où je pris la
première cuillerée de thé. Je retrouve le même état, sans une
clarté nouvelle. Je demande à mon esprit un effort de plus, de
ramener encore une fois la sensation qui s'enfuit. Et, pour
que rien ne brise l'élan dont il va tâcher de la ressaisir,
j'écarte tout obstacle, toute idée étrangère, j'abrite mes
oreilles et mon attention contre les bruits de la chambre
voisine. Mais sentant mon esprit qui se fatigue sans réussir,

je le force au contraire à prendre cette distraction que je lui refusais, à penser à autre chose, à se refaire avant une tentative suprême. Puis une deuxième fois, je fais le vide devant lui, je remets en face de lui la saveur encore récente de cette première gorgée et je sens tressaillir en moi quelque chose qui se déplace, voudrait s'élever, quelque chose qu'on aurait désancré, à une grande profondeur ; je ne sais ce que c'est, mais cela monte lentement ; j'éprouve la résistance et j'entends la rumeur des distances traversées.

Certes, ce qui palpite ainsi au fond de moi, ce doit être l'image, le souvenir visuel, qui, lié à cette saveur, tente de la suivre jusqu'à moi. Mais il se débat trop loin, trop confusément ; à peine si je perçois le reflet neutre où se confond l'insaisissable tourbillon des couleurs remuées ; mais je ne peux distinguer la forme, lui demander, comme au seul interprète possible, de me traduire le témoignage de sa contemporaine, de son inséparable compagne, la saveur, lui demander de m'apprendre de quelle circonstance particulière, de quelle époque du passé il s'agit.

Arrivera-t-il jusqu'à la surface de ma claire conscience, ce souvenir, l'instant ancien que l'attraction d'un instant identique est venue de si loin solliciter, émouvoir, soulever tout au fond de moi ? Je ne sais. Maintenant je ne sens plus rien, il est arrêté, redescendu peut-être ; qui sait s'il remontera jamais de sa nuit ? Dix fois il me faut recommencer, me pencher vers lui. Et chaque fois la lâcheté qui nous détourne de toute tâche difficile, de toute œuvre importante, m'a conseillé de laisser cela, de boire mon thé en pensant simplement à mes ennuis d'aujourd'hui, à mes désirs de demain qui se laissent remâcher sans peine.

Et tout d'un coup le souvenir m'est apparu. Ce goût, c'était celui du petit morceau de madeleine que le dimanche matin à Combray (parce que ce jour-là je ne sortais pas avant l'heure de la messe), quand j'allais lui dire bonjour dans sa chambre, ma tante Léonie m'offrait après l'avoir trempé dans son infusion de thé ou de tilleul. La vue de la petite madeleine ne m'avait rien rappelé avant que je n'y eusse goûté ; peut-être parce que, en ayant souvent aperçu depuis, sans en manger, sur les tablettes des pâtissiers, leur image avait quitté ces jours de Combray pour se lier à d'autres plus récents ; peut-être parce que, de ces souvenirs abandonnés si longtemps hors de la mémoire, rien ne survivait, tout s'était désagrégé ; les formes — et celle aussi du petit coquillage de pâtisserie, si grassement sensuel sous son plissage sévère et dévot — s'étaient abolies, ou, ensommeillées, avaient perdu la force d'expansion qui leur eût permis de rejoindre la conscience. Mais, quand d'un passé ancien rien ne subsiste, après la mort des êtres, après la destruction des choses, seules, plus frêles mais plus vivaces, plus immatérielles, plus persistantes, plus fidèles, l'odeur et la saveur restent encore longtemps, comme des âmes, à se rappeler, à attendre, à espérer, sur la ruine de tout le reste, à porter sans fléchir, sur leur gouttelette presque impalpable, l'édifice immense du souvenir.

Et dès que j'eus reconnu le goût du morceau de madeleine trempé dans le tilleul que me donnait ma tante (quoique je ne susse pas encore et dusse remettre à bien plus tard de découvrir pourquoi ce souvenir me rendait si heureux), aussitôt la vieille maison grise sur la rue, où était sa chambre, vint comme un décor de théâtre, s'appliquer au petit pavillon donnant sur le jardin, qu'on avait construit pour mes parents sur ses derrières (ce pan tronqué que seul j'avais revu jusque-là) ; et avec la maison, la ville, depuis le matin jusqu'au soir et par tous les temps, la Place où on m'envoyait avant déjeuner, les rues où j'allais faire des courses, les chemins qu'on prenait si le temps était beau. Et comme dans ce jeu où les Japonais s'amusent à tremper dans un bol de porcelaine rempli d'eau, de petits morceaux de papier jusque-là indistincts qui, à peine y sont-ils plongés, s'étirent, se contournent, se colorent, se différencient, deviennent des fleurs, des maisons, des personnages consistants et reconnaissables, de même maintenant toutes les fleurs de notre jardin et celles du

parc de M. Swann, et les nymphéas de la Vivonne, et les
bonnes gens du village et leurs petits logis et l'église et tout
Combray et ses environs, tout cela qui prend forme et
solidité, est sorti, ville et jardins, de ma tasse de thé.

II

Combray, de loin, à dix lieues à la ronde, vu du chemin de
fer quand nous y arrivions la dernière semaine avant Pâques,
ce n'était qu'une église résumant la ville, la représentant,
parlant d'elle et pour elle aux lointains, et, quand on
approchait, tenant serrés autour de sa haute mante sombre,
en plein champ, contre le vent, comme une pastoure ses
brebis, les dos laineux et gris des maisons rassemblées qu'un
reste de remparts du moyen âge cernait çà et là d'un trait
aussi parfaitement circulaire qu'une petite ville dans un
tableau de primitif. A l'habiter, Combray était un peu triste,
comme ses rues dont les maisons construites en pierres
noirâtres du pays, précédées de degrés extérieurs, coiffées de
pignons qui rabattaient l'ombre devant elles, étaient assez
obscures pour qu'il fallût dès que le jour commençait à
tomber relever les rideaux dans les « salles » ; des rues aux
graves noms de saints (desquels plusieurs se rattachaient à
l'histoire des premiers seigneurs de Combray) : rue Saint-
Hilaire, rue Saint-Jacques où était la maison de ma tante,
rue Sainte-Hildegarde où donnait la grille, et rue du Saint-
Esprit sur laquelle s'ouvrait la petite porte latérale de son
jardin ; et ces rues de Combray existent dans une partie de
ma mémoire si reculée, peinte de couleurs si différentes de
celles qui maintenant revêtent pour moi le monde, qu'en
vérité elles me paraissent toutes, et l'église qui le dominait
sur la Place, plus irréelles encore que les projections de la
lanterne magique ; et qu'à certains moments, il me semble

que pouvoir encore traverser la rue Saint-Hilaire, pouvoir louer une chambre rue de l'Oiseau — à la vieille hôtellerie de l'Oiseau flesché, des soupiraux de laquelle montait une odeur de cuisine qui s'élève encore par moments en moi aussi intermittente et aussi chaude — serait une entrée en contact avec l'Au-delà plus merveilleusement surnaturelle que de faire la connaissance de Golo et de causer avec Geneviève de Brabant.

La cousine de mon grand-père — ma grand'tante — chez qui nous habitions, était la mère de cette tante Léonie qui, depuis la mort de son mari, mon oncle Octave, n'avait plus voulu quitter, d'abord Combray, puis à Combray sa maison, puis sa chambre, puis son lit et ne « descendait » plus, toujours couchée dans un état incertain de chagrin, de débilité physique, de maladie, d'idée fixe et de dévotion. Son appartement particulier donnait sur la rue Saint-Jacques qui aboutissait beaucoup plus loin au Grand-Pré (par opposition au Petit-Pré, verdoyant au milieu de la ville, entre trois rues), et qui, unie, grisâtre, avec les trois hautes marches de grès presque devant chaque porte, semblait comme un défilé pratiqué par un tailleur d'images gothiques à même la pierre où il eût sculpté une crèche ou un calvaire. Ma tante n'habitait plus effectivement que deux chambres contiguës, restant l'après-midi dans l'une pendant qu'on aérait l'autre. C'étaient de ces chambres de province qui — de même qu'en certains pays des parties entières de l'air ou de la mer sont illuminées ou parfumées par des myriades de protozoaires que nous ne voyons pas — nous enchantent des mille odeurs qu'y dégagent les vertus, la sagesse, les habitudes, toute une vie secrète, invisible, surabondante et morale que l'atmosphère y tient en suspens ; odeurs naturelles encore, certes, et couleur du temps comme celles de la campagne voisine, mais déjà casanières, humaines et renfermées, gelée exquise, industrieuse et limpide de tous les fruits de l'année qui ont quitté le verger pour l'armoire ; saisonnières, mais mobilières et domestiques, corrigeant le piquant de la gelée blanche par la douceur du pain chaud, oisives et ponctuelles comme une horloge de village, flâneuses et rangées, insoucieuses et prévoyantes, lingères, matinales, dévotes, heureuses d'une paix qui n'apporte qu'un surcroît d'anxiété et d'un prosaïsme qui sert de grand réservoir de poésie à celui qui les traverse sans y avoir vécu. L'air y était saturé de la fine fleur d'un silence si nourricier, si succulent, que je ne m'y avançais qu'avec une sorte de gourmandise, surtout par ces premiers matins encore froids de la semaine de Pâques où je le goûtais mieux parce que je venais seulement d'arriver à Combray : avant que j'entrasse souhaiter le bonjour à ma tante, on me faisait attendre un instant dans la première pièce où le soleil, d'hiver encore, était venu se mettre au chaud devant le feu, déjà allumé entre les deux briques et qui badigeonnait toute la chambre d'une odeur de suie, en faisant comme un de ces grands « devants de four » de campagne, ou de ces manteaux de cheminée de châteaux, sous lesquels on souhaite que se déclarent dehors la pluie, la neige, même quelque catastrophe diluvienne pour ajouter au confort de la réclusion la poésie de l'hivernage ; je faisais quelques pas du prie-Dieu aux fauteuils en velours frappé, toujours revêtus d'un appui-tête au crochet ; et le feu cuisant comme une pâte les appétissantes odeurs dont l'air de la chambre était tout grumeleux et qu'avait déjà fait travailler et « lever » la fraîcheur humide et ensoleillée du matin, il les feuilletait, les dorait, les godait, les boursouflait, en faisant un invisible et palpable gâteau provincial, un immense « chausson » où, à peine goûtés les arômes plus croustillants, plus fins, plus réputés, mais plus secs aussi du placard, de la commode, du papier à ramages, je revenais toujours avec une convoitise inavouée m'engluer dans l'odeur médiane, poisseuse, fade, indigeste et fruitée du couvre-lit à fleurs.

Dans la chambre voisine, j'entendais ma tante qui causait toute seule à mi-voix. Elle ne parlait jamais qu'assez bas parce qu'elle croyait avoir dans la tête quelque chose de cassé et de flottant qu'elle eût déplacé en parlant trop fort, mais elle ne restait jamais longtemps, même seule, sans dire quelque chose, parce qu'elle croyait que c'était salutaire pour sa gorge et qu'en empêchant le sang de s'y arrêter, cela rendrait moins fréquents les étouffements et les angoisses dont elle souffrait ; puis, dans l'inertie absolue où elle vivait, elle prêtait à ses moindres sensations une importance extraordinaire ; elle les douait d'une motilité qui lui rendait difficile de les garder pour elle, et à défaut de confident à qui les communiquer, elle se les annonçait à elle-même, en un perpétuel monologue qui était sa seule forme d'activité. Malheureusement, ayant pris l'habitude de penser tout haut, elle ne faisait pas toujours attention à ce qu'il n'y eût personne dans la chambre voisine, et je l'entendais souvent se dire à elle-même : « Il faut que je me rappelle bien que je n'ai pas dormi » (car ne jamais dormir était sa grande prétention dont notre langage à tous gardait le respect et la trace : le matin Françoise ne venait pas « l'éveiller », mais « entrait » chez elle ; quand ma tante voulait faire un somme dans la journée, on disait qu'elle voulait « réfléchir » ou « reposer » ; et quand il lui arrivait de s'oublier en causant jusqu'à dire : « ce qui m'a réveillée » ou « j'ai rêvé que », elle rougissait et se reprenait au plus vite).

Au bout d'un moment, j'entrais l'embrasser ; Françoise faisait infuser son thé ; ou, si ma tante se sentait agitée, elle demandait à la place sa tisane, et c'était moi qui étais chargé de faire tomber du sac de pharmacie dans une assiette la quantité de tilleul qu'il fallait mettre ensuite dans l'eau bouillante. Le desséchement des tiges les avait incurvées en un capricieux treillage dans les entrelacs duquel s'ouvraient les fleurs pâles, comme si un peintre les eût arrangées, les eût fait poser de la façon la plus ornementale. Les feuilles, ayant perdu ou changé leur aspect, avaient l'air des choses les plus disparates, d'une aile transparente de mouche, de l'envers blanc d'une étiquette, d'un pétale de rose, mais qui eussent été empilées, concassées ou tressées comme dans la confection d'un nid. Mille petits détails inutiles — charmante

prodigalité du pharmacien — qu'on eût supprimés dans une
préparation factice, me donnaient, comme un livre où on
s'émerveille de rencontrer le nom d'une personne de connaissance, le plaisir de comprendre que c'était bien des tiges de
vrais tilleuls, comme ceux que je voyais avenue de la Gare,
modifiées, justement parce que c'étaient non des doubles,
mais elles-mêmes et qu'elles avaient vieilli. Et chaque
caractère nouveau n'y étant que la métamorphose d'un
caractère ancien, dans de petites boules grises je reconnaissais les boutons verts qui ne sont pas venus à terme ; mais
surtout l'éclat rose, lunaire et doux qui faisait se détacher les
fleurs dans la forêt fragile des tiges où elles étaient suspen-
dues comme de petites roses d'or — signe, comme la lueur
qui révèle encore sur une muraille la place d'une fresque
effacée, de la différence entre les parties de l'arbre qui
avaient été « en couleur » et celles qui ne l'avaient pas été —
me montrait que ces pétales étaient bien ceux qui avant de
fleurir le sac de pharmacie avaient embaumé les soirs du
printemps. Cette flamme rose de cierge, c'était leur couleur
encore, mais à demi éteinte et assoupie dans cette vie
diminuée qu'était la leur maintenant et qui est comme le
crépuscule des fleurs. Bientôt ma tante pouvait tremper dans
l'infusion bouillante dont elle savourait le goût de feuille
morte ou de fleur fanée une petite madeleine dont elle me
tendait un morceau quand il était suffisamment amolli.

D'un côté de son lit étaient une grande commode jaune
en bois de citronnier et une table qui tenait à la fois de l'offi-
cine et du maître-autel, où, au-dessous d'une statuette de la
Vierge et d'une bouteille de Vichy-Célestins, on trouvait des
livres de messe et des ordonnances de médicaments, tout ce
qu'il fallait pour suivre de son lit les offices et son régime,
pour ne manquer l'heure ni de la pepsine, ni des vêpres. De
l'autre côté, son lit longeait la fenêtre, elle avait la rue sous
les yeux et y lisait du matin au soir, pour se désennuyer, à la
façon des princes persans, la chronique quotidienne mais

immémoriale de Combray, qu'elle commentait ensuite avec Françoise.

Je n'étais pas avec ma tante depuis cinq minutes, qu'elle me renvoyait par peur que je la fatigue. Elle tendait à mes lèvres son triste front pâle et fade sur lequel, à cette heure matinale, elle n'avait pas encore arrangé ses faux cheveux, et où les vertèbres transparaissaient comme les pointes d'une couronne d'épines ou les grains d'un rosaire, et elle me disait : « Allons mon pauvre enfant, va-t'en, va te préparer pour la messe ; et si en bas tu rencontres Françoise, dis-lui de ne pas s'amuser trop longtemps avec vous, qu'elle monte bientôt voir si je n'ai besoin de rien. »

Françoise, en effet, qui était depuis des années à son service et ne se doutait pas alors qu'elle entrerait un jour tout à fait au nôtre, délaissait un peu ma tante pendant les mois où nous étions là. Il y avait eu dans mon enfance, avant que nous allions à Combray, quand ma tante Léonie passait encore l'hiver à Paris chez sa mère, un temps où je connaissais si peu Françoise que, le 1er janvier, avant d'entrer chez ma grand'tante, ma mère me mettait dans la main une pièce de cinq francs et me disait : « Surtout ne te trompe pas de personne. Attends pour donner que tu m'entendes dire : " Bonjour, Françoise " ; en même temps je te toucherai légèrement le bras. » A peine arrivions-nous dans l'obscure antichambre de ma tante que nous apercevions dans l'ombre, sous les tuyaux d'un bonnet éblouissant, raide et fragile comme s'il avait été de sucre filé, les remous concentriques d'un sourire de reconnaissance anticipé. C'était Françoise, immobile et debout dans l'encadrement de la petite porte du corridor comme une statue de sainte dans sa niche. Quand on était un peu habitué à ces ténèbres de chapelle, on distinguait sur son visage l'amour désintéressé de l'humanité, le respect attendri pour les hautes classes qu'exaltait dans les meilleures régions de son cœur l'espoir des étrennes. Maman me pinçait le bras avec violence et disait d'une voix forte : « Bonjour, Françoise. » A ce signal

mes doigts s'ouvraient et je lâchais la pièce qui trouvait pour
la recevoir une main confuse, mais tendue. Mais depuis que
nous allions à Combray je ne connaissais personne mieux
que Françoise ; nous étions ses préférés, elle avait pour nous,
au moins pendant les premières années, avec autant de
considération que pour ma tante, un goût plus vif, parce que
nous ajoutions, au prestige de faire partie de la famille (elle
avait pour les liens invisibles que noue entre les membres
d'une famille la circulation d'un même sang, autant de
respect qu'un tragique grec), le charme de n'être pas ses
maîtres habituels. Aussi, avec quelle joie elle nous recevait,
nous plaignant de n'avoir pas encore plus beau temps, le jour
de notre arrivée, la veille de Pâques, où souvent il faisait un
vent glacial, quand maman lui demandait des nouvelles de
sa fille et de ses neveux, si son petit-fils était gentil, ce qu'on
comptait faire de lui, s'il ressemblait à sa grand'mère.

Et quand il n'y avait plus de monde là, maman qui savait
que Françoise pleurait encore ses parents morts depuis des
années, lui parlait d'eux avec douceur, lui demandait mille
détails sur ce qu'avait été leur vie.

Elle avait deviné que Françoise n'aimait pas son gendre et
qu'il lui gâtait le plaisir qu'elle avait à être avec sa fille, avec
qui elle ne causait pas aussi librement quand il était là.
Aussi, quand Françoise allait les voir, à quelques lieues de
Combray, maman lui disait en souriant : « N'est-ce pas,
Françoise, si Julien a été obligé de s'absenter et si vous avez
Marguerite à vous toute seule pour toute la journée, vous
serez désolée, mais vous vous ferez une raison ? » Et Françoise disait en riant : « Madame sait tout ; madame est pire
que les rayons X (elle disait x avec une difficulté affectée et
un sourire pour se railler elle-même, ignorante, d'employer
ce terme savant), qu'on a fait venir pour Mme Octave et qui
voient ce que vous avez dans le cœur », et disparaissait,
confuse qu'on s'occupât d'elle, peut-être pour qu'on ne la vît
pas pleurer ; maman était la première personne qui lui
donnât cette douce émotion de sentir que sa vie, ses

bonheurs, ses chagrins de paysanne pouvaient présenter de l'intérêt, être un motif de joie ou de tristesse pour une autre qu'elle-même. Ma tante se résignait à se priver un peu d'elle pendant notre séjour, sachant combien ma mère appréciait le service de cette bonne si intelligente et active, qui était aussi belle dès cinq heures du matin dans sa cuisine, sous son bonnet dont le tuyautage éclatant et fixe avait l'air d'être en biscuit, que pour aller à la grand'messe ; qui faisait tout bien, travaillant comme un cheval, qu'elle fût bien portante ou non, mais sans bruit, sans avoir l'air de rien faire, la seule des bonnes de ma tante qui, quand maman demandait de l'eau chaude ou du café noir, les apportait vraiment bouillants ; elle était un de ces serviteurs qui, dans une maison, sont à la fois ceux qui déplaisent le plus au premier abord à un étranger, peut-être parce qu'ils ne prennent pas la peine de faire sa conquête et n'ont pas pour lui de prévenance, sachant très bien qu'ils n'ont aucun besoin de lui, qu'on cesserait de le recevoir plutôt que de les renvoyer ; et qui sont en revanche ceux à qui tiennent le plus les maîtres qui ont éprouvé leurs capacités réelles, et ne se soucient pas de cet agrément superficiel, de ce bavardage servile qui fait favorablement impression à un visiteur, mais qui recouvre souvent une inéducable nullité.

Quand Françoise, après avoir veillé à ce que mes parents eussent tout ce qu'il leur fallait, remontait une première fois chez ma tante pour lui donner sa pepsine et lui demander ce qu'elle prendrait pour déjeuner, il était bien rare qu'il ne lui fallût pas donner déjà son avis ou fournir des explications sur quelque événement d'importance :

— Françoise, imaginez-vous que Mme Goupil est passée plus d'un quart d'heure en retard pour aller chercher sa sœur ; pour peu qu'elle s'attarde sur son chemin cela ne me surprendrait point qu'elle arrive après l'élévation.

— Hé ! Il n'y aurait rien d'étonnant, répondait Françoise.

— Françoise, vous seriez venue cinq minutes plus tôt, vous auriez vu passer Mme Imbert qui tenait des asperges

deux fois grosses comme celles de la mère Callot ; tâchez
donc de savoir par sa bonne où elle les a eues. Vous qui, cette
année, nous mettez des asperges à toutes les sauces, vous
auriez pu en prendre de pareilles pour nos voyageurs.

— Il n'y aurait rien d'étonnant qu'elles viennent de chez
M. le Curé, disait Françoise.

— Ah ! je vous crois bien, ma pauvre Françoise, répondait
ma tante en haussant les épaules, chez M. le Curé ! Vous
savez bien qu'il ne fait pousser que de méchantes petites
asperges de rien. Je vous dis que celles-là étaient grosses
comme le bras. Pas comme le vôtre, bien sûr, mais comme
mon pauvre bras qui a encore tant maigri cette année...
Françoise vous n'avez pas entendu ce carillon qui m'a cassé
la tête ?

— Non, madame Octave.

— Ah ! ma pauvre fille, il faut que vous l'ayez solide votre
tête, vous pouvez remercier le Bon Dieu. C'était la Mague-
lone qui était venue chercher le docteur Piperaud. Il est
ressorti tout de suite avec elle et ils ont tourné par la rue de
l'Oiseau. Il faut qu'il y ait quelque enfant de malade.

— Eh ! là, mon Dieu, soupirait Françoise, qui ne pouvait
pas entendre parler d'un malheur arrivé à un inconnu, même
dans une partie du monde éloignée, sans commencer à
gémir.

— Françoise, mais pour qui donc a-t-on sonné la cloche
des morts ? Ah ! mon Dieu, ce sera pour Mme Rousseau.
Voilà-t-il pas que j'avais oublié qu'elle a passé l'autre nuit.
Ah ! il est temps que le Bon Dieu me rappelle, je ne sais plus
ce que j'ai fait de ma tête depuis la mort de mon pauvre
Octave. Mais je vous fais perdre votre temps, ma fille.

— Mais non, madame Octave, mon temps n'est pas si
cher ; celui qui l'a fait ne nous l'a pas vendu. Je vais
seulement voir si mon feu ne s'éteint pas.

Ainsi Françoise et ma tante appréciaient-elles ensemble au
cours de cette séance matinale, les premiers événements du
jour. Mais quelquefois ces événements revêtaient un carac-

tère si mystérieux et si grave que ma tante sentait qu'elle ne pourrait pas attendre le moment où Françoise monterait, et quatre coups de sonnette formidables retentissaient dans la maison.

— Mais, madame Octave, ce n'est pas encore l'heure de la pepsine, disait Françoise. Est-ce que vous vous êtes senti une faiblesse ?

— Mais non, Françoise, disait ma tante, c'est-à-dire si, vous savez bien que maintenant les moments où je n'ai pas de faiblesse sont bien rares ; un jour je passerai comme Mme Rousseau sans avoir eu le temps de me reconnaître ; mais ce n'est pas pour cela que je sonne. Croyez-vous pas que je viens de voir comme je vous vois Mme Goupil avec une fillette que je ne connais point ? Allez donc chercher deux sous de sel chez Camus. C'est bien rare si Théodore ne peut pas vous dire qui c'est.

— Mais ça sera la fille à M. Pupin, disait Françoise qui préférait s'en tenir à une explication immédiate, ayant été déjà deux fois depuis le matin chez Camus.

— La fille à M. Pupin ! Oh ! je vous crois bien, ma pauvre Françoise ! Avec cela que je ne l'aurais pas reconnue !

— Mais je ne veux pas dire la grande, madame Octave, je veux dire la gamine, celle qui est en pension à Jouy. Il me ressemble de l'avoir déjà vue ce matin.

— Ah ! à moins de ça, disait ma tante. Il faudrait qu'elle soit venue pour les fêtes. C'est cela ! Il n'y a pas besoin de chercher, elle sera venue pour les fêtes. Mais alors nous pourrions bien voir tout à l'heure Mme Sazerat venir sonner chez sa sœur pour le déjeuner. Ce sera ça ! J'ai vu le petit de chez Galopin qui passait avec une tarte ! Vous verrez que la tarte allait chez Mme Goupil.

— Dès l'instant que Mme Goupil a de la visite, madame Octave, vous n'allez pas tarder à voir tout son monde rentrer pour le déjeuner, car il commence à ne plus être de bonne heure, disait Françoise qui, pressée de redescendre

s'occuper du déjeuner, n'était pas fâchée de laisser à ma
tante cette distraction en perspective.

— Oh ! pas avant midi, répondait ma tante d'un ton
résigné, tout en jetant sur la pendule un coup d'œil inquiet,
mais furtif pour ne pas laisser voir qu'elle, qui avait renoncé
à tout, trouvait pourtant, à apprendre qui Mme Goupil avait
à déjeuner, un plaisir aussi vif, et qui se ferait malheureusement attendre encore un peu plus d'une heure. « Et encore
cela tombera pendant mon déjeuner ! » ajouta-t-elle à mi-
voix pour elle-même. Son déjeuner lui était une distraction
suffisante pour qu'elle n'en souhaitât pas une autre en même
temps. « Vous n'oublierez pas au moins de me donner mes
œufs à la crème dans une assiette plate ? » C'étaient les
seules qui fussent ornées de sujets, et ma tante s'amusait à
chaque repas à lire la légende de celle qu'on lui servait ce
jour-là. Elle mettait ses lunettes, déchiffrait : Ali-Baba et les
quarante voleurs, Aladin ou la Lampe merveilleuse, et disait
en souriant : Très bien, très bien.

— Je serais bien allée chez Camus..., disait Françoise en
voyant que ma tante ne l'y enverrait plus.

— Mais non, ce n'est plus la peine, c'est sûrement
Mlle Pupin. Ma pauvre Françoise, je regrette de vous avoir
fait monter pour rien.

Mais ma tante savait bien que ce n'était pas pour rien
qu'elle avait sonné Françoise, car, à Combray, une personne
« qu'on ne connaissait point » était un être aussi peu
croyable qu'un dieu de la mythologie, et de fait on ne se
souvenait pas que, chaque fois que s'était produite, dans la
rue du Saint-Esprit ou sur la place, une de ces apparitions
stupéfiantes, des recherches bien conduites n'eussent pas fini
par réduire le personnage fabuleux aux proportions d'une
« personne qu'on connaissait », soit personnellement, soit
abstraitement, dans son état civil, en tant qu'ayant tel degré
de parenté avec des gens de Combray. C'était le fils de
Mme Sauton qui rentrait du service, la nièce de l'abbé
Perdreau qui sortait du couvent, le frère du curé, percepteur

à Châteaudun qui venait de prendre sa retraite ou qui était
venu passer les fêtes. On avait eu en les apercevant l'émotion
de croire qu'il y avait à Combray des gens qu'on ne
connaissait point, simplement parce qu'on ne les avait pas
reconnus ou identifiés tout de suite. Et pourtant, longtemps à
l'avance, Mme Sauton et le curé avaient prévenu qu'ils
attendaient leurs « voyageurs ». Quand le soir je montais, en
rentrant, raconter notre promenade à ma tante, si j'avais
l'imprudence de lui dire que nous avions rencontré, près du
Pont-Vieux, un homme que mon grand-père ne connaissait
pas : « Un homme que grand-père ne connaissait point !
s'écriait-elle. Ah ! je te crois bien ! » Néanmoins un peu émue
de cette nouvelle, elle voulait en avoir le cœur net, mon
grand-père était mandé. « Qui donc est-ce que vous avez
rencontré près du Pont-Vieux, mon oncle ? un homme que
vous ne connaissiez point ? — Mais si, répondait mon grand-
père, c'était Prosper, le frère du jardinier de Mme Bouille-
bœuf. — Ah ! bien », disait ma tante, tranquillisée et un peu
rouge ; haussant les épaules avec un sourire ironique, elle
ajoutait : « Aussi il me disait que vous aviez rencontré un
homme que vous ne connaissiez point ! » Et on me recommandait d'être plus circonspect une autre fois et de ne plus
agiter ainsi ma tante par des paroles irréfléchies. On
connaissait tellement bien tout le monde, à Combray, bêtes
et gens, que si ma tante avait vu par hasard passer un chien
« qu'elle ne connaissait point » elle ne cessait d'y penser et
de consacrer à ce fait incompréhensible ses talents d'induc-
tion et ses heures de liberté.

— Ce sera le chien de Mme Sazerat, disait Françoise, sans
grande conviction, mais dans un but d'apaisement et pour
que ma tante ne se « fende pas la tête ».

— Comme si je ne connaissais pas le chien de Mme Sazerat ! répondait ma tante dont l'esprit critique n'admettait pas
si facilement un fait.

— Ah ! ce sera le nouveau chien que M. Galopin a
rapporté de Lisieux.

— Ah ! à moins de ça.

— Il paraît que c'est une bête bien affable, ajoutait
Françoise qui tenait le renseignement de Théodore, spirituelle comme une personne, toujours de bonne humeur,
toujours aimable, toujours quelque chose de gracieux. C'est
rare qu'une bête qui n'a que cet âge-là soit déjà si galante.
Madame Octave, il va falloir que je vous quitte, je n'ai pas le
temps de m'amuser, voilà bientôt dix heures, mon fourneau
n'est seulement pas éclairé, et j'ai encore à plumer mes
asperges.

— Comment, Françoise, encore des asperges ! mais c'est
une vraie maladie d'asperges que vous avez cette année, vous
allez en fatiguer nos Parisiens !

— Mais non, madame Octave, ils aiment bien ça. Ils
rentreront de l'église avec de l'appétit et vous verrez qu'ils ne
les mangeront pas avec le dos de la cuiller.

— Mais à l'église, ils doivent y être déjà ; vous ferez bien
de ne pas perdre de temps. Allez surveiller votre déjeuner.

Pendant que ma tante devisait ainsi avec Françoise,
j'accompagnais mes parents à la messe. Que je l'aimais, que
je la revois bien, notre Église ! Son vieux porche par lequel
nous entrions, noir, grêlé comme une écumoire, était dévié et
profondément creusé aux angles (de même que le bénitier où
il nous conduisait) comme si le doux effleurement des mantes
des paysannes entrant à l'église et de leurs doigts timides
prenant de l'eau bénite, pouvait, répété pendant des siècles,
acquérir une force destructive, infléchir la pierre et l'entailler
de sillons comme en trace la roue des carrioles dans la borne
contre laquelle elle bute tous les jours. Ses pierres tombales,
sous lesquelles la noble poussière des abbés de Combray,
enterrés là, faisait au chœur comme un pavage spirituel,
n'étaient plus elles-mêmes de la matière inerte et dure,
car le temps les avait rendues douces et fait couler comme
du miel hors des limites de leur propre équarrissure qu'ici
elles avaient dépassées d'un flot blond, entraînant à la dérive
une majuscule gothique en fleúrs, noyant les violettes

blanches du marbre ; et en deçà desquelles, ailleurs, elles
s'étaient résorbées, contractant encore l'elliptique inscription
latine, introduisant un caprice de plus dans la disposition de
ces caractères abrégés, rapprochant deux lettres d'un mot
dont les autres avaient été démesurément distendues. Ses
vitraux ne chatoyaient jamais tant que les jours où le soleil se
montrait peu, de sorte que, fît-il gris dehors, on était sûr qu'il
ferait beau dans l'église ; l'un était rempli dans toute sa
grandeur par un seul personnage pareil à un Roi de jeu de
cartes, qui vivait là-haut, sous un dais architectural, entre
ciel et terre (et dans le reflet oblique et bleu duquel, parfois
les jours de semaine, à midi, quand il n'y a pas d'office — à
l'un de ces rares moments où l'église aérée, vacante, plus
humaine, luxueuse, avec du soleil sur son riche mobilier,
avait l'air presque habitable comme le hall, de pierre
sculptée et de verre peint, d'un hôtel de style moyen âge —
on voyait s'agenouiller un instant Mme Sazerat, posant sur le
prie-Dieu voisin un paquet tout ficelé de petits fours qu'elle
venait de prendre chez le pâtissier d'en face et qu'elle allait
rapporter pour le déjeuner) ; dans un autre une montagne de
neige rose, au pied de laquelle se livrait un combat, semblait
avoir givré à même la verrière qu'elle boursouflait de son
trouble grésil comme une vitre à laquelle il serait resté des
flocons, mais des flocons éclairés par quelque aurore (par la
même sans doute qui empourprait le retable de l'autel de
tons si frais qu'ils semblaient plutôt posés là momentanément par une lueur du dehors prête à s'évanouir que par des
couleurs attachées à jamais à la pierre) ; et tous étaient si
anciens qu'on voyait çà et là leur vieillesse argentée étinceler
de la poussière des siècles et montrer brillante et usée jusqu'à
la corde la trame de leur douce tapisserie de verre. Il y en
avait un qui était un haut compartiment divisé en une
centaine de petits vitraux rectangulaires où dominait le bleu,
comme un grand jeu de cartes pareil à ceux qui devaient
distraire le roi Charles VI ; mais soit qu'un rayon eût brillé,
soit que mon regard en bougeant eût promené à travers la

verrière, tour à tour éteinte et rallumée, un mouvant et
précieux incendie, l'instant d'après elle avait pris l'éclat
changeant d'une traîne de paon, puis elle tremblait et
ondulait en une pluie flamboyante et fantastique qui dégou-
tait du haut de la voûte sombre et rocheuse, le long des
parois humides, comme si c'était dans la nef de quelque
grotte irisée de sinueuses stalactites que je suivais mes
parents, qui portaient leur paroissien ; un instant après les
petits vitraux en losange avaient pris la transparence profonde, l'infrangible dureté de saphirs qui eussent été juxtaposés sur quelque immense pectoral, mais derrière lesquels on
sentait, plus aimé que toutes ces richesses, un sourire
momentané de soleil ; il était aussi reconnaissable dans le flot
bleu et doux dont il baignait les pierreries que sur le pavé de
la place ou la paille du marché ; et, même à nos premiers
dimanches quand nous étions arrivés avant Pâques, il me
consolait que la terre fût encore nue et noire, en faisant
épanouir, comme en un printemps historique et qui datait
des successeurs de saint Louis, ce tapis éblouissant et doré de
myosotis en verre.

Deux tapisseries de haute lice représentaient le couronnement d'Esther (la tradition voulait qu'on eût donné à
Assuérus les traits d'un roi de France et à Esther ceux d'une
dame de Guermantes dont il était amoureux), auxquelles
leurs couleurs, en fondant, avaient ajouté une expression, un
relief, un éclairage : un peu de rose flottait aux lèvres
d'Esther au delà du dessin de leur contour ; le jaune de sa
robe s'étalait si onctueusement, si grassement, qu'elle en
prenait une sorte de consistance et s'enlevait vivement sur
l'atmosphère refoulée ; et la verdure des arbres restée vive
dans les parties basses du panneau de soie et de laine, mais
ayant « passé » dans le haut, faisait se détacher en plus pâle,
au-dessus des troncs foncés, les hautes branches jaunissan-
tes, dorées et comme à demi effacées par la brusque et
oblique illumination d'un soleil invisible. Tout cela, et plus
encore les objets précieux venus à l'église de personnages qui

étaient pour moi presque des personnages de légende (la
croix d'or travaillée, disait-on, par saint Éloi et donnée par
Dagobert, le tombeau des fils de Louis le Germanique, en
porphyre et en cuivre émaillé), à cause de quoi je m'avançais
dans l'église, quand nous gagnions nos chaises, comme dans
une vallée visitée des fées, où le paysan s'émerveille de voir
dans un rocher, dans un arbre, dans une mare, la trace
palpable de leur passage surnaturel ; tout cela faisait d'elle
pour moi quelque chose d'entièrement différent du reste de la
ville : un édifice occupant, si l'on peut dire, un espace à
quatre dimensions — la quatrième étant celle du Temps —,
déployant à travers les siècles son vaisseau qui, de travée en
travée, de chapelle en chapelle, semblait vaincre et franchir,
non pas seulement quelques mètres, mais des époques
successives d'où il sortait victorieux ; dérobant le rude et
farouche XIe siècle dans l'épaisseur de ses murs, d'où il
n'apparaissait avec ses lourds cintres bouchés et aveuglés de
grossiers moellons que par la profonde entaille que creusait
près du porche l'escalier du clocher, et, même là, dissimulé
par les gracieuses arcades gothiques qui se pressaient
coquettement devant lui, comme de plus grandes sœurs,
pour le cacher aux étrangers, se placent en souriant devant
un jeune frère rustre, grognon et mal vêtu ; élevant dans le
ciel, au-dessus de la Place, sa tour qui avait contemplé saint
Louis et semblait le voir encore ; et s'enfonçant avec sa crypte
dans une nuit mérovingienne où, nous guidant à tâtons sous
la voûte obscure et puissamment nervurée comme la mem-
brane d'une immense chauve-souris de pierre, Théodore et
sa sœur nous éclairaient d'une bougie le tombeau de la petite
fille de Sigebert, sur lequel une profonde valve — comme la
trace d'un fossile — avait été creusée, disait-on « par une
lampe de cristal qui, le soir du meurtre de la princesse
franque, s'était détachée d'elle-même des chaînes d'or où elle
était suspendue à la place de l'actuelle abside, et, sans que le
cristal se brisât, sans que la flamme s'éteignît, s'était

enfoncée dans la pierre et l'avait fait mollement céder sous
elle ».

L'abside de l'église de Combray, peut-on vraiment en
parler ? Elle était si grossière, si dénuée de beauté artistique
et même d'élan religieux. Du dehors, comme le croisement
des rues sur lequel elle donnait était en contrebas, sa
grossière muraille s'exhaussait d'un soubassement en moellons nullement polis, hérissés de cailloux, et qui n'avait rien
de particulièrement ecclésiastique, les verrières semblaient
percées à une hauteur excessive, et le tout avait plus l'air
d'un mur de prison que d'église. Et certes, plus tard, quand
je me rappelais toutes les glorieuses absides que j'ai vues, il
ne me serait jamais venu à la pensée de rapprocher d'elles
l'abside de Combray. Seulement, un jour, au détour d'une
petite rue provinciale, j'aperçus, en face du croisement de
trois ruelles, une muraille fruste et surélevée, avec des
verrières percées en haut et offrant le même aspect asymétrique que l'abside de Combray. Alors je ne me suis pas
demandé comme à Chartres ou à Reims avec quelle puissance y était exprimé le sentiment religieux, mais je me suis
involontairement écrié : « L'Église ! »

L'église ! Familière ; mitoyenne, rue Saint-Hilaire, où était
sa porte nord, de ses deux voisines, la pharmacie de
M. Rapin et la maison de Mme Loiseau, qu'elle touchait sans
aucune séparation ; simple citoyenne de Combray qui aurait
pu avoir son numéro dans la rue si les rues de Combray
avaient eu des numéros, et où il semble que le facteur aurait
dû s'arrêter le matin quand il faisait sa distribution, avant
d'entrer chez Mme Loiseau et en sortant de chez M. Rapin ; il
y avait pourtant entre elle et tout ce qui n'était pas elle une
démarcation que mon esprit n'a jamais pu arriver à franchir.
Mme Loiseau avait beau avoir à sa fenêtre des fuchsias, qui
prenaient la mauvaise habitude de laisser leurs branches
courir toujours partout tête baissée, et dont les fleurs
n'avaient rien de plus pressé, quand elles étaient assez
grandes, que d'aller rafraîchir leurs joues violettes et conges-

tionnées contre la sombre façade de l'église, les fuchsias ne devenaient pas sacrés pour cela pour moi ; entre les fleurs et la pierre noircie sur laquelle elles s'appuyaient, si mes yeux ne percevaient pas d'intervalle, mon esprit réservait un abîme.

On reconnaissait le clocher de Saint-Hilaire de bien loin, inscrivant sa figure inoubliable à l'horizon où Combray n'apparaissait pas encore ; quand du train qui, la semaine de Pâques, nous amenait de Paris, mon père l'apercevait qui filait tour à tour sur tous les sillons du ciel, faisant courir en tous sens son petit coq de fer, il nous disait : « Allons, prenez les couvertures, on est arrivé. » Et dans une des plus grandes promenades que nous faisions de Combray, il y avait un endroit où la route resserrée débouchait tout à coup sur un immense plateau fermé à l'horizon par des forêts déchiquetées que dépassait seule la fine pointe du clocher de Saint-Hilaire, mais si mince, si rose, qu'elle semblait seulement rayée sur le ciel par un ongle qui aurait voulu donner à ce paysage, à ce tableau rien que de nature, cette petite marque d'art, cette unique indication humaine. Quand on se rapprochait et qu'on pouvait apercevoir le reste de la tour carrée et à demi détruite qui, moins haute, subsistait à côté de lui, on était frappé surtout du ton rougeâtre et sombre des pierres ; et, par un matin brumeux d'automne, on aurait dit, s'élevant au-dessus du violet orageux des vignobles, une ruine de pourpre presque de la couleur de la vigne vierge.

Souvent sur la place, quand nous rentrions, ma grand'mère me faisait arrêter pour le regarder. Des fenêtres de sa tour, placées deux par deux les unes au-dessus des autres, avec cette juste et originale proportion dans les distances qui ne donne pas de la beauté et de la dignité qu'aux visages humains, il lâchait, laissait tomber à intervalles réguliers des volées de corbeaux qui, pendant un moment, tournoyaient en criant, comme si les vieilles pierres qui les laissaient s'ébattre sans paraître les voir, devenues tout d'un

coup inhabitables et dégageant un principe d'agitation
infinie, les avait frappés et repoussés. Puis, après avoir rayé
en tous sens le velours violet de l'air du soir, brusquement
calmés ils revenaient s'absorber dans la tour, de néfaste
redevenue propice, quelques-uns çà et là, ne semblant pas
bouger, mais happant peut-être quelque insecte, sur la
pointe d'un clocheton, comme une mouette arrêtée avec
l'immobilité d'un pêcheur à la crête d'une vague. Sans trop
savoir pourquoi, ma grand'mère trouvait au clocher de
Saint-Hilaire cette absence de vulgarité, de prétention, de
mesquinerie, qui lui faisait aimer et croire riches d'une
influence bienfaisante la nature quand la main de l'homme
ne l'avait pas, comme faisait le jardinier de ma grand'tante,
rapetissée, et les œuvres de génie. Et sans doute, toute partie
de l'église qu'on apercevait la distinguait de tout autre
édifice par une sorte de pensée qui lui était infuse, mais
c'était dans son clocher qu'elle semblait prendre conscience
d'elle-même, affirmer une existence individuelle et responsable. C'était lui qui parlait pour elle. Je crois surtout que,
confusément, ma grand'mère trouvait au clocher de Combray ce qui pour elle avait le plus de prix au monde, l'air
naturel et l'air distingué. Ignorante en architecture, elle
disait : « Mes enfants, moquez-vous de moi si vous voulez, il
n'est peut-être pas beau dans les règles, mais sa vieille figure
bizarre me plaît. Je suis sûre que s'il jouait du piano, il ne
jouerait pas *sec*. » Et en le regardant, en suivant des yeux la
douce tension, l'inclinaison fervente de ses pentes de pierre
qui se rapprochaient en s'élevant comme des mains jointes
qui prient, elle s'unissait si bien à l'effusion de la flèche, que
son regard semblait s'élancer avec elle ; et en même temps
elle souriait amicalement aux vieilles pierres usées dont le
couchant n'éclairait plus que le faîte et qui, à partir du
moment où elles entraient dans cette zone ensoleillée,
adoucies par la lumière, paraissaient tout d'un coup montées

bien plus haut, lointaines, comme un chant repris « en voix de tête » une octave au-dessus.

C'était le clocher de Saint-Hilaire qui donnait à toutes les occupations, à toutes les heures, à tous les points de vue de la ville, leur figure, leur couronnement, leur consécration. De ma chambre, je ne pouvais apercevoir que sa base qui avait été recouverte d'ardoises ; mais quand, le dimanche, je les voyais, par une chaude matinée d'été, flamboyer comme un soleil noir, je me disais : « Mon Dieu ! neuf heures ! il faut se préparer pour aller à la grand'messe si je veux avoir le temps d'aller embrasser tante Léonie avant », et je savais exactement la couleur qu'avait le soleil sur la place, la chaleur et la poussière du marché, l'ombre que faisait le store du magasin où maman entrerait peut-être avant la messe, dans une odeur de toile écrue, faire emplette de quelque mouchoir que lui ferait montrer, en cambrant la taille, le patron qui, tout en se préparant à fermer, venait d'aller dans l'arrière-boutique passer sa veste du dimanche et se savonner les mains qu'il avait l'habitude, toutes les cinq minutes, même dans les circonstances les plus mélancoliques, de frotter l'une contre l'autre d'un air d'entreprise, de partie fine et de réussite.

Quand, après la messe, on entrait dire à Théodore d'apporter une brioche plus grosse que d'habitude parce que nos cousins avaient profité du beau temps pour venir de Thiberzy déjeuner avec nous, on avait devant soi le clocher qui, doré et cuit lui-même comme une plus grande brioche bénie, avec des écailles et des égouttements gommeux de soleil, piquait sa pointe aiguë dans le ciel bleu. Et le soir, quand je rentrais de promenade et pensais au moment où il faudrait tout à l'heure dire bonsoir à ma mère et ne plus la voir, il était au contraire si doux, dans la journée finissante, qu'il avait l'air d'être posé et enfoncé comme un coussin de velours brun sur le ciel pâli qui avait cédé sous sa pression, s'était creusé légèrement pour lui faire sa place et refluait sur ses bords ; et les cris des oiseaux qui tournaient autour de lui semblaient accroître son silence, élancer encore sa flèche et lui donner quelque chose d'ineffable.

Même dans les courses qu'on avait à faire derrière l'église, là où on ne la voyait pas, tout semblait ordonné par rapport au clocher surgi ici ou là entre les maisons, peut-être plus émouvant encore quand il apparaissait ainsi sans l'église. Et certes, il y en a ´ien d'autres qui sont plus beaux vus de cette façon, et j'ai dans mon souvenir des vignettes de clochers dépassant les toits, qui ont un autre caractère d'art que celles que composaient les tristes rues de Combray. Je n'oublierai jamais dans une curieuse ville de Normandie voisine de Balbec, deux charmants hôtels du XVIIIe siècle, qui me sont à beaucoup d'égards chers et vénérables et entre lesquels, quand on la regarde du beau jardin qui descend des perrons vers la rivière, la flèche gothique d'une église qu'ils cachent s'élance, ayant l'air de terminer, de surmonter leurs façades, mais d'une manière si différente, si précieuse, si annelée, si rose, si vernie, qu'on voit bien qu'elle n'en fait pas plus partie que de deux beaux galets unis, entre lesquels elle est prise sur la plage, la flèche purpurine et crénelée de quelque coquillage fuselé en tourelle et glacé d'émail. Même à Paris, dans un des quartiers les plus laids de la ville, je sais une fenêtre où on voit après un premier, un second et même un troisième plan faits des toits amoncelés de plusieurs rues, une cloche violette, parfois rougeâtre, parfois aussi, dans les plus nobles « épreuves » qu'en tire l'atmosphère, d'un noir décanté de cendres, laquelle n'est autre que le dôme de Saint-Augustin et qui donne à cette vue de Paris le caractère de certaines vues de Rome par Piranesi. Mais comme dans aucune de ces petites gravures, avec quelque goût que ma mémoire ait pu les exécuter, elle ne put mettre ce que j'avais perdu depuis longtemps, le sentiment qui nous fait non pas considérer une chose comme un spectacle, mais y croire comme en un être sans équivalent, aucune d'elles ne tient sous sa dépendance toute une partie profonde de ma vie, comme fait le souvenir de ces aspects du clocher de Combray dans les rues qui sont

derrière l'église. Qu'on le vît à cinq heures, quand on allait
chercher les lettres à la poste, à quelques maisons de soi, à
gauche, surélevant brusquement d'une cime isolée la ligne de
faîte des toits ; que, si au contraire on voulait entrer
demander des nouvelles de Mme Sazerat, on suivît des yeux
cette ligne redevenue basse après la descente de son autre
versant en sachant qu'il faudrait tourner à la deuxième rue
après le clocher ; soit qu'encore, poussant plus loin, si on
allait à la gare, on le vît obliquement, montrant de profil des
arêtes et des surfaces nouvelles comme un solide surpris à un
moment inconnu de sa révolution ; ou que, des bords de la
Vivonne, l'abside, musculeusement ramassée et remontée
par la perspective, semblât jaillir de l'effort que le clocher
faisait pour lancer sa flèche au cœur du ciel ; c'était toujours
à lui qu'il fallait revenir, toujours lui qui dominait tout,
sommant les maisons d'un pinacle inattendu, levé devant
moi comme le doigt de Dieu dont le corps eût été caché dans
la foule des humains sans que je le confondisse pour cela avec
elle. Et aujourd'hui encore si, dans une grande ville de
province ou dans un quartier de Paris que je connais mal, un
passant qui m'a « mis dans mon chemin » me montre au
loin, comme un point de repère, tel beffroi d'hôpital, tel
clocher de couvent levant la pointe de son bonnet ecclésiastique au coin d'une rue que je dois prendre, pour peu que ma
mémoire puisse obscurément lui trouver quelque trait de
ressemblance avec la figure chère et disparue, le passant, s'il
se retourne pour s'assurer que je ne m'égare pas, peut, à son
étonnement, m'apercevoir qui, oublieux de la promenade
entreprise ou de la course obligée, reste là, devant le clocher,
pendant des heures, immobile, essayant de me souvenir,
sentant au fond de moi des terres reconquises sur l'oubli qui
s'assèchent et se rebâtissent ; et sans doute alors, et plus
anxieusement que tout à l'heure quand je lui demandais de
me renseigner, je cherche encore mon chemin, je tourne une
rue... mais... c'est dans mon cœur...

En rentrant de la messe, nous rencontrions souvent

M. Legrandin qui, retenu à Paris par sa profession d'ingé-
nieur, ne pouvait, en dehors des grandes vacances, venir à sa
propriété de Combray que du samedi soir au lundi matin.
C'était un de ces hommes qui, en dehors d'une carrière
scientifique où ils ont d'ailleurs brillamment réussi, possèdent une culture toute différente, littéraire, artistique, que
leur spécialisation professionnelle n'utilise pas et dont profite
leur conversation. Plus lettrés que bien des littérateurs (nous
ne savions pas à cette époque que M. Legrandin eût une
certaine réputation comme écrivain et nous fûmes très
étonnés de voir qu'un musicien célèbre avait composé une
mélodie sur des vers de lui), doués de plus de « facilité » que
bien des peintres, ils s'imaginent que la vie qu'ils mènent
n'est pas celle qui leur aurait convenu et apportent à leurs
occupations positives soit une insouciance mêlée de fantaisie,
soit une application soutenue et hautaine, méprisante, amère
et consciencieuse. Grand, avec une belle tournure, un visage
pensif et fin aux longues moustaches blondes, au regard bleu
et désenchanté, d'une politesse raffinée, causeur comme nous
n'en avions jamais entendu, il était aux yeux de ma famille,
qui le citait toujours en exemple, le type de l'homme d'élite,
prenant la vie de la façon la plus noble et la plus délicate. Ma
grand'mère lui reprochait seulement de parler un peu trop
bien, un peu trop comme un livre, de ne pas avoir dans son
langage le naturel qu'il y avait dans ses cravates lavallière
toujours flottantes, dans son veston droit presque d'écolier.
Elle s'étonnait aussi des tirades enflammées qu'il entamait
souvent contre l'aristocratie, la vie mondaine, le snobisme,
« certainement le péché auquel pense saint Paul quand il
parle du péché pour lequel il n'y a pas de rémission ».

   L'ambition mondaine était un sentiment que ma
grand'mère était si incapable de ressentir et presque de
comprendre, qu'il lui paraissait bien inutile de mettre tant
d'ardeur à la flétrir. De plus, elle ne trouvait pas de très bon
goût que M. Legrandin, dont la sœur était mariée près de
Balbec avec un gentilhomme bas-normand, se livrât à des

attaques aussi violentes contre les nobles, allant jusqu'à
reprocher à la Révolution de ne les avoir pas tous guillotinés.

— Salut, amis ! nous disait-il en venant à notre rencontre.
Vous êtes heureux d'habiter beaucoup ici ; demain il faudra
que je rentre à Paris, dans ma niche. Oh ! ajoutait-il, avec ce
sourire doucement ironique et déçu, un peu distrait, qui lui
était particulier, certes il y a dans ma maison toutes les
choses inutiles. Il n'y manque que le nécessaire, un grand
morceau de ciel comme ici. Tâchez de garder toujours un
morceau de ciel au-dessus de votre vie, petit garçon, ajoutait-
il en se tournant vers moi. Vous avez une jolie âme, d'une
qualité rare, une nature d'artiste, ne la laissez pas manquer
de ce qu'il lui faut.

Quand, à notre retour, ma tante nous faisait demander si
Mme Goupil était arrivée en retard à la messe, nous étions
incapables de la renseigner. En revanche nous ajoutions à
son trouble en lui disant qu'un peintre travaillait dans
l'église à copier le vitrail de Gilbert le Mauvais. Françoise,
envoyée aussitôt chez l'épicier, était revenue bredouille par
la faute de l'absence de Théodore à qui sa double profession
de chantre ayant une part de l'entretien de l'église, et de
garçon épicier donnait, avec des relations dans tous les
mondes, un savoir universel.

— Ah ! soupirait ma tante, je voudrais que ce soit déjà
l'heure d'Eulalie. Il n'y a vraiment qu'elle qui pourra me
dire cela.

Eulalie était une fille boiteuse, active et sourde qui s'était
« retirée » après la mort de Mme de la Bretonnerie où elle
avait été en place depuis son enfance et qui avait pris à côté
de l'église une chambre d'où elle descendait tout le temps
soit aux offices, soit, en dehors des offices, dire une petite
prière ou donner un coup de main à Théodore ; le reste du
temps elle allait voir des personnes malades comme ma tante
Léonie à qui elle racontait ce qui s'était passé à la messe ou
aux vêpres. Elle ne dédaignait pas d'ajouter quelque casuel à
la petite rente que lui servait la famille de ses anciens maîtres

en allant de temps en temps visiter le linge du curé ou de
quelque autre personnalité marquante du monde clérical de
Combray. Elle portait au-dessus d'une mante de drap noir
un petit béguin blanc, presque de religieuse, et une maladie
de peau donnait, à une partie de ses joues et à son nez
recourbé, les tons rose vif de la balsamine. Ses visites étaient
la grande distraction de ma tante Léonie qui ne recevait plus
guère personne d'autre, en dehors de M. le Curé. Ma tante
avait peu à peu évincé tous les autres visiteurs parce qu'ils
avaient le tort à ses yeux de rentrer tous dans l'une ou l'autre
des deux catégories de gens qu'elle détestait. Les uns, les
pires et dont elle s'était débarrassée les premiers, étaient
ceux qui lui conseillaient de ne pas « s'écouter » et profes-
saient, fût-ce négativement et en ne la manifestant que par
certains silences de désapprobation ou par certains sourires
de doute, la doctrine subversive qu'une petite promenade au
soleil et un bon bifteck saignant (quand elle gardait quatorze
heures sur l'estomac deux méchantes gorgées d'eau de
Vichy !) lui feraient plus de bien que son lit et ses médecines.
L'autre catégorie se composait des personnes qui avaient
l'air de croire qu'elle était plus gravement malade qu'elle ne
pensait, qu'elle était aussi gravement malade qu'elle le
disait. Aussi, ceux qu'elle avait laissés monter après quelques
hésitations et sur les officieuses instances de Françoise et qui,
au cours de leur visite, avaient montré combien ils étaient
indignes de la faveur qu'on leur faisait en risquant timidement un : « Ne croyez-vous pas que si vous vous secouiez un
peu par un beau temps », ou qui, au contraire, quand elle
leur avait dit : « Je suis bien bas, bien bas, c'est la fin, mes
pauvres amis », lui avaient répondu : « Ah ! quand on n'a
pas la santé ! Mais vous pouvez durer encore comme ça »,
ceux-là, les uns comme les autres, étaient sûrs de ne plus
jamais être reçus. Et si Françoise s'amusait de l'air épouvanté de ma tante quand de son lit elle avait aperçu dans la
rue du Saint-Esprit une de ces personnes qui avait l'air de
venir chez elle ou quand elle avait entendu un coup de

sonnette, elle riait encore bien plus, et comme d'un bon tour, des ruses toujours victorieuses de ma tante pour arriver à les faire congédier et de leur mine déconfite en s'en retournant sans l'avoir vue, et, au fond, admirait sa maîtresse qu'elle jugeait supérieure à tous ces gens puisqu'elle ne voulait pas les recevoir. En somme, ma tante exigeait à la fois qu'on l'approuvât dans son régime, qu'on la plaignît pour ses souffrances et qu'on la rassurât sur son avenir.

C'est à quoi Eulalie excellait. Ma tante pouvait lui dire vingt fois en une minute : « C'est la fin, ma pauvre Eulalie », vingt fois Eulalie répondait : « Connaissant votre maladie comme vous la connaissez, madame Octave, vous irez à cent ans, comme me disait hier encore Mme Sazerin. » (Une des plus fermes croyances d'Eulalie, et que le nombre imposant des démentis apportés par l'expérience n'avait pas suffi à entamer, était que Mme Sazerat s'appelait Mme Sazerin.)

— Je ne demande pas à aller à cent ans, répondait ma tante, qui préférait ne pas voir assigner à ses jours un terme précis.

Et comme Eulalie savait avec cela comme personne distraire ma tante sans la fatiguer, ses visites qui avaient lieu régulièrement tous les dimanches, sauf empêchement ino-piné, étaient pour ma tante un plaisir dont la perspective l'entretenait ces jours-là dans un état agréable d'abord, mais bien vite douloureux comme une faim excessive, pour peu qu'Eulalie fût en retard. Trop prolongée, cette volupté d'attendre Eulalie tournait en supplice, ma tante ne cessait de regarder l'heure, bâillait, se sentait des faiblesses. Le coup de sonnette d'Eulalie, s'il arrivait tout à la fin de la journée, quand elle ne l'espérait plus, la faisait presque se trouver mal. En réalité, le dimanche, elle ne pensait qu'à cette visite et sitôt le déjeuner fini, Françoise avait hâte que nous quittions la salle à manger pour qu'elle pût monter « occu-per » ma tante. Mais (surtout à partir du moment où les beaux jours s'installaient à Combray) il y avait bien longtemps que l'heure altière de midi, descendue de la tour

de Saint-Hilaire qu'elle armoriait des douze fleurons
momentanés de sa couronne sonore, avait retenti autour de
notre table, auprès du pain bénit venu lui aussi familièrement en sortant de l'église, quand nous étions encore assis
devant les assiettes des Mille et une Nuits, appesantis par la
chaleur et surtout par le repas. Car, au fond permanent
d'œufs, de côtelettes, de pommes de terre, de confitures, de
biscuits, qu'elle ne nous annonçait même plus, Françoise
ajoutait — selon les travaux des champs et des vergers, le
fruit de la marée, les hasards du commerce, les politesses des
voisins et son propre génie, et si bien que notre menu, comme
ces quatre-feuilles qu'on sculptait au XIIIe siècle au portail
des cathédrales, reflétait un peu le rythme des saisons et des
épisodes de la vie — : une barbue parce que la marchande
lui en avait garanti la fraîcheur, une dinde parce qu'elle en
avait vu une belle au marché de Roussainville-le-Pin, des
cardons à la moelle parce qu'elle ne nous en avait pas encore
fait de cette manière-là, un gigot rôti parce que le grand air
creuse et qu'il avait bien le temps de descendre d'ici sept
heures, des épinards pour changer, des abricots parce que
c'était encore une rareté, des groseilles parce que dans
quinze jours il n'y en aurait plus, des framboises que
M. Swann avait apportées exprès, des cerises, les premières
qui vinssent du cerisier du jardin après deux ans qu'il n'en
donnait plus, du fromage à la crème que j'aimais bien
autrefois, un gâteau aux amandes parce qu'elle l'avait
commandé la veille, une brioche parce que c'était notre tour
de l'offrir. Quand tout cela était fini, composée expressément
pour nous, mais dédiée plus spécialement à mon père qui
était amateur, une crème au chocolat, inspiration, attention
personnelle de Françoise, nous était offerte, fugitive et légère
comme une œuvre de circonstance où elle avait mis tout son
talent. Celui qui eût refusé d'en goûter en disant : « J'ai fini,
je n'ai plus faim », se serait immédiatement ravalé au rang
de ces goujats qui, même dans le présent qu'un artiste leur
fait d'une de ses œuvres, regardent au poids et à la matière

alors que n'y valent que l'intention et la signature. Même en laisser une seule goutte dans le plat eût témoigné de la même impolitesse que se lever avant la fin du morceau au nez du compositeur.

Enfin ma mère me disait : « Voyons, ne reste pas ici indéfiniment, monte dans ta chambre si tu as trop chaud dehors, mais va d'abord prendre l'air un instant pour ne pas lire en sortant de table. » J'allais m'asseoir près de la pompe et de son auge, souvent ornée, comme un font gothique, d'une salamandre, qui sculptait sur la pierre fruste le relief mobile de son corps allégorique et fuselé, sur le banc sans dossier ombragé d'un lilas, dans ce petit coin du jardin qui s'ouvrait par une porte de service sur la rue du Saint-Esprit et de la terre peu soignée duquel s'élevait par deux degrés, en saillie de la maison, et comme une construction indépendante, l'arrière-cuisine. On apercevait son dallage rouge et luisant comme du porphyre. Elle avait moins l'air de l'antre de Françoise que d'un petit temple de Vénus. Elle regorgeait des offrandes du crémier, du fruitier, de la marchande de légumes, venus parfois de hameaux assez lointains pour lui dédier les prémices de leurs champs. Et son faîte était toujours couronné du roucoulement d'une colombe.

Autrefois, je ne m'attardais pas dans le bois consacré qui l'entourait, car, avant de monter lire, j'entrais dans le petit cabinet de repos que mon oncle Adolphe, un frère de mon grand-père, ancien militaire qui avait pris sa retraite comme commandant, occupait au rez-de-chaussée, et qui, même quand les fenêtres ouvertes laissaient entrer la chaleur, sinon les rayons du soleil qui atteignaient rarement jusque-là, dégageait inépuisablement cette odeur obscure et fraîche, à la fois forestière et ancien régime, qui fait rêver longuement les narines quand on pénètre dans certains pavillons de chasse abandonnés. Mais depuis nombre d'années je n'entrais plus dans le cabinet de mon oncle Adolphe, ce dernier ne venant plus à Combray à cause d'une brouille qui était

survenue entre lui et ma famille, par ma faute, dans les
circonstances suivantes :

Une ou deux fois par mois, à Paris, on m'envoyait lui faire
une visite, comme il finissait de déjeuner, en simple vareuse,
servi par son domestique en veste de travail de coutil rayé
violet et blanc. Il se plaignait en ronchonnant que je n'étais
pas venu depuis longtemps, qu'on l'abandonnait ; il m'offrait
un massepain ou une mandarine, nous traversions un salon
dans lequel on ne s'arrêtait jamais, où on ne faisait jamais de
feu, dont les murs étaient ornés de moulures dorées, les
plafonds peints d'un bleu qui prétendait imiter le ciel et les
meubles capitonnés en satin comme chez mes grands-
parents, mais jaune ; puis nous passions dans ce qu'il
appelait son cabinet de « travail » aux murs duquel étaient
accrochées de ces gravures représentant sur fond noir une
déesse charnue et rose conduisant un char, montée sur un
globe, ou une étoile au front, qu'on aimait sous le Second
Empire parce qu'on leur trouvait un air pompéien, puis
qu'on détesta, et qu'on recommence à aimer pour une seule
et même raison, malgré les autres qu'on donne, et qui est
qu'elles ont l'air Second Empire. Et je restais avec mon oncle
jusqu'à ce que son valet de chambre vînt lui demander, de la
part du cocher, pour quelle heure celui-ci devait atteler. Mon
oncle se plongeait alors dans une méditation qu'aurait craint
de troubler d'un seul mouvement son valet de chambre
émerveillé, et dont il attendait avec curiosité le résultat,
toujours identique. Enfin, après une hésitation suprême,
mon oncle prononçait infailliblement ces mots : « Deux
heures et quart », que le valet de chambre répétait avec
étonnement, mais sans discuter : « Deux heures et quart ?
bien... je vais le dire... »

A cette époque j'avais l'amour du théâtre, amour platonique, car mes parents ne m'avaient encore jamais permis d'y
aller, et je me représentais d'une façon si peu exacte les
plaisirs qu'on y goûtait que je n'étais pas éloigné de croire
que chaque spectateur regardait comme dans un stéréoscope

un décor qui n'était que pour lui, quoique semblable au millier d'autres que regardait, chacun pour soi, le reste des spectateurs.

Tous les matins je courais jusqu'à la colonne Morris pour voir les spectacles qu'elle annonçait. Rien n'était plus désintéressé et plus heureux que les rêves offerts à mon imagination par chaque pièce annoncée, et qui étaient conditionnés à la fois par les images inséparables des mots qui en composaient le titre et aussi de la couleur des affiches encore humides et boursouflées de colle sur lesquelles il se détachait. Si ce n'est une de ces œuvres étranges comme *le Testament de César Girodot* et *Œdipe-Roi* lesquelles s'inscrivaient, non sur l'affiche verte de l'Opéra-Comique, mais sur l'affiche lie de vin de la Comédie-Française, rien ne me paraissait plus différent de l'aigrette étincelante et blanche des *Diamants de la Couronne* que le satin lisse et mystérieux du *Domino Noir*, et, mes parents m'ayant dit que quand j'irais pour la première fois au théâtre j'aurais à choisir entre ces deux pièces, cherchant à approfondir successivement le titre de l'une et le titre de l'autre, puisque c'était tout ce que je connaissais d'elles, pour tâcher de saisir en chacun le plaisir qu'il me promettait et de le comparer à celui que recélait l'autre, j'arrivais à me représenter avec tant de force, d'une part une pièce éblouissante et fière, de l'autre une pièce douce et veloutée, que j'étais aussi incapable de décider laquelle aurait ma préférence, que si, pour le dessert, on m'avait donné à opter entre du riz à l'Impératrice et de la crème au chocolat.

Toutes mes conversations avec mes camarades portaient sur ces acteurs dont l'art, bien qu'il me fût encore inconnu, était la première forme, entre toutes celles qu'il revêt, sous laquelle se laissait pressentir par moi, l'Art. Entre la manière que l'un ou l'autre avait de débiter, de nuancer une tirade, les différences les plus minimes me semblaient avoir une importance incalculable. Et, d'après ce que l'on m'avait dit d'eux, je les classais par ordre de talent, dans des listes que je me récitais toute la journée, et qui avaient fini par durcir dans mon cerveau et par le gêner de leur inamovibilité.

Plus tard, quand je fus au collège, chaque fois que pendant les classes je correspondais, aussitôt que le professeur avait la tête tournée, avec un nouvel ami, ma première question était toujours pour lui demander s'il était déjà allé au théâtre et s'il trouvait que le plus grand acteur était bien Got, le second Delaunay, etc. Et si, à son avis, Febvre ne venait qu'après Thiron, ou Delaunay qu'après Coquelin, la soudaine motilité que Coquelin, perdant la rigidité de la pierre, contractait dans mon esprit pour y passer au deuxième rang, et l'agilité miraculeuse, la féconde animation dont se voyait doué Delaunay pour reculer au quatrième, rendaient la sensation du fleurissement et de la vie à mon cerveau assoupli et fertilisé.

Mais si les acteurs me préoccupaient ainsi, si la vue de Maubant sortant un après-midi du Théâtre-Français m'avait causé le saisissement et les souffrances de l'amour, combien le nom d'une étoile flamboyant à la porte d'un théâtre, combien, à la glace d'un coupé qui passait dans la rue avec ses chevaux fleuris de roses au frontail, la vue du visage d'une femme que je pensais être peut-être une actrice, laissait en moi un trouble plus prolongé, un effort impuissant et douloureux pour me représenter sa vie ! Je classais par ordre de talent les plus illustres : Sarah Bernhardt, la Berma, Bartet, Madeleine Brohan, Jeanne Samary, mais toutes m'intéressaient. Or mon oncle en connaissait beaucoup, et aussi des cocottes que je ne distinguais pas nettement des actrices. Il les recevait chez lui. Et si nous n'allions le voir qu'à certains jours, c'est que, les autres jours, venaient des femmes avec lesquelles sa famille n'aurait pas pu se rencontrer, du moins à son avis à elle, car, pour mon oncle, au contraire, sa trop grande facilité à faire à de jolies veuves qui n'avaient peut-être jamais été mariées, à des comtesses de nom ronflant, qui n'était sans doute qu'un nom de guerre, la politesse de les présenter à ma grand'mère ou même à leur donner des bijoux de famille, l'avait déjà brouillé plus d'une

fois avec mon grand-père. Souvent, à un nom d'actrice qui
venait dans la conversation, j'entendais mon père dire à ma
mère, en souriant : « Une amie de ton oncle », et je pensais
que le stage que peut-être pendant des années des hommes
importants faisaient inutilement à la porte de telle femme qui
ne répondait pas à leurs lettres et les faisait chasser par le
concierge de son hôtel, mon oncle aurait pu en dispenser un
gamin comme moi en le présentant chez lui à l'actrice,
inapprochable à tant d'autres, qui était pour lui une intime
amie.

Aussi — sous le prétexte qu'une leçon qui avait été
déplacée tombait maintenant si mal qu'elle m'avait empêché
plusieurs fois et m'empêcherait encore de voir mon oncle —
un jour, autre que celui qui était réservé aux visites que nous
lui faisions, profitant de ce que mes parents avaient déjeuné
de bonne heure, je sortis et au lieu d'aller regarder la colonne
d'affiches, pour quoi on me laissait aller seul, je courus
jusqu'à lui. Je remarquai devant sa porte une voiture attelée
de deux chevaux qui avaient aux œillères un œillet rouge
comme avait le cocher à sa boutonnière. De l'escalier
j'entendis un rire et une voix de femme, et dès que j'eus
sonné, un silence, puis le bruit de portes qu'on fermait. Le
valet de chambre vint ouvrir, et en me voyant parut
embarrassé, me dit que mon oncle était très occupé, ne
pourrait sans doute pas me recevoir, et, tandis qu'il allait
pourtant le prévenir, la même voix que j'avais entendue
disait : « Oh, si ! laisse-le entrer ; rien qu'une minute, cela
m'amuserait tant. Sur la photographie qui est sur ton
bureau, il ressemble tant à sa maman, ta nièce, dont la
photographie est à côté de la sienne, n'est-ce pas ? Je
voudrais le voir rien qu'un instant, ce gosse. »

J'entendis mon oncle grommeler, se fâcher ; finalement le
valet de chambre me fit entrer.

Sur la table, il y avait la même assiette de massepains que
d'habitude ; mon oncle avait sa vareuse de tous les jours,
mais en face de lui, en robe de soie rose avec un grand collier

de perles au cou, était assise une jeune femme qui achevait de
manger une mandarine. L'incertitude où j'étais s'il fallait lui
dire madame ou mademoiselle me fit rougir et, n'osant pas
tourner les yeux de son côté de peur d'avoir à lui parler,
j'allai embrasser mon oncle. Elle me regardait en souriant,
mon oncle lui dit : « Mon neveu », sans lui dire mon nom, ni
me dire le sien, sans doute parce que, depuis les difficultés
qu'il avait eues avec mon grand-père, il tâchait autant que
possible d'éviter tout trait d'union entre sa famille et ce genre
de relations.

— Comme il ressemble à sa mère, dit-elle.

— Mais vous n'avez jamais vu ma nièce qu'en photographie, dit vivement mon oncle d'un ton bourru.

— Je vous demande pardon, mon cher ami, je l'ai croisée
dans l'escalier l'année dernière quand vous avez été si
malade. Il est vrai que je ne l'ai vue que le temps d'un éclair
et que votre escalier est bien noir, mais cela m'a suffi pour
l'admirer. Ce petit jeune homme a ses beaux yeux et aussi *ça*,
dit-elle, en traçant avec son doigt une ligne sur le bas de son
front. Est-ce que madame votre nièce porte le même nom que
vous, ami ? demanda-t-elle à mon oncle.

— Il ressemble surtout à son père, grogna mon oncle qui
ne se souciait pas plus de faire des présentations à distance
en disant le nom de maman que d'en faire de près. C'est tout
à fait son père et aussi ma pauvre mère.

— Je ne connais pas son père, dit la dame en rose avec
une légère inclinaison de la tête, et je n'ai jamais connu votre
pauvre mère, mon ami. Vous vous souvenez, c'est peu après
votre grand chagrin que nous nous sommes connus.

J'éprouvais une petite déception, car cette jeune dame ne
différait pas des autres jolies femmes que j'avais vues
quelquefois dans ma famille, notamment de la fille d'un de
nos cousins chez lequel j'allais tous les ans le 1er janvier.
Mieux habillée seulement, l'amie de mon oncle avait le
même regard vif et bon, elle avait l'air aussi franc et aimant.
Je ne lui trouvais rien de l'aspect théâtral que j'admirais

dans les photographies d'actrices, ni de l'expression diabolique qui eût été en rapport avec la vie qu'elle devait mener.
J'avais peine à croire que ce fût une cocotte et surtout je
n'aurais pas cru que ce fût une cocotte chic si je n'avais pas
vu la voiture à deux chevaux, la robe rose, le collier de perles,
si je n'avais pas su que mon oncle n'en connaissait que de la
plus haute volée. Mais je me demandais comment le
millionnaire qui lui donnait sa voiture et son hôtel et ses
bijoux pouvait avoir du plaisir à manger sa fortune pour une
personne qui avait l'air si simple et comme il faut. Et
pourtant, en pensant à ce que devait être sa vie, l'immoralité
m'en troublait peut-être plus que si elle avait été concrétisée
devant moi en une apparence spéciale, — d'être ainsi
invisible comme le secret de quelque roman, de quelque
scandale qui avait fait sortir de chez ses parents bourgeois et
voué à tout le monde, qui avait fait épanouir en beauté et
haussé jusqu'au demi-monde et à la notoriété, celle que ses
jeux de physionomie, ses intonations de voix, pareils à tant
d'autres que je connaissais déjà, me faisaient malgré moi
considérer comme une jeune fille de bonne famille, qui
n'était plus d'aucune famille.

On était passé dans le « cabinet de travail », et mon oncle,
d'un air un peu gêné par ma présence, lui offrit des
cigarettes.

— Non, dit-elle, cher, vous savez que je suis habituée à
celles que le Grand-duc m'envoie. Je lui ai dit que vous en
étiez jaloux. Et elle tira d'un étui des cigarettes couvertes
d'inscriptions étrangères et dorées. « Mais si, reprit-elle tout
d'un coup, je dois avoir rencontré chez vous le père de ce
jeune homme. N'est-ce pas votre neveu ? Comment ai-je pu
l'oublier ? Il a été tellement bon, tellement exquis pour
moi », dit-elle d'un air modeste et sensible. Mais en pensant
à ce qu'avait pu être l'accueil rude, qu'elle disait avoir trouvé
exquis, de mon père, moi qui connaissais sa réserve et sa
froideur, j'étais gêné, comme par une indélicatesse qu'il
aurait commise, de cette inégalité entre la reconnaissance

excessive qui lui était accordée et son amabilité insuffisante.
Il m'a semblé plus tard que c'était un des côtés touchants du
rôle de ces femmes oisives et studieuses, qu'elles consacrent
leur générosité, leur talent, un rêve disponible de beauté
sentimentale — car, comme les artistes, elles ne le réalisent
pas, ne le font pas entrer dans les cadres de l'existence
commune — et un or qui leur coûte peu, à enrichir d'un
sertissage précieux et fin la vie fruste et mal dégrossie des
hommes. Comme celle-ci, dans le fumoir où mon oncle était
en vareuse pour la recevoir, répandait son corps si doux, sa
robe de soie rose, ses perles, l'élégance qui émane de l'amitié
d'un grand-duc, de même elle avait pris quelque propos
insignifiant de mon père, elle l'avait travaillé avec délicatesse, lui avait donné un tour, une appellation précieuse, et y
enchâssant un de ses regards d'une si belle eau, nuancé
d'humilité et de gratitude, elle le rendait changé en un bijou
artiste, en quelque chose de « tout à fait exquis ».

— Allons, voyons, il est l'heure que tu t'en ailles, me dit
mon oncle.

Je me levai, j'avais une envie irrésistible de baiser la main
de la dame en rose, mais il me semblait que c'eût été quelque
chose d'audacieux comme un enlèvement. Mon cœur battait
tandis que je me disais : « Faut-il le faire, faut-il ne pas le
faire », puis je cessai de me demander ce qu'il fallait faire
pour pouvoir faire quelque chose. Et d'un geste aveugle et
insensé, dépouillé de toutes les raisons que je trouvais il y
avait un moment en sa faveur, je portai à mes lèvres la main
qu'elle me tendait.

— Comme il est gentil ! il est déjà galant, il a un petit œil
pour les femmes : il tient de son oncle. Ce sera un parfait
gentleman, ajouta-t-elle en serrant les dents pour donner à la
phrase un accent légèrement britannique. Est-ce qu'il ne
pourrait pas venir une fois prendre *a cup of tea,* comme disent
nos voisins les Anglais ? Il n'aurait qu'à m'envoyer un
« bleu » le matin.

Je ne savais pas ce que c'était qu'un « bleu ». Je ne

comprenais pas la moitié des mots que disait la dame, mais la crainte que n'y fût cachée quelque question à laquelle il eût été impoli de ne pas répondre m'empêchait de cesser de les écouter avec attention, et j'en éprouvais une grande fatigue.

— Mais non, c'est impossible, dit mon oncle, en haussant les épaules, il est très tenu, il travaille beaucoup. Il a tous les prix à son cours, ajouta-t-il, à voix basse pour que je n'entende pas ce mensonge et que je n'y contredise pas. Qui sait ? ce sera peut-être un petit Victor Hugo, une espèce de Vaulabelle, vous savez.

— J'adore les artistes, répondit la dame en rose, il n'y a qu'eux qui comprennent les femmes... Qu'eux et les êtres d'élite comme vous. Excusez mon ignorance, ami. Qui est Vaulabelle ? Est-ce les volumes dorés qu'il y a dans la petite bibliothèque vitrée de votre boudoir ? Vous savez que vous m'avez promis de me les prêter, j'en aurai grand soin.

Mon oncle qui détestait prêter ses livres ne répondit rien et me conduisit jusqu'à l'antichambre. Éperdu d'amour pour la dame en rose, je couvris de baisers fous les joues pleines de tabac de mon vieil oncle, et tandis qu'avec assez d'embarras il me laissait entendre sans oser me le dire ouvertement qu'il aimerait autant que je ne parlasse pas de cette visite à mes parents, je lui disais, les larmes aux yeux, que le souvenir de sa bonté était en moi si fort que je trouverais bien un jour le moyen de lui témoigner ma reconnaissance. Il était si fort en effet que deux heures plus tard, après quelques phrases mystérieuses et qui ne me parurent pas donner à mes parents une idée assez nette de la nouvelle importance dont j'étais doué, je trouvai plus explicite de leur raconter dans les moindres détails la visite que je venais de faire. Je ne croyais pas ainsi causer d'ennuis à mon oncle. Comment l'aurais-je cru, puisque je ne le désirais pas ? Et je ne pouvais supposer que mes parents trouveraient du mal dans une visite où je n'en trouvais pas. N'arrive-t-il pas tous les jours qu'un ami nous demande de ne pas manquer de l'excuser auprès d'une

femme à qui il a été empêché d'écrire, et que nous négligions
de le faire, jugeant que cette personne ne peut pas attacher
d'importance à un silence qui n'en a pas pour nous ? Je
m'imaginais, comme tout le monde, que le cerveau des
autres était un réceptacle inerte et docile, sans pouvoir de
réaction spécifique sur ce qu'on y introduisait ; et je ne
doutais pas qu'en déposant dans celui de mes parents la
nouvelle de la connaissance que mon oncle m'avait fait faire,
je ne leur transmisse en même temps, comme je le souhaitais,
le jugement bienveillant que je portais sur cette présentation.
Mes parents malheureusement s'en remirent à des principes
entièrement différents de ceux que je leur suggérais d'adopter, quand ils voulurent apprécier l'action de mon oncle.
Mon père et mon grand-père eurent avec lui des explications
violentes ; j'en fus indirectement informé. Quelques jours
après, croisant dehors mon oncle qui passait en voiture
découverte, je ressentis la douleur, la reconnaissance, le
remords que j'aurais voulu lui exprimer. A côté de leur
immensité, je trouvai qu'un coup de chapeau serait mesquin
et pourrait faire supposer à mon oncle que je ne me croyais
pas tenu envers lui à plus qu'à une banale politesse. Je
résolus de m'abstenir de ce geste insuffisant et je détournai la
tête. Mon oncle pensa que je suivais en cela les ordres de mes
parents, il ne le leur pardonna pas, et il est mort bien des
années après sans qu'aucun de nous l'ait jamais revu.

Aussi je n'entrais plus dans le cabinet de repos, maintenant fermé, de mon oncle Adolphe, et après m'être attardé
aux abords de l'arrière-cuisine, quand Françoise, apparaissant sur le parvis, me disait : « Je vais laisser ma fille de
cuisine servir le café et monter l'eau chaude, il faut que je me
sauve chez Mme Octave », je me décidais à rentrer et montais
directement lire chez moi. La fille de cuisine était une
personne morale, une institution permanente à qui des
attributions invariables assuraient une sorte de continuité et
d'identité, à travers la succession des formes passagères en
lesquelles elle s'incarnait, car nous n'eûmes jamais la même

deux ans de suite. L'année où nous mangeâmes tant
d'asperges, la fille de cuisine habituellement chargée de les
« plumer » était une pauvre créature maladive, dans un état
de grossesse déjà assez avancé quand nous arrivâmes à
Pâques, et on s'étonnait même que Françoise lui laissât faire
tant de courses et de besogne, car elle commençait à porter
difficilement devant elle la mystérieuse corbeille, chaque jour
plus remplie, dont on devinait sous ses amples sarraus la
forme magnifique. Ceux-ci rappelaient les houppelandes qui
revêtent certaines des figures symboliques de Giotto dont
M. Swann m'avait donné des photographies. C'est lui-même
qui nous l'avait fait remarquer et quand il nous demandait
des nouvelles de la fille de cuisine, il nous disait : « Comment
va la Charité de Giotto ? » D'ailleurs elle-même, la pauvre
fille, engraissée par sa grossesse jusqu'à la figure, jusqu'aux
joues qui tombaient droites et carrées, ressemblait en effet
assez à ces vierges fortes et hommasses, matrones plutôt,
dans lesquelles les vertus sont personnifiées à l'Arena. Et je
me rends compte maintenant que ces Vertus et ces Vices de
Padoue lui ressemblaient encore d'une autre manière. De
même que l'image de cette fille était accrue par le symbole
ajouté qu'elle portait devant son ventre, sans avoir l'air d'en
comprendre le sens, sans que rien dans son visage en
traduisît la beauté et l'esprit, comme un simple et pesant
fardeau, de même c'est sans paraître s'en douter que la
puissante ménagère qui est représentée à l'Arena au-dessous
du nom « Caritas » et dont la reproduction était accrochée
au mur de ma salle d'études, à Combray, incarne cette vertu,
c'est sans qu'aucune pensée de charité semble avoir jamais
pu être exprimée par son visage énergique et vulgaire. Par
une belle invention du peintre elle foule aux pieds les trésors
de la terre, mais absolument comme si elle piétinait des
raisins pour en extraire le jus ou plutôt comme elle aurait
monté sur des sacs pour se hausser ; et elle tend à Dieu son
cœur enflammé, disons mieux, elle le lui « passe », comme
une cuisinière passe un tire-bouchon par le soupirail de son

sous-sol à quelqu'un qui le lui demande à la fenêtre du rez-
de-chaussée. L'Envie, elle, aurait eu davantage une certaine
expression d'envie. Mais dans cette fresque-là encore, le
symbole tient tant de place et est représenté comme si réel, le
serpent qui siffle aux lèvres de l'Envie est si gros, il lui
remplit si complètement sa bouche grande ouverte, que les
muscles de sa figure sont distendus pour pouvoir le contenir,
comme ceux d'un enfant qui gonfle un ballon avec son
souffle, et que l'attention de l'Envie — et la nôtre du même
coup — tout entière concentrée sur l'action de ses lèvres, n'a
guère de temps à donner à d'envieuses pensées.

Malgré toute l'admiration que M. Swann professait pour
ces figures de Giotto, je n'eus longtemps aucun plaisir à
considérer dans notre salle d'études, où on avait accroché les
copies qu'il m'en avait rapportées, cette Charité sans charité,
cette Envie qui avait l'air d'une planche illustrant seulement
dans un livre de médecine la compression de la glotte ou de
la luette par une tumeur de la langue ou par l'introduction de
l'instrument de l'opérateur, une Justice, dont le visage
grisâtre et mesquinement régulier était celui-là même qui, à
Combray, caractérisait certaines jolies bourgeoises pieuses et
sèches que je voyais à la messe et dont plusieurs étaient
enrôlées d'avance dans les milices de réserve de l'Injustice.
Mais plus tard j'ai compris que l'étrangeté saisissante, la
beauté spéciale de ces fresques tenait à la grande place que le
symbole y occupait, et que le fait qu'il fût représenté, non
comme un symbole puisque la pensée symbolisée n'était pas
exprimée, mais comme réel, comme effectivement subi ou
matériellement manié, donnait à la signification de l'œuvre
quelque chose de plus littéral et de plus précis, à son
enseignement quelque chose de plus concret et de plus
frappant. Chez la pauvre fille de cuisine, elle aussi, l'attention n'était-elle pas sans cesse ramenée à son ventre par le
poids qui le tirait ; et de même encore, bien souvent la pensée
des agonisants est tournée vers le côté effectif, douloureux,
obscur, viscéral, vers cet envers de la mort qui est précisé-

ment le côté qu'elle leur présente, qu'elle leur fait rudement sentir et qui ressemble beaucoup plus à un fardeau qui les écrase, à une difficulté de respirer, à un besoin de boire, qu'à ce que nous appelons l'idée de la mort.

Il fallait que ces Vertus et ces Vices de Padoue eussent en eux bien de la réalité puisqu'ils m'apparaissaient comme aussi vivants que la servante enceinte, et qu'elle-même ne me semblait pas beaucoup moins allégorique. Et peut-être cette non-participation (du moins apparente) de l'âme d'un être à la vertu qui agit par lui, a aussi en dehors de sa valeur esthétique une réalité sinon psychologique, au moins, comme on dit, physiognomonique. Quand, plus tard, j'ai eu l'occasion de rencontrer au cours de ma vie, dans des couvents par exemple, des incarnations vraiment saintes de la charité active, elles avaient généralement un air allègre, positif, indifférent et brusque de chirurgien pressé, ce visage où ne se lit aucune commisération, aucun attendrissement devant la souffrance humaine, aucune crainte de la heurter, et qui est le visage sans douceur, le visage antipathique et sublime de la vraie bonté.

Pendant que la fille de cuisine — faisant briller involontairement la supériorité de Françoise, comme l'Erreur, par le contraste, rend plus éclatant le triomphe de la Vérité — servait du café qui, selon maman, n'était que de l'eau chaude, et montait ensuite dans nos chambres de l'eau chaude qui était à peine tiède, je m'étais étendu sur mon lit, un livre à la main, dans ma chambre qui protégeait en tremblant sa fraîcheur transparente et fragile contre le soleil de l'après-midi derrière ses volets presque clos où un reflet de jour avait pourtant trouvé moyen de faire passer ses ailes jaunes, et restait immobile entre le bois et le vitrage, dans un coin, comme un papillon posé. Il faisait à peine assez clair pour lire, et la sensation de la splendeur de la lumière ne m'était donnée que par les coups frappés dans la rue de la Cure par Camus (averti par Françoise que ma tante ne « reposait pas » et qu'on pouvait faire du bruit) contre des

caisses poussiéreuses, mais qui, retentissant dans l'atmosphère sonore, spéciale aux temps chauds, semblaient faire
voler au loin des astres écarlates ; et aussi par les mouches
qui exécutaient devant moi, dans leur petit concert, comme
la musique de chambre de l'été : elle ne l'évoque pas à la
façon d'un air de musique humaine, qui, entendu par hasard
à la belle saison, vous la rappelle ensuite ; elle est unie à l'été
par un lien plus nécessaire : née des beaux jours, ne
renaissant qu'avec eux, contenant un peu de leur essence,
elle n'en réveille pas seulement l'image dans notre mémoire,
elle en certifie le retour, la présence effective, ambiante,
immédiatement accessible.

Cette obscure fraîcheur de ma chambre était au plein soleil
de la rue ce que l'ombre est au rayon, c'est-à-dire aussi
lumineuse que lui et offrait à mon imagination le spectacle
total de l'été dont mes sens, si j'avais été en promenade,
n'auraient pu jouir que par morceaux ; et ainsi elle s'accordait bien à mon repos qui (grâce aux aventures racontées par
mes livres et qui venaient l'émouvoir) supportait, pareil au
repos d'une main immobile au milieu d'une eau courante, le
choc et l'animation d'un torrent d'activité.

Mais ma grand'mère, même si le temps trop chaud s'était
gâté, si un orage ou seulement un grain était survenu, venait
me supplier de sortir. Et ne voulant pas renoncer à ma
lecture, j'allais du moins la continuer au jardin, sous le
marronnier, dans une petite guérite en sparterie et en toile au
fond de laquelle j'étais assis et me croyais caché aux yeux des
personnes qui pourraient venir faire visite à mes parents.

Et ma pensée n'était-elle pas aussi comme une autre
crèche au fond de laquelle je sentais que je restais enfoncé,
même pour regarder ce qui se passait au dehors ? Quand je
voyais un objet extérieur, la conscience que je le voyais
restait entre moi et lui, le bordait d'un mince liséré spirituel
qui m'empêchait de jamais toucher directement sa matière ;
elle se volatilisait en quelque sorte avant que je prisse contact
avec elle, comme un corps incandescent qu'on approche d'un

objet mouillé ne touche pas son humidité parce qu'il se fait toujours précéder d'une zone d'évaporation. Dans l'espèce d'écran diapré d'états différents que, tandis que je lisais, déployait simultanément ma conscience, et qui allaient des aspirations les plus profondément cachées en moi-même jusqu'à la vision tout extérieure de l'horizon que j'avais, au bout du jardin, sous les yeux, ce qu'il y avait d'abord en moi de plus intime, la poignée sans cesse en mouvement qui gouvernait le reste, c'était ma croyance en la richesse philosophique, en la beauté du livre que je lisais, et mon désir de me les approprier, quel que fût ce livre. Car, même si je l'avais acheté à Combray, en l'apercevant devant l'épicerie Borange, trop distante de la maison pour que Françoise pût s'y fournir comme chez Camus, mais mieux achalandée comme papeterie et librairie, retenu par des ficelles dans la mosaïque des brochures et des livraisons qui revêtaient les deux vantaux de sa porte plus mystérieuse, plus semée de pensées qu'une porte de cathédrale, c'est que je l'avais reconnu pour m'avoir été cité comme un ouvrage remarquable par le professeur ou le camarade qui me paraissait à cette époque détenir le secret de la vérité et de la beauté à demi pressenties, à demi incompréhensibles, dont la connaissance était le but vague mais permanent de ma pensée.

Après cette croyance centrale qui, pendant ma lecture, exécutait d'incessants mouvements du dedans au dehors, vers la découverte de la vérité, venaient les émotions que me donnait l'action à laquelle je prenais part, car ces après-midi-là étaient plus remplis d'événements dramatiques que ne l'est souvent toute une vie. C'était les événements qui survenaient dans le livre que je lisais ; il est vrai que les personnages qu'ils affectaient n'étaient pas « réels », comme disait Françoise. Mais tous les sentiments que nous font éprouver la joie ou l'infortune d'un personnage réel ne se produisent en nous que par l'intermédiaire d'une image de cette joie ou de cette infortune ; l'ingéniosité du premier romancier consista à comprendre que dans l'appareil de nos

émotions, l'image étant le seul élément essentiel, la simplification qui consisterait à supprimer purement et simplement
les personnages réels serait un perfectionnement décisif. Un
être réel, si profondément que nous sympathisions avec lui,
pour une grande part est perçu par nos sens, c'est-à-dire
nous reste opaque, offre un poids mort que notre sensibilité
ne peut soulever. Qu'un malheur le frappe, ce n'est qu'en
une petite partie de la notion totale que nous avons de lui que
nous pourrons en être émus ; bien plus, ce n'est qu'en une
partie de la notion totale qu'il a de soi qu'il pourra l'être lui-
même. La trouvaille du romancier a été d'avoir l'idée de
remplacer ces parties impénétrables à l'âme par une quantité
égale de parties immatérielles, c'est-à-dire que notre âme
peut s'assimiler. Qu'importe dès lors que les actions, les
émotions de ces êtres d'un nouveau genre nous apparaissent
comme vraies, puisque nous les avons faites nôtres, puisque
c'est en nous qu'elles se produisent, qu'elles tiennent sous
leur dépendance, tandis que nous tournons fiévreusement les
pages du livre, la rapidité de notre respiration et l'intensité
de notre regard ? Et une fois que le romancier nous a mis
dans cet état, où comme dans tous les états purement
intérieurs toute émotion est décuplée, où son livre va nous
troubler à la façon d'un rêve mais d'un rêve plus clair que
ceux que nous avons en dormant et dont le souvenir durera
davantage, alors, voici qu'il déchaîne en nous pendant une
heure tous les bonheurs et tous les malheurs possibles dont
nous mettrions dans la vie des années à connaître quelques-
uns, et dont les plus intenses ne nous seraient jamais révélés
parce que la lenteur avec laquelle ils se produisent nous en
ôte la perception ; (ainsi notre cœur change, dans la vie, et
c'est la pire douleur ; mais nous ne la connaissons que dans la
lecture, en imagination : dans la réalité il change, comme
certains phénomènes de la nature se produisent, assez
lentement pour que, si nous pouvons constater successivement chacun de ses états différents, en revanche, la sensation
même du changement nous soit épargnée).

Déjà moins intérieur à mon corps que cette vie des personnages, venait ensuite, à demi projeté devant moi, le paysage où se déroulait l'action et qui exerçait sur ma pensée une bien plus grande influence que l'autre, que celui que j'avais sous les yeux quand je les levais du livre. C'est ainsi que pendant deux étés, dans la chaleur du jardin de Combray, j'ai eu, à cause du livre que je lisais alors, la nostalgie d'un pays montueux et fluviatile, où je verrais beaucoup de scieries et où, au fond de l'eau claire, des morceaux de bois pourrissaient sous des touffes de cresson : non loin montaient le long de murs bas des grappes de fleurs violettes et rougeâtres. Et comme le rêve d'une femme qui m'aurait aimé était toujours présent à ma pensée, ces étés-là ce rêve fut imprégné de la fraîcheur des eaux courantes ; et quelle que fût la femme que j'évoquais, des grappes de fleurs violettes et rougeâtres s'élevaient aussitôt de chaque côté d'elle comme des couleurs complémentaires.

Ce n'était pas seulement parce qu'une image dont nous rêvons reste toujours marquée, s'embellit et bénéficie du reflet des couleurs étrangères qui par hasard l'entourent dans notre rêverie ; car ces paysages des livres que je lisais n'étaient pas pour moi que des paysages plus vivement représentés à mon imagination que ceux que Combray mettait sous mes yeux, mais qui eussent été analogues. Par le choix qu'en avait fait l'auteur, par la foi avec laquelle ma pensée allait au-devant de sa parole comme d'une révélation, ils me semblaient être — impression que ne me donnait guère le pays où je me trouvais, et surtout notre jardin, produit sans prestige de la correcte fantaisie du jardinier que méprisait ma grand'mère — une part véritable de la Nature elle-même, digne d'être étudiée et approfondie.

Si mes parents m'avaient permis, quand je lisais un livre, d'aller visiter la région qu'il décrivait, j'aurais cru faire un pas inestimable dans la conquête de la vérité. Car si on a la sensation d'être toujours entouré de son âme, ce n'est pas comme d'une prison immobile : plutôt on est comme emporté avec elle dans un perpétuel élan pour la dépasser, pour atteindre à l'extérieur, avec une sorte de découragement, en entendant toujours autour de soi cette sonorité identique qui n'est pas écho du dehors, mais retentissement d'une vibration interne. On cherche à retrouver dans les choses, devenues par là précieuses, le reflet que notre âme a projeté sur elles ; on est déçu en constatant qu'elles semblent dépourvues dans la nature du charme qu'elles devaient, dans notre pensée, au voisinage de certaines idées ; parfois on convertit toutes les forces de cette âme en habileté, en splendeur pour agir sur des êtres dont nous sentons bien qu'ils sont situés en dehors de nous et que nous ne les atteindrons jamais. Aussi, si j'imaginais toujours autour de la femme que j'aimais les lieux que je désirais le plus alors, si j'eusse voulu que ce fût elle qui me les fît visiter, qui m'ouvrît l'accès d'un monde inconnu, ce n'était pas par le hasard d'une simple association de pensée ; non, c'est que mes rêves de voyage et d'amour n'étaient que des moments — que je sépare artificiellement aujourd'hui comme si je pratiquais des sections à des hauteurs différentes d'un jet d'eau irisé et en apparence immobile — dans un même et infléchissable jaillissement de toutes les forces de ma vie.

Enfin, en continuant à suivre du dedans au dehors les états simultanément juxtaposés dans ma conscience, et avant d'arriver jusqu'à l'horizon réel qui les enveloppait, je trouve des plaisirs d'un autre genre, celui d'être bien assis, de sentir la bonne odeur de l'air, de ne pas être dérangé par une visite et, quand une heure sonnait au clocher de Saint-Hilaire, de voir tomber morceau par morceau ce qui de l'après-midi était déjà consommé, jusqu'à ce que j'entendisse le dernier coup qui me permettait de faire le total et après lequel le long silence qui le suivait semblait faire commencer, dans le ciel bleu, toute la partie qui m'était encore concédée pour lire jusqu'au bon dîner qu'apprêtait Françoise et qui me réconforterait des fatigues prises, pendant la lecture du livre, à la suite de son héros. Et à chaque heure il me semblait que

c'était quelques instants seulement auparavant que la précédente avait sonné ; la plus récente venait s'inscrire tout près
de l'autre dans le ciel et je ne pouvais croire que soixante
minutes eussent tenu dans ce petit arc bleu qui était compris
entre leurs deux marques d'or. Quelquefois même cette
heure prématurée sonnait deux coups de plus que la
dernière ; il y en avait donc une que je n'avais pas entendue,
quelque chose qui avait eu lieu n'avait pas eu lieu pour moi ;
l'intérêt de la lecture, magique comme un profond sommeil,
avait donné le change à mes oreilles hallucinées et effacé la
cloche d'or sur la surface azurée du silence. Beaux après-
midi du dimanche sous le marronnier du jardin de Combray,
soigneusement vidés par moi des incidents médiocres de mon
existence personnelle que j'y avais remplacés par une vie
d'aventures et d'aspirations étranges au sein d'un pays
arrosé d'eaux vives, vous m'évoquez encore cette vie quand
je pense à vous et vous la contenez en effet pour l'avoir peu à
peu contournée et enclose — tandis que je progressais dans
ma lecture et que tombait la chaleur du jour — dans le cristal
successif, lentement changeant et traversé de feuillages, de
vos heures silencieuses, sonores, odorantes et limpides.

Quelquefois j'étais tiré de ma lecture, dès le milieu de
l'après-midi, par la fille du jardinier, qui courait comme une
folle, renversant sur son passage un oranger, se coupant un
doigt, se cassant une dent et criant : « Les voilà, les voilà ! »
pour que Françoise et moi nous accourions et ne manquions
rien du spectacle. C'était les jours où, pour des manœuvres
de garnison, la troupe traversait Combray, prenant généralement la rue Sainte-Hildegarde. Tandis que nos domestiques
assis en rang sur des chaises en dehors de la grille regardaient les promeneurs dominicaux de Combray et se faisaient voir d'eux, la fille du jardinier, par la fente que
laissaient entre elles deux maisons lointaines de l'avenue de
la Gare, avait aperçu l'éclat des casques. Les domestiques
avaient rentré précipitamment leurs chaises, car quand les
cuirassiers défilaient rue Sainte-Hildegarde, ils en remplis-

saient toute la largeur, et le galop des chevaux rasait les
maisons, couvrant les trottoirs submergés comme des berges
qui offrent un lit trop étroit à un torrent déchaîné.

— Pauvres enfants, disait Françoise à peine arrivée à la
grille et déjà en larmes ; pauvre jeunesse qui sera fauchée
comme un pré ; rien que d'y penser j'en suis choquée,
ajoutait-elle en mettant la main sur son cœur, là où elle avait
reçu ce *choc*.

— C'est beau, n'est-ce pas, madame Françoise, de voir
des jeunes gens qui ne tiennent pas à la vie ? disait le
jardinier pour la faire « monter ».

Il n'avait pas parlé en vain :

— De ne pas tenir à la vie ? Mais à quoi donc qu'il faut
tenir, si ce n'est pas à la vie, le seul cadeau que le bon Dieu
ne fasse jamais deux fois. Hélas ! mon Dieu ! C'est pourtant
vrai qu'ils n'y tiennent pas ! Je les ai vus en 70 ; ils n'ont plus
peur de la mort, dans ces misérables guerres ; c'est ni plus ni
moins des fous ; et puis ils ne valent plus la corde pour les
pendre, ce n'est pas des hommes, c'est des lions. (Pour
Françoise la comparaison d'un homme à un lion, qu'elle
prononçait li-on, n'avait rien de flatteur.)

La rue Sainte-Hildegarde tournait trop court pour qu'on
pût voir venir de loin, et c'était par cette fente entre les deux
maisons de l'avenue de la Gare qu'on apercevait toujours de
nouveaux casques courant et brillant au soleil. Le jardinier
aurait voulu savoir s'il y en avait encore beaucoup à passer,
et il avait soif, car le soleil tapait. Alors tout d'un coup sa fille
s'élançait comme d'une place assiégée, faisait une sortie,
atteignait l'angle de la rue, et après avoir bravé cent fois la
mort, venait nous rapporter, avec une carafe de coco, la
nouvelle qu'ils étaient bien un mille qui venaient sans arrêter
du côté de Thiberzy et de Méséglise. Françoise et le
jardinier, réconciliés, discutaient sur la conduite à tenir en
cas de guerre :

— Voyez-vous, Françoise, disait le jardinier, la révolution

vaudrait mieux, parce que quand on la déclare il n'y a que ceux qui veulent partir qui y vont.

— Ah ! oui, au moins je comprends cela, c'est plus franc.

Le jardinier croyait qu'à la déclaration de guerre on arrêtait tous les chemins de fer.

— Pardi, pour pas qu'on se sauve, disait Françoise.

Et le jardinier : « Ah ! ils sont malins », car il n'admettait pas que la guerre ne fût pas une espèce de mauvais tour que l'État essayait de jouer au peuple et que, si on avait eu le moyen de le faire, il n'est pas une seule personne qui n'eût filé.

Mais Françoise se hâtait de rejoindre ma tante, je retournais à mon livre, les domestiques se réinstallaient devant la porte à regarder tomber la poussière et l'émotion qu'avaient soulevées les soldats. Longtemps après que l'accalmie était venue, un flot inaccoutumé de promeneurs noircissait encore les rues de Combray. Et devant chaque maison, même celles où ce n'était pas l'habitude, les domestiques ou même les maîtres, assis et regardant, festonnaient le seuil d'un liséré capricieux et sombre comme celui des algues et des coquilles dont une forte marée laisse le crêpe et la broderie au rivage, après qu'elle s'est éloignée.

Sauf ces jours-là, je pouvais d'habitude, au contraire, lire tranquille. Mais l'interruption et le commentaire qui furent apportés une fois par une visite de Swann à la lecture que j'étais en train de faire du livre d'un auteur tout nouveau pour moi, Bergotte, eut cette conséquence que, pour longtemps, ce ne fut plus sur un mur décoré de fleurs violettes en quenouille, mais sur un fond tout autre, devant le portail d'une cathédrale gothique, que se détacha désormais l'image d'une des femmes dont je rêvais.

J'avais entendu parler de Bergotte pour la première fois par un de mes camarades plus âgé que moi et pour qui j'avais une grande admiration, Bloch. En m'entendant lui avouer mon admiration pour la *Nuit d'Octobre,* il avait fait éclater un rire bruyant comme une trompette et m'avait dit :

« Défie-toi de ta dilection assez basse pour le sieur de Musset. C'est un coco des plus malfaisants et une assez sinistre brute. Je dois confesser, d'ailleurs, que lui et même le nommé Racine ont fait chacun dans leur vie un vers assez bien rythmé, et qui a pour lui, ce qui est selon moi le mérite suprême, de ne signifier absolument rien. C'est : " La blanche Oloossone et la blanche Camyre " et " La fille de Minos et de Pasiphaé ". Ils m'ont été signalés à la décharge de ces deux malandrins par un article de mon très cher maître, le Père Leconte, agréable aux Dieux immortels. A propos, voici un livre que je n'ai pas le temps de lire en ce moment, qui est recommandé, paraît-il, par cet immense bonhomme. Il tient, m'a-t-on dit, l'auteur, le sieur Bergotte, pour un coco des plus subtils ; et bien qu'il fasse preuve, des fois, de mansuétudes assez mal explicables, sa parole est pour moi oracle delphique. Lis donc ces proses lyriques, et si le gigantesque assembleur de rythmes qui a écrit *Bhagavat* et *le Lévrier de Magnus* a dit vrai, par Apollon, tu goûteras, cher maître, les joies nectaréennes de l'Olympos. » C'est sur un ton sarcastique qu'il m'avait demandé de l'appeler « cher maître » et qu'il m'appelait lui-même ainsi. Mais en réalité nous prenions un certain plaisir à ce jeu, étant encore rapprochés de l'âge où on croit qu'on crée ce qu'on nomme.

Malheureusement, je ne pus pas apaiser en causant avec Bloch et en lui demandant des explications, le trouble où il m'avait jeté quand il m'avait dit que les beaux vers (à moi qui n'attendais d'eux rien de moins que la révélation de la vérité) étaient d'autant plus beaux qu'ils ne signifiaient rien du tout. Bloch en effet ne fut pas réinvité à la maison. Il y avait d'abord été bien accueilli. Mon grand-père, il est vrai, prétendait que chaque fois que je me liais avec un de mes camarades plus qu'avec les autres et que je l'amenais chez nous, c'était toujours un juif, ce qui ne lui eût pas déplu en principe — même son ami Swann était d'origine juive — s'il n'avait trouvé que ce n'était pas d'habitude parmi les meilleurs que je le choisissais. Aussi quand j'amenais un nouvel ami, il était bien rare qu'il ne fredonnât pas : « *O Dieu de nos Pères* » de *la Juive* ou bien « *Israël, romps ta chaîne* », ne chantant que l'air naturellement (Ti la lam talam, talim), mais j'avais peur que mon camarade ne le connût et ne rétablît les paroles.

Avant de les avoir vus, rien qu'en entendant leur nom qui, bien souvent, n'avait rien de particulièrement israélite, il devinait non seulement l'origine juive de ceux de mes amis qui l'étaient en effet, mais même ce qu'il y avait quelquefois de fâcheux dans leur famille.

— Et comment s'appelle-t-il ton ami qui vient ce soir ?

— Dumont, grand-père.

— Dumont ! Oh ! je me méfie.

Et il chantait :

> *Archers, faites bonne garde !*
> *Veillez sans trêve et sans bruit.*

Et après nous avoir posé adroitement quelques questions plus précises, il s'écriait : « A la garde ! A la garde ! » ou, si c'était le patient lui-même déjà arrivé qu'il avait forcé à son insu, par un interrogatoire dissimulé, à confesser ses origines, alors, pour nous montrer qu'il n'avait plus aucun doute, il se contentait de nous regarder en fredonnant imperceptiblement :

> *De ce timide Israélite*
> *Quoi, vous guidez ici les pas !*

ou :

> *Champs paternels, Hébron, douce vallée.*

ou encore :

> *Oui, je suis de la race élue.*

Ces petites manies de mon grand-père n'impliquaient aucun sentiment malveillant à l'endroit de mes camarades. Mais Bloch avait déplu à mes parents pour d'autres raisons. Il avait commencé par agacer mon père qui, le voyant mouillé, lui avait dit avec intérêt :

— Mais, monsieur Bloch, quel temps fait-il donc? est-ce qu'il a plu? Je n'y comprends rien, le baromètre était excellent.

Il n'en avait tiré que cette réponse :

— Monsieur, je ne puis absolument vous dire s'il a plu. Je vis si résolument en dehors des contingences physiques que mes sens ne prennent pas la peine de me les notifier.

— Mais, mon pauvre fils, il est idiot ton ami, m'avait dit mon père quand Bloch fut parti. Comment! il ne peut même pas me dire le temps qu'il fait! Mais il n'y a rien de plus intéressant! C'est un imbécile.

Puis Bloch avait déplu à ma grand'mère parce que, après le déjeuner, comme elle disait qu'elle était un peu souffrante, il avait étouffé un sanglot et essuyé des larmes.

— Comment veux-tu que ça soit sincère, me dit-elle, puisqu'il ne me connaît pas; ou bien alors il est fou.

Et enfin il avait mécontenté tout le monde parce que, étant venu déjeuner une heure et demie en retard et couvert de boue, au lieu de s'excuser, il avait dit :

— Je ne me laisse jamais influencer par les perturbations de l'atmosphère ni par les divisions conventionnelles du temps. Je réhabiliterais volontiers l'usage de la pipe d'opium et du kriss malais, mais j'ignore celui de ces instruments infiniment plus pernicieux et d'ailleurs platement bourgeois, la montre et le parapluie.

Il serait malgré tout revenu à Combray. Il n'était pas pourtant l'ami que mes parents eussent souhaité pour moi; ils avaient fini par penser que les larmes que lui avait fait verser l'indisposition de ma grand'mère n'étaient pas feintes; mais ils savaient d'instinct ou par expérience que les élans de notre sensibilité ont peu d'empire sur la suite de nos actes et la conduite de notre vie, et que le respect des obligations morales, la fidélité aux amis, l'exécution d'une œuvre, l'observance d'un régime, ont un fondement plus sûr dans des habitudes aveugles que dans ces transports momentanés, ardents et stériles. Ils auraient préféré pour moi à Bloch des compagnons qui ne me donneraient pas plus qu'il n'est convenu d'accorder à ses amis, selon les règles de la morale bourgeoise ; qui ne m'enverraient pas inopinément une corbeille de fruits parce qu'ils auraient ce jour-là pensé à moi avec tendresse, mais qui, n'étant pas capables de faire pencher en ma faveur la juste balance des devoirs et des exigences de l'amitié sur un simple mouvement de leur imagination et de leur sensibilité, ne la fausseraient pas davantage à mon préjudice. Nos torts même font difficilement départir de ce qu'elles nous doivent ces natures dont ma grand'tante était le modèle, elle qui, brouillée depuis des années avec une nièce à qui elle ne parlait jamais, ne modifia pas pour cela le testament où elle lui laissait toute sa fortune, parce que c'était sa plus proche parente et que cela « se devait ».

Mais j'aimais Bloch, mes parents voulaient me faire plaisir, les problèmes insolubles que je me posais à propos de la beauté dénuée de signification de la fille de Minos et de Pasiphaé me fatiguaient davantage et me rendaient plus souffrant que n'auraient fait de nouvelles conversations avec lui, bien que ma mère les jugeât pernicieuses. Et on l'aurait encore reçu à Combray si, après ce dîner, comme il venait de m'apprendre — nouvelle qui plus tard eut beaucoup d'influence sur ma vie, et la rendit plus heureuse, puis plus malheureuse — que toutes les femmes ne pensaient qu'à l'amour et qu'il n'y en a pas dont on ne pût vaincre les résistances, il ne m'avait assuré avoir entendu dire de la façon la plus certaine que ma grand'tante avait eu une jeunesse orageuse et avait été publiquement entretenue. Je ne pus me tenir de répéter ces propos à mes parents, on le mit à la porte quand il revint, et quand je l'abordai ensuite dans la rue, il fut extrêmement froid pour moi.

Mais au sujet de Bergotte il avait dit vrai.

Les premiers jours, comme un air de musique dont on raffolera, mais qu'on ne distingue pas encore, ce que je devais tant aimer dans son style ne m'apparut pas. Je ne pouvais pas quitter le roman que je lisais de lui, mais me croyais seulement intéressé par le sujet, comme dans ces premiers moments de l'amour où on va tous les jours retrouver une femme à quelque réunion, à quelque divertissement par les agréments desquels on se croit attiré. Puis je remarquai les expressions rares, presque archaïques qu'il aimait employer à certains moments où un flot caché d'harmonie, un prélude intérieur, soulevait son style ; et c'était aussi à ces moments-là qu'il se mettait à parler du « vain songe de la vie », de « l'inépuisable torrent des belles apparences », du « tourment stérile et délicieux de comprendre et d'aimer », des « émouvantes effigies qui anoblissent à jamais la façade vénérable et charmante des cathédrales », qu'il exprimait toute une philosophie nouvelle pour moi par de merveilleuses images dont on aurait dit que c'était elles qui avaient éveillé ce chant de harpes qui s'élevait alors et à l'accompagnement duquel elles donnaient quelque chose de sublime. Un de ces passages de Bergotte, le troisième ou le quatrième que j'eusse isolé du reste, me donna une joie incomparable à celle que j'avais trouvée au premier, une joie que je me sentis éprouver en une région plus profonde de moi-même, plus unie, plus vaste, d'où les obstacles et les séparations semblaient avoir été enlevés. C'est que, reconnaissant alors ce même goût pour les expressions rares, cette même effusion musicale, cette même philosophie idéaliste qui avait déjà été les autres fois, sans que je m'en rendisse compte, la cause de mon plaisir, je n'eus plus l'impression d'être en présence d'un morceau particulier d'un certain livre de Bergotte, traçant à la surface de ma pensée une figure purement linéaire, mais plutôt du « morceau idéal » de Bergotte, commun à tous ses livres et auquel tous les passages analogues qui venaient se confondre avec lui auraient donné une sorte d'épaisseur, de volume, dont mon esprit semblait agrandi.

Je n'étais pas tout à fait le seul admirateur de Bergotte ; il était aussi l'écrivain préféré d'une amie de ma mère qui était très lettrée ; enfin pour lire son dernier livre paru, le docteur du Boulbon faisait attendre ses malades ; et ce fut de son cabinet de consultation, et d'un parc voisin de Combray, que s'envolèrent quelques-unes des premières graines de cette prédilection pour Bergotte, espèce si rare alors, aujourd'hui universellement répandue, et dont on trouve partout en Europe, en Amérique, jusque dans le moindre village, la fleur idéale et commune. Ce que l'amie de ma mère et, paraît-il, le docteur du Boulbon aimaient surtout dans les livres de Bergotte c'était, comme moi, ce même flux mélodique, ces expressions anciennes, quelques autres très simples et connues, mais pour lesquelles la place où il les mettait en lumière semblait révéler de sa part un goût particulier ; enfin, dans les passages tristes, une certaine brusquerie, un accent presque rauque. Et sans doute lui-même devait sentir que là étaient ses plus grands charmes. Car dans les livres qui suivirent, s'il avait rencontré quelque grande vérité, ou le nom d'une célèbre cathédrale, il interrompait son récit et dans une invocation, une apostrophe, une longue prière, il donnait un libre cours à ces effluves qui dans ses premiers ouvrages restaient intérieurs à sa prose, décelés seulement alors par les ondulations de la surface, plus douces peut-être encore, plus harmonieuses quand elles étaient ainsi voilées et qu'on n'aurait pu indiquer d'une manière précise où naissait, où expirait leur murmure. Ces morceaux auxquels il se complaisait étaient nos morceaux préférés. Pour moi, je les savais par cœur. J'étais déçu quand il reprenait le fil de son récit. Chaque fois qu'il parlait de quelque chose dont la beauté m'était restée jusque-là cachée, des forêts de pins, de la grêle, de Notre-Dame de Paris, d'*Athalie* ou de *Phèdre,* il

faisait dans une image exploser cette beauté jusqu'à moi.
Aussi sentant combien il y avait de parties de l'univers que
ma perception infirme ne distinguerait pas s'il ne les
rapprochait de moi, j'aurais voulu posséder une opinion de
lui, une métaphore de lui, sur toutes choses, surtout sur celles
que j'aurais l'occasion de voir moi-même, et entre celles-là,
particulièrement sur d'anciens monuments français et certains paysages maritimes, parce que l'insistance avec
laquelle il les citait dans ses livres prouvait qu'il les tenait
pour riches de signification et de beauté. Malheureusement
sur presque toutes choses j'ignorais son opinion. Je ne
doutais pas qu'elle ne fût entièrement différente des miennes,
puisqu'elle descendait d'un monde inconnu vers lequel je
cherchais à m'élever : persuadé que mes pensées eussent
paru pure ineptie à cet esprit parfait, j'avais tellement fait
table rase de toutes, que quand par hasard il m'arriva d'en
rencontrer, dans tel de ses livres, une que j'avais déjà eue
moi-même, mon cœur se gonflait comme si un dieu dans sa
bonté me l'avait rendue, l'avait déclarée légitime et belle. Il
arrivait parfois qu'une page de lui disait les mêmes choses
que j'écrivais souvent la nuit à ma grand'mère et à ma mère
quand je ne pouvais pas dormir, si bien que cette page de
Bergotte avait l'air d'un recueil d'épigraphes pour être
placées en tête de mes lettres. Même plus tard, quand je
commençai de composer un livre, certaines phrases dont la
qualité ne suffit pas pour me décider à le continuer, j'en
retrouvai l'équivalent dans Bergotte. Mais ce n'était qu'a-
lors, quand je les lisais dans son œuvre, que je pouvais en
jouir ; quand c'était moi qui les composais, préoccupé
qu'elles reflétassent exactement ce que j'apercevais dans ma
pensée, craignant de ne pas « faire ressemblant », j'avais
bien le temps de me demander si ce que j'écrivais était
agréable ! Mais en réalité il n'y avait que ce genre de phrases,
ce genre d'idées que j'aimais vraiment. Mes efforts inquiets
et mécontents étaient eux-mêmes une marque d'amour,
d'amour sans plaisir mais profond. Aussi quand tout d'un

coup je trouvais de telles phrases dans l'œuvre d'un autre,
c'est-à-dire sans plus avoir de scrupules, de sévérité, sans
avoir à me tourmenter, je me laissais enfin aller avec délices
au goût que j'avais pour elles, comme un cuisinier qui pour
une fois où il n'a pas à faire la cuisine trouve enfin le temps
d'être gourmand. Un jour, ayant rencontré dans un livre de
Bergotte, à propos d'une vieille servante, une plaisanterie
que le magnifique et solennel langage de l'écrivain rendait
encore plus ironique, mais qui était la même que j'avais
souvent faite à ma grand'mère en parlant de Françoise, une
autre fois où je vis qu'il ne jugeait pas indigne de figurer dans
un de ces miroirs de la vérité qu'étaient ses ouvrages une
remarque analogue à celle que j'avais eu l'occasion de faire
sur notre ami M. Legrandin (remarques sur Françoise et M.
Legrandin qui étaient certes de celles que j'eusse le plus
délibérément sacrifiées à Bergotte, persuadé qu'il les trouverait sans intérêt), il me sembla soudain que mon humble vie
et les royaumes du vrai n'étaient pas aussi séparés que j'avais
cru, qu'ils coïncidaient même sur certains points, et de
confiance et de joie je pleurai sur les pages de l'écrivain
comme dans les bras d'un père retrouvé.

D'après ses livres j'imaginais Bergotte comme un vieillard
faible et déçu qui avait perdu des enfants et ne s'était jamais
consolé. Aussi je lisais, je chantais intérieurement sa prose,
plus *dolce*, plus *lento* peut-être qu'elle n'était écrite, et la
phrase la plus simple s'adressait à moi avec une intonation
attendrie. Plus que tout j'aimais sa philosophie, je m'étais
donné à elle pour toujours. Elle me rendait impatient
d'arriver à l'âge où j'entrerais au collège, dans la classe
appelée Philosophie. Mais je ne voulais pas qu'on y fît autre
chose que vivre uniquement par la pensée de Bergotte, et si
l'on m'avait dit que les métaphysiciens auxquels je m'atta-
cherais alors ne lui ressembleraient en rien, j'aurais ressenti
le désespoir d'un amoureux qui veut aimer pour la vie et à
qui on parle des autres maîtresses qu'il aura plus tard.

Un dimanche, pendant ma lecture au jardin, je fus
dérangé par Swann qui venait voir mes parents.

— Qu'est-ce que vous lisez, on peut regarder ? Tiens, du
Bergotte ? Qui donc vous a indiqué ses ouvrages ?

Je lui dis que c'était Bloch.

— Ah ! oui, ce garçon que j'ai vu une fois ici, qui
ressemble tellement au portrait de Mahomet II par Bellini.
Oh ! c'est frappant, il a les mêmes sourcils circonflexes, le
même nez recourbé, les mêmes pommettes saillantes. Quand
il aura une barbiche ce sera la même personne. En tout cas il
a du goût, car Bergotte est un charmant esprit. Et voyant
combien j'avais l'air d'admirer Bergotte, Swann qui ne
parlait jamais des gens qu'il connaissait fit, par bonté, une
exception et me dit :

— Je le connais beaucoup, si cela pouvait vous faire
plaisir qu'il écrive un mot en tête de votre volume, je
pourrais le lui demander.

Je n'osai pas accepter, mais posai à Swann des questions
sur Bergotte. « Est-ce que vous pourriez me dire quel est
l'acteur qu'il préfère ? »

— L'acteur, je ne sais pas. Mais je sais qu'il n'égale aucun
artiste homme à la Berma qu'il met au-dessus de tout.
L'avez-vous entendue ?

— Non Monsieur, mes parents ne me permettent pas
d'aller au théâtre.

— C'est malheureux. Vous devriez leur demander. La
Berma dans *Phèdre,* dans *le Cid,* ce n'est qu'une actrice si vous
voulez, mais vous savez, je ne crois pas beaucoup à la
« *hiérarchie !* » des arts (et je remarquai, comme cela m'avait
souvent frappé dans ses conversations avec les sœurs de ma
grand'mère, que quand il parlait de choses sérieuses, quand
il employait une expression qui semblait impliquer une
opinion sur un sujet important, il avait soin de l'isoler dans
une intonation spéciale, machinale et ironique, comme s'il
l'avait mise entre guillemets, semblant ne pas vouloir la
prendre à son compte, et dire : « *la hiérarchie,* vous savez,

comme disent les gens ridicules ». Mais alors, si c'était un
ridicule, pourquoi disait-il la hiérarchie ?). Un instant après
il ajouta : « Cela vous donnera une vision aussi noble que
n'importe quel chef-d'œuvre, je ne sais pas moi... que — et il
se mit à rire — « les Reines de Chartres ! » Jusque-là cette
horreur d'exprimer sérieusement son opinion m'avait paru
quelque chose qui devait être élégant et parisien et qui
s'opposait au dogmatisme provincial des sœurs de ma
grand'mère ; et je soupçonnais aussi que c'était une des
formes de l'esprit dans la coterie où vivait Swann et où, par
réaction sur le lyrisme des générations antérieures, on
réhabilitait à l'excès les petits faits précis, réputés vulgaires
autrefois, et on proscrivait les « phrases ». Mais maintenant
je trouvais quelque chose de choquant dans cette attitude de
Swann en face des choses. Il avait l'air de ne pas oser avoir
une opinion et de n'être tranquille que quand il pouvait
donner méticuleusement des renseignements précis. Mais il
ne se rendait donc pas compte que c'était professer l'opinion,
postuler que l'exactitude de ces détails avait de l'importance.
Je repensai alors à ce dîner où j'étais si triste parce que
maman ne devait pas monter dans ma chambre et où il avait
dit que les bals chez la princesse de Léon n'avaient aucune
importance. Mais c'était pourtant à ce genre de plaisirs qu'il
employait sa vie. Je trouvais tout cela contradictoire. Pour
quelle autre vie réservait-il de dire enfin sérieusement ce qu'il
pensait des choses, de formuler des jugements qu'il pût ne
pas mettre entre guillemets, et de ne plus se livrer avec une
politesse pointilleuse à des occupations dont il professait en
même temps qu'elles sont ridicules ? Je remarquai aussi dans
la façon dont Swann me parla de Bergotte quelque chose qui
en revanche ne lui était pas particulier, mais au contraire
était dans ce temps-là commun à tous les admirateurs de
l'écrivain, à l'amie de ma mère, au docteur du Boulbon.
Comme Swann, ils disaient de Bergotte : « C'est un charmant esprit, si particulier, il a une façon à lui de dire les
choses un peu cherchée, mais si agréable. On n'a pas besoin

de voir la signature, on reconnaît tout de suite que c'est de lui. » Mais aucun n'aurait été jusqu'à dire : « C'est un grand écrivain, il a un grand talent. » Ils ne disaient même pas qu'il avait du talent. Ils ne le disaient pas parce qu'ils ne le savaient pas. Nous sommes très longs à reconnaître dans la physionomie particulière d'un nouvel écrivain le modèle qui porte le nom de « grand talent » dans notre musée des idées générales. Justement parce que cette physionomie est nouvelle, nous ne la trouvons pas tout à fait ressemblante à ce que nous appelons talent. Nous disons plutôt originalité, charme, délicatesse, force ; et puis un jour nous nous rendons compte que c'est justement tout cela le talent.

— Est-ce qu'il y a des ouvrages de Bergotte où il ait parlé de la Berma ? demandai-je à M. Swann.

— Je crois dans sa petite plaquette sur Racine, mais elle doit être épuisée. Il y a peut-être eu cependant une réimpression. Je m'informerai. Je peux d'ailleurs demander à Bergotte tout ce que vous voulez, il n'y a pas de semaine dans l'année où il ne dîne à la maison. C'est le grand ami de ma fille. Ils vont ensemble visiter les vieilles villes, les cathédrales, les châteaux.

Comme je n'avais aucune notion sur la hiérarchie sociale, depuis longtemps l'impossibilité que mon père trouvait à ce que nous fréquentions Mme et Mlle Swann avait eu plutôt pour effet, en me faisant imaginer entre elles et nous de grandes distances, de leur donner à mes yeux du prestige. Je regrettai que ma mère ne se teignît pas les cheveux et ne se mît pas de rouge aux lèvres comme j'avais entendu dire par notre voisine Mme Sazerat que Mme Swann le faisait pour plaire, non à son mari, mais à M. de Charlus, et je pensais que nous devions être pour elle un objet de mépris, ce qui me peinait surtout à cause de Mlle Swann qu'on m'avait dit être une si jolie petite fille et à laquelle je rêvais souvent en lui prêtant chaque fois un même visage arbitraire et charmant. Mais quand j'eus appris ce jour-là que Mlle Swann était un être d'une condition si rare, baignant comme dans son

élément naturel au milieu de tant de privilèges, que quand
elle demandait à ses parents s'il y avait quelqu'un à dîner, on
lui répondait par ces syllabes remplies de lumière, par le nom
de ce convive d'or qui n'était pour elle qu'un vieil ami de sa
famille : Bergotte, que, pour elle, la causerie intime à table,
ce qui correspondait à ce qu'était pour moi la conversation
de ma grand'tante, c'étaient des paroles de Bergotte, sur tous
ces sujets qu'il n'avait pu aborder dans ses livres, et sur
lesquels j'aurais voulu l'écouter rendre ses oracles, et qu'enfin, quand elle allait visiter des villes, il cheminait à côté
d'elle, inconnu et glorieux, comme les dieux qui descendaient
au milieu des mortels, alors je sentis, en même temps que le
prix d'un être comme Mlle Swann, combien je lui paraîtrais
grossier et ignorant, et j'éprouvai si vivement la douceur et
l'impossibilité qu'il y aurait pour moi à être son ami, que je
fus rempli à la fois de désir et de désespoir. Le plus souvent
maintenant quand je pensais à elle, je la voyais devant le
porche d'une cathédrale, m'expliquant la signification des
statues, et, avec un sourire qui disait du bien de moi, me
présentant comme son ami, à Bergotte. Et toujours le charme
de toutes les idées que faisaient naître en moi les cathédrales,
le charme des coteaux de l'Ile-de-France et des plaines de la
Normandie faisait refluer ses reflets sur l'image que je me
formais de Mlle Swann : c'était être tout prêt à l'aimer. Que
nous croyions qu'un être participe à une vie inconnue où son
amour nous ferait pénétrer, c'est, de tout ce qu'exige l'amour
pour naître, ce à quoi il tient le plus, et qui lui fait faire bon
marché du reste. Même les femmes, qui prétendent ne juger
un homme que sur son physique, voient en ce physique
l'émanation d'une vie spéciale. C'est pourquoi elles aiment
les militaires, les pompiers ; l'uniforme les rend moins
difficiles pour le visage ; elles croient baiser sous la cuirasse
un cœur différent, aventureux et doux ; et un jeune souverain, un prince héritier, pour faire les plus flatteuses conquê-
tes, dans les pays étrangers qu'il visite, n'a pas besoin du

profil régulier qui serait peut-être indispensable à un coulissier.

   Tandis que je lisais au jardin, ce que ma grand'tante
n'aurait pas compris que je fisse en dehors du dimanche, jour
où il est défendu de s'occuper à rien de sérieux et où elle ne
cousait pas (un jour de semaine, elle m'aurait dit « comment
tu t'*amuses* encore à lire, ce n'est pourtant pas dimanche » en
donnant au mot amusement le sens d'enfantillage et de perte
de temps), ma tante Léonie devisait avec Françoise en
attendant l'heure d'Eulalie. Elle lui annonçait qu'elle venait
de voir passer Mme Goupil « sans parapluie, avec la robe de
soie qu'elle s'est fait faire à Châteaudun. Si elle a loin à aller
avant vêpres, elle pourrait bien la faire saucer ».

   — Peut-être, peut-être (ce qui signifiait peut-être non),
disait Françoise pour ne pas écarter définitivement la
possibilité d'une alternative plus favorable.

   — Tiens, disait ma tante en se frappant le front, cela me
fait penser que je n'ai point su si elle était arrivée à l'église
après l'élévation. Il faudra que je pense à le demander à
Eulalie... Françoise, regardez-moi ce nuage noir derrière le
clocher et ce mauvais soleil sur les ardoises, bien sûr que la
journée ne se passera pas sans pluie. Ce n'était pas possible
que ça reste comme ça, il faisait trop chaud. Et le plus tôt
sera le mieux, car tant que l'orage n'aura pas éclaté, mon eau
de Vichy ne descendra pas, ajoutait ma tante dans l'esprit de
qui le désir de hâter la descente de l'eau de Vichy l'emportait
infiniment sur la crainte de voir Mme Goupil gâter sa robe.

   — Peut-être, peut-être.

   — Et c'est que, quand il pleut sur la place, il n'y a pas
grand abri. Comment, trois heures ? s'écriait tout à coup ma
tante en pâlissant, mais alors les vêpres sont commencées,
j'ai oublié ma pepsine ! Je comprends maintenant pourquoi
mon eau de Vichy me restait sur l'estomac.

   Et se précipitant sur un livre de messe relié en velours
violet, monté d'or, et d'où, dans sa hâte, elle laissait

s'échapper de ces images, bordées d'un bandeau de dentelle de papier jaunissante, qui marquent les pages des fêtes, ma tante, tout en avalant ses gouttes, commençait à lire au plus vite les textes sacrés dont l'intelligence lui était légèrement obscurcie par l'incertitude de savoir si, prise aussi longtemps après l'eau de Vichy, la pepsine serait encore capable de la rattraper et de la faire descendre. « Trois heures, c'est incroyable ce que le temps passe ! »

Un petit coup au carreau, comme si quelque chose l'avait heurté, suivi d'une ample chute légère comme de grains de sable qu'on eût laissés tomber d'une fenêtre au-dessus, puis la chute s'étendant, se réglant, adoptant un rythme, devenant fluide, sonore, musicale, innombrable, universelle : c'était la pluie.

— Eh bien ! Françoise, qu'est-ce que je disais ? Ce que cela tombe ! Mais je crois que j'ai entendu le grelot de la porte du jardin, allez donc voir qui est-ce qui peut être dehors par un temps pareil.

Françoise revenait.

— C'est Mᵐᵉ Amédée (ma grand'mère) qui a dit qu'elle allait faire un tour. Ça pleut pourtant fort.

— Cela ne me surprend point, disait ma tante en levant les yeux au ciel. J'ai toujours dit qu'elle n'avait point l'esprit fait comme tout le monde. J'aime mieux que ce soit elle que moi qui soit dehors en ce moment.

— Mᵐᵉ Amédée, c'est toujours tout l'extrême des autres, disait Françoise avec douceur, réservant pour le moment où elle serait seule avec les autres domestiques de dire qu'elle croyait ma grand'mère un peu « piquée ».

— Voilà le salut passé ! Eulalie ne viendra plus, soupirait ma tante ; ce sera le temps qui lui aura fait peur.

— Mais il n'est pas cinq heures, madame Octave, il n'est que quatre heures et demie.

— Que quatre heures et demie ? et j'ai été obligée de relever les petits rideaux pour avoir un méchant rayon de jour. A quatre heures et demie ! Huit jours avant les

Rogations ! Ah ! ma pauvre Françoise ! il faut que le bon Dieu
soit bien en colère après nous. Aussi, le monde d'aujourd'hui
en fait trop ! Comme disait mon pauvre Octave, on a trop
oublié le bon Dieu et il se venge.

Une vive rougeur animait les joues de ma tante, c'était
Eulalie. Malheureusement, à peine venait-elle d'être intro-
duite que Françoise rentrait et avec un sourire qui avait pour
but de se mettre elle-même à l'unisson de la joie qu'elle ne
doutait pas que ses paroles allaient causer à ma tante,
articulant les syllabes pour montrer que, malgré l'emploi du
style indirect, elle rapportait, en bonne domestique, les
paroles mêmes dont avait daigné se servir le visiteur :

— M. le Curé serait enchanté, ravi, si Mme Octave ne
repose pas et pouvait le recevoir. M. le Curé ne veut pas déranger. M. le Curé est en bas, j'y ai dit d'entrer dans la salle.

En réalité, les visites du curé ne faisaient pas à ma tante un
aussi grand plaisir que le supposait Françoise et l'air de
jubilation dont celle-ci croyait devoir pavoiser son visage
chaque fois qu'elle avait à l'annoncer ne répondait pas
entièrement au sentiment de la malade. Le curé (excellent
homme avec qui je regrette de ne pas avoir causé davantage,
car s'il n'entendait rien aux arts, il connaissait beaucoup
d'étymologies), habitué à donner aux visiteurs de marque
des renseignements sur l'église (il avait même l'intention
d'écrire un livre sur la paroisse de Combray), la fatiguait par
des explications infinies et d'ailleurs toujours les mêmes.
Mais quand elle arrivait ainsi juste en même temps que celle
d'Eulalie, sa visite devenait franchement désagréable à ma
tante. Elle eût mieux aimé bien profiter d'Eulalie et ne pas
avoir tout le monde à la fois. Mais elle n'osait pas ne pas
recevoir le curé et faisait seulement signe à Eulalie de ne pas
s'en aller en même temps que lui, qu'elle la garderait un peu
seule quand il serait parti.

— Monsieur le Curé, qu'est-ce que l'on me disait, qu'il y
a un artiste qui a installé son chevalet dans votre église pour
copier un vitrail. Je peux dire que je suis arrivée à mon âge

sans avoir jamais entendu parler d'une chose pareille !
Qu'est-ce que le monde aujourd'hui va donc chercher ! Et ce
qu'il y a de plus vilain dans l'église !

— Je n'irai pas jusqu'à dire que c'est ce qu'il y a de plus
vilain, car il y a à Saint-Hilaire des parties qui méritent
d'être visitées, il y en a d'autres qui sont bien vieilles dans ma
pauvre basilique, la seule de tout le diocèse qu'on n'ait même
pas restaurée. Mon Dieu, le porche est sale et antique, mais
enfin d'un caractère majestueux ; passe même pour les
tapisseries d'Esther dont personnellement je ne donnerais
pas deux sous, mais qui sont placées par les connaisseurs
tout de suite après celles de Sens. Je reconnais, d'ailleurs,
qu'à côté de certains détails un peu réalistes, elles en
présentent d'autres qui témoignent d'un véritable esprit
d'observation. Mais qu'on ne vienne pas me parler des
vitraux ! Cela a-t-il du bon sens de laisser des fenêtres qui ne
donnent pas de jour et trompent même la vue par ces reflets
d'une couleur que je ne saurais définir, dans une église où il
n'y a pas deux dalles qui soient au même niveau et qu'on se
refuse à me remplacer sous prétexte que ce sont les tombes
des abbés de Combray et des seigneurs de Guermantes, les
anciens comtes de Brabant ? Les ancêtres directs du Duc de
Guermantes d'aujourd'hui et aussi de la Duchesse puisqu'elle est une demoiselle de Guermantes qui a épousé son
cousin. (Ma grand'mère qui à force de se désintéresser des
personnes finissait par confondre tous les noms, chaque fois
qu'on prononçait celui de la Duchesse de Guermantes
prétendait que ce devait être une parente de Mme de
Villeparisis. Tout le monde éclatait de rire ; elle tâchait de se
défendre en alléguant une certaine lettre de faire part : « Il
me semblait me rappeler qu'il y avait du Guermantes là-
dedans. » Et pour une fois j'étais avec les autres contre elle,
ne pouvant admettre qu'il y eût un lien entre son amie de
pension et la descendante de Geneviève de Brabant.)
« Voyez Roussainville, ce n'est plus aujourd'hui qu'une
paroisse de fermiers, quoique dans l'antiquité cette localité

ait dû un grand essor au commerce des chapeaux de feutre et
des pendules. (Je ne suis pas certain de l'étymologie de
Roussainville. Je croirais volontiers que le nom primitif était
Rouville *Radulfi villa,* comme Châteauroux *Castrum Radulfi,*
mais je vous parlerai de cela une autre fois.) Hé bien ! l'église
a des vitraux superbes, presque tous modernes, et cette
imposante *Entrée de Louis-Philippe à Combray* qui serait mieux
à sa place à Combray même, et qui vaut, dit-on, la fameuse
verrière de Chartres. Je voyais même hier le frère du docteur
Percepied qui est amateur et qui la regarde comme d'un plus
beau travail. Mais, comme je le lui disais, à cet artiste qui
semble du reste très poli, qui est, paraît-il, un véritable
virtuose du pinceau, que lui trouvez-vous donc d'extraordinaire à ce vitrail, qui est encore un peu plus sombre que les
autres ? »

— Je suis sûre que si vous le demandiez à Monseigneur,
dit mollement ma tante qui commençait à penser qu'elle
allait être fatiguée, il ne vous refuserait pas un vitrail neuf.

— Comptez-y, madame Octave, répondait le curé. Mais
c'est justement Monseigneur qui a attaché le grelot à cette
malheureuse verrière en prouvant qu'elle représente Gilbert
le Mauvais, sire de Guermantes, le descendant direct de
Geneviève de Brabant qui était une demoiselle de Guermantes, recevant l'absolution de saint Hilaire.

— Mais je ne vois pas où est saint Hilaire ?

— Mais si, dans le coin du vitrail, vous n'avez jamais
remarqué une dame en robe jaune ? Hé bien ! c'est saint
Hilaire qu'on appelle aussi, vous le savez, dans certaines
provinces, saint Illiers, saint Hélier, et même, dans le Jura,
saint Ylie. Ces diverses corruptions de *sanctus Hilarius* ne sont
pas du reste les plus curieuses de celles qui se sont produites
dans les noms des bienheureux. Ainsi votre patronne, ma
bonne Eulalie, *sancta Eulalia,* savez-vous ce qu'elle est
devenue en Bourgogne ? *Saint Éloi* tout simplement : elle est
devenue un saint. Voyez-vous, Eulalie, qu'après votre mort
on fasse de vous un homme ? » — « Monsieur le Curé a

toujours le mot pour rigoler. » — « Le frère de Gilbert, Charles le Bègue, prince pieux mais qui, ayant perdu de bonne heure son père, Pépin l'Insensé, mort des suites de sa maladie mentale, exerçait le pouvoir suprême avec toute la présomption d'une jeunesse à qui la discipline a manqué, dès que la figure d'un particulier ne lui revenait pas dans une ville, y faisait massacrer jusqu'au dernier habitant. Gilbert, voulant se venger de Charles, fit brûler l'église de Combray, la primitive église alors, celle que Théodebert, en quittant avec sa cour la maison de campagne qu'il avait près d'ici, à Thiberzy (*Theodeberciacus*), pour aller combattre les Burgondes, avait promis de bâtir au-dessus du tombeau de saint Hilaire, si le Bienheureux lui procurait la victoire. Il n'en reste que la crypte où Théodore a dû vous faire descendre, puisque Gilbert brûla le reste. Ensuite il défit l'infortuné Charles avec l'aide de Guillaume le Conquérant (le curé prononçait Guilôme), ce qui fait que beaucoup d'Anglais viennent pour visiter. Mais il ne semble pas avoir su se concilier la sympathie des habitants de Combray, car ceux-ci se ruèrent sur lui à la sortie de la messe et lui tranchèrent la tête. Du reste Théodore prête un petit livre qui donne les explications.

« Mais ce qui est incontestablement le plus curieux dans notre église, c'est le point de vue qu'on a du clocher et qui est grandiose. Certainement, pour vous qui n'êtes pas très forte, je ne vous conseillerais pas de monter nos quatre-vingt-dix-sept marches, juste la moitié du célèbre dôme de Milan. Il y a de quoi fatiguer une personne bien portante, d'autant plus qu'on monte plié en deux si on ne veut pas se casser la tête, et on ramasse avec ses effets toutes les toiles d'araignées de l'escalier. En tout cas il faudrait bien vous couvrir, ajoutait-il (sans apercevoir l'indignation que causait à ma tante l'idée qu'elle fût capable de monter dans le clocher), car il fait un de ces courants d'air une fois arrivé là-haut ! Certaines personnes affirment y avoir ressenti le froid de la mort. N'importe, le dimanche il y a toujours des sociétés qui

viennent même de très loin pour admirer la beauté du
panorama et qui s'en retournent enchantées. Tenez, dimanche prochain, si le temps se maintient, vous trouveriez
certainement du monde, comme ce sont les Rogations. Il faut
avouer du reste qu'on jouit de là d'un coup d'œil féerique,
avec des sortes d'échappées sur la plaine qui ont un cachet
tout particulier. Quand le temps est clair, on peut distinguer
jusqu'à Verneuil. Surtout on embrasse à la fois des choses
qu'on ne peut voir habituellement que l'une sans l'autre,
comme le cours de la Vivonne et les fossés de Saint-Assise-
lès-Combray, dont elle est séparée par un rideau de grands
arbres, ou encore comme les différents canaux de Jouy-le-
Vicomte (*Gaudiacus vice comitis,* comme vous savez). Chaque
fois que je suis allé à Jouy-le-Vicomte, j'ai bien vu un bout du
canal, puis quand j'avais tourné une rue, j'en voyais un
autre, mais alors je ne voyais plus le précédent. J'avais beau
les mettre ensemble par la pensée, cela ne me faisait pas
grand effet. Du clocher de Saint-Hilaire c'est autre chose,
c'est tout un réseau où la localité est prise. Seulement on ne
distingue pas d'eau, on dirait de grandes fentes qui coupent
si bien la ville en quartiers, qu'elle est comme une brioche
dont les morceaux tiennent ensemble, mais sont déjà découpés. Il faudrait, pour bien faire, être à la fois dans le clocher
de Saint-Hilaire et à Jouy-le-Vicomte. »

Le curé avait tellement fatigué ma tante qu'à peine était-il
parti, elle était obligée de renvoyer Eulalie.

— Tenez, ma pauvre Eulalie, disait-elle d'une voix faible,
en tirant une pièce d'une petite bourse qu'elle avait à portée
de sa main, voilà pour que vous ne m'oubliiez pas dans vos
prières.

— Ah ! mais, madame Octave, je ne sais pas si je dois,
vous savez bien que ce n'est pas pour cela que je viens ! disait
Eulalie avec la même hésitation et le même embarras,
chaque fois, que si c'était la première, et avec une apparence
de mécontentement qui égayait ma tante mais ne lui
déplaisait pas, car si un jour Eulalie, en prenant la pièce,

avait un air un peu moins contrarié que de coutume, ma tante disait :

— Je ne sais pas ce qu'avait Eulalie ; je lui ai pourtant donné la même chose que d'habitude, elle n'avait pas l'air contente.

— Je crois qu'elle n'a pourtant pas à se plaindre, soupirait Françoise, qui avait une tendance à considérer comme de la menue monnaie tout ce que lui donnait ma tante pour elle ou pour ses enfants, et comme des trésors follement gaspillés pour une ingrate les piécettes mises chaque dimanche dans la main d'Eulalie, mais si discrètement que Françoise n'arrivait jamais à les voir. Ce n'est pas que l'argent que ma tante donnait à Eulalie, Françoise l'eût voulu pour elle. Elle jouissait suffisamment de ce que ma tante possédait, sachant que les richesses de la maîtresse du même coup élèvent et embellissent aux yeux de tous sa servante, et qu'elle, Françoise, était insigne et glorifiée dans Combray, Jouy-le-Vicomte et autres lieux, pour les nombreuses fermes de ma tante, les visites fréquentes et prolongées du curé, le nombre singulier des bouteilles d'eau de Vichy consommées. Elle n'était avare que pour ma tante ; si elle avait géré sa fortune, ce qui eût été son rêve, elle l'aurait préservée des entreprises d'autrui avec une férocité maternelle. Elle n'aurait pourtant pas trouvé grand mal à ce que ma tante, qu'elle savait incurablement généreuse, se fût laissée aller à donner, si au moins ç'avait été à des riches. Peut-être pensait-elle que ceux-là, n'ayant pas besoin des cadeaux de ma tante, ne pouvaient être soupçonnés de l'aimer à cause d'eux. D'ailleurs, offerts à des personnes d'une grande position de fortune, à Mme Sazerat, à M. Swann, à M. Legrandin, à Mme Goupil, à des personnes « de même rang » que ma tante et qui « allaient bien ensemble », ils lui apparaissaient comme faisant partie des usages de cette vie étrange et brillante des gens riches qui chassent, se donnent des bals, se font des visites et qu'elle admirait en souriant. Mais il n'en allait plus de même si les bénéficiaires de la générosité de ma

tante étaient de ceux que Françoise appelait « des gens
comme moi, des gens qui ne sont pas plus que moi » et qui
étaient ceux qu'elle méprisait le plus, à moins qu'ils ne
l'appelassent « Madame Françoise » et ne se considérassent
comme étant « moins qu'elle ». Et quand elle vit que, malgré
ses conseils, ma tante n'en faisait qu'à sa tête et jetait l'argent
— Françoise le croyait du moins — pour des créatures
indignes, elle commença à trouver bien petits les dons que
ma tante lui faisait, en comparaison des sommes imaginaires
prodiguées à Eulalie. Il n'y avait pas dans les environs de
Combray de ferme si conséquente que Françoise ne supposât
qu'Eulalie eût pu facilement l'acheter, avec tout ce que lui
rapportaient ses visites. Il est vrai qu'Eulalie faisait la même
estimation des richesses immenses et cachées de Françoise.
Habituellement, quand Eulalie était partie, Françoise pro-
phétisait sans bienveillance sur son compte. Elle la haïssait,
mais elle la craignait et se croyait tenue, quand elle était là, à
lui faire « bon visage ». Elle se rattrapait après son départ,
sans la nommer jamais à vrai dire, mais en proférant des
oracles sibyllins, ou des sentences d'un caractère général
telles que celles de l'Ecclésiaste, mais dont l'application ne
pouvait échapper à ma tante. Après avoir regardé par le coin
du rideau si Eulalie avait refermé la porte : « Les personnes
flatteuses savent se faire bien venir et ramasser les pépettes ;
mais patience, le bon Dieu les punit tout par un beau jour »,
disait-elle, avec le regard latéral et l'insinuation de Joas
pensant exclusivement à Athalie quand il dit :

> *Le bonheur des méchants comme un torrent s'écoule.*

Mais quand le curé était venu aussi et que sa visite
interminable avait épuisé les forces de ma tante, Françoise
sortait de la chambre derrière Eulalie et disait :

— Madame Octave, je vous laisse reposer, vous avez l'air
beaucoup fatiguée.

Et ma tante ne répondait même pas, exhalant un soupir

qui semblait devoir être le dernier, les yeux clos, comme
morte. Mais à peine Françoise était-elle descendue que
quatre coups donnés avec la plus grande violence retentissaient dans la maison, et ma tante, dressée sur son lit, criait :

— Est-ce qu'Eulalie est déjà partie ? Croyez-vous que j'ai
oublié de lui demander si Mme Goupil était arrivée à la messe
avant l'élévation ! Courez vite après elle !

Mais Françoise revenait, n'ayant pu rattraper Eulalie.

— C'est contrariant, disait ma tante en hochant la tête.
La seule chose importante que j'avais à lui demander !

Ainsi passait la vie pour ma tante Léonie, toujours
identique, dans la douce uniformité de ce qu'elle appelait,
avec un dédain affecté et une tendresse profonde, son « petit
traintrain ». Préservé par tout le monde, non seulement à la
maison, où chacun ayant éprouvé l'inutilité de lui conseiller
une meilleure hygiène, s'était peu à peu résigné à le
respecter, mais même dans le village où, à trois rues de nous,
l'emballeur, avant de clouer ses caisses, faisait demander à
Françoise si ma tante ne « reposait pas », — ce traintrain fut
pourtant troublé une fois cette année-là. Comme un fruit
caché qui serait parvenu à maturité sans qu'on s'en aperçût
et se détacherait spontanément, survint une nuit la délivrance de la fille de cuisine. Mais ses douleurs étaient
intolérables, et comme il n'y avait pas de sage-femme à
Combray, Françoise dut partir avant le jour en chercher une
à Thiberzy. Ma tante, à cause des cris de la fille de cuisine,
ne put reposer, et Françoise, malgré la courte distance,
n'étant revenue que très tard, lui manqua beaucoup. Aussi,
ma mère me dit-elle dans la matinée : « Monte donc voir si
ta tante n'a besoin de rien. » J'entrai dans la première pièce
et, par la porte ouverte, vis ma tante, couchée sur le côté, qui
dormait ; je l'entendis ronfler légèrement. J'allais m'en aller
doucement, mais sans doute le bruit que j'avais fait était
intervenu dans son sommeil et en avait « changé la vitesse »,
comme on dit pour les automobiles, car la musique du
ronflement s'interrompit une seconde et reprit un ton plus

bas, puis elle s'éveilla et tourna à demi son visage que je
pus voir alors ; il exprimait une sorte de terreur ; elle venait
évidemment d'avoir un rêve affreux ; elle ne pouvait me voir
de la façon dont elle était placée, et je restais là ne sachant si
je devais m'avancer ou me retirer ; mais déjà elle semblait
revenue au sentiment de la réalité et avait reconnu le
mensonge des visions qui l'avaient effrayée ; un sourire de
joie, de pieuse reconnaissance envers Dieu qui permet que la
vie soit moins cruelle que les rêves, éclaira faiblement son
visage, et avec cette habitude qu'elle avait prise de se parler à
mi-voix à elle-même quand elle se croyait seule, elle murmura : « Dieu soit loué ! nous n'avons comme tracas que la
fille de cuisine qui accouche. Voilà-t-il pas que je rêvais que
mon pauvre Octave était ressuscité et qu'il voulait me faire
faire une promenade tous les jours ! » Sa main se tendit vers
son chapelet qui était sur la petite table, mais le sommeil
recommençant ne lui laissa pas la force de l'atteindre : elle se
rendormit, tranquillisée, et je sortis à pas de loup de la
chambre sans qu'elle ni personne eût jamais appris ce que
j'avais entendu.

Quand je dis qu'en dehors d'événements très rares,
comme cet accouchement, le traintrain de ma tante ne
subissait jamais aucune variation, je ne parle pas de celles
qui, se répétant toujours identiques à des intervalles réguliers, n'introduisaient au sein de l'uniformité qu'une sorte
d'uniformité secondaire. C'est ainsi que, tous les samedis,
comme Françoise allait dans l'après-midi au marché de
Roussainville-le-Pin, le déjeuner était, pour tout le monde,
une heure plus tôt. Et ma tante avait si bien pris l'habitude
de cette dérogation hebdomadaire à ses habitudes, qu'elle
tenait à cette habitude-là autant qu'aux autres. Elle y était si
bien « routinée », comme disait Françoise, que s'il lui avait
fallu, un samedi, attendre pour déjeuner l'heure habituelle,
cela l'eût autant « dérangée » que si elle avait dû, un autre
jour, avancer son déjeuner à l'heure du samedi. Cette avance
du déjeuner donnait d'ailleurs au samedi, pour nous tous,

une figure particulière, indulgente, et assez sympathique. Au moment où d'habitude on a encore une heure à vivre avant la détente du repas, on savait que, dans quelques secondes, on allait voir arriver des endives précoces, une omelette de faveur, un bifteck immérité. Le retour de ce samedi asymétrique était un de ces petits événements intérieurs, locaux, presque civiques qui, dans les vies tranquilles et les sociétés fermées, créent une sorte de lien national et deviennent le thème favori des conversations, des plaisanteries, des récits exagérés à plaisir : il eût été le noyau tout prêt pour un cycle légendaire, si l'un de nous avait eu la tête épique. Dès le matin, avant d'être habillés, sans raison, pour le plaisir d'éprouver la force de la solidarité, on se disait les uns aux autres avec bonne humeur, avec cordialité, avec patriotisme : « Il n'y a pas de temps à perdre, n'oublions pas que c'est samedi ! » cependant que ma tante, conférant avec Françoise et songeant que la journée serait plus longue que d'habitude, disait : « Si vous leur faisiez un beau morceau de veau, comme c'est samedi. » Si à dix heures et demie un distrait tirait sa montre en disant : « Allons, encore une heure et demie avant le déjeuner », chacun était enchanté d'avoir à lui dire : « Mais voyons, à quoi pensez-vous, vous oubliez que c'est samedi ! » ; on en riait encore un quart d'heure après et on se promettait de monter raconter cet oubli à ma tante pour l'amuser. Le visage du ciel même semblait changé. Après le déjeuner, le soleil, conscient que c'était samedi, flânait une heure de plus au haut du ciel, et quand quelqu'un, pensant qu'on était en retard pour la promenade, disait : « Comment, seulement deux heures ? » en voyant passer les deux coups du clocher de Saint-Hilaire (qui ont l'habitude de ne rencontrer encore personne dans les chemins désertés à cause du repas de midi ou de la sieste, le long de la rivière vive et blanche que le pêcheur même a abandonnée, et passent solitaires dans le ciel vacant où ne restent que quelques nuages paresseux), tout le monde en chœur lui répondait : « Mais ce qui vous trompe, c'est qu'on

a déjeuné une heure plus tôt, vous savez bien que c'est
samedi ! » La surprise d'un barbare (nous appelions ainsi
tous les gens qui ne savaient pas ce qu'avait de particulier le
samedi), qui, étant venu à onze heures pour parler à mon
père, nous avait trouvés à table, était une des choses qui,
dans sa vie, avaient le plus égayé Françoise. Mais si elle
trouvait amusant que le visiteur interloqué ne sût pas que
nous déjeunions plus tôt le samedi, elle trouvait plus
comique encore (tout en sympathisant du fond du cœur avec
ce chauvinisme étroit) que mon père, lui, n'eût pas eu l'idée
que ce barbare pouvait l'ignorer et eût répondu sans autre
explication à son étonnement de nous voir déjà dans la salle à
manger : « Mais voyons, c'est samedi ! » Parvenue à ce point
de son récit, elle essuyait des larmes d'hilarité et pour
accroître le plaisir qu'elle éprouvait, elle prolongeait le
dialogue, inventait ce qu'avait répondu le visiteur à qui ce
« samedi » n'expliquait rien. Et bien loin de nous plaindre
de ses additions, elles ne nous suffisaient pas encore et nous
disions : « Mais il me semblait qu'il avait dit aussi autre
chose. C'était plus long la première fois quand vous l'avez
raconté. » Ma grand'tante elle-même laissait son ouvrage,
levait la tête et regardait par-dessus son lorgnon.

Le samedi avait encore ceci de particulier que, ce jour-là,
pendant le mois de mai, nous sortions après le dîner pour
aller au « mois de Marie ».

Comme nous y rencontrions parfois M. Vinteuil, très
sévère pour le « genre déplorable des jeunes gens négligés,
dans les idées de l'époque actuelle », ma mère prenait garde
que rien ne clochât dans ma tenue, puis on partait pour
l'église. C'est au mois de Marie que je me souviens d'avoir
commencé à aimer les aubépines. N'étant pas seulement
dans l'église, si sainte, mais où nous avions le droit d'entrer,
posées sur l'autel même, inséparables des mystères à la
célébration desquels elles prenaient part, elles faisaient
courir au milieu des flambeaux et des vases sacrés leurs
branches attachées horizontalement les unes aux autres en

un apprêt de fête, et qu'enjolivaient encore les festons de leur
feuillage sur lequel étaient semés à profusion, comme sur une
traîne de mariée, de petits bouquets de boutons d'une
blancheur éclatante. Mais, sans oser les regarder qu'à la
dérobée, je sentais que ces apprêts pompeux étaient vivants
et que c'était la nature elle-même qui, en creusant ces
découpures dans les feuilles, en ajoutant l'ornement suprême
de ces blancs boutons, avait rendu cette décoration digne de
ce qui était à la fois une réjouissance populaire et une
solennité mystique. Plus haut s'ouvraient leurs corolles çà et
là avec une grâce insouciante, retenant si négligemment,
comme un dernier et vaporeux atour, le bouquet d'étamines,
fines comme des fils de la Vierge, qui les embrumait tout
entières, qu'en suivant, qu'en essayant de mimer au fond de
moi le geste de leur efflorescence, je l'imaginais comme si
ç'avait été le mouvement de tête étourdi et rapide, au regard
coquet, aux pupilles diminuées, d'une blanche jeune fille,
distraite et vive. M. Vinteuil était venu avec sa fille se placer
à côté de nous. D'une bonne famille, il avait été le professeur
de piano des sœurs de ma grand'mère et quand, après la
mort de sa femme et un héritage qu'il avait fait, il s'était
retiré auprès de Combray, on le recevait souvent à la maison.
Mais d'une pudibonderie excessive, il cessa de venir pour ne
pas rencontrer Swann qui avait fait ce qu'il appelait « un
mariage déplacé, dans le goût du jour ». Ma mère, ayant
appris qu'il composait, lui avait dit par amabilité que, quand
elle irait le voir, il faudrait qu'il lui fît entendre quelque chose
de lui. M. Vinteuil en aurait eu beaucoup de joie, mais il
poussait la politesse et la bonté jusqu'à de tels scrupules que,
se mettant toujours à la place des autres, il craignait de les
ennuyer et de leur paraître égoïste s'il suivait ou seulement
laissait deviner son désir. Le jour où mes parents étaient allés
chez lui en visite, je les avais accompagnés, mais ils
m'avaient permis de rester dehors et, comme la maison de
M. Vinteuil, Montjouvain, était en contrebas d'un monti-
cule buissonneux où je m'étais caché, je m'étais trouvé de

plain-pied avec le salon du second étage, à cinquante
centimètres de la fenêtre. Quand on était venu lui annoncer
mes parents, j'avais vu M. Vinteuil se hâter de mettre en
évidence sur le piano un morceau de musique. Mais, une fois
mes parents entrés, il l'avait retiré et mis dans un coin. Sans
doute avait-il craint de leur laisser supposer qu'il n'était
heureux de les voir que pour leur jouer de ses compositions.
Et chaque fois que ma mère était revenue à la charge au
cours de la visite, il avait répété plusieurs fois : « Mais je ne
sais qui a mis cela sur le piano, ce n'est pas sa place », et
avait détourné la conversation sur d'autres sujets, justement
parce que ceux-là l'intéressaient moins. Sa seule passion était
pour sa fille, et celle-ci, qui avait l'air d'un garçon, paraissait
si robuste qu'on ne pouvait s'empêcher de sourire en voyant
les précautions que son père prenait pour elle, ayant toujours
des châles supplémentaires à lui jeter sur les épaules. Ma
grand'mère faisait remarquer quelle expression douce, délicate, presque timide passait souvent dans les regards de cette
enfant si rude, dont le visage était semé de taches de son.
Quand elle venait de prononcer une parole, elle l'entendait
avec l'esprit de ceux à qui elle l'avait dite, s'alarmait des
malentendus possibles, et on voyait s'éclairer, se découper
comme par transparence, sous la figure hommasse du « bon
diable », les traits plus fins d'une jeune fille éplorée.

   Quand, au moment de quitter l'église, je m'agenouillai
devant l'autel, je sentis tout d'un coup, en me relevant,
s'échapper des aubépines une odeur amère et douce d'amandes, et je remarquai alors sur les fleurs de petites places plus
blondes sous lesquelles je me figurai que devait être cachée
cette odeur, comme, sous les parties gratinées, le goût d'une
frangipane ou, sous leurs taches de rousseur, celui des joues
de Mlle Vinteuil. Malgré la silencieuse immobilité des
aubépines, cette intermittente odeur était comme le murmure de leur vie intense dont l'autel vibrait ainsi qu'une haie
agreste visitée par de vivantes antennes, auxquelles on
pensait en voyant certaines étamines presque rousses qui

semblaient avoir gardé la virulence printanière, le pouvoir irritant, d'insectes aujourd'hui métamorphosés en fleurs.

Nous causions un moment avec M. Vinteuil devant le porche en sortant de l'église. Il intervenait entre les gamins qui se chamaillaient sur la place, prenait la défense des petits, faisait des sermons aux grands. Si sa fille nous disait de sa grosse voix combien elle avait été contente de nous voir, aussitôt il semblait qu'en elle-même une sœur plus sensible rougissait de ce propos de bon garçon étourdi qui avait pu nous faire croire qu'elle sollicitait d'être invitée chez nous. Son père lui jetait un manteau sur les épaules, ils montaient dans un petit buggy qu'elle conduisait elle-même et tous deux retournaient à Montjouvain. Quant à nous, comme c'était le lendemain dimanche et qu'on ne se lèverait que pour la grand'messe, s'il faisait clair de lune et que l'air fût chaud, au lieu de nous faire rentrer directement, mon père, par amour de la gloire, nous faisait faire par le calvaire une longue promenade, que le peu d'aptitude de ma mère à s'orienter et à se reconnaître dans son chemin, lui faisait considérer comme la prouesse d'un génie stratégique. Parfois nous allions jusqu'au viaduc, dont les enjambées de pierre commençaient à la gare et me représentaient l'exil et la détresse hors du monde civilisé, parce que chaque année, en venant de Paris, on nous recommandait de faire bien attention, quand ce serait Combray, de ne pas laisser passer la station, d'être prêts d'avance, car le train repartait au bout de deux minutes et s'engageait sur le viaduc au delà des pays chrétiens dont Combray marquait pour moi l'extrême limite. Nous revenions par le boulevard de la gare, où étaient les plus agréables villas de la commune. Dans chaque jardin le clair de lune, comme Hubert Robert, semait ses degrés rompus de marbre blanc, ses jets d'eau, ses grilles entr'ouvertes. Sa lumière avait détruit le bureau du Télégraphe. Il n'en subsistait plus qu'une colonne à demi brisée, mais qui gardait la beauté d'une ruine immortelle. Je traînais la jambe, je tombais de sommeil, l'odeur des tilleuls qui embaumait m'apparaissait comme une récompense qu'on ne pouvait obtenir qu'au prix des plus grandes fatigues et qui n'en valait pas la peine. De grilles fort éloignées les unes des autres, des chiens réveillés par nos pas solitaires faisaient alterner des aboiements comme il m'arrive encore quelquefois d'en entendre le soir, et entre lesquels dut venir (quand sur son emplacement on créa le jardin public de Combray) se réfugier le boulevard de la gare, car où que je me trouve, dès qu'ils commencent à retentir et à se répondre, je l'aperçois, avec ses tilleuls et son trottoir éclairé par la lune.

Tout d'un coup mon père nous arrêtait et demandait à ma mère : « Où sommes-nous ? » Épuisée par la marche mais fière de lui, elle lui avouait tendrement qu'elle n'en savait absolument rien. Il haussait les épaules et riait. Alors, comme s'il l'avait sortie de la poche de son veston avec sa clef, il nous montrait debout devant nous la petite porte de derrière de notre jardin qui était venue avec le coin de la rue du Saint-Esprit nous attendre au bout de ces chemins inconnus. Ma mère lui disait avec admiration : « Tu es extraordinaire ! » Et à partir de cet instant, je n'avais plus un seul pas à faire, le sol marchait pour moi dans ce jardin où depuis si longtemps mes actes avaient cessé d'être accompagnés d'attention volontaire : l'Habitude venait de me prendre dans ses bras et me portait jusqu'à mon lit comme un petit enfant.

Si la journée du samedi, qui commençait une heure plus tôt et où elle était privée de Françoise, passait plus lentement qu'une autre pour ma tante, elle en attendait pourtant le retour avec impatience depuis le commencement de la semaine, comme contenant toute la nouveauté et la distraction que fût encore capable de supporter son corps affaibli et maniaque. Et ce n'est pas cependant qu'elle n'aspirât parfois à quelque plus grand changement, qu'elle n'eût de ces heures d'exception où l'on a soif de quelque chose d'autre que ce qui est, et où ceux que le manque d'énergie ou d'imagination empêche de tirer d'eux-mêmes un principe de rénovation demandent à la minute qui vient, au facteur qui sonne, de leur apporter du nouveau, fût-ce du pire, une émotion, une douleur ; où la sensibilité, que le bonheur a fait taire comme une harpe oisive, veut résonner sous une main, même brutale, et dût-elle en être brisée ; où la volonté, qui a si difficilement conquis le droit d'être livrée sans obstacle à ses désirs, à ses peines, voudrait jeter les rênes entre les mains d'événements impérieux, fussent-ils cruels. Sans doute, comme les forces de ma tante, taries à la moindre fatigue, ne lui revenaient que goutte à goutte au sein de son repos, le réservoir était trop long à remplir, et il se passait des mois avant qu'elle eût ce léger trop-plein que d'autres dérivent dans l'activité et dont elle était incapable de savoir et de décider comment user. Je ne doute pas qu'alors — comme le désir de la remplacer par des pommes de terre béchamel finissait au bout de quelque temps par naître du plaisir même que lui causait le retour quotidien de la purée dont elle ne se « fatiguait » pas — elle ne tirât de l'accumulation de ces jours monotones auxquels elle tenait tant, l'attente d'un cataclysme domestique, limité à la durée d'un moment, mais qui la forcerait d'accomplir une fois pour toutes un de ces changements dont elle reconnaissait qu'ils lui seraient salutaires et auxquels elle ne pouvait d'elle-même se décider. Elle nous aimait véritablement, elle aurait eu plaisir à nous pleurer ; survenant à un moment où elle se sentait bien et n'était pas en sueur, la nouvelle que la maison était la proie d'un incendie où nous avions déjà tous péri et qui n'allait plus bientôt laisser subsister une seule pierre des murs, mais auquel elle aurait eu tout le temps d'échapper sans se presser, à condition de se lever tout de suite, a dû souvent hanter ses espérances comme unissant aux avantages secondaires de lui faire savourer dans un long regret toute sa tendresse pour nous et d'être la stupéfaction du village en conduisant notre deuil, courageuse et accablée, moribonde debout, celui, bien plus précieux, de la forcer au bon moment, sans temps à perdre, sans possibilité d'hésitation

énervante, à aller passer l'été dans sa jolie ferme de
Mirougrain, où il y avait une chute d'eau. Comme n'était
jamais survenu aucun événement de ce genre, dont elle
méditait certainement la réussite quand elle était seule
absorbée dans ses innombrables jeux de patience (et qui l'eût
désespérée au premier commencement de réalisation, au
premier de ces petits faits imprévus, de cette parole annon-
çant une mauvaise nouvelle et dont on ne peut plus jamais
oublier l'accent, de tout ce qui porte l'empreinte de la mort
réelle, bien différente de sa possibilité logique et abstraite),
elle se rabattait, pour rendre de temps en temps sa vie plus
intéressante, à y introduire des péripéties imaginaires
qu'elle suivait avec passion. Elle se plaisait à supposer tout
d'un coup que Françoise la volait, qu'elle recourait à la ruse
pour s'en assurer, la prenait sur le fait ; habituée, quand elle
faisait seule des parties de cartes, à jouer à la fois son jeu et le
jeu de son adversaire, elle se prononçait à elle-même les
excuses embarrassées de Françoise et y répondait avec tant
de feu et d'indignation que l'un de nous, entrant à ces
moments-là, la trouvait en nage, les yeux étincelants, ses
faux cheveux déplacés laissant voir son front chauve. Françoise entendit peut-être parfois dans la chambre voisine de
mordants sarcasmes qui s'adressaient à elle et dont l'invention n'eût pas soulagé suffisamment ma tante, s'ils étaient
restés à l'état purement immatériel et si en les murmurant à
mi-voix elle ne leur eût donné plus de réalité. Quelquefois, ce
« spectacle dans un lit » ne suffisait même pas à ma tante,
elle voulait faire jouer ses pièces. Alors, un dimanche, toutes
portes mystérieusement fermées, elle confiait à Eulalie ses
doutes sur la probité de Françoise, son intention de se défaire
d'elle, et une autre fois, à Françoise, ses soupçons de
l'infidélité d'Eulalie, à qui la porte serait bientôt fermée ;
quelques jours après, elle était dégoûtée de sa confidente de
la veille et racoquinée avec le traître, lesquels d'ailleurs, pour
la prochaine représentation, échangeraient leurs emplois.
Mais les soupçons que pouvait parfois lui inspirer Eulalie

n'étaient qu'un feu de paille et tombaient vite, faute d'aliment, Eulalie n'habitant pas la maison. Il n'en était pas de
même de ceux qui concernaient Françoise, que ma tante
sentait perpétuellement sous le même toit qu'elle, sans que,
par crainte de prendre froid si elle sortait de son lit, elle osât
descendre à la cuisine se rendre compte s'ils étaient fondés.
Peu à peu son esprit n'eut plus d'autre occupation que de
chercher à deviner ce qu'à chaque moment pouvait faire, et
chercher à lui cacher, Françoise. Elle remarquait les plus
furtifs mouvements de physionomie de celle-ci, une contradiction dans ses paroles, un désir qu'elle semblait dissimuler.
Et elle lui montrait qu'elle l'avait démasquée, d'un seul mot
qui faisait pâlir Françoise et que ma tante semblait trouver, à
enfoncer au cœur de la malheureuse, un divertissement
cruel. Et le dimanche suivant, une révélation d'Eulalie —
comme ces découvertes qui ouvrent tout d'un coup un
champ insoupçonné à une science naissante et qui se traînait
dans l'ornière — prouvait à ma tante qu'elle était dans ses
suppositions, bien au-dessous de la vérité. « Mais Françoise
doit le savoir maintenant que vous y avez donné une
voiture. » — « Que je lui ai donné une voiture ! » s'écriait
ma tante. — « Ah ! mais je ne sais pas, moi, je croyais, je
l'avais vue qui passait maintenant en calèche, fière comme
Artaban, pour aller au marché de Roussainville. J'avais cru
que c'était Mme Octave qui lui avait donné. » Peu à peu
Françoise et ma tante, comme la bête et le chasseur, ne
cessaient plus de tâcher de prévenir les ruses l'une de l'autre.
Ma mère craignait qu'il ne se développât chez Françoise une
véritable haine pour ma tante qui l'offensait le plus durement
qu'elle le pouvait. En tout cas Françoise attachait de plus en
plus aux moindres paroles, aux moindres gestes de ma tante
une attention extraordinaire. Quand elle avait quelque chose
à lui demander, elle hésitait longtemps sur la manière dont
elle devait s'y prendre. Et quand elle avait proféré sa requête,
elle observait ma tante à la dérobée, tâchant de deviner dans
l'aspect de sa figure ce que celle-ci avait pensé et déciderait.

Et ainsi — tandis que quelque artiste qui, lisant les Mémoires du XVIIᵉ siècle et désirant de se rapprocher du grand Roi, croit marcher dans cette voie en se fabriquant une généalogie qui le fait descendre d'une famille historique ou en entretenant une correspondance avec un des souverains actuels de l'Europe, tourne précisément le dos à ce qu'il a le tort de chercher sous des formes identiques et par conséquent mortes — une vieille dame de province, qui ne faisait qu'obéir sincèrement à d'irrésistibles manies et à une méchanceté née de l'oisiveté, voyait, sans avoir jamais pensé à Louis XIV, les occupations les plus insignifiantes de sa journée, concernant son lever, son déjeuner, son repos, prendre par leur singularité despotique un peu de l'intérêt de ce que Saint-Simon appelait la « mécanique » de la vie à Versailles, et pouvait croire aussi que ses silences, une nuance de bonne humeur ou de hauteur dans sa physiono-mie, étaient de la part de Françoise l'objet d'un commentaire aussi passionné, aussi craintif que l'étaient le silence, la bonne humeur, la hauteur du Roi quand un courtisan, ou même les plus grands seigneurs, lui avaient remis une supplique, au détour d'une allée, à Versailles.

Un dimanche où ma tante avait eu la visite simultanée du curé et d'Eulalie et s'était ensuite reposée, nous étions tous montés lui dire bonsoir, et maman lui adressait ses condo-léances sur la mauvaise chance qui amenait toujours ses visiteurs à la même heure :

— Je sais que les choses se sont encore mal arrangées tantôt, Léonie, lui dit-elle avec douceur, vous avez eu tout votre monde à la fois.

Ce que ma grand'tante interrompit par : « Abondance de biens... » car depuis que sa fille était malade elle croyait devoir la remonter en lui présentant toujours tout par le bon côté. Mais mon père, prenant la parole :

— Je veux profiter, dit-il, de ce que toute la famille est réunie pour vous faire un récit sans avoir besoin de le recommencer à chacun. J'ai peur que nous ne soyons fâchés avec Legrandin : il m'a à peine dit bonjour ce matin.

Je ne restai pas pour entendre le récit de mon père, car j'étais justement avec lui après la messe quand nous avions rencontré M. Legrandin, et je descendis à la cuisine demander le menu du dîner qui tous les jours me distrayait comme les nouvelles qu'on lit dans un journal et m'excitait à la façon d'un programme de fête. Comme M. Legrandin avait passé près de nous en sortant de l'église, marchant à côté d'une châtelaine du voisinage que nous ne connaissions que de vue, mon père avait fait un salut à la fois amical et réservé, sans que nous nous arrêtions ; M. Legrandin avait à peine répondu, d'un air étonné, comme s'il ne nous reconnaissait pas, et avec cette perspective du regard particulière aux personnes qui ne veulent pas être aimables et qui, du fond subitement prolongé de leurs yeux, ont l'air de vous apercevoir comme au bout d'une route interminable et à une si grande distance qu'elles se contentent de vous adresser un signe de tête minuscule pour le proportionner à vos dimensions de marionnette.

Or, la dame qu'accompagnait Legrandin était une personne vertueuse et considérée ; il ne pouvait être question qu'il fût en bonne fortune et gêné d'être surpris, et mon père se demandait comment il avait pu mécontenter Legrandin. « Je regretterais d'autant plus de le savoir fâché, dit mon père, qu'au milieu de tous ces gens endimanchés il a, avec son petit veston droit, sa cravate molle, quelque chose de si peu apprêté, de si vraiment simple, et un air presque ingénu qui est tout à fait sympathique. » Mais le conseil de famille fut unanimement d'avis que mon père s'était fait une idée, ou que Legrandin, à ce moment-là, était absorbé par quelque pensée. D'ailleurs la crainte de mon père fut dissipée dès le lendemain soir. Comme nous revenions d'une grande promenade, nous aperçûmes près du Pont-Vieux, Legrandin, qui à cause des fêtes restait plusieurs jours à Combray. Il vint à

nous la main tendue : « Connaissez-vous, monsieur le liseur,
me demanda-t-il, ce vers de Paul Desjardins :

> *Les bois sont déjà noirs, le ciel est encor bleu.*

N'est-ce pas la fine notation de cette heure-ci ? Vous n'avez
peut-être jamais lu Paul Desjardins. Lisez-le, mon enfant ;
aujourd'hui il se mue, me dit-on, en frère prêcheur, mais ce
fut longtemps un aquarelliste limpide...

> *Les bois sont déjà noirs, le ciel est encor bleu...*

Que le ciel reste toujours bleu pour vous, mon jeune ami ; et
même à l'heure, qui vient pour moi maintenant, où les bois
sont déjà noirs, où la nuit tombe vite, vous vous consolerez
comme je fais en regardant du côté du ciel. » Il sortit de sa
poche une cigarette, resta longtemps les yeux à l'horizon.
« Adieu, les camarades », nous dit-il tout à coup, et il nous
quitta.

A cette heure où je descendais apprendre le menu, le dîner
était déjà commencé, et Françoise, commandant aux forces
de la nature devenues ses aides, comme dans les féeries où les
géants se font engager comme cuisiniers, frappait la houille,
donnait à la vapeur des pommes de terre à étuver et faisait
finir à point par le feu les chefs-d'œuvre culinaires d'abord
préparés dans des récipients de céramistes qui allaient des
grandes cuves, marmites, chaudrons et poissonnières, aux
terrines pour le gibier, moules à pâtisserie et petits pots de
crème, en passant par une collection complète de casseroles
de toutes dimensions. Je m'arrêtais à voir sur la table, où la
fille de cuisine venait de les écosser, les petits pois alignés et
nombrés comme des billes vertes dans un jeu ; mais mon
ravissement était devant les asperges, trempées d'outre-mer
et de rose et dont l'épi, finement pignoché de mauve et
d'azur, se dégrade insensiblement jusqu'au pied — encore
souillé pourtant du sol de leur plant — par des irisations qui

ne sont pas de la terre. Il me semblait que ces nuances célestes trahissaient les délicieuses créatures qui s'étaient amusées à se métamorphoser en légumes et qui, à travers le déguisement de leur chair comestible et ferme, laissaient apercevoir en ces couleurs naissantes d'aurore, en ces ébauches d'arc-en-ciel, en cette extinction de soirs bleus, cette essence précieuse que je reconnaissais encore quand, toute la nuit qui suivait un dîner où j'en avais mangé, elles jouaient dans leurs farces poétiques et grossières comme une féerie de Shakespeare, à changer mon pot de chambre en un vase de parfum.

La pauvre Charité de Giotto, comme l'appelait Swann, chargée par Françoise de les « plumer », les avait près d'elle dans une corbeille, son air était douloureux, comme si elle ressentait tous les malheurs de la terre ; et les légères couronnes d'azur qui ceignaient les asperges au-dessus de leurs tuniques de rose étaient finement dessinées, étoile par étoile, comme le sont dans la fresque les fleurs bandées autour du front ou piquées dans la corbeille de la Vertu de Padoue. Et cependant, Françoise tournait à la broche un de ces poulets, comme elle seule savait en rôtir, qui avaient porté loin dans Combray l'odeur de ses mérites, et qui, pendant qu'elle nous les servait à table, faisaient prédominer la douceur dans ma conception spéciale de son caractère, l'arôme de cette chair qu'elle savait rendre si onctueuse et si tendre n'étant pour moi que le propre parfum d'une de ses vertus.

Mais le jour où, pendant que mon père consultait le conseil de famille sur la rencontre de Legrandin, je descendis à la cuisine, était un de ceux où la Charité de Giotto, très malade de son accouchement récent, ne pouvait se lever ; Françoise, n'étant plus aidée, était en retard. Quand je fus en bas, elle était en train, dans l'arrière-cuisine qui donnait sur la basse-cour, de tuer un poulet qui, par sa résistance désespérée et bien naturelle, mais accompagnée par Françoise hors d'elle, tandis qu'elle cherchait à lui fendre le cou

sous l'oreille, des cris de « sale bête ! sale bête ! », mettait la
sainte douceur et l'onction de notre servante un peu moins en
lumière qu'il n'eût fait, au dîner du lendemain, par sa peau
brodée d'or comme une chasuble et son jus précieux égoutté
d'un ciboire. Quand il fut mort, Françoise recueillit le sang,
qui coulait sans noyer sa rancune, eut encore un sursaut de
colère, et regardant le cadavre de son ennemi, dit une
dernière fois : « Sale bête ! » Je remontai tout tremblant ;
j'aurais voulu qu'on mît Françoise tout de suite à la porte.
Mais qui m'eût fait des boules aussi chaudes, du café aussi
parfumé, et même... ces poulets ?... Et en réalité, ce lâche
calcul, tout le monde avait eu à le faire comme moi. Car ma
tante Léonie savait — ce que j'ignorais encore — que
Françoise qui, pour sa fille, pour ses neveux, aurait donné sa
vie sans une plainte, était pour d'autres êtres d'une dureté
singulière. Malgré cela ma tante l'avait gardée, car si elle
connaissait sa cruauté, elle appréciait son service. Je m'aperçus peu à peu que la douceur, la componction, les vertus de
Françoise cachaient des tragédies d'arrière-cuisine, comme
l'histoire découvre que les règnes des Rois et des Reines qui
sont représentés les mains jointes dans les vitraux des églises,
furent marqués d'incidents sanglants. Je me rendis compte
que, en dehors de ceux de sa parenté, les humains excitaient
d'autant plus sa pitié par leurs malheurs qu'ils vivaient plus
éloignés d'elle. Les torrents de larmes qu'elle versait en lisant
le journal sur les infortunes des inconnus, se tarissaient vite si
elle pouvait se représenter la personne qui en était l'objet
d'une façon un peu précise. Une de ces nuits qui suivirent
l'accouchement de la fille de cuisine, celle-ci fut prise
d'atroces coliques : maman l'entendit se plaindre, se leva et
réveilla Françoise qui, insensible, déclara que tous ces cris
étaient une comédie, qu'elle voulait « faire la maîtresse ». Le
médecin, qui craignait ces crises, avait mis un signet, dans
un livre de médecine que nous avions, à la page où elles sont
décrites et où il nous avait dit de nous reporter pour trouver
l'indication des premiers soins à donner. Ma mère envoya

Françoise chercher le livre en lui recommandant de ne pas laisser tomber le signet. Au bout d'une heure Françoise n'était pas revenue ; ma mère indignée crut qu'elle s'était recouchée et me dit d'aller voir moi-même dans la bibliothèque. J'y trouvai Françoise qui, ayant voulu regarder ce que le signet marquait, lisait la description clinique de la crise et poussait des sanglots maintenant qu'il s'agissait d'une malade-type qu'elle ne connaissait pas. A chaque symptôme douloureux mentionné par l'auteur du traité, elle s'écriait : « Hé là ! Sainte Vierge, est-il possible que le bon Dieu veuille faire souffrir ainsi une malheureuse créature humaine ? Hé ! la pauvre ! »

Mais dès que je l'eus appelée et qu'elle fut revenue près du lit de la Charité de Giotto, ses larmes cessèrent aussitôt de couler ; elle ne put reconnaître ni cette agréable sensation de pitié et d'attendrissement qu'elle connaissait bien et que la lecture des journaux lui avait souvent donnée, ni aucun plaisir de même famille, dans l'ennui et dans l'irritation de s'être levée au milieu de la nuit pour la fille de cuisine ; et, à la vue des mêmes souffrances dont la description l'avait fait pleurer, elle n'eut plus que des ronchonnements de mauvaise humeur, même d'affreux sarcasmes, disant, quand elle crut que nous étions partis et ne pouvions plus l'entendre : « Elle n'avait qu'à ne pas faire ce qu'il faut pour ça ! ça lui a fait plaisir ! qu'elle ne fasse pas de manières maintenant ! Faut-il tout de même qu'un garçon ait été abandonné du bon Dieu pour aller avec *ça*. Ah ! c'est bien comme on disait dans le patois de ma pauvre mère :

> *Qui du cul d'un chien s'amourose,*
> *Il lui paraît une rose.* »

Si, quand son petit-fils était un peu enrhumé du cerveau, elle partait la nuit, même malade, au lieu de se coucher, pour voir s'il n'avait besoin de rien, faisant quatre lieues à pied avant le jour afin d'être rentrée pour son travail, en revanche ce même amour des siens et son désir d'assurer la grandeur future de sa maison se traduisait, dans sa politique à l'égard des autres domestiques, par une maxime constante qui fut de n'en jamais laisser un seul s'implanter chez ma tante, qu'elle mettait d'ailleurs une sorte d'orgueil à ne laisser approcher par personne, préférant, quand elle-même était malade, se relever pour lui donner son eau de Vichy plutôt que de permettre l'accès de la chambre de sa maîtresse à la fille de cuisine. Et comme cet hyménoptère observé par Fabre, la guêpe fouisseuse, qui, pour que ses petits après sa mort aient de la viande fraîche à manger, appelle l'anatomie au secours de sa cruauté et, ayant capturé des charançons et des araignées, leur perce avec un savoir et une adresse merveilleux le centre nerveux d'où dépend le mouvement des pattes, mais non les autres fonctions de la vie, de façon que l'insecte paralysé près duquel elle dépose ses œufs, fournisse aux larves, quand elles écloront, un gibier docile, inoffensif, incapable de fuite ou de résistance, mais nullement faisandé, Françoise trouvait pour servir sa volonté permanente de rendre la maison intenable à tout domestique, des ruses si savantes et si impitoyables que, bien des années plus tard, nous apprîmes que si cet été-là nous avions mangé presque tous les jours des asperges, c'était parce que leur odeur donnait à la pauvre fille de cuisine chargée de les éplucher des crises d'asthme d'une telle violence qu'elle fut obligée de finir par s'en aller.

Hélas ! nous devions définitivement changer d'opinion sur Legrandin. Un des dimanches qui suivit la rencontre sur le Pont-Vieux après laquelle mon père avait dû confesser son erreur, comme la messe finissait et qu'avec le soleil et le bruit du dehors quelque chose de si peu sacré entrait dans l'église que Mme Goupil, Mme Percepied (toutes les personnes qui, tout à l'heure, à mon arrivée un peu en retard, étaient restées les yeux absorbés dans leur prière et que j'aurais même pu croire ne m'avoir pas vu entrer si, en même temps, leurs pieds n'avaient repoussé légèrement le petit banc qui m'empêchait de gagner ma chaise) commençaient à s'entretenir avec nous à haute voix de sujets tout temporels comme si nous étions déjà sur la place, nous vîmes sur le seuil brûlant du porche, dominant le tumulte bariolé du marché, Legrandin, que le mari de cette dame avec qui nous l'avions dernièrement rencontré était en train de présenter à la femme d'un autre gros propriétaire terrien des environs. La figure de Legrandin exprimait une animation, un zèle extraordinaires ; il fit un profond salut avec un renversement secondaire en arrière, qui ramena brusquement son dos au delà de la position de départ et qu'avait dû lui apprendre le mari de sa sœur, Mme de Cambremer. Ce redressement rapide fit refluer en une sorte d'onde fougueuse et musclée la croupe de Legrandin que je ne supposais pas si charnue ; et je ne sais pourquoi cette ondulation de pure matière, ce flot tout charnel, sans expression de spiritualité et qu'un empressement plein de bassesse fouettait en tempête, éveillèrent tout d'un coup dans mon esprit la possibilité d'un Legrandin tout différent de celui que nous connaissions. Cette dame le pria de dire quelque chose à son cocher, et tandis qu'il allait jusqu'à la voiture, l'empreinte de joie timide et dévouée que la présentation avait marquée sur son visage y persistait encore. Ravi dans une sorte de rêve, il souriait, puis il revint vers la dame en se hâtant et, comme il marchait plus vite qu'il n'en avait l'habitude, ses deux épaules oscillaient de droite et de gauche ridiculement, et il avait l'air, tant il s'y abandonnait entièrement en n'ayant plus souci du reste, d'être le jouet inerte et mécanique du bonheur. Cependant, nous sortions du porche, nous allions passer à côté de lui, il était trop bien élevé pour détourner la tête, mais il fixa de son regard soudain chargé d'une rêverie profonde un point si éloigné de l'horizon qu'il ne put nous voir et n'eut pas à nous saluer. Son visage restait ingénu au-dessus d'un veston souple et droit qui avait l'air de se sentir fourvoyé malgré lui au milieu d'un luxe détesté. Et une lavallière à pois qu'agitait le vent de la Place continuait à flotter sur Legrandin comme l'étendard de son fier isolement et de sa noble indépendance. Au moment où nous arrivions à la maison, maman s'aperçut qu'on avait oublié le saint-honoré et demanda à mon père de retourner avec moi sur nos pas dire qu'on l'apportât tout de suite. Nous croisâmes près de l'église Legrandin qui venait en sens inverse conduisant la même dame à sa voiture. Il passa contre nous, ne s'interrompit pas de parler à sa voisine, et nous fit du coin de son œil bleu un petit signe en quelque sorte intérieur aux paupières et qui, n'intéressant pas les muscles de son visage, put passer parfaitement inaperçu de son interlocutrice ; mais, cherchant à compenser par l'intensité du sentiment le champ un peu étroit où il en circonscrivait l'expression, dans ce coin d'azur qui nous était affecté il fit pétiller tout l'entrain de la bonne grâce qui dépassa l'enjouement, frisa la malice ; il subtilisa les finesses de l'amabilité jusqu'aux clignements de la connivence, aux demi-mots, aux sous-entendus, aux mystères de la complicité ; et finalement exalta les assurances d'amitié jusqu'aux protestations de tendresse, jusqu'à la déclaration d'amour, illuminant alors pour nous seuls, d'une langueur secrète et invisible à la châtelaine, une prunelle énamourée dans un visage de glace.

Il avait précisément demandé la veille à mes parents de m'envoyer dîner ce soir-là avec lui : « Venez tenir compagnie à votre vieil ami, m'avait-il dit. Comme le bouquet qu'un voyageur nous envoie d'un pays où nous ne retournerons plus, faites-moi respirer du lointain de votre adolescence ces fleurs des printemps que j'ai traversés moi aussi il y a bien des années. Venez avec la primevère, la barbe de chanoine, le bassin d'or, venez avec le sédum dont est fait le bouquet de dilection de la flore balzacienne, avec la fleur du jour de la Résurrection, la pâquerette et la boule de neige des jardins qui commence à embaumer dans les allées de votre grand'tante, quand ne sont pas encore fondues les dernières boules de neige des giboulées de Pâques. Venez avec la glorieuse vêture de soie du lis digne de Salomon, et l'émail polychrome des pensées, mais venez surtout avec la brise fraîche encore des dernières gelées et qui va entr'ouvrir, pour les deux papillons qui depuis ce matin attendent à la porte, la première rose de Jérusalem. »

On se demandait à la maison si on devait m'envoyer tout de même dîner avec M. Legrandin. Mais ma grand'mère refusa de croire qu'il eût été impoli. « Vous reconnaissez vous-même qu'il vient là avec sa tenue toute simple qui n'est guère celle d'un mondain. » Elle déclarait qu'en tous cas, et à tout mettre au pis, s'il l'avait été, mieux valait ne pas avoir l'air de s'en être aperçu. A vrai dire mon père lui-même, qui était pourtant le plus irrité contre l'attitude qu'avait eue Legrandin, gardait peut-être un dernier doute sur le sens qu'elle comportait. Elle était comme toute attitude ou action où se révèle le caractère profond et caché de quelqu'un : elle ne se relie pas à ses paroles antérieures, nous ne pouvons pas la faire confirmer par le témoignage du coupable qui n'avouera pas ; nous en sommes réduits à celui de nos sens dont nous nous demandons, devant ce souvenir isolé et incohérent, s'ils n'ont pas été le jouet d'une illusion ; de sorte que de telles attitudes, les seules qui aient de l'importance, nous laissent souvent quelques doutes.

Je dînai avec Legrandin sur sa terrasse ; il faisait clair de lune : « Il y a une jolie qualité de silence, n'est-ce pas, me dit-il ; aux cœurs blessés comme l'est le mien, un romancier que vous lirez plus tard prétend que conviennent seulement l'ombre et le silence. Et voyez-vous, mon enfant, il vient dans la vie une heure, dont vous êtes bien loin encore, où les yeux las ne tolèrent plus qu'une lumière, celle qu'une belle nuit comme celle-ci prépare et distille avec l'obscurité, où les oreilles ne peuvent plus écouter de musique que celle que joue le clair de lune sur la flûte du silence. » J'écoutais les paroles de M. Legrandin qui me paraissaient toujours si agréables ; mais troublé par le souvenir d'une femme que

j'avais aperçue dernièrement pour la première fois, et
pensant, maintenant que je savais que Legrandin était lié
avec plusieurs personnalités aristocratiques des environs,
que peut-être il connaissait celle-ci, prenant mon courage, je
lui dis : « Est-ce que vous connaissez, Monsieur, la... les
châtelaines de Guermantes ? », heureux aussi en prononçant
ce nom de prendre sur lui une sorte de pouvoir, par le seul
fait de le tirer de mon rêve et de lui donner une existence
objective et sonore.

Mais à ce nom de Guermantes, je vis au milieu des yeux
bleus de notre ami se ficher une petite encoche brune comme
s'ils venaient d'être percés par une pointe invisible, tandis
que le reste de la prunelle réagissait en sécrétant des flots
d'azur. Le cerne de sa paupière noircit, s'abaissa. Et sa
bouche marquée d'un pli amer se ressaisissant plus vite
sourit, tandis que le regard restait douloureux, comme celui
d'un beau martyr dont le corps est hérissé de flèches : « Non,
je ne les connais pas », dit-il, mais au lieu de donner à un
renseignement aussi simple, à une réponse aussi peu surpre-
nante le ton naturel et courant qui convenait, il le débita en
appuyant sur les mots, en s'inclinant, en saluant de la tête, à
la fois avec l'insistance qu'on apporte, pour être cru, à une
affirmation invraisemblable — comme si ce fait qu'il ne
connût pas les Guermantes ne pouvait être l'effet que d'un
hasard singulier — et aussi avec l'emphase de quelqu'un qui,
ne pouvant pas taire une situation qui lui est pénible, préfère
la proclamer pour donner aux autres l'idée que l'aveu qu'il
fait ne lui cause aucun embarras, est facile, agréable,
spontané, que la situation elle-même — l'absence de relations avec les Guermantes — pourrait bien avoir été non pas
subie, mais voulue par lui, résulter de quelque tradition de
famille, principe de morale ou vœu mystique lui interdisant
nommément la fréquentation des Guermantes. « Non,
reprit-il, expliquant par ses paroles sa propre intonation,
non, je ne les connais pas, je n'ai jamais voulu, j'ai toujours
tenu à sauvegarder ma pleine indépendance ; au fond je suis

une tête jacobine, vous le savez. Beaucoup de gens sont
venus à la rescousse, on me disait que j'avais tort de ne pas
aller à Guermantes, que je me donnais l'air d'un malotru,
d'un vieil ours. Mais voilà une réputation qui n'est pas pour
m'effrayer, elle est si vraie ! Au fond, je n'aime plus au monde
que quelques églises, deux ou trois livres, à peine davantage
de tableaux, et le clair de lune quand la brise de votre
jeunesse apporte jusqu'à moi l'odeur des parterres que mes
vieilles prunelles ne distinguent plus. » Je ne comprenais pas
bien que, pour ne pas aller chez des gens qu'on ne connaît
pas, il fût nécessaire de tenir à son indépendance, et en quoi
cela pouvait vous donner l'air d'un sauvage ou d'un ours.
Mais ce que je comprenais, c'est que Legrandin n'était pas
tout à fait véridique quand il disait n'aimer que les églises, le
clair de lune et la jeunesse ; il aimait beaucoup les gens des
châteaux et se trouvait pris devant eux d'une si grande peur
de leur déplaire qu'il n'osait pas leur laisser voir qu'il avait
pour amis des bourgeois, des fils de notaires ou d'agents de
change, préférant, si la vérité devait se découvrir, que ce fût
en son absence, loin de lui et « par défaut » ; il était snob.
Sans doute il ne disait jamais rien de tout cela dans le
langage que mes parents et moi-même nous aimions tant. Et
si je demandais : « Connaissez-vous les Guermantes ? »,
Legrandin le causeur répondait : « Non, je n'ai jamais voulu
les connaître. » Malheureusement il ne le répondait qu'en
second, car un autre Legrandin, qu'il cachait soigneusement
au fond de lui, qu'il ne montrait pas parce que ce Legrandin-
là savait sur le nôtre, sur son snobisme, des histoires
compromettantes, un autre Legrandin avait déjà répondu,
par la blessure du regard, par le rictus de la bouche, par la
gravité excessive du ton de la réponse, par les mille flèches
dont notre Legrandin s'était trouvé en un instant lardé et
alangui comme un saint Sébastien du snobisme : « Hélas !
que vous me faites mal ! non, je ne connais pas les Guermantes, ne réveillez pas la grande douleur de ma vie. » Et comme
ce Legrandin enfant terrible, ce Legrandin maître chanteur,

s'il n'avait pas le joli langage de l'autre, avait le verbe infiniment plus prompt, composé de ce qu'on appelle « réflexes », quand Legrandin le causeur voulait lui imposer silence, l'autre avait déjà parlé, et notre ami avait beau se désoler de la mauvaise impression que les révélations de son *alter ego* avaient dû produire, il ne pouvait qu'entreprendre de la pallier.

Et certes cela ne veut pas dire que M. Legrandin ne fût pas sincère quand il tonnait contre les snobs. Il ne pouvait pas savoir, au moins par lui-même, qu'il le fût, puisque nous ne connaissons jamais que les passions des autres, et que ce que nous arrivons à savoir des nôtres, ce n'est que d'eux que nous avons pu l'apprendre. Sur nous, elles n'agissent que d'une façon seconde, par l'imagination qui substitue aux premiers mobiles des mobiles de relais qui sont plus décents. Jamais le snobisme de Legrandin ne lui conseillait d'aller voir souvent une duchesse. Il chargeait l'imagination de Legrandin de lui faire apparaître cette duchesse comme parée de toutes les grâces. Legrandin se rapprochait de la Duchesse, s'estimant de céder à cet attrait de l'esprit et de la vertu qu'ignorent les infâmes snobs. Seuls les autres savaient qu'il en était un ; car, grâce à l'incapacité où ils étaient de comprendre le travail intermédiaire de son imagination, ils voyaient en face l'une de l'autre l'activité mondaine de Legrandin et sa cause première.

Maintenant, à la maison, on n'avait plus aucune illusion sur M. Legrandin, et nos relations avec lui s'étaient fort espacées. Maman s'amusait infiniment chaque fois qu'elle prenait Legrandin en flagrant délit du péché qu'il n'avouait pas, qu'il continuait à appeler le péché sans rémission, le snobisme. Mon père, lui, avait de la peine à prendre les dédains de Legrandin avec tant de détachement et de gaîté ; et quand on pensa, une année, à m'envoyer passer les grandes vacances à Balbec avec ma grand'mère, il dit : « Il faut absolument que j'annonce à Legrandin que vous irez à Balbec, pour voir s'il vous offrira de vous mettre en rapport avec sa sœur. Il ne doit pas se souvenir nous avoir dit qu'elle demeurait à deux kilomètres de là. » Ma grand'mère qui trouvait qu'aux bains de mer il faut être du matin au soir sur la plage à humer le sel et qu'on n'y doit connaître personne, parce que les visites, les promenades sont autant de pris sur l'air marin, demandait au contraire qu'on ne parlât pas de nos projets à Legrandin, voyant déjà sa sœur, Mme de Cambremer, débarquant à l'hôtel au moment où nous serions sur le point d'aller à la pêche et nous forçant à rester enfermés pour la recevoir. Mais maman riait de ses craintes, pensant à part elle que le danger n'était pas si menaçant, que Legrandin ne serait pas si pressé de nous mettre en relations avec sa sœur. Or, sans qu'on eût besoin de lui parler de Balbec, ce fut lui-même, Legrandin, qui, ne se doutant pas que nous eussions jamais l'intention d'aller de ce côté, vint se mettre dans le piège un soir où nous le rencontrâmes au bord de la Vivonne.

— Il y a dans les nuages ce soir des violets et des bleus bien beaux, n'est-ce pas, mon compagnon, dit-il à mon père, un bleu surtout plus floral qu'aérien, un bleu de cinéraire, qui surprend dans le ciel. Et ce petit nuage rose, n'a-t-il pas aussi un teint de fleur, d'œillet ou d'hydrangea ? Il n'y a guère que dans la Manche, entre Normandie et Bretagne, que j'ai pu faire de plus riches observations sur cette sorte de règne végétal de l'atmosphère. Là-bas, près de Balbec, près de ces lieux si sauvages, il y a une petite baie d'une douceur charmante où le coucher de soleil du pays d'Auge, le coucher de soleil rouge et or, que je suis loin de dédaigner d'ailleurs, est sans caractère, insignifiant ; mais dans cette atmosphère humide et douce s'épanouissent, le soir, en quelques instants, de ces bouquets célestes, bleus et roses, qui sont incomparables et qui mettent souvent des heures à se faner. D'autres s'effeuillent tout de suite, et c'est alors plus beau encore de voir le ciel entier que jonche la dispersion d'innombrables pétales soufrés ou roses. Dans cette baie, dite d'opale, les plages d'or semblent plus douces encore pour être attachées,

comme de blondes Andromèdes, à ces terribles rochers des
côtes voisines, à ce rivage funèbre, fameux par tant de
naufrages, où tous les hivers bien des barques trépassent au
péril de la mer. Balbec ! la plus antique ossature géologique
de notre sol, vraiment Ar-mor, la Mer, la fin de la terre, la
région maudite qu'Anatole France — un enchanteur que
devrait lire notre petit ami — a si bien peinte, sous ses
brouillards éternels, comme le véritable pays des Cimmé-
riens, dans l'*Odyssée*. De Balbec surtout, où déjà des hôtels se
construisent, superposés au sol antique et charmant qu'ils
n'altèrent pas, quel délice d'excursionner à deux pas dans ces
régions primitives et si belles !

— Ah ! est-ce que vous connaissez quelqu'un à Balbec ?
dit mon père. Justement ce petit-là doit y aller passer deux
mois avec sa grand'mère et peut-être avec ma femme.

Legrandin, pris au dépourvu par cette question à un
moment où ses yeux étaient fixés sur mon père, ne put les
détourner, mais les attachant de seconde en seconde avec
plus d'intensité — et tout en souriant tristement — sur les
yeux de son interlocuteur, avec un air d'amitié et de
franchise et de ne pas craindre de le regarder en face, il
sembla lui avoir traversé la figure comme si elle fût devenue
transparente, et voir en ce moment, bien au delà derrière
elle, un nuage vivement coloré qui lui créait un alibi mental
et qui lui permettrait d'établir qu'au moment où on lui avait
demandé s'il connaissait quelqu'un à Balbec, il pensait à
autre chose et n'avait pas entendu la question. Habituellement de tels regards font dire à l'interlocuteur : « A quoi
pensez-vous donc ? » Mais mon père, curieux, irrité et cruel,
reprit :

— Est-ce que vous avez des amis de ce côté-là, que vous
connaissez si bien Balbec ?

Dans un dernier effort désespéré, le regard souriant de
Legrandin atteignit son maximum de tendresse, de vague, de
sincérité et de distraction, mais, pensant sans doute qu'il n'y
avait plus qu'à répondre, il nous dit :

— J'ai des amis partout où il y a des troupes d'arbres blessés, mais non vaincus, qui se sont rapprochés pour implorer ensemble avec une obstination pathétique un ciel inclément qui n'a pas pitié d'eux.

— Ce n'est pas cela que je voulais dire, interrompit mon père, aussi obstiné que les arbres et aussi impitoyable que le ciel. Je demandais pour le cas où il arriverait n'importe quoi à ma belle-mère et où elle aurait besoin de ne pas se sentir là-bas en pays perdu, si vous y connaissez du monde ?

— Là comme partout, je connais tout le monde et je ne connais personne, répondit Legrandin qui ne se rendait pas si vite ; beaucoup les choses et fort peu les personnes. Mais les choses elles-mêmes y semblent des personnes, des personnes rares, d'une essence délicate et que la vie aurait déçues. Parfois c'est un castel que vous rencontrez sur la falaise, au bord du chemin où il s'est arrêté pour confronter son chagrin au soir encore rose où monte la lune d'or et dont les barques qui rentrent en striant l'eau diaprée hissent à leurs mâts la flamme et portent les couleurs ; parfois c'est une simple maison solitaire, plutôt laide, l'air timide mais romanesque, qui cache à tous les yeux quelque secret impérissable de bonheur et de désenchantement. Ce pays sans vérité, ajouta-t-il avec une délicatesse machiavélique, ce pays de pure fiction est d'une mauvaise lecture pour un enfant, et ce n'est certes pas lui que je choisirais et recommanderais pour mon petit ami déjà si enclin à la tristesse, pour son cœur prédisposé. Les climats de confidence amoureuse et de regret inutile peuvent convenir au vieux désabusé que je suis, ils sont toujours malsains pour un tempérament qui n'est pas formé. Croyez-moi, reprit-il avec insistance, les eaux de cette baie, déjà à moitié bretonne, peuvent exercer une action sédative, d'ailleurs discutable, sur un cœur qui n'est plus intact comme le mien, sur un cœur dont la lésion n'est plus compensée. Elles sont contre-indiquées à votre âge, petit garçon. Bonne nuit, voisins », ajouta-t-il en nous quittant avec cette brusquerie évasive dont il avait l'habitude et, se retournant vers nous avec un doigt levé de docteur, il résuma sa consultation : « Pas de Balbec avant cinquante ans, et encore cela dépend de l'état du cœur », nous cria-t-il.

Mon père lui en reparla dans nos rencontres ultérieures, le tortura de questions, ce fut peine inutile : comme cet escroc érudit qui employait à fabriquer de faux palimpsestes un labeur et une science dont la centième partie eût suffi à lui assurer une situation plus lucrative, mais honorable, M. Legrandin, si nous avions insisté encore, aurait fini par édifier toute une éthique de paysage et une géographie céleste de la basse Normandie, plutôt que de nous avouer qu'à deux kilomètres de Balbec habitait sa propre sœur, et d'être obligé à nous offrir une lettre d'introduction, qui n'eût pas été pour lui un tel sujet d'effroi s'il avait été absolument certain — comme il aurait dû l'être en effet, avec l'expérience qu'il avait du caractère de ma grand'mère — que nous n'en aurions pas profité.

Nous rentrions toujours de bonne heure de nos promenades, pour pouvoir faire une visite à ma tante Léonie avant le dîner. Au commencement de la saison, où le jour finit tôt, quand nous arrivions rue du Saint-Esprit, il y avait encore un reflet du couchant sur les vitres de la maison et un bandeau de pourpre au fond des bois du Calvaire, qui se reflétait plus loin dans l'étang, rougeur qui, accompagnée souvent d'un froid assez vif, s'associait, dans mon esprit, à la rougeur du feu au-dessus duquel rôtissait le poulet qui ferait succéder pour moi au plaisir poétique donné par la promenade, le plaisir de la gourmandise, de la chaleur et du repos. Dans l'été, au contraire, quand nous rentrions le soleil ne se couchait pas encore ; et pendant la visite que nous faisions chez ma tante Léonie, sa lumière qui s'abaissait et touchait la fenêtre, était arrêtée entre les grands rideaux et les embrasses, divisée, ramifiée, filtrée, et, incrustant de petits morceaux d'or le bois de citronnier de la commode, illuminait obliquement la chambre avec la délicatesse qu'elle prend dans les sous-bois. Mais, certains jours fort rares, quand nous rentrions, il y avait bien longtemps que la commode avait perdu ses incrustations momentanées, il n'y avait plus, quand nous arrivions rue du Saint-Esprit, nul reflet de couchant étendu sur les vitres, et l'étang au pied du calvaire avait perdu sa rougeur, quelquefois il était déjà couleur d'opale, et un long rayon de lune, qui allait en s'élargissant et se fendillait de toutes les rides de l'eau, le traversait tout entier. Alors, en arrivant près de la maison, nous apercevions une forme sur le pas de la porte et maman me disait :

— Mon Dieu ! voilà Françoise qui nous guette, ta tante est inquiète ; aussi nous rentrons trop tard.

Et sans avoir pris le temps d'enlever nos affaires, nous montions vite chez ma tante Léonie pour la rassurer et lui montrer que, contrairement à ce qu'elle imaginait déjà, il ne nous était rien arrivé, mais que nous étions allés « du côté de Guermantes » et, dame, quand on faisait cette promenade-là, ma tante savait pourtant bien qu'on ne pouvait jamais être sûr de l'heure à laquelle on serait rentré.

— Là, Françoise, disait ma tante, quand je vous le disais, qu'ils seraient allés du côté de Guermantes ! Mon Dieu ! ils doivent avoir une faim ! et votre gigot qui doit être tout desséché après ce qu'il a attendu. Aussi est-ce une heure pour rentrer ! comment, vous êtes allés du côté de Guermantes !

— Mais je croyais que vous le saviez, Léonie, disait maman. Je pensais que Françoise nous avait vus sortir par la petite porte du potager.

Car il y avait autour de Combray deux « côtés » pour les promenades, et si opposés qu'on ne sortait pas en effet de chez nous par la même porte, quand on voulait aller d'un côté ou de l'autre : le côté de Méséglise-la-Vineuse, qu'on appelait aussi le côté de chez Swann parce qu'on passait devant la propriété de M. Swann pour aller par là, et le côté de Guermantes. De Méséglise-la-Vineuse, à vrai dire, je n'ai jamais connu que le « côté » et des gens étrangers qui venaient le dimanche se promener à Combray, des gens que, cette fois, ma tante elle-même et nous tous ne « connaissions point » et qu'à ce signe on tenait pour « des gens qui seront venus de Méséglise ». Quant à Guermantes, je devais un jour en connaître davantage, mais bien plus tard seulement ; et pendant toute mon adolescence, si Méséglise était pour moi quelque chose d'inaccessible comme l'horizon, dérobé à la vue, si loin qu'on allât, par les plis d'un terrain qui ne ressemblait déjà plus à celui de Combray, Guermantes, lui, ne m'est apparu que comme le terme, plutôt idéal que réel, de son propre « côté », une sorte d'expression géographique abstraite comme la ligne de l'équateur, comme le pôle, comme l'orient. Alors, « prendre par Guermantes » pour aller à Méséglise, ou le contraire, m'eût semblé une expression aussi dénuée de sens que prendre par l'est pour aller à l'ouest. Comme mon père parlait toujours du côté de Méséglise comme de la plus belle vue de la plaine qu'il connût et du côté de Guermantes comme du type de paysage de rivière, je leur donnais, en les concevant ainsi comme deux entités, cette cohésion, cette unité qui n'appartiennent qu'aux créations de notre esprit ; la moindre parcelle de chacun d'eux me semblait précieuse et manifester leur excellence particulière, tandis qu'à côté d'eux, avant qu'on fût arrivé sur le sol sacré de l'un ou de l'autre, les chemins purement matériels au milieu desquels ils étaient posés comme l'idéal de la vue de plaine et l'idéal du paysage de rivière, ne valaient pas plus la peine d'être regardés que, par le spectateur épris d'art dramatique, les petites rues qui avoisinent un théâtre. Mais surtout je mettais entre eux, bien plus que leurs distances kilométriques, la distance qu'il y avait entre les deux parties de mon cerveau où je pensais à eux, une de ces distances dans l'esprit qui ne font pas qu'éloigner, qui séparent et mettent dans un autre plan. Et cette démarcation était rendue plus absolue encore parce que

cette habitude que nous avions de n'aller jamais vers les deux
côtés un même jour, dans une seule promenade, mais une
fois du côté de Méséglise, une fois du côté de Guermantes, les
enfermait pour ainsi dire loin l'un de l'autre, inconnaissables
l'un à l'autre, dans les vases clos et sans communication
entre eux d'après-midi différents.

Quand on voulait aller du côté de Méséglise, on sortait
(pas trop tôt, et même si le ciel était couvert, parce que la
promenade n'était pas bien longue et n'entraînait pas trop)
comme pour aller n'importe où, par la grande porte de la
maison de ma tante sur la rue du Saint-Esprit. On était salué
par l'armurier, on jetait ses lettres à la boîte, on disait en
passant à Théodore, de la part de Françoise, qu'elle n'avait
plus d'huile ou de café, et l'on sortait de la ville par le chemin
qui passait le long de la barrière blanche du parc de
M. Swann. Avant d'y arriver, nous rencontrions, venue au-
devant des étrangers, l'odeur de ses lilas. Eux-mêmes,
d'entre les petits cœurs verts et frais de leurs feuilles, levaient
curieusement au-dessus de la barrière du parc leurs pana-
ches de plumes mauves ou blanches que lustrait, même à
l'ombre, le soleil où elles avaient baigné. Quelques-uns, à
demi cachés par la petite maison en tuiles appelée maison
des Archers, où logeait le gardien, dépassaient son pignon
gothique de leur rose minaret. Les Nymphes du printemps
eussent semblé vulgaires, auprès de ces jeunes houris qui
gardaient dans ce jardin français les tons vifs et purs des
miniatures de la Perse. Malgré mon désir d'enlacer leur taille
souple et d'attirer à moi les boucles étoilées de leur tête
odorante, nous passions sans nous arrêter, mes parents
n'allant plus à Tansonville depuis le mariage de Swann, et,
pour ne pas avoir l'air de regarder dans le parc, au lieu de
prendre le chemin qui longe sa clôture et qui monte
directement aux champs, nous en prenions un autre qui y

conduit aussi, mais obliquement, et nous faisait déboucher
trop loin. Un jour, mon grand-père dit à mon père :

— Vous rappelez-vous que Swann a dit hier que comme
sa femme et sa fille partaient pour Reims, il en profiterait
pour aller passer vingt-quatre heures à Paris ? Nous pourrions longer le parc, puisque ces dames ne sont pas là, cela
nous abrégerait d'autant.

Nous nous arrêtâmes un moment devant la barrière. Le
temps des lilas approchait de sa fin ; quelques-uns effusaient
encore en hauts lustres mauves les bulles délicates de leurs
fleurs, mais dans bien des parties du feuillage où déferlait, il
y avait seulement une semaine, leur mousse embaumée, se
flétrissait, diminuée et noircie, une écume creuse, sèche et
sans parfum. Mon grand-père montrait à mon père en quoi
l'aspect des lieux était resté le même, et en quoi il avait
changé, depuis la promenade qu'il avait faite avec M. Swann
le jour de la mort de sa femme, et il saisit cette occasion pour
raconter cette promenade une fois de plus.

Devant nous, une allée bordée de capucines montait en
plein soleil vers le château. A droite, au contraire, le parc
s'étendait en terrain plat. Obscurcie par l'ombre des grands
arbres qui l'entouraient, une pièce d'eau avait été creusée
par les parents de Swann ; mais dans ses créations les plus
factices, c'est sur la nature que l'homme travaille ; certains
lieux font toujours régner autour d'eux leur empire particulier, arborent leurs insignes immémoriaux au milieu d'un
parc comme ils auraient fait loin de toute intervention
humaine, dans une solitude qui revient partout les entourer,
surgie des nécessités de leur exposition et superposée à
l'œuvre humaine. C'est ainsi qu'au pied de l'allée qui
dominait l'étang artificiel, s'était composée sur deux rangs,
tressés de fleurs de myosotis et de pervenches, la couronne
naturelle, délicate et bleue qui ceint le front clair-obscur des
eaux, et que le glaïeul, laissant fléchir ses glaives avec un
abandon royal, étendait sur l'eupatoire et la grenouillette au

pied mouillé les fleurs de lis en lambeaux, violettes et jaunes, de son sceptre lacustre.

Le départ de Mlle Swann qui — en m'ôtant la chance terrible de la voir apparaître dans une allée, d'être connu et méprisé par la petite fille privilégiée qui avait Bergotte pour ami et allait avec lui visiter des cathédrales — me rendait la contemplation de Tansonville indifférente la première fois où elle m'était permise, semblait au contraire ajouter à cette propriété, aux yeux de mon grand-père et de mon père, des commodités, un agrément passager, et, comme fait pour une excursion en pays de montagnes l'absence de tout nuage, rendre cette journée exceptionnellement propice à une promenade de ce côté; j'aurais voulu que leurs calculs fussent déjoués, qu'un miracle fît apparaître Mlle Swann avec son père, si près de nous que nous n'aurions pas le temps de l'éviter et serions obligés de faire sa connaissance. Aussi, quand tout d'un coup j'aperçus sur l'herbe, comme un signe de sa présence possible, un couffin oublié à côté d'une ligne dont le bouchon flottait sur l'eau, je m'empressai de détourner d'un autre côté les regards de mon père et de mon grand-père. D'ailleurs, Swann nous ayant dit que c'était mal à lui de s'absenter, car il avait pour le moment de la famille à demeure, la ligne pouvait appartenir à quelque invité. On n'entendait aucun bruit de pas dans les allées. Divisant la hauteur d'un arbre incertain, un invisible oiseau s'ingéniait à faire trouver la journée courte, explorait d'une note prolongée la solitude environnante, mais il recevait d'elle une réplique si unanime, un choc en retour si redoublé de silence et d'immobilité qu'on aurait dit qu'il venait d'arrêter pour toujours l'instant qu'il avait cherché à faire passer plus vite. La lumière tombait si implacable du ciel devenu fixe que l'on aurait voulu se soustraire à son attention, et l'eau dormante elle-même, dont des insectes irritaient perpétuellement le sommeil, rêvant sans doute de quelque Maelstrom imaginaire, augmentait le trouble où m'avait jeté la vue du flotteur de liège en semblant l'entraîner à toute vitesse sur les

étendues silencieuses du ciel reflété ; presque vertical il
paraissait prêt à plonger et déjà je me demandais si, sans
tenir compte du désir et de la crainte que j'avais de la
connaître, je n'avais pas le devoir de prévenir Mlle Swann
que le poisson mordait, — quand il me fallut rejoindre en
courant mon père et mon grand-père qui m'appelaient,
étonnés que je ne les eusse pas suivis dans le petit chemin qui
monte vers les champs et où ils s'étaient engagés. Je le
trouvai tout bourdonnant de l'odeur des aubépines. La haie
formait comme une suite de chapelles qui disparaissaient
sous la jonchée de leurs fleurs amoncelées en reposoir ; au-
dessous d'elles, le soleil posait à terre un quadrillage de
clarté, comme s'il venait de traverser une verrière ; leur
parfum s'étendait aussi onctueux, aussi délimité en sa forme
que si j'eusse été devant l'autel de la Vierge, et les fleurs,
aussi parées, tenaient chacune d'un air distrait son étincelant
bouquet d'étamines, fines et rayonnantes nervures de style
flamboyant comme celles qui à l'église ajouraient la rampe
du jubé ou les meneaux du vitrail et qui s'épanouissaient en
blanche chair de fleur de fraisier. Combien naïves et
paysannes en comparaison sembleraient les églantines qui,
dans quelques semaines, monteraient elles aussi en plein
soleil le même chemin rustique, en la soie unie de leur
corsage rougissant qu'un souffle défait !

Mais j'avais beau rester devant les aubépines à respirer, à
porter devant ma pensée qui ne savait ce qu'elle devait en
faire, à perdre, à retrouver leur invisible et fixe odeur, à
m'unir au rythme qui jetait leurs fleurs, ici et là, avec une
allégresse juvénile et à des intervalles inattendus comme
certains intervalles musicaux, elles m'offraient indéfiniment
le même charme avec une profusion inépuisable, mais sans
me laisser approfondir davantage, comme ces mélodies
qu'on rejoue cent fois de suite sans descendre plus avant
dans leur secret. Je me détournais d'elles un moment, pour
les aborder ensuite avec des forces plus fraîches. Je poursui-
vais jusque sur le talus qui, derrière la haie, montait en pente

raide vers les champs, quelque coquelicot perdu, quelques
bleuets restés paresseusement en arrière, qui le décoraient çà
et là de leurs fleurs comme la bordure d'une tapisserie où
apparaît clairsemé le motif agreste qui triomphera sur le
panneau ; rares encore, espacés comme les maisons isolées
qui annoncent déjà l'approche d'un village, ils m'annon-
çaient l'immense étendue où déferlent les blés, où mouton-
nent les nuages, et la vue d'un seul coquelicot hissant au bout
de son cordage et faisant cingler au vent sa flamme rouge au-
dessus de sa bouée graisseuse et noire, me faisait battre le
cœur, comme au voyageur qui aperçoit sur une terre basse
une première barque échouée que répare un calfat, et s'écrie,
avant de l'avoir encore vue : « La Mer ! »

Puis je revenais devant les aubépines comme devant ces
chefs-d'œuvre dont on croit qu'on saura mieux les voir
quand on a cessé un moment de les regarder, mais j'avais
beau me faire un écran de mes mains pour n'avoir qu'elles
sous les yeux, le sentiment qu'elles éveillaient en moi restait
obscur et vague, cherchant en vain à se dégager, à venir
adhérer à leurs fleurs. Elles ne m'aidaient pas à l'éclaircir, et
je ne pouvais demander à d'autres fleurs de le satisfaire.
Alors, me donnant cette joie que nous éprouvons quand nous
voyons de notre peintre préféré une œuvre qui diffère de
celles que nous connaissions, ou bien si l'on nous mène
devant un tableau dont nous n'avions vu jusque-là qu'une
esquisse au crayon, si un morceau entendu seulement au
piano nous apparaît ensuite revêtu des couleurs de l'orchestre, mon grand-père, m'appelant et me désignant la haie de
Tansonville, me dit : « Toi qui aimes les aubépines, regarde
un peu cette épine rose ; est-elle jolie ! » En effet c'était une
épine, mais rose, plus belle encore que les blanches. Elle
aussi avait une parure de fête, — de ces seules vraies fêtes
que sont les fêtes religieuses, puisqu'un caprice contingent ne
les applique pas comme les fêtes mondaines à un jour
quelconque qui ne leur est pas spécialement destiné, qui n'a
rien d'essentiellement férié — mais une parure plus riche

encore, car les fleurs attachées sur la branche, les unes au-
dessus des autres, de manière à ne laisser aucune place qui
ne fût décorée, comme des pompons qui enguirlandent une
houlette rococo, étaient « en couleur », par conséquent d'une
qualité supérieure, selon l'esthétique de Combray, si l'on en
jugeait par l'échelle des prix dans le « magasin » de la Place
ou chez Camus où étaient plus chers ceux des biscuits qui
étaient roses. Moi-même j'appréciais plus le fromage à la
crème rose, celui où l'on m'avait permis d'écraser des fraises.
Et justement ces fleurs avaient choisi une de ces teintes de
chose mangeable ou de tendre embellissement à une toilette
pour une grande fête, qui, parce qu'elles leur présentent la
raison de leur supériorité, sont celles qui semblent belles avec
le plus d'évidence aux yeux des enfants et, à cause de cela,
gardent toujours pour eux quelque chose de plus vif et de
plus naturel que les autres teintes, même lorsqu'ils ont
compris qu'elles ne promettaient rien à leur gourmandise et
n'avaient pas été choisies par la couturière. Et certes, je
l'avais tout de suite senti, comme devant les épines blanches
mais avec plus d'émerveillement, que ce n'était pas factice-
ment, par un artifice de fabrication humaine, qu'était
traduite l'intention de festivité dans les fleurs, mais que
c'était la nature qui, spontanément, l'avait exprimée avec la
naïveté d'une commerçante de village travaillant pour un
reposoir, en surchargeant l'arbuste de ces rosettes d'un ton
trop tendre et d'un pompadour provincial. Au haut des
branches, comme autant de ces petits rosiers aux pots cachés
dans des papiers en dentelles dont aux grandes fêtes on
faisait rayonner sur l'autel les minces fusées, pullulaient
mille petits boutons d'une teinte plus pâle qui, en s'entr'ouvrant, laissaient voir, comme au fond d'une coupe de marbre
rose, de rouges sanguines, et trahissaient, plus encore que les
fleurs, l'essence particulière, irrésistible, de l'épine, qui,
partout où elle bourgeonnait, où elle allait fleurir, ne le
pouvait qu'en rose. Intercalé dans la haie, mais aussi
différent d'elle qu'une jeune fille en robe de fête au milieu de

personnes en négligé qui resteront à la maison, tout prêt pour le mois de Marie, dont il semblait faire partie déjà, tel brillait en souriant dans sa fraîche toilette rose l'arbuste catholique et délicieux.

La haie laissait voir à l'intérieur du parc une allée bordée de jasmins, de pensées et de verveines entre lesquelles des giroflées ouvraient leur bourse fraîche du rose odorant et passé d'un cuir ancien de Cordoue, tandis que sur le gravier un long tuyau d'arrosage peint en vert, déroulant ses circuits, dressait, aux points où il était percé, au-dessus des fleurs dont il imbibait les parfums, l'éventail vertical et prismatique de ses gouttelettes multicolores. Tout à coup, je m'arrêtai, je ne pus plus bouger, comme il arrive quand une vision ne s'adresse pas seulement à nos regards, mais requiert des perceptions plus profondes et dispose de notre être tout entier. Une fillette d'un blond roux, qui avait l'air de rentrer de promenade et tenait à la main une bêche de jardinage, nous regardait, levant son visage semé de taches roses. Ses yeux noirs brillaient et, comme je ne savais pas alors, ni ne l'ai appris depuis, réduire en ses éléments objectifs une impression forte, comme je n'avais pas, ainsi qu'on dit, assez « d'esprit d'observation » pour dégager la notion de leur couleur, pendant longtemps, chaque fois que je repensai à elle, le souvenir de leur éclat se présentait aussitôt à moi comme celui d'un vif azur, puisqu'elle était blonde : de sorte que, peut-être si elle n'avait pas eu des yeux aussi noirs — ce qui frappait tant la première fois qu'on la voyait — je n'aurais pas été, comme je le fus, plus particulièrement amoureux, en elle, de ses yeux bleus.

Je la regardais, d'abord de ce regard qui n'est pas que le porte-parole des yeux, mais à la fenêtre duquel se penchent tous les sens, anxieux et pétrifiés, le regard qui voudrait toucher, capturer, emmener le corps qu'il regarde et l'âme avec lui ; puis, tant j'avais peur que d'une seconde à l'autre mon grand-père et mon père, apercevant cette jeune fille, me fissent éloigner en me disant de courir un peu devant eux,

d'un second regard, inconsciemment supplicateur, qui
tâchait de la forcer à faire attention à moi, à me connaître !
Elle jeta en avant et de côté ses pupilles pour prendre
connaissance de mon grand-père et de mon père, et sans
doute l'idée qu'elle en rapporta fut celle que nous étions
ridicules, car elle se détourna, et d'un air indifférent et
dédaigneux, se plaça de côté pour épargner à son visage
d'être dans leur champ visuel ; et tandis que, continuant à
marcher et ne l'ayant pas aperçu, ils m'avaient dépassé, elle
laissa ses regards filer de toute leur longueur dans ma
direction, sans expression particulière, sans avoir l'air de me
voir, mais avec une fixité et un sourire dissimulé que je ne
pouvais interpréter d'après les notions que l'on m'avait
données sur la bonne éducation que comme une preuve
d'outrageant mépris ; et sa main esquissait en même temps
un geste indécent, auquel, quand il était adressé en public à
une personne qu'on ne connaissait pas, le petit dictionnaire
de civilité que je portais en moi ne donnait qu'un seul sens,
celui d'une intention insolente.

— Allons, Gilberte, viens ; qu'est-ce que tu fais, cria d'une
voix perçante et autoritaire une dame en blanc que je n'avais
pas vue, et à quelque distance de laquelle un monsieur
habillé de coutil et que je ne connaissais pas, fixait sur moi
des yeux qui lui sortaient de la tête ; et cessant brusquement
de sourire, la jeune fille prit sa bêche et s'éloigna sans se
retourner de mon côté, d'un air docile, impénétrable et
sournois.

Ainsi passa près de moi ce nom de Gilberte, donné comme
un talisman qui me permettrait peut-être de retrouver un
jour celle dont il venait de faire une personne et qui, l'instant
d'avant, n'était qu'une image incertaine. Ainsi passa-t-il,
proféré au-dessus des jasmins et des giroflées, aigre et frais
comme les gouttes de l'arrosoir vert ; imprégnant, irisant la
zone d'air pur qu'il avait traversée — et qu'il isolait — du
mystère de la vie de celle qu'il désignait pour les êtres
heureux qui vivaient, qui voyageaient avec elle ; déployant

sous l'épinier rose, à hauteur de mon épaule, la quintessence de leur familiarité, pour moi si douloureuse, avec elle, avec l'inconnu de sa vie où je n'entrerais pas.

Un instant (tandis que nous nous éloignions et que mon grand-père murmurait : « Ce pauvre Swann, quel rôle ils lui font jouer : on le fait partir pour qu'elle reste seule avec son Charlus, car c'est lui, je l'ai reconnu ! Et cette petite, mêlée à toute cette infamie ! ») l'impression laissée en moi par le ton despotique avec lequel la mère de Gilberte lui avait parlé sans qu'elle répliquât, en me la montrant comme forcée d'obéir à quelqu'un, comme n'étant pas supérieure à tout, calma un peu ma souffrance, me rendit quelque espoir et diminua mon amour. Mais bien vite cet amour s'éleva de nouveau en moi comme une réaction par quoi mon cœur humilié voulait se mettre de niveau avec Gilberte ou l'abaisser jusqu'à lui. Je l'aimais, je regrettais de ne pas avoir eu le temps et l'inspiration de l'offenser, de lui faire mal, et de la forcer à se souvenir de moi. Je la trouvais si belle que j'aurais voulu pouvoir revenir sur mes pas, pour lui crier en haussant les épaules : « Comme je vous trouve laide, grotesque, comme vous me répugnez ! » Cependant je m'éloignais, emportant pour toujours, comme premier type d'un bonheur inaccessible aux enfants de mon espèce de par des lois naturelles impossibles à transgresser, l'image d'une petite fille rousse, à la peau semée de taches roses, qui tenait une bêche et qui riait en laissant filer sur moi de longs regards sournois et inexpressifs. Et déjà le charme dont son nom avait encensé cette place sous les épines roses où il avait été entendu ensemble par elle et par moi, allait gagner, enduire, embaumer tout ce qui l'approchait, ses grands-parents que les miens avaient eu l'ineffable bonheur de connaître, la sublime profession d'agent de change, le douloureux quartier des Champs-Élysées qu'elle habitait à Paris.

« Léonie, dit mon grand-père en rentrant, j'aurais voulu t'avoir avec nous tantôt. Tu ne reconnaîtrais pas Tansonville. Si j'avais osé, je t'aurais coupé une branche de ces

épines roses que tu aimais tant. » Mon grand-père racontait
ainsi notre promenade à ma tante Léonie, soit pour la
distraire, soit qu'on n'eût pas perdu tout espoir d'arriver à la
faire sortir. Or elle aimait beaucoup autrefois cette propriété,
et d'ailleurs les visites de Swann avaient été les dernières
qu'elle avait reçues, alors qu'elle fermait déjà sa porte à tout
le monde. Et de même que, quand il venait maintenant
prendre de ses nouvelles (elle était la seule personne de chez
nous qu'il demandât encore à voir), elle lui faisait répondre
qu'elle était fatiguée, mais qu'elle le laisserait entrer la
prochaine fois, de même elle dit ce soir-là : « Oui, un jour
qu'il fera beau, j'irai en voiture jusqu'à la porte du parc. »
C'est sincèrement qu'elle le disait. Elle eût aimé revoir
Swann et Tansonville ; mais le désir qu'elle en avait suffisait
à ce qui lui restait de forces ; sa réalisation les eût excédées.
Quelquefois le beau temps lui rendait un peu de vigueur, elle
se levait, s'habillait ; la fatigue commençait avant qu'elle fût
passée dans l'autre chambre et elle réclamait son lit. Ce qui
avait commencé pour elle — plus tôt seulement que cela
n'arrive d'habitude — c'est ce grand renoncement de la
vieillesse qui se prépare à la mort, s'enveloppe dans sa
chrysalide, et qu'on peut observer, à la fin des vies qui se
prolongent tard, même entre les anciens amants qui se sont
le plus aimés, entre les amis unis par les liens les plus
spirituels, et qui à partir d'une certaine année cessent de faire
le voyage ou la sortie nécessaire pour se voir, cessent de
s'écrire et savent qu'ils ne communiqueront plus en ce
monde. Ma tante devait parfaitement savoir qu'elle ne
reverrait pas Swann, qu'elle ne quitterait plus jamais la
maison, mais cette réclusion définitive devait lui être rendue
assez aisée pour la raison même qui, selon nous, aurait dû la
lui rendre plus douloureuse : c'est que cette réclusion lui
était imposée par la diminution qu'elle pouvait constater
chaque jour dans ses forces et qui, en faisant de chaque
action, de chaque mouvement, une fatigue, sinon une

souffrance, donnait pour elle à l'inaction, à l'isolement, au silence, la douceur réparatrice et bénie du repos.

Ma tante n'alla pas voir la haie d'épines roses, mais à tous moments je demandais à mes parents si elle n'irait pas, si autrefois elle allait souvent à Tansonville, tâchant de les faire parler des parents et grands-parents de Mlle Swann qui me semblaient grands comme des dieux. Ce nom, devenu pour moi presque mythologique, de Swann, quand je causais avec mes parents, je languissais du besoin de le leur entendre dire, je n'osais pas le prononcer moi-même, mais je les entraînais sur des sujets qui avoisinaient Gilberte et sa famille, qui la concernaient, où je ne me sentais pas exilé trop loin d'elle ; et je contraignais tout d'un coup mon père, en feignant de croire par exemple que la charge de mon grand-père avait été déjà avant lui dans notre famille, ou que la haie d'épines roses que voulait voir ma tante Léonie se trouvait en terrain communal, à rectifier mon assertion, à me dire, comme malgré moi, comme de lui-même : « Mais non, cette charge-là était au père de *Swann,* cette haie fait partie du parc de *Swann.* » Alors j'étais obligé de reprendre ma respiration, tant, en se posant sur la place où il était toujours écrit en moi, pesait à m'étouffer ce nom qui, au moment où je l'entendais, me paraissait plus plein que tout autre, parce qu'il était lourd de toutes les fois où, d'avance, je l'avais mentalement proféré. Il me causait un plaisir que j'étais confus d'avoir osé réclamer à mes parents, car ce plaisir était si grand qu'il avait dû exiger d'eux pour qu'ils me le procurassent beaucoup de peine, et sans compensation, puisqu'il n'était pas un plaisir pour eux. Aussi je détournais la conversation par discrétion. Par scrupule aussi. Toutes les séductions singulières que je mettais dans ce nom de Swann, je les retrouvais en lui dès qu'ils le prononçaient. Il me semblait alors tout d'un coup que mes parents ne pouvaient pas ne pas les ressentir, qu'ils se trouvaient placés à mon point de vue, qu'ils apercevaient à leur tour, absolvaient, épousaient mes rêves,

et j'étais malheureux comme si je les avais vaincus et
dépravés.

Cette année-là, quand, un peu plus tôt que d'habitude,
mes parents eurent fixé le jour de rentrer à Paris, le matin du
départ, comme on m'avait fait friser pour être photographié,
coiffer avec précaution un chapeau que je n'avais encore
jamais mis et revêtir une douillette de velours, après m'avoir
cherché partout, ma mère me trouva en larmes dans le petit
raidillon contigu à Tansonville, en train de dire adieu aux
aubépines, entourant de mes bras les branches piquantes, et,
comme une princesse de tragédie à qui pèseraient ces vains
ornements, ingrat envers l'importune main qui en formant
tous ces nœuds avait pris soin sur mon front d'assembler mes
cheveux — foulant aux pieds mes papillotes arrachées et
mon chapeau neuf. Ma mère ne fut pas touchée par mes
larmes, mais elle ne put retenir un cri à la vue de la coiffe
défoncée et de la douillette perdue. Je ne l'entendis pas : « O
mes pauvres petites aubépines, disais-je en pleurant, ce n'est
pas vous qui voudriez me faire du chagrin, me forcer à partir.
Vous, vous ne m'avez jamais fait de peine ! Aussi je vous
aimerai toujours. » Et, essuyant mes larmes, je leur promettais, quand je serais grand, de ne pas imiter la vie insensée
des autres hommes et, même à Paris, les jours de printemps,
au lieu d'aller faire des visites et écouter des niaiseries, de
partir dans la campagne voir les premières aubépines.

Une fois dans les champs, on ne les quittait plus pendant
tout le reste de la promenade qu'on faisait du côté de
Méséglise. Ils étaient perpétuellement parcourus, comme
par un chemineau invisible, par le vent qui était pour moi le
génie particulier de Combray. Chaque année, le jour de
notre arrivée, pour sentir que j'étais bien à Combray, je
montais le retrouver qui courait dans les sayons et me faisait
courir à sa suite. On avait toujours le vent à côté de soi du
côté de Méséglise, sur cette plaine bombée où pendant des
lieues il ne rencontre aucun accident de terrain. Je savais que
Mlle Swann allait souvent à Laons passer quelques jours et,

bien que ce fût à plusieurs lieues, la distance se trouvant compensée par l'absence de tout obstacle, quand, par les chauds après-midi, je voyais un même souffle, venu de l'extrême horizon, abaisser les blés les plus éloignés, se propager comme un flot sur toute l'immense étendue et venir se coucher, murmurant et tiède, parmi les sainfoins et les trèfles, à mes pieds, cette plaine qui nous était commune à tous deux semblait nous rapprocher, nous unir, je pensais que ce souffle avait passé auprès d'elle, que c'était quelque message d'elle qu'il me chuchotait sans que je pusse le comprendre, et je l'embrassais au passage. A gauche était un village qui s'appelait Champieu (*Campus Pagani*, selon le curé). Sur la droite, on apercevait par-delà les blés les deux clochers ciselés et rustiques de Saint-André-des-Champs, eux-mêmes effilés, écailleux, imbriqués d'alvéoles, guillochés, jaunissants et grumeleux, comme deux épis.

A intervalles symétriques, au milieu de l'inimitable ornementation de leurs feuilles qu'on ne peut confondre avec la feuille d'aucun autre arbre fruitier, les pommiers ouvraient leurs larges pétales de satin blanc ou suspendaient les timides bouquets de leurs rougissants boutons. C'est du côté de Méséglise que j'ai remarqué pour la première fois l'ombre ronde que les pommiers font sur la terre ensoleillée, et aussi ces soies d'or impalpable que le couchant tisse obliquement sous les feuilles, et que je voyais mon père interrompre de sa canne sans les faire jamais dévier.

Parfois dans le ciel de l'après-midi passait la lune blanche comme une nuée, furtive, sans éclat, comme une actrice dont ce n'est pas l'heure de jouer et qui, de la salle, en toilette de ville, regarde un moment ses camarades, s'effaçant, ne voulant pas qu'on fasse attention à elle. J'aimais à retrouver son image dans des tableaux et dans des livres, mais ces œuvres d'art étaient bien différentes — du moins pendant les premières années, avant que Bloch eût accoutumé mes yeux et ma pensée à des harmonies plus subtiles — de celles où la lune me paraîtrait belle aujourd'hui et où je ne l'eusse pas

reconnue alors. C'était, par exemple, quelque roman de
Saintine, un paysage de Gleyre où elle découpe nettement
sur le ciel une faucille d'argent, de ces œuvres naïvement
incomplètes comme étaient mes propres impressions et que
les sœurs de ma grand'mère s'indignaient de me voir aimer.
Elles pensaient qu'on doit mettre devant les enfants, et qu'ils
font preuve de goût en aimant d'abord, les œuvres que,
parvenu à la maturité, on admire définitivement. C'est sans
doute qu'elles se figuraient les mérites esthétiques comme
des objets matériels qu'un œil ouvert ne peut faire autrement
que de percevoir, sans avoir eu besoin d'en mûrir lentement
des équivalents dans son propre cœur.

C'est du côté de Méséglise, à Montjouvain, maison située
au bord d'une grande mare et adossée à un talus buissonneux, que demeurait M. Vinteuil. Aussi croisait-on souvent
sur la route sa fille, conduisant un buggy à toute allure. A
partir d'une certaine année on ne la rencontra plus seule,
mais avec une amie plus âgée, qui avait mauvaise réputation
dans le pays et qui un jour s'installa définitivement à
Montjouvain. On disait : « Faut-il que ce pauvre M. Vinteuil soit aveuglé par la tendresse pour ne pas s'apercevoir de
ce qu'on raconte, et permettre à sa fille, lui qui se scandalise
d'une parole *déplacée,* de faire vivre sous son toit une femme
pareille. Il dit que c'est une femme supérieure, un grand
cœur et qu'elle aurait eu des dispositions extraordinaires
pour la musique si elle les avait cultivées. Il peut être sûr que
ce n'est pas de musique qu'elle s'occupe avec sa fille. »
M. Vinteuil le disait ; et il est, en effet, remarquable combien
une personne excite toujours d'admiration pour ses qualités
morales chez les parents de toute autre personne avec qui elle
a des relations charnelles. L'amour physique, si injustement
décrié, force tellement tout être à manifester jusqu'aux
moindres parcelles qu'il possède de bonté, d'abandon de soi,
qu'elles resplendissent jusqu'aux yeux de l'entourage immédiat. Le docteur Percepied à qui sa grosse voix et ses gros
sourcils permettaient de tenir tant qu'il voulait le rôle de

perfide dont il n'avait pas le physique, sans compromettre en rien sa réputation inébranlable et imméritée de bourru bienfaisant, savait faire rire aux larmes le curé et tout le monde en disant d'un ton rude : « Hé bien ! il paraît qu'elle fait de la musique avec son amie, Mlle Vinteuil. Ça a l'air de vous étonner. Moi je sais pas. C'est le père Vinteuil qui m'a encore dit ça hier. Après tout, elle a bien le droit d'aimer la musique, c'te fille. Moi je ne suis pas pour contrarier les vocations artistiques des enfants. Vinteuil non plus à ce qu'il paraît. Et puis lui aussi il fait de la musique avec l'amie de sa fille. Ah ! sapristi, on en fait une musique dans c'te boîte-là. Mais qu'est-ce que vous avez à rire ? mais ils font trop de musique, ces gens. L'autre jour j'ai rencontré le père Vinteuil près du cimetière. Il ne tenait pas sur ses jambes. »

Pour ceux qui comme nous virent à cette époque M. Vinteuil éviter les personnes qu'il connaissait, se détourner quand il les apercevait, vieillir en quelques mois, s'absorber dans son chagrin, devenir incapable de tout effort qui n'avait pas directement le bonheur de sa fille pour but, passer des journées entières devant la tombe de sa femme, il eût été difficile de ne pas comprendre qu'il était en train de mourir de chagrin, et de supposer qu'il ne se rendait pas compte des propos qui couraient. Il les connaissait, peut-être même y ajoutait-il foi. Il n'est peut-être pas une personne, si grande que soit sa vertu, que la complexité des circonstances ne puisse amener à vivre un jour dans la familiarité du vice qu'elle condamne le plus formellement — sans qu'elle le reconnaisse d'ailleurs tout à fait sous le déguisement de faits particuliers qu'il revêt pour entrer en contact avec elle et la faire souffrir : paroles bizarres, attitudes inexplicables, un certain soir, de tel être qu'elle a par ailleurs tant de raisons pour aimer. Mais pour un homme comme M. Vinteuil il devait entrer bien plus de souffrance que pour un autre dans la résignation à une de ces situations qu'on croit à tort être l'apanage exclusif du monde de la bohème : elles se produisent chaque fois qu'a besoin de se réserver la place et la

sécurité qui lui sont nécessaires un vice que la nature elle-
même fait épanouir chez un enfant, parfois rien qu'en mêlant
les vertus de son père et de sa mère, comme la couleur de ses
yeux. Mais, de ce que M. Vinteuil connaissait peut-être la
conduite de sa fille, il ne s'ensuit pas que son culte pour elle
en eût été diminué. Les faits ne pénètrent pas dans le monde
où vivent nos croyances, ils n'ont pas fait naître celles-ci, ils
ne les détruisent pas ; ils peuvent leur infliger les plus
constants démentis sans les affaiblir, et une avalanche de
malheurs ou de maladies se succédant sans interruption dans
une famille ne la fera pas douter de la bonté de son Dieu ou
du talent de son médecin. Mais quand M. Vinteuil songeait
à sa fille et à lui-même du point de vue du monde, du point
de vue de leur réputation, quand il cherchait à se situer avec
elle au rang qu'ils occupaient dans l'estime générale, alors ce
jugement d'ordre social, il le portait exactement comme l'eût
fait l'habitant de Combray qui lui eût été le plus hostile, il se
voyait avec sa fille dans le dernier bas-fond, et ses manières
en avaient reçu depuis peu cette humilité, ce respect pour
ceux qui se trouvaient au-dessus de lui et qu'il voyait d'en
bas (eussent-ils été fort au-dessous de lui jusque-là), cette
tendance à chercher à remonter jusqu'à eux, qui est une
résultante presque mécanique de toutes les déchéances. Un
jour que nous marchions avec Swann dans une rue de
Combray, M. Vinteuil qui débouchait d'une autre s'était
trouvé trop brusquement en face de nous pour avoir le temps
de nous éviter, et Swann, avec cette orgueilleuse charité de
l'homme du monde qui, au milieu de la dissolution de tous
ses préjugés moraux, ne trouve dans l'infamie d'autrui
qu'une raison d'exercer envers lui une bienveillance dont les
témoignages chatouillent d'autant plus l'amour-propre de
celui qui les donne, qu'il les sent plus précieux à celui qui les
reçoit, avait longuement causé avec M. Vinteuil, à qui
jusque-là il n'adressait pas la parole, et lui avait demandé
avant de nous quitter s'il n'enverrait pas un jour sa fille jouer
à Tansonville. C'était une invitation qui, il y a deux ans, eût

indigné M. Vinteuil, mais qui, maintenant, le remplissait de sentiments si reconnaissants qu'il se croyait obligé par eux à ne pas avoir l'indiscrétion de l'accepter. L'amabilité de Swann envers sa fille lui semblait être en soi-même un appui si honorable et si délicieux qu'il pensait qu'il valait peut-être mieux ne pas s'en servir, pour avoir la douceur toute platonique de le conserver.

— Quel homme exquis, nous dit-il, quand Swann nous eut quittés, avec la même enthousiaste vénération qui tient de spirituelles et jolies bourgeoises en respect et sous le charme d'une duchesse, fût-elle laide et sotte. Quel homme exquis ! Quel malheur qu'il ait fait un mariage tout à fait déplacé !

Et alors, tant les gens les plus sincères sont mêlés d'hypocrisie et dépouillent en causant avec une personne l'opinion qu'ils ont d'elle et expriment dès qu'elle n'est plus là, mes parents déplorèrent avec M. Vinteuil le mariage de Swann au nom de principes et de convenances auxquels (par cela même qu'ils les invoquaient en commun avec lui, en braves gens de même acabit) ils avaient l'air de sous-entendre qu'il n'était pas contrevenu à Montjouvain. M. Vinteuil n'envoya pas sa fille chez Swann. Et celui-ci fut le premier à le regretter. Car, chaque fois qu'il venait de quitter M. Vinteuil, il se rappelait qu'il avait depuis quelque temps un renseignement à lui demander sur quelqu'un qui portait le même nom que lui, un de ses parents, croyait-il. Et cette fois-là il s'était bien promis de ne pas oublier ce qu'il avait à lui dire, quand M. Vinteuil enverrait sa fille à Tansonville.

Comme la promenade du côté de Méséglise était la moins longue des deux que nous faisions autour de Combray et qu'à cause de cela on la réservait pour les temps incertains, le climat du côté de Méséglise était assez pluvieux et nous ne perdions jamais de vue la lisière des bois de Roussainville dans l'épaisseur desquels nous pourrions nous mettre à couvert.

Souvent le soleil se cachait derrière une nuée qui déformait son ovale et dont il jaunissait la bordure. L'éclat, mais non la clarté, était enlevé à la campagne où toute vie semblait suspendue, tandis que le petit village de Roussainville sculptait sur le ciel le relief de ses arêtes blanches avec une précision et un fini accablants. Un peu de vent faisait envoler un corbeau qui retombait dans le lointain, et, contre le ciel blanchissant, le lointain des bois paraissait plus bleu, comme peint dans ces camaïeux qui décorent les trumeaux des anciennes demeures.

Mais d'autres fois se mettait à tomber la pluie dont nous avait menacés le capucin que l'opticien avait à sa devanture ; les gouttes d'eau, comme des oiseaux migrateurs qui prennent leur vol tous ensemble, descendaient à rangs pressés du ciel. Elles ne se séparent point, elles ne vont pas à l'aventure pendant la rapide traversée, mais chacune tenant sa place attire à elle celle qui la suit et le ciel en est plus obscurci qu'au départ des hirondelles. Nous nous réfugiions dans le bois. Quand leur voyage semblait fini, quelques-unes, plus débiles, plus lentes, arrivaient encore. Mais nous ressortions de notre abri, car les gouttes se plaisent aux feuillages, et la terre était déjà presque séchée que plus d'une s'attardait à jouer sur les nervures d'une feuille et, suspendue à la pointe, reposée, brillant au soleil, tout d'un coup se laissait glisser de toute la hauteur de la branche et nous tombait sur le nez.

Souvent aussi nous allions nous abriter, pêle-mêle avec les saints et les patriarches de pierre sous le porche de Saint-André-des-Champs. Que cette église était française ! Au-dessus de la porte, les saints, les rois-chevaliers une fleur de lys à la main, des scènes de noces et de funérailles étaient représentés comme ils pouvaient l'être dans l'âme de Françoise. Le sculpteur avait aussi narré certaines anecdotes relatives à Aristote et à Virgile, de la même façon que Françoise à la cuisine parlait volontiers de saint Louis comme si elle l'avait personnellement connu, et générale-

ment pour faire honte par la comparaison à mes grands-
parents moins « justes ». On sentait que les notions que
l'artiste médiéval et la paysanne médiévale (survivant au
XIXe siècle) avaient de l'histoire ancienne ou chrétienne, et
qui se distinguaient par autant d'inexactitude que de bonhomie, ils les tenaient non des livres, mais d'une tradition à la
fois antique et directe, ininterrompue, orale, déformée,
méconnaissable et vivante. Une autre personnalité de Combray que je reconnaissais aussi, virtuelle et prophétisée, dans
la sculpture gothique de Saint-André-des-Champs, c'était le
jeune Théodore, le garçon de chez Camus. Françoise sentait
d'ailleurs si bien en lui un pays et un contemporain que,
quand ma tante Léonie était trop malade pour que Françoise
pût suffire à la retourner dans son lit, à la porter dans son
fauteuil, plutôt que de laisser la fille de cuisine monter se
faire « bien voir » de ma tante, elle appelait Théodore. Or ce
garçon, qui passait et avec raison pour si mauvais sujet, était
tellement rempli de l'âme qui avait décoré Saint-André-des-
Champs et notamment des sentiments de respect que
Françoise trouvait dus aux « pauvres malades », à « sa
pauvre maîtresse », qu'il avait pour soulever la tête de ma
tante sur son oreiller la mine naïve et zélée des petits anges
des bas-reliefs, s'empressant, un cierge à la main, autour de
la Vierge défaillante, comme si les visages de pierre sculptée,
grisâtres et nus, ainsi que sont les bois en hiver, n'étaient
qu'un ensommeillement, qu'une réserve, prête à refleurir
dans la vie en innombrables visages populaires, révérends et
futés comme celui de Théodore, enluminés de la rougeur
d'une pomme mûre. Non plus appliquée à la pierre comme
ces petits anges, mais détachée du porche, d'une stature plus
qu'humaine, debout sur un socle comme sur un tabouret qui
lui évitât de poser ses pieds sur le sol humide, une sainte
avait les joues pleines, le sein ferme et qui gonflait la draperie
comme une grappe mûre dans un sac de crin, le front étroit,
le nez court et mutin, les prunelles enfoncées, l'air valide,
insensible et courageux des paysannes de la contrée. Cette

ressemblance, qui insinuait dans la statue une douceur que je
n'y avais pas cherchée, était souvent certifiée par quelque
fille des champs, venue comme nous se mettre à couvert, et
dont la présence, pareille à celle de ces feuillages pariétaires
qui ont poussé à côté des feuillages sculptés, semblait
destinée à permettre, par une confrontation avec la nature,
de juger de la vérité de l'œuvre d'art. Devant nous, dans le
lointain, terre promise ou maudite, Roussainville, dans les
murs duquel je n'ai jamais pénétré, Roussainville, tantôt,
quand la pluie avait déjà cessé pour nous, continuait à être
châtié comme un village de la Bible par toutes les lances de
l'orage qui flagellaient obliquement les demeures de ses
habitants, ou bien était déjà pardonné par Dieu le Père qui
faisait descendre vers lui, inégalement longues, comme les
rayons d'un ostensoir d'autel, les tiges d'or effrangées de son
soleil reparu.

Quelquefois le temps était tout à fait gâté, il fallait rentrer
et rester enfermé dans la maison. Çà et là au loin dans la
campagne que l'obscurité et l'humidité faisaient ressembler à
la mer, des maisons isolées, accrochées au flanc d'une colline
plongée dans la nuit et dans l'eau, brillaient comme des
petits bateaux qui ont replié leurs voiles et sont immobiles au
large pour toute la nuit. Mais qu'importait la pluie, qu'importait l'orage ! L'été, le mauvais temps n'est qu'une humeur
passagère, superficielle, du beau temps sous-jacent et fixe,
bien différent du beau temps instable et fluide de l'hiver, et
qui, au contraire, installé sur la terre où il s'est solidifié en
denses feuillages sur lesquels la pluie peut s'égoutter sans
compromettre la résistance de leur permanente joie, a hissé
pour toute la saison, jusque dans les rues du village, aux
murs des maisons et des jardins, ses pavillons de soie violette
ou blanche. Assis dans le petit salon, où j'attendais l'heure
du dîner en lisant, j'entendais l'eau dégoutter de nos
marronniers, mais je savais que l'averse ne faisait que vernir
leurs feuilles et qu'ils promettaient de demeurer là, comme
des gages de l'été, toute la nuit pluvieuse, à assurer la

continuité du beau temps ; qu'il avait beau pleuvoir, demain, au-dessus de la barrière blanche de Tansonville, ondule-raient, aussi nombreuses, de petites feuilles en forme de cœur ; et c'est sans tristesse que j'apercevais le peuplier de la rue des Perchamps adresser à l'orage des supplications et des salutations désespérées ; c'est sans tristesse que j'entendais au fond du jardin les derniers roulements du tonnerre roucouler dans les lilas.

Si le temps était mauvais dès le matin, mes parents renonçaient à la promenade et je ne sortais pas. Mais je pris ensuite l'habitude d'aller, ces jours-là, marcher seul du côté de Méséglise-la-Vineuse, dans l'automne où nous dûmes venir à Combray pour la succession de ma tante Léonie, car elle était enfin morte, faisant triompher à la fois ceux qui prétendaient que son régime affaiblissant finirait par la tuer, et non moins les autres qui avaient toujours soutenu qu'elle souffrait d'une maladie non pas imaginaire mais organique, à l'évidence de laquelle les sceptiques seraient bien obligés de se rendre quand elle y aurait succombé ; et ne causant par sa mort de grande douleur qu'à un seul être, mais à celui-là, sauvage. Pendant les quinze jours que dura la dernière maladie de ma tante, Françoise ne la quitta pas un instant, ne se déshabilla pas, ne laissa personne lui donner aucun soin, et ne quitta son corps que quand il fut enterré. Alors nous comprîmes que cette sorte de crainte où Françoise avait vécu des mauvaises paroles, des soupçons, des colères de ma tante avait développé chez elle un sentiment que nous avions pris pour de la haine et qui était de la vénération et de l'amour. Sa véritable maîtresse aux décisions impossibles à prévoir, aux ruses difficiles à déjouer, au bon cœur facile à fléchir, sa souveraine, son mystérieux et tout-puissant monarque n'était plus. A côté d'elle nous comptions pour bien peu de chose. Il était loin le temps où, quand nous avions commencé à venir passer nos vacances à Combray, nous possédions autant de prestige que ma tante aux yeux de Françoise. Cet automne-là, tout occupés des formalités à remplir, des entretiens avec les notaires et avec les fermiers, mes parents, n'ayant guère de loisir pour faire des sorties que le temps d'ailleurs contrariait, prirent l'habitude de me laisser aller me promener sans eux du côté de Méséglise, enveloppé dans un grand plaid qui me protégeait contre la pluie et que je jetais d'autant plus volontiers sur mes épaules que je sentais que ses rayures écossaises scandalisaient Françoise, dans l'esprit de qui on n'aurait pu faire entrer l'idée que la couleur des vêtements n'a rien à faire avec le deuil et à qui d'ailleurs le chagrin que nous avions de la mort de ma tante plaisait peu, parce que nous n'avions pas donné de grand repas funèbre, que nous ne prenions pas un son de voix spécial pour parler d'elle, que même parfois je chantonnais. Je suis sûr que dans un livre — et en cela j'étais bien moi-même comme Françoise — cette conception du deuil d'après la *Chanson de Roland* et le portrait de Saint-André-des-Champs m'eût été sympathique. Mais dès que Françoise était auprès de moi, un démon me poussait à souhaiter qu'elle fût en colère, je saisissais le moindre prétexte pour lui dire que je regrettais ma tante parce que c'était une bonne femme, malgré ses ridicules, mais nullement parce que c'était ma tante, qu'elle eût pu être ma tante et me sembler odieuse, et sa mort ne me faire aucune peine, propos qui m'eussent semblé ineptes dans un livre.

Si alors Françoise, remplie comme un poète d'un flot de pensées confuses sur le chagrin, sur les souvenirs de famille, s'excusait de ne pas savoir répondre à mes théories et disait : « Je ne sais pas m'exprimer », je triomphais de cet aveu avec un bon sens ironique et brutal digne du docteur Percepied ; et si elle ajoutait : « Elle était tout de même de la parentèse, il reste toujours le respect qu'on doit à la parentèse », je haussais les épaules et je me disais : « Je suis bien bon de discuter avec une illettrée qui fait des cuirs pareils », adoptant ainsi pour juger Françoise le point de vue mesquin d'hommes dont ceux qui les méprisent le plus dans l'impartialité de la méditation sont fort capables de tenir le rôle, quand ils jouent une des scènes vulgaires de la vie.

Mes promenades de cet automne-là furent d'autant plus agréables que je les faisais après de longues heures passées sur un livre. Quand j'étais fatigué d'avoir lu toute la matinée dans la salle, jetant mon plaid sur mes épaules, je sortais : mon corps obligé depuis longtemps de garder l'immobilité, mais qui s'était chargé sur place d'animation et de vitesse accumulées, avait besoin ensuite, comme une toupie qu'on lâche, de les dépenser dans toutes les directions. Les murs des maisons, la haie de Tansonville, les arbres du bois de Roussainville, les buissons auxquels s'adosse Montjouvain, recevaient des coups de parapluie ou de canne, entendaient des cris joyeux, qui n'étaient, les uns et les autres, que des idées confuses qui m'exaltaient et qui n'ont pas atteint le repos dans la lumière, pour avoir préféré, à un lent et difficile éclaircissement, le plaisir d'une dérivation plus aisée vers une issue immédiate. La plupart des prétendues traductions de ce que nous avons ressenti ne font ainsi que nous en débarrasser, en le faisant sortir de nous sous une forme indistincte qui ne nous apprend pas à le connaître. Quand j'essaye de faire le compte de ce que je dois au côté de Méséglise, des humbles découvertes dont il fut le cadre fortuit ou le nécessaire inspirateur, je me rappelle que c'est cet automne-là, dans une de ces promenades, près du talus broussailleux qui protège Montjouvain, que je fus frappé pour la première fois de ce désaccord entre nos impressions et leur expression habituelle. Après une heure de pluie et de vent contre lesquels j'avais lutté avec allégresse, comme j'arrivais au bord de la mare de Montjouvain, devant une petite cahute recouverte en tuiles où le jardinier de M. Vinteuil serrait ses instruments de jardinage, le soleil venait de reparaître, et ses dorures lavées par l'averse reluisaient à neuf dans le ciel, sur les arbres, sur le mur de la cahute, sur son toit de tuile encore mouillé, à la crête duquel se promenait une poule. Le vent qui soufflait tirait horizontale-

ment les herbes folles qui avaient poussé dans la paroi du
mur, et les plumes de duvet de la poule, qui, les unes et les
autres, se laissaient filer au gré de son souffle jusqu'à
l'extrémité de leur longueur, avec l'abandon de choses
inertes et légères. Le toit de tuile faisait dans la mare, que le
soleil rendait de nouveau réfléchissante, une marbrure rose,
à laquelle je n'avais encore jamais fait attention. Et voyant
sur l'eau et à la face du mur un pâle sourire répondre au
sourire du ciel, je m'écriai dans tout mon enthousiasme en
brandissant mon parapluie refermé : « Zut, zut, zut, zut. »
Mais en même temps je sentis que mon devoir eût été de ne
pas m'en tenir à ces mots opaques et de tâcher de voir plus
clair dans mon ravissement.

Et c'est à ce moment-là encore — grâce à un paysan qui
passait, l'air déjà d'être d'assez mauvaise humeur, qui le fut
davantage quand il faillit recevoir mon parapluie dans la
figure, et qui répondit sans chaleur à mes « beau temps,
n'est-ce pas, il fait bon marcher » — que j'appris que les
mêmes émotions ne se produisent pas simultanément, dans
un ordre préétabli, chez tous les hommes. Plus tard, chaque
fois qu'une lecture un peu longue m'avais mis en humeur de
causer, le camarade à qui je brûlais d'adresser la parole
venait justement de se livrer au plaisir de la conversation et
désirait maintenant qu'on le laissât lire tranquille. Si je
venais de penser à mes parents avec tendresse et de prendre
les décisions les plus sages et les plus propres à leur faire
plaisir, ils avaient employé le même temps à apprendre une
peccadille que j'avais oubliée et qu'ils me reprochaient
sévèrement au moment où je m'élançais vers eux pour les
embrasser.

Parfois à l'exaltation que me donnait la solitude, s'en
ajoutait une autre que je ne savais pas en départager
nettement, causée par le désir de voir surgir devant moi une
paysanne que je pourrais serrer dans mes bras. Né brusquement, et sans que j'eusse eu le temps de le rapporter
exactement à sa cause, au milieu de pensées très différentes,

le plaisir dont il était accompagné ne me semblait qu'un degré supérieur de celui qu'elles me donnaient. Je faisais un mérite de plus à tout ce qui était à ce moment-là dans mon esprit, au reflet rose du toit de tuile, aux herbes folles, au village de Roussainville où je désirais depuis longtemps aller, aux arbres de son bois, au clocher de son église, de cet émoi nouveau qui me les faisait seulement paraître plus désirables parce que je croyais que c'était eux qui le provoquaient, et qui semblait ne vouloir que me porter vers eux plus rapidement quand il enflait ma voile d'une brise puissante, inconnue et propice. Mais si ce désir qu'une femme apparût ajoutait pour moi aux charmes de la nature quelque chose de plus exaltant, les charmes de la nature, en retour, élargissaient ce que celui de la femme aurait eu de trop restreint. Il me semblait que la beauté des arbres, c'était encore la sienne, et que l'âme de ces horizons, du village de Roussainville, des livres que je lisais cette année-là, son baiser me la livrerait ; et mon imagination reprenant des forces au contact de ma sensualité, ma sensualité se répandant dans tous les domaines de mon imagination, mon désir n'avait plus de limites. C'est qu'aussi — comme il arrive dans ces moments de rêverie au milieu de la nature où, l'action de l'habitude étant suspendue, nos notions abstraites des choses mises de côté, nous croyons d'une foi profonde à l'originalité, à la vie individuelle du lieu où nous nous trouvons — la passante qu'appelait mon désir me semblait être non un exemplaire quelconque de ce type général : la femme, mais un produit nécessaire et naturel de ce sol. Car en ce temps-là tout ce qui n'était pas moi, la terre et les êtres, me paraissait plus précieux, plus important, doué d'une existence plus réelle que cela ne paraît aux hommes faits. Et la terre et les êtres, je ne les séparais pas. J'avais le désir d'une paysanne de Méséglise ou de Roussainville, d'une pêcheuse de Balbec, comme j'avais le désir de Méséglise et de Balbec. Le plaisir qu'elles pouvaient me donner m'aurait paru moins vrai, je n'aurais plus cru en lui, si j'en avais modifié à ma guise les conditions. Connaître à Paris une pêcheuse de Balbec ou une paysanne de Méséglise, c'eût été recevoir des coquillages que je n'aurais pas vus sur la plage, une fougère que je n'aurais pas trouvée dans les bois, c'eût été retrancher au plaisir que la femme me donnerait tous ceux au milieu desquels l'avait enveloppée mon imagination. Mais errer ainsi dans les bois de Roussainville sans une paysanne à embrasser, c'était ne pas connaître de ces bois le trésor caché, la beauté profonde. Cette fille que je ne voyais que criblée de feuillages, elle était elle-même pour moi comme une plante locale d'une espèce plus élevée seulement que les autres et dont la structure permet d'approcher de plus près qu'en elles la saveur profonde du pays. Je pouvais d'autant plus facilement le croire (et que les caresses par lesquelles elle m'y ferait parvenir seraient aussi d'une sorte particulière et dont je n'aurais pas pu connaître le plaisir par une autre qu'elle), que j'étais pour longtemps encore à l'âge où l'on n'a pas encore abstrait ce plaisir de la possession des femmes différentes avec lesquelles on l'a goûté, où on ne l'a pas réduit à une notion générale qui les fait considérer dès lors comme les instruments interchangeables d'un plaisir toujours identique. Il n'existe même pas, isolé, séparé et formulé dans l'esprit, comme le but qu'on poursuit en s'approchant d'une femme, comme la cause du trouble préalable qu'on ressent. A peine y songe-t-on comme à un plaisir qu'on aura ; plutôt, on l'appelle son charme à elle ; car on ne pense pas à soi, on ne pense qu'à sortir de soi. Obscurément attendu, immanent et caché, il porte seulement à un tel paroxysme au moment où il s'accomplit les autres plaisirs que nous causent les doux regards, les baisers de celle qui est auprès de nous, qu'il nous apparaît surtout à nous-même comme une sorte de transport de notre reconnaissance pour la bonté de cœur de notre compagne et pour sa touchante prédilection à notre égard que nous mesurons aux bienfaits, au bonheur dont elle nous comble.

Hélas, c'était en vain que j'implorais le donjon de

Roussainville, que je lui demandais de faire venir auprès de
moi quelque enfant de son village, comme au seul confident
que j'avais eu de mes premiers désirs, quand au haut de
notre maison de Combray, dans le petit cabinet sentant l'iris,
je ne voyais que sa tour au milieu du carreau de la fenêtre
entr'ouverte, pendant qu'avec les hésitations héroïques du
voyageur qui entreprend une exploration ou du désespéré
qui se suicide, défaillant, je me frayais en moi-même une
route inconnue et que je croyais mortelle, jusqu'au moment
où une trace naturelle comme celle d'un colimaçon s'ajoutait
aux feuilles du cassis sauvage qui se penchaient jusqu'à moi.
En vain je le suppliais maintenant. En vain, tenant l'étendue
dans le champ de ma vision, je la drainais de mes regards qui
eussent voulu en ramener une femme. Je pouvais aller
jusqu'au porche de Saint-André-des-Champs ; jamais ne s'y
trouvait la paysanne que je n'eusse pas manqué d'y rencontrer si j'avais été avec mon grand-père et dans l'impossibilité
de lier conversation avec elle. Je fixais indéfiniment le tronc
d'un arbre lointain, de derrière lequel elle allait surgir et
venir à moi ; l'horizon scruté restait désert, la nuit tombait,
c'était sans espoir que mon attention s'attachait, comme
pour aspirer les créatures qu'ils pouvaient recéler, à ce sol
stérile, à cette terre épuisée ; et ce n'était plus d'allégresse,
c'était de rage que je frappais les arbres du bois de
Roussainville d'entre lesquels ne sortait pas plus d'êtres
vivants que s'ils eussent été des arbres peints sur la toile d'un
panorama, quand, ne pouvant me résigner à rentrer à la
maison avant d'avoir serré dans mes bras la femme que
j'avais tant désirée, j'étais pourtant obligé de reprendre le
chemin de Combray en m'avouant à moi-même qu'était de
moins en moins probable le hasard qui l'eût mise sur mon
chemin. Et s'y fût-elle trouvée, d'ailleurs, eussé-je osé lui
parler ? Il me semblait qu'elle m'eût considéré comme un
fou ; je cessais de croire partagés par d'autres êtres, de croire
vrais en dehors de moi, les désirs que je formais pendant ces
promenades et qui ne se réalisaient pas. Ils ne m'apparais-

saient plus que comme les créations purement subjectives, impuissantes, illusoires, de mon tempérament. Ils n'avaient plus de lien avec la nature, avec la réalité qui dès lors perdait tout charme et toute signification et n'était plus à ma vie qu'un cadre conventionnel, comme l'est à la fiction d'un roman le wagon sur la banquette duquel le voyageur le lit pour tuer le temps.

C'est peut-être d'une impression ressentie aussi auprès de Montjouvain, quelques années plus tard, impression restée obscure alors, qu'est sortie, bien après, l'idée que je me suis faite du sadisme. On verra plus tard que, pour de tout autres raisons, le souvenir de cette impression devait jouer un rôle important dans ma vie. C'était par un temps très chaud ; mes parents, qui avaient dû s'absenter pour toute la journée, m'avaient dit de rentrer aussi tard que je voudrais ; et étant allé jusqu'à la mare de Montjouvain où j'aimais revoir les reflets du toit de tuile, je m'étais étendu à l'ombre et endormi dans les buissons du talus qui domine la maison, là où j'avais attendu mon père autrefois, un jour qu'il était allé voir M. Vinteuil. Il faisait presque nuit quand je m'éveillai, je voulus me lever, mais je vis Mlle Vinteuil (autant que je pus la reconnaître, car je ne l'avais pas vue souvent à Combray, et seulement quand elle était encore une enfant, tandis qu'elle commençait d'être une jeune fille) qui probablement venait de rentrer, en face de moi, à quelques centimètres de moi, dans cette chambre où son père avait reçu le mien et dont elle avait fait son petit salon à elle. La fenêtre était entr'ouverte, la lampe était allumée, je voyais tous ses mouvements sans qu'elle me vît, mais en m'en allant j'aurais fait craquer les buissons, elle m'aurait entendu et elle aurait pu croire que je m'étais caché là pour l'épier.

Elle était en grand deuil, car son père était mort depuis peu. Nous n'étions pas allés la voir, ma mère ne l'avait pas voulu à cause d'une vertu qui chez elle limitait seule les effets de la bonté : la pudeur ; mais elle la plaignait profondément. Ma mère se rappelait la triste fin de vie de M. Vinteuil, tout absorbée d'abord par les soins de mère et de bonne d'enfant qu'il donnait à sa fille, puis par les souffrances que celle-ci lui avait causées ; elle revoyait le visage torturé qu'avait eu le vieillard tous les derniers temps ; elle savait qu'il avait renoncé à jamais à achever de transcrire au net toute son œuvre des dernières années, pauvres morceaux d'un vieux professeur de piano, d'un ancien organiste de village, dont nous imaginions bien qu'ils n'avaient guère de valeur en eux-mêmes, mais que nous ne méprisions pas parce qu'ils en avaient tant pour lui dont ils avaient été raison de vivre avant qu'il les sacrifiât à sa fille, et qui pour la plupart, pas même notés, conservés seulement dans sa mémoire, quel-ques-uns inscrits sur des feuillets épars, illisibles, resteraient inconnus ; ma mère pensait à cet autre renoncement plus cruel encore auquel M. Vinteuil avait été contraint, le renoncement à un avenir de bonheur honnête et respecté pour sa fille, quand elle évoquait toute cette détresse suprême de l'ancien maître de piano de mes tantes, elle éprouvait un véritable chagrin et songeait avec effroi à celui, autrement amer, que devait éprouver Mlle Vinteuil, tout mêlé du remords d'avoir à peu près tué son père. « Pauvre M. Vinteuil, disait ma mère, il a vécu et il est mort pour sa fille, sans avoir reçu son salaire. Le recevra-t-il après sa mort et sous quelle forme ? Il ne pourrait lui venir que d'elle. »

Au fond du salon de Mlle Vinteuil, sur la cheminée, était posé un petit portrait de son père que vivement elle alla chercher au moment où retentit le roulement d'une voiture qui venait de la route, puis elle se jeta sur un canapé, et tira près d'elle une petite table sur laquelle elle plaça le portrait, comme M. Vinteuil autrefois avait mis à côté de lui le morceau qu'il avait le désir de jouer à mes parents. Bientôt son amie entra. Mlle Vinteuil l'accueillit sans se lever, ses deux mains derrière la tête, et se recula sur le bord opposé du sofa comme pour lui faire une place. Mais aussitôt elle sentit qu'elle semblait ainsi lui imposer une attitude qui lui était peut-être importune. Elle pensa que son amie aimerait peut-

être mieux être loin d'elle sur une chaise, elle se trouva
indiscrète, la délicatesse de son cœur s'en alarma ; reprenant
toute la place sur le sofa elle ferma les yeux et se mit à bâiller
pour indiquer que l'envie de dormir était la seule raison pour
laquelle elle s'était ainsi étendue. Malgré la familiarité rude
et dominatrice qu'elle avait avec sa camarade, je reconnaissais les gestes obséquieux et réticents, les brusques scrupules
de son père. Bientôt elle se leva, feignit de vouloir fermer les
volets et de n'y pas réussir.

— Laisse donc tout ouvert, j'ai chaud, dit son amie.

— Mais c'est assommant, on nous verra, répondit
Mlle Vinteuil.

Mais elle devina sans doute que son amie penserait qu'elle
n'avait dit ces mots que pour la provoquer à lui répondre par
certains autres, qu'elle avait en effet le désir d'entendre, mais
que par discrétion elle voulait lui laisser l'iniative de
prononcer. Aussi son regard, que je ne pouvais distinguer,
dut-il prendre l'expression qui plaisait tant à ma grand'mère,
quand elle ajouta vivement :

— Quand je dis nous voir, je veux dire nous voir lire ; c'est
assommant, quelque chose insignifiante qu'on fasse, de
penser que des yeux nous voient.

Par une générosité instinctive et une politesse involontaire
elle taisait les mots prémédités qu'elle avait jugés indispensa-
bles à la pleine réalisation de son désir. Et à tous moments au
fond d'elle-même une vierge timide et suppliante implorait et
faisait reculer un soudard fruste et vainqueur.

— Oui, c'est probable qu'on nous regarde à cette heure-
ci, dans cette campagne fréquentée, dit ironiquement son
amie. Et puis quoi ? ajouta-t-elle (en croyant devoir accompagner d'un clignement d'yeux malicieux et tendre ces mots
qu'elle récita par bonté, comme un texte qu'elle savait être
agréable à Mlle Vinteuil, d'un ton qu'elle s'efforçait de rendre
cynique) « quand même on nous verrait, ce n'en est que
meilleur ».

Mlle Vinteuil frémit et se leva. Son cœur scrupuleux et

sensible ignorait quelles paroles devaient spontanément
venir s'adapter à la scène que ses sens réclamaient. Elle
cherchait le plus loin qu'elle pouvait de sa vraie nature
morale, à trouver le langage propre à la fille vicieuse qu'elle
désirait d'être, mais les mots qu'elle pensait que celle-ci eût
prononcé sincèrement lui paraissaient faux dans sa bouche.
Et le peu qu'elle s'en permettait était dit sur un ton guindé
où ses habitudes de timidité paralysaient ses velléités d'audace, et s'entremêlait de : « Tu n'as pas froid, tu n'as pas
trop chaud, tu n'as pas envie d'être seule et de lire ? »

— Mademoiselle me semble avoir des pensées bien lubri-
ques ce soir, finit-elle par dire, répétant sans doute une
phrase qu'elle avait entendue autrefois dans la bouche de son
amie.

Dans l'échancrure de son corsage de crêpe, Mlle Vinteuil
sentit que son amie piquait un baiser, elle poussa un petit cri,
s'échappa, et elles se poursuivirent en sautant, faisant voleter
leurs larges manches comme des ailes et gloussant et
piaillant comme des oiseaux amoureux. Puis Mlle Vinteuil
finit par tomber sur le canapé, recouverte par le corps de son
amie. Mais celle-ci tournait le dos à la petite table sur
laquelle était placé le portrait de l'ancien professeur de
piano. Mlle Vinteuil comprit que son amie ne le verrait pas si
elle n'attirait pas sur lui son attention, et elle lui dit, comme
si elle venait seulement de le remarquer :

— Oh ! ce portrait de mon père qui nous regarde, je ne
sais pas qui a pu le mettre là, j'ai pourtant dit vingt fois que
ce n'était pas sa place.

Je me souvins que c'étaient les mots que M. Vinteuil avait
dits à mon père à propos du morceau de musique. Ce
portrait leur servait sans doute habituellement pour des
profanations rituelles, car son amie lui répondit par ces
paroles qui devaient faire partie de ses réponses liturgiques :

— Mais laisse-le donc où il est, il n'est plus là pour nous
embêter. Crois-tu qu'il pleurnicherait, qu'il voudrait te

mettre ton manteau, s'il te voyait là, la fenêtre ouverte, le vilain singe.

Mlle Vinteuil répondit par des paroles de doux reproche : « Voyons, voyons », qui prouvaient la bonté de sa nature, non qu'elles fussent dictées par l'indignation que cette façon de parler de son père eût pu lui causer (évidemment, c'était là un sentiment qu'elle s'était habituée, à l'aide de quels sophismes ? à faire taire en elle dans ces minutes-là), mais parce qu'elles étaient comme un frein que, pour ne pas se montrer égoïste, elle mettait elle-même au plaisir que son amie cherchait à lui procurer. Et puis cette modération souriante en répondant à ces blasphèmes, ce reproche hypocrite et tendre, paraissaient peut-être à sa nature franche et bonne une forme particulièrement infâme, une forme doucereuse de cette scélératesse qu'elle cherchait à s'assimiler. Mais elle ne put résister à l'attrait du plaisir qu'elle éprouverait à être traitée avec douceur par une personne si implacable envers un mort sans défense ; elle sauta sur les genoux de son amie, et lui tendit chastement son front à baiser comme elle aurait pu faire si elle avait été sa fille, sentant avec délices qu'elles allaient ainsi toutes deux au bout de la cruauté en ravissant à M. Vinteuil, jusque dans le tombeau, sa paternité. Son amie lui prit la tête entre ses mains et lui déposa un baiser sur le front avec cette docilité que lui rendait facile la grande affection qu'elle avait pour Mlle Vinteuil et le désir de mettre quelque distraction dans la vie si triste maintenant de l'orpheline.

— Sais-tu ce que j'ai envie de lui faire à cette vieille horreur ? dit-elle en prenant le portrait.

Et elle murmura à l'oreille de Mlle Vinteuil quelque chose que je ne pus entendre.

— Oh ! tu n'oserais pas.

— Je n'oserais pas cracher dessus ? sur *ça* ? dit l'amie avec une brutalité voulue.

Je n'en entendis pas davantage, car Mlle Vinteuil, d'un air las, gauche, affairé, honnête et triste, vint fermer les volets et

la fenêtre, mais je savais maintenant, pour toutes les
souffrances que pendant sa vie M. Vinteuil avait supportées
à cause de sa fille, ce qu'après la mort il avait reçu d'elle en
salaire.

Et pourtant j'ai pensé depuis que si M. Vinteuil avait pu
assister à cette scène, il n'eût peut-être pas encore perdu sa
foi dans le bon cœur de sa fille, et peut-être même n'eût-il pas
eu en cela tout à fait tort. Certes, dans les habitudes de
Mlle Vinteuil l'apparence du mal était si entière qu'on aurait
eu de la peine à la rencontrer réalisée à ce degré de perfection
ailleurs que chez une sadique ; c'est à la lumière de la rampe
des théâtres du boulevard plutôt que sous la lampe d'une
maison de campagne véritable qu'on peut voir une fille faire
cracher une amie sur le portrait d'un père qui n'a vécu que
pour elle ; et il n'y a guère que le sadisme qui donne un
fondement dans la vie à l'esthétique du mélodrame. Dans la
réalité, en dehors des cas de sadisme, une fille aurait peut-
être des manquements aussi cruels que ceux de Mlle Vinteuil
envers la mémoire et les volontés de son père mort, mais elle
ne les résumerait pas expressément en un acte d'un symbo-
lisme aussi rudimentaire et aussi naïf ; ce que sa conduite
aurait de criminel serait plus voilé aux yeux des autres et
même à ses yeux à elle qui ferait le mal sans se l'avouer.
Mais, au delà de l'apparence, dans le cœur de Mlle Vinteuil,
le mal, au début du moins, ne fut sans doute pas sans
mélange. Une sadique comme elle est l'artiste du mal, ce
qu'une créature entièrement mauvaise ne pourrait être, car
le mal ne lui serait pas extérieur, il lui semblerait tout
naturel, ne se distinguerait même pas d'elle ; et la vertu, la
mémoire des morts, la tendresse filiale, comme elle n'en
aurait pas le culte, elle ne trouverait pas un plaisir sacrilège à
les profaner. Les sadiques de l'espèce de Mlle Vinteuil sont
des êtres si purement sentimentaux, si naturellement vertueux que même le plaisir sensuel leur paraît quelque chose
de mauvais, le privilège des méchants. Et quand ils se
concèdent à eux-mêmes de s'y livrer un moment, c'est dans

la peau des méchants qu'ils tâchent d'entrer et de faire entrer leur complice, de façon à avoir eu un moment l'illusion de s'être évadés de leur âme scrupuleuse et tendre, dans le monde inhumain du plaisir. Et je comprenais combien elle l'eût désiré en voyant combien il lui était impossible d'y réussir. Au moment où elle se voulait si différente de son père, ce qu'elle me rappelait, c'était les façons de penser, de dire, du vieux professeur de piano. Bien plus que sa photographie, ce qu'elle profanait, ce qu'elle faisait servir à ses plaisirs mais qui restait entre eux et elle et l'empêchait de les goûter directement, c'était la ressemblance de son visage, les yeux bleus de sa mère à lui qu'il lui avait transmis comme un bijou de famille, ces gestes d'amabilité qui interposaient entre le vice de Mlle Vinteuil et elle une phraséologie, une mentalité qui n'était pas faite pour lui et l'empêchait de le connaître comme quelque chose de très différent des nombreux devoirs de politesse auxquels elle se consacrait d'habitude. Ce n'est pas le mal qui lui donnait l'idée du plaisir, qui lui semblait agréable; c'est le plaisir qui lui semblait malin. Et comme, chaque fois qu'elle s'y adonnait, il s'accompagnait pour elle de ces pensées mauvaises qui le reste du temps étaient absentes de son âme vertueuse, elle finissait par trouver au plaisir quelque chose de diabolique, par l'identifier au Mal. Peut-être Mlle Vinteuil sentait-elle que son amie n'était pas foncièrement mauvaise et qu'elle n'était pas sincère au moment où elle lui tenait ces propos blasphématoires. Du moins avait-elle le plaisir d'embrasser sur son visage des sourires, des regards, feints peut-être, mais analogues dans leur expression vicieuse et basse à ceux qu'aurait eus non un être de bonté et de souffrance, mais un être de cruauté et de plaisir. Elle pouvait s'imaginer un instant qu'elle jouait vraiment les jeux qu'eût joués, avec une complice aussi dénaturée, une fille qui aurait ressenti en effet ces sentiments barbares à l'égard de la mémoire de son père. Peut-être n'eût-elle pas pensé que le mal fût un état si rare, si extraordinaire, si dépaysant, où il était si reposant d'émigrer, si elle avait su discerner en elle, comme en tout le monde, cette indifférence aux souffrances qu'on cause et qui, quelques autres noms qu'on lui donne, est la forme terrible et permanente de la cruauté.

S'il était assez simple d'aller du côté de Méséglise, c'était une autre affaire d'aller du côté de Guermantes, car la promenade était longue et l'on voulait être sûr du temps qu'il ferait. Quand on semblait entrer dans une série de beaux jours ; quand Françoise, désespérée qu'il ne tombât pas une goutte d'eau pour les « pauvres récoltes » et ne voyant que de rares nuages blancs nageant à la surface calme et bleue du ciel, s'écriait en gémissant : « Ne dirait-on pas qu'on voit ni plus ni moins des chiens de mer qui jouent en montrant là-haut leurs museaux ? Ah ! ils pensent bien à faire pleuvoir pour les pauvres laboureurs ! Et puis quand les blés seront poussés, alors la pluie se mettra à tomber tout à petit patapon, sans discontinuer, sans plus savoir sur quoi elle tombe que si c'était sur la mer » ; quand mon père avait reçu invariablement les mêmes réponses favorables du jardinier et du baromètre, alors on disait au dîner : « Demain, s'il fait le même temps, nous irons du côté de Guermantes. » On partait tout de suite après déjeuner par la petite porte du jardin et on tombait dans la rue des Perchamps, étroite et formant un angle aigu, remplie de graminées au milieu desquelles deux ou trois guêpes passaient la journée à herboriser, aussi bizarre que son nom d'où me semblaient dériver ses particularités curieuses et sa personnalité revêche, et qu'on chercherait en vain dans le Combray d'aujourd'hui où sur son tracé ancien s'élève l'école. Mais ma rêverie (semblable à ces architectes élèves de Viollet-le-Duc, qui, croyant retrouver sous un jubé Renaissance et un autel du XVIIe siècle les traces d'un chœur roman, remettent tout l'édifice dans l'état où il devait être au XIIe siècle) ne laisse pas une pierre du bâtiment nouveau, reperce et « restitue » la rue des Perchamps. Elle a d'ailleurs pour ces reconstitutions des données plus précises que n'en ont généralement les restaurateurs : quelques images conservées par ma mémoire, les dernières peut-être qui existent encore actuellement, et destinées à être bientôt anéanties, de ce qu'était le Combray du temps de mon enfance ; et, parce que c'est lui-même qui les a tracées en moi avant de disparaître, émouvantes — si on peut comparer un obscur portrait à ces effigies glorieuses dont ma grand'mère aimait à me donner des reproductions — comme ces gravures anciennes de la Cène ou ce tableau de Gentile Bellini, dans lesquels l'on voit en un état qui n'existe plus aujourd'hui le chef-d'œuvre de Vinci et le portail de Saint-Marc.

On passait, rue de l'Oiseau, devant la vieille hôtellerie de l'Oiseau flesché dans la grande cour de laquelle entrèrent quelquefois au XVIIᵉ siècle les carrosses des duchesses de Montpensier, de Guermantes et de Montmorency, quand elles avaient à venir à Combray pour quelque contestation avec leurs fermiers, pour une question d'hommage. On gagnait le mail entre les arbres duquel apparaissait le clocher de Saint-Hilaire. Et j'aurais voulu pouvoir m'asseoir là et rester toute la journée à lire en écoutant les cloches ; car il faisait si beau et si tranquille que, quand sonnait l'heure, on aurait dit non qu'elle rompait le calme du jour, mais qu'elle le débarrassait de ce qu'il contenait et que le clocher, avec l'exactitude indolente et soigneuse d'une personne qui n'a rien d'autre à faire, venait seulement — pour exprimer et laisser tomber les quelques gouttes d'or que la chaleur y avait lentement et naturellement amassées — de presser, au moment voulu, la plénitude du silence.

Le plus grand charme du côté de Guermantes, c'est qu'on y avait presque tout le temps à côté de soi le cours de la Vivonne. On la traversait une première fois, dix minutes après avoir quitté la maison, sur une passerelle dite le Pont-Vieux. Dès le lendemain de notre arrivée, le jour de Pâques après le sermon, s'il faisait beau temps, je courais jusque-là, voir dans ce désordre d'un matin de grande fête où quelques

préparatifs somptueux font paraître plus sordides les ustensi-
les de ménage qui traînent encore, la rivière qui se promenait
déjà en bleu ciel entre les terres encore noires et nues,
accompagnée seulement d'une bande de coucous arrivés trop
tôt et de primevères en avance, cependant que çà et là une
violette au bec bleu laissait fléchir sa tige sous le poids de la
goutte d'odeur qu'elle tenait dans son cornet. Le Pont-Vieux
débouchait dans un sentier de halage qui à cet endroit se
tapissait l'été du feuillage bleu d'un noisetier sous lequel un
pêcheur en chapeau de paille avait pris racine. A Combray
où je savais quelle individualité de maréchal ferrant ou de
garçon épicier était dissimulée sous l'uniforme du suisse ou le
surplis de l'enfant de chœur, ce pêcheur est la seule personne
dont je n'aie jamais découvert l'identité. Il devait connaître
mes parents, car il soulevait son chapeau quand nous
passions ; je voulais alors demander son nom, mais on me
faisait signe de me taire pour ne pas effrayer le poisson. Nous
nous engagions dans le sentier de halage qui dominait le
courant d'un talus de plusieurs pieds ; de l'autre côté la rive
était basse, étendue en vastes prés jusqu'au village et jusqu'à
la gare qui en était distante. Ils étaient semés des restes, à
demi enfouis dans l'herbe, du château des anciens comtes de
Combray qui au Moyen Age avait de ce côté le cours de la
Vivonne comme défense contre les attaques des sires de
Guermantes et des abbés de Martinville. Ce n'étaient plus
que quelques fragments de tours bossuant la prairie, à peine
apparents, quelques créneaux d'où jadis l'arbalétrier lançait
des pierres, d'où le guetteur surveillait Novepont, Clairefon-
taine, Martinville-le-Sec, Bailleau-l'Exempt, toutes terres
vassales de Guermantes entre lesquelles Combray était
enclavé, aujourd'hui au ras de l'herbe, dominés par les
enfants de l'école des frères qui venaient là apprendre leurs
leçons ou jouer aux récréations — passé presque descendu
dans la terre, couché au bord de l'eau comme un promeneur
qui prend le frais, mais me donnant fort à songer, me faisant
ajouter dans le nom de Combray à la petite ville d'aujour-

d'hui une cité très différente, retenant mes pensées par son
visage incompréhensible et d'autrefois qu'il cachait à demi
sous les boutons d'or. Ils étaient fort nombreux à cet endroit
qu'ils avaient choisi pour leurs jeux sur l'herbe, isolés, par
couples, par troupes, jaunes comme un jaune d'œuf, brillant
d'autant plus, me semblait-il, que, ne pouvant dériver vers
aucune velléité de dégustation le plaisir que leur vue me
causait, je l'accumulais dans leur surface dorée, jusqu'à ce
qu'il devînt assez puissant pour produire de l'inutile beauté ;
et cela dès ma plus petite enfance, quand du sentier de
halage je tendais les bras vers eux sans pouvoir épeler
complètement leur joli nom de Princes de contes de fées
français, venus peut-être il y a bien des siècles d'Asie, mais
apatriés pour toujours au village, contents du modeste
horizon, aimant le soleil et le bord de l'eau, fidèles à la petite
vue de la gare, gardant encore pourtant comme certaines de
nos vieilles toiles peintes, dans leur simplicité populaire, un
poétique éclat d'Orient.

Je m'amusais à regarder les carafes que les gamins
mettaient dans la Vivonne pour prendre les petits poissons,
et qui, remplies par la rivière où elles sont à leur tour
encloses, à la fois « contenant » aux flancs transparents
comme une eau durcie et « contenu » plongé dans un plus
grand contenant de cristal liquide et courant, évoquaient
l'image de la fraîcheur d'une façon plus délicieuse et plus
irritante qu'elles n'eussent fait sur une table servie, en ne la
montrant qu'en fuite dans cette allitération perpétuelle entre
l'eau sans consistance où les mains ne pouvaient la capter et
le verre sans fluidité où le palais ne pourrait en jouir. Je me
promettais de venir là plus tard avec des lignes ; j'obtenais
qu'on tirât un peu de pain des provisions du goûter, j'en
jetais dans la Vivonne des boulettes qui semblaient suffire
pour y provoquer un phénomène de sursaturation, car l'eau
se solidifiait aussitôt autour d'elles en grappes ovoïdes de
têtards inanitiés qu'elle tenait sans doute jusque-là en

dissolution, invisibles, tout près d'être en voie de cristallisa-
tion.

Bientôt le cours de la Vivonne s'obstrue de plantes d'eau.
Il y en a d'abord d'isolées comme tel nénufar à qui le courant
au travers duquel il était placé d'une façon malheureuse
laissait si peu de repos que, comme un bac actionné
mécaniquement, il n'abordait une rive que pour retourner à
celle d'où il était venu, refaisant éternellement la double
traversée. Poussé vers la rive, son pédoncule se dépliait,
s'allongeait, filait, atteignait l'extrême limite de sa tension
jusqu'au bord où le courant le reprenait, le vert cordage se
repliait sur lui-même et ramenait la pauvre plante à ce qu'on
peut d'autant mieux appeler son point de départ qu'elle n'y
restait pas une seconde sans en repartir par une répétion de
la même manœuvre. Je la retrouvais de promenade en
promenade, toujours dans la même situation, faisant penser
à certains neurasthéniques au nombre desquels mon grand-
père comptait ma tante Léonie, qui nous offrent sans
changement au cours des années le spectacle des habitudes
bizarres qu'ils se croient chaque fois à la veille de secouer et
qu'ils gardent toujours ; pris dans l'engrenage de leurs
malaises et de leurs manies, les efforts dans lesquels ils se
débattent inutilement pour en sortir ne font qu'assurer le
fonctionnement et faire jouer le déclic de leur diététique
étrange, inéluctable et funeste. Tel était ce nénufar, pareil
aussi à quelqu'un de ces malheureux dont le tourment
singulier, qui se répète indéfiniment durant l'éternité, excitait la curiosité de Dante, et dont il se serait fait raconter plus
longuement les particularités et la cause par le supplicié lui-
même, si Virgile, s'éloignant à grands pas, ne l'avait forcé à
le rattraper au plus vite, comme moi mes parents.

Mais plus loin le courant se ralentit, il traverse une
propriété dont l'accès était ouvert au public par celui à qui
elle appartenait et qui s'y était complu à des travaux
d'horticulture aquatique, faisant fleurir, dans les petits
étangs que forme la Vivonne, de véritables jardins de

nymphéas. Comme les rives étaient à cet endroit très boisées, les grandes ombres des arbres donnaient à l'eau un fond qui était habituellement d'un vert sombre mais que parfois, quand nous rentrions par certains soirs rassérénés d'après-midi orageux, j'ai vu d'un bleu clair et cru, tirant sur le violet, d'apparence cloisonnée et de goût japonais. Çà et là, à la surface, rougissait comme une fraise une fleur de nymphéa au cœur écarlate, blanc sur les bords. Plus loin, les fleurs plus nombreuses étaient plus pâles, moins lisses, plus grenues, plus plissées, et disposées par le hasard en enroulements si gracieux qu'on croyait voir flotter à la dérive, comme après l'effeuillement mélancolique d'une fête galante, des roses mousseuses en guirlandes dénouées. Ailleurs, un coin sem-blait réservé aux espèces communes qui montraient le blanc et le rose proprets de la julienne, tandis qu'un peu plus loin, pressées les unes contre les autres en une véritable plate-bande flottante, on eût dit des pensées des jardins qui étaient venues poser comme des papillons leurs ailes bleuâtres et glacées sur l'obliquité transparente de ce parterre d'eau ; de ce parterre céleste aussi : car il donnait aux fleurs un sol d'une couleur plus précieuse, plus émouvante que la couleur des fleurs elles-mêmes ; et, soit que pendant l'après-midi il fît étinceler sous les nymphéas le kaléidoscope d'un bonheur attentif, silencieux et mobile, ou qu'il s'emplît vers le soir, comme quelque port lointain, du rose et de la rêverie du couchant, changeant sans cesse pour rester toujours en accord, autour des corolles de teintes plus fixes, avec ce qu'il y a de plus profond, de plus fugitif, de plus mystérieux — avec ce qu'il y a d'infini — dans l'heure, il semblait les avoir fait fleurir en plein ciel.

Au sortir de ce parc, la Vivonne redevient courante. Que de fois j'ai vu, j'ai désiré imiter quand je serais libre de vivre à ma guise, un rameur, qui, ayant lâché l'aviron, s'était couché à plat sur le dos, la tête en bas, au fond de sa barque, et la laissant flotter à la dérive, ne pouvant voir que le ciel qui filait lentement au-dessus de lui, portait sur son visage l'avant-goût du bonheur et de la paix !

Nous nous asseyions entre les iris au bord de l'eau. Dans le ciel férié flânait longuement un nuage oisif. Par moments, oppressée par l'ennui, une carpe se dressait hors de l'eau dans une aspiration anxieuse. C'était l'heure du goûter. Avant de repartir nous restions longtemps à manger des fruits, du pain et du chocolat, sur l'herbe où parvenaient jusqu'à nous, horizontaux, affaiblis, mais denses et métalliques encore, des sons de la cloche de Saint-Hilaire qui ne s'étaient pas mélangés à l'air qu'ils traversaient depuis si longtemps et, côtelés par la palpitation successive de toutes leurs lignes sonores, vibraient en rasant les fleurs, à nos pieds.

Parfois, au bord de l'eau entourée de bois, nous rencontrions une maison dite de plaisance, isolée, perdue, qui ne voyait rien du monde que la rivière qui baignait ses pieds. Une jeune femme dont le visage pensif et les voiles élégants n'étaient pas de ce pays et qui sans doute était venue, selon l'expression populaire, « s'enterrer » là, goûter le plaisir amer de sentir que son nom, le nom surtout de celui dont elle n'avait pu garder le cœur, y était inconnu, s'encadrait dans la fenêtre qui ne lui laissait pas regarder plus loin que la barque amarrée près de la porte. Elle levait distraitement les yeux en entendant derrière les arbres de la rive la voix des passants dont, avant qu'elle eût aperçu leur visage, elle pouvait être certaine que jamais ils n'avaient connu, ni ne connaîtraient l'infidèle, que rien dans leur passé ne gardait sa marque, que rien dans leur avenir n'aurait l'occasion de la recevoir. On sentait que, dans son renoncement, elle avait volontairement quitté des lieux où elle aurait pu du moins apercevoir celui qu'elle aimait, pour ceux-ci qui ne l'avaient jamais vu. Et je la regardais, revenant de quelque promenade sur un chemin où elle savait qu'il ne passerait pas, ôter de ses mains résignées de longs gants d'une grâce inutile.

Jamais dans la promenade du côté de Guermantes nous ne

pûmes remonter jusqu'aux sources de la Vivonne, auxquelles
j'avais souvent pensé et qui avaient pour moi une existence si
abstraite, si idéale, que j'avais été aussi surpris quand on
m'avait dit qu'elles se trouvaient dans le département, à une
certaine distance kilométrique de Combray, que le jour où
j'avais appris qu'il y avait un autre point précis de la terre où
s'ouvrait, dans l'antiquité, l'entrée des Enfers. Jamais non
plus nous ne pûmes pousser jusqu'au terme que j'eusse tant
souhaité d'atteindre, jusqu'à Guermantes. Je savais que là
résidaient des châtelains, le duc et la duchesse de Guermantes, je savais qu'ils étaient des personnages réels et actuellement existants, mais chaque fois que je pensais à eux, je me
les représentais tantôt en tapisserie, comme était la comtesse
de Guermantes, dans le *Couronnement d'Esther* de notre église,
tantôt de nuances changeantes, comme était Gilbert le
Mauvais dans le vitrail où il passait du vert chou au bleu
prune, selon que j'étais encore à prendre de l'eau bénite ou
que j'arrivais à nos chaises, tantôt tout à fait impalpables
comme l'image de Geneviève de Brabant, ancêtre de la
famille de Guermantes, que la lanterne magique promenait
sur les rideaux de ma chambre ou faisait monter au plafond,
— enfin toujours enveloppés du mystère des temps mérovin-
giens et baignant, comme dans un coucher de soleil, dans la
lumière orangée qui émane de cette syllabe : « antes ». Mais
si malgré cela ils étaient pour moi, en tant que duc et
duchesse, des êtres réels, bien qu'étranges, en revanche leur
personne ducale se distendait démesurément, s'immatériali-
sait, pour pouvoir contenir en elle ce Guermantes dont ils
étaient duc et duchesse, tout ce « côté de Guermantes »
ensoleillé, le cours de la Vivonne, ses nymphéas et ses grands
arbres, et tant de beaux après-midi. Et je savais qu'ils ne
portaient pas seulement le titre de duc et de duchesse de
Guermantes, mais que depuis le XIVe siècle, où après avoir
inutilement essayé de vaincre ses anciens seigneurs, ils
s'étaient alliés à eux par des mariages, ils étaient comtes de
Combray, les premiers des citoyens de Combray par consé-

quent et pourtant les seuls qui n'y habitassent pas. Comtes de Combray, possédant Combray au milieu de leur nom, de leur personne, et sans doute ayant effectivement en eux cette étrange et pieuse tristesse qui était spéciale à Combray ; propriétaires de la ville, mais non d'une maison particulière, demeurant sans doute dehors, dans la rue, entre ciel et terre, comme ce Gilbert de Guermantes dont je ne voyais aux vitraux de l'abside de Saint-Hilaire que l'envers de laque noire, si je levais la tête quand j'allais chercher du sel chez Camus.

Puis il arriva que sur le côté de Guermantes je passai parfois devant de petits enclos humides où montaient des grappes de fleurs sombres. Je m'arrêtais, croyant acquérir une notion précieuse, car il me semblait avoir sous les yeux un fragment de cette région fluviatile que je désirais tant connaître depuis que je l'avais vue décrite par un de mes écrivains préférés. Et ce fut avec elle, avec son sol imaginaire traversé de cours d'eau bouillonnants, que Guermantes, changeant d'aspect dans ma pensée, s'identifia, quand j'eus entendu le docteur Percepied nous parler des fleurs et des belles eaux vives qu'il y avait dans le parc du château. Je rêvais que Mme de Guermantes m'y faisait venir, éprise pour moi d'un soudain caprice ; tout le jour elle y pêchait la truite avec moi. Et le soir, me tenant par la main, en passant devant les petits jardins de ses vassaux, elle me montrait, le long des murs bas, les fleurs qui y appuient leurs quenouilles violettes et rouges et m'apprenait leurs noms. Elle me faisait lui dire le sujet des poèmes que j'avais l'intention de composer. Et ces rêves m'avertissaient que, puisque je voulais un jour être un écrivain, il était temps de savoir ce que je comptais écrire. Mais dès que je me le demandais, tâchant de trouver un sujet où je pusse faire tenir une signification philosophique infinie, mon esprit s'arrêtait de fonctionner, je ne voyais plus que le vide en face de mon attention, je sentais que je n'avais pas de génie ou peut-être une maladie cérébrale l'empêchait de naître. Parfois je

comptais sur mon père pour arranger cela. Il était si
puissant, si en faveur auprès des gens en place qu'il arrivait à
nous faire transgresser les lois que Françoise m'avait appris à
considérer comme plus inéluctables que celles de la vie et de
la mort, à faire retarder d'un an pour notre maison, seule de
tout le quartier, les travaux de « ravalement », à obtenir du
ministre, pour le fils de Mme Sazerat qui voulait aller aux
eaux, l'autorisation qu'il passât le baccalauréat deux mois
d'avance, dans la série des candidats dont le nom commençait par un *A* au lieu d'attendre le tour des *S*. Si j'étais tombé
gravement malade, si j'avais été capturé par des brigands,
persuadé que mon père avait trop d'intelligences avec les
puissances suprêmes, de trop irrésistibles lettres de recommandation auprès du bon Dieu pour que ma maladie ou ma
captivité pussent être autre chose que de vains simulacres
sans danger pour moi, j'aurais attendu avec calme l'heure
inévitable du retour à la bonne réalité, l'heure de la
délivrance ou de la guérison ; peut-être cette absence de
génie, ce trou noir qui se creusait dans mon esprit quand je
cherchais le sujet de mes écrits futurs, n'était-il aussi qu'une
illusion sans consistance, et cesserait-elle par l'intervention
de mon père qui avait dû convenir avec le Gouvernement et
avec la Providence que je serais le premier écrivain de
l'époque. Mais d'autres fois, tandis que mes parents s'impa-
tientaient de me voir rester en arrière et ne pas les suivre, ma
vie actuelle, au lieu de me sembler une création artificielle de
mon père et qu'il pouvait modifier à son gré, m'apparaissait
au contraire comme comprise dans une réalité qui n'était pas
faite pour moi, contre laquelle il n'y avait pas de recours, au
cœur de laquelle je n'avais pas d'allié, qui ne me cachait rien au
delà d'elle-même. Il me semblait alors que j'existais de la
même façon que les autres hommes, que je vieillirais, que je
mourrais comme eux, et que parmi eux j'étais seulement du
nombre de ceux qui n'ont pas de dispositions pour écrire.
Aussi, découragé, je renonçais à jamais à la littérature,
malgré les encouragements que m'avait donnés Bloch. Ce

sentiment intime, immédiat, que j'avai. du néant de ma pensée, prévalait contre toutes les paroles flatteuses qu'on pouvait me prodiguer comme, chez un méchant dont chacun vante les bonnes actions, les remords de sa conscience.

Un jour ma mère me dit : « Puisque tu parles toujours de Mme de Guermantes, comme le docteur Percepied l'a très bien soignée il y a quatre ans, elle doit venir à Combray pour assister au mariage de sa fille. Tu pourras l'apercevoir à la cérémonie. » C'était du reste par le docteur Percepied que j'avais le plus entendu parler de Mme de Guermantes, et il nous avait même montré le numéro d'une revue illustrée où elle était représentée dans le costume qu'elle portait à un bal travesti chez la princesse de Léon.

Tout d'un coup, pendant la messe de mariage, un mouvement que fit le suisse en se déplaçant me permit de voir assise dans une chapelle une dame blonde avec un grand nez, des yeux bleus et perçants, une cravate bouffante en soie mauve, lisse, neuve et brillante, et un petit bouton au coin du nez. Et parce que dans la surface de son visage rouge, comme si elle eût eu très chaud, je distinguais, diluées et à peine perceptibles, des parcelles d'analogie avec le portrait qu'on m'avait montré, parce que surtout les traits particuliers que je relevais en elle, si j'essayais de les énoncer, se formulaient précisément dans les mêmes termes : un grand nez, des yeux bleus, dont s'était servi le docteur Percepied quand il avait décrit devant moi la duchesse de Guermantes, je me dis : Cette dame ressemble à Mme de Guermantes ; or la chapelle où elle suivait la messe était celle de Gilbert le Mauvais, sous les plates tombes de laquelle, dorées et distendues comme des alvéoles de miel reposaient les anciens comtes de Brabant, et que je me rappelais être, à ce qu'on m'avait dit, réservée à la famille de Guermantes quand quelqu'un de ses membres venait pour une cérémonie à Combray ; il ne pouvait vraisemblablement y avoir qu'une seule femme ressemblant au portrait de Mme de Guermantes, qui fût ce jour-là, jour où elle devait justement venir, dans cette

chapelle : c'était elle ! Ma déception était grande. Elle
provenait de ce que je n'avais jamais pris garde, quand je
pensais à Mme de Guermantes, que je me la représentais avec
les couleurs d'une tapisserie ou d'un vitrail, dans un autre
siècle, d'une autre manière que le reste des personnes
vivantes. Jamais je ne m'étais avisé qu'elle pouvait avoir une
figure rouge, une cravate mauve comme Mme Sazerat, et
l'ovale de ses joues me fit tellement souvenir de personnes
que j'avais vues à la maison que le soupçon m'effleura, pour
se dissiper d'ailleurs aussitôt, que cette dame, en son
principe générateur, en toutes ses molécules n'était peut-être
pas substantiellement la duchesse de Guermantes, mais que
son corps, ignorant du nom qu'on lui appliquait, appartenait
à un certain type féminin qui comprenait aussi des femmes
de médecins et de commerçants. « C'est cela, ce n'est que
cela, Mme de Guermantes ! », disait la mine attentive et
étonnée avec laquelle je contemplais cette image qui naturellement n'avait aucun rapport avec celles qui, sous le même
nom de Mme de Guermantes, étaient apparues tant de fois
dans mes songes, puisque elle, elle n'avait pas été comme les
autres arbitrairement formée par moi, mais qu'elle m'avait
sauté aux yeux pour la première fois, il y a un moment
seulement, dans l'église ; qui n'était pas de la même nature,
n'était pas colorable à volonté comme elles qui se laissaient
imbiber de la teinte orangée d'une syllabe, mais était si réelle
que tout, jusqu'à ce petit bouton qui s'enflammait au coin du
nez, certifiait son assujettissement aux lois de la vie, comme
dans une apothéose de théâtre, un plissement de la robe de la
fée, un tremblement de son petit doigt, dénoncent la présence
matérielle d'une actrice vivante, là où nous étions incertains
si nous n'avions pas devant les yeux une simple projection
lumineuse.

Mais en même temps, sur cette image que le nez proéminent, les yeux perçants épinglaient dans ma vision (peut-être
parce que c'était eux qui l'avaient d'abord atteinte, qui y
avaient fait la première encoche, au moment où je n'avais

pas encore le temps de songer que la femme qui apparaissait devant moi pouvait être Mme de Guermantes), sur cette image toute récente, inchangeable, j'essayais d'appliquer l'idée : « C'est Mme de Guermantes », sans parvenir qu'à la faire manœuvrer en face de l'image, comme deux disques séparés par un intervalle. Mais cette Mme de Guermantes à laquelle j'avais si souvent rêvé, maintenant que je voyais qu'elle existait effectivement en dehors de moi, en prit plus de puissance encore sur mon imagination qui, un moment paralysée au contact d'une réalité si différente de ce qu'elle attendait, se mit à réagir et à me dire : « Glorieux dès avant Charlemagne, les Guermantes avaient le droit de vie et de mort sur leurs vassaux ; la duchesse de Guermantes descend de Geneviève de Brabant. Elle ne connaît, ni ne consentirait à connaître aucune des personnes qui sont ici. »

Et — ô merveilleuse indépendance des regards humains, retenus au visage par une corde si lâche, si longue, si extensible qu'ils peuvent se promener seuls loin de lui ! — pendant que Mme de Guermantes était assise dans la chapelle au-dessus des tombes de ses morts, ses regards flânaient çà et là, montaient le long des piliers, s'arrêtaient même sur moi comme un rayon de soleil errant dans la nef, mais un rayon de soleil qui, au moment où je reçus sa caresse, me sembla conscient. Quant à Mme de Guermantes elle-même, comme elle restait immobile, assise comme une mère qui semble ne pas voir les audaces espiègles et les entreprises indiscrètes de ses enfants qui jouent et interpellent des personnes qu'elle ne connaît pas, il me fut impossible de savoir si elle approuvait ou blâmait, dans le désœuvrement de son âme, le vagabondage de ses regards.

Je trouvais important qu'elle ne partît pas avant que j'eusse pu la regarder suffisamment, car je me rappelais que depuis des années je considérais sa vue comme éminemment désirable, et je ne détachais pas mes yeux d'elle, comme si chacun de mes regards eût pu matériellement emporter et mettre en réserve en moi le souvenir du nez proéminent, des joues rouges, de toutes ces particularités qui me semblaient autant de renseignements précieux, authentiques et singuliers sur son visage. Maintenant que me le faisaient trouver beau toutes les pensées que j'y rapportais — et peut-être surtout, forme de l'instinct de conservation des meilleures parties de nous-mêmes, ce désir qu'on a toujours de ne pas avoir été déçu — la replaçant (puisque c'était une seule personne qu'elle et cette duchesse de Guermantes que j'avais évoquée jusque-là) hors du reste de l'humanité dans laquelle la vue pure et simple de son corps me l'avait fait un instant confondre, je m'irritais en entendant dire autour de moi : « Elle est mieux que Mme Sazerat, que Mlle Vinteuil », comme si elle leur eût été comparable. Et mes regards s'arrêtant à ses cheveux blonds, à ses yeux bleus, à l'attache de son cou et omettant les traits qui eussent pu me rappeler d'autres visages, je m'écriais devant ce croquis volontairement incomplet : « Qu'elle est belle ! Quelle noblesse ! Comme c'est bien une fière Guermantes, la descendante de Geneviève de Brabant, que j'ai devant moi ! » Et l'attention avec laquelle j'éclairais son visage l'isolait tellement qu'aujourd'hui, si je repense à cette cérémonie, il m'est impossible de revoir une seule des personnes qui y assistaient sauf elle et le suisse qui répondit affirmativement quand je lui demandai si cette dame était bien Mme de Guermantes. Mais elle, je la revois, surtout au moment du défilé dans la sacristie qu'éclairait le soleil intermittent et chaud d'un jour de vent et d'orage, et dans laquelle Mme de Guermantes se trouvait au milieu de tous ces gens de Combray dont elle ne savait même pas les noms, mais dont l'infériorité proclamait trop sa suprématie pour qu'elle ne ressentît pas pour eux une sincère bienveillance, et auxquels du reste elle espérait imposer davantage encore à force de bonne grâce et de simplicité. Aussi, ne pouvant émettre ces regards volontaires, chargés d'une signification précise, qu'on adresse à quelqu'un qu'on connaît, mais seulement laisser ses pensées distraites s'échapper incessamment devant elle en un flot de lumière bleue qu'elle ne pouvait contenir, elle ne voulait pas qu'il pût gêner, paraître dédaigner ces petites gens qu'il rencontrait au passage, qu'il atteignait à tous moments. Je revois encore, au-dessus de sa cravate mauve, soyeuse et gonflée, le doux étonnement de ses yeux auxquels elle avait ajouté, sans oser le destiner à personne, mais pour que tous pussent en prendre leur part, un sourire un peu timide de suzeraine qui a l'air de s'excuser auprès de ses vassaux et de les aimer. Ce sourire tomba sur moi qui ne la quittais pas des yeux. Alors me rappelant ce regard qu'elle avait laissé s'arrêter sur moi, pendant la messe, bleu comme un rayon de soleil qui aurait traversé le vitrail de Gilbert le Mauvais, je me dis : « Mais sans doute elle fait attention à moi. » Je crus que je lui plaisais, qu'elle penserait encore à moi quand elle aurait quitté l'église, qu'à cause de moi elle serait peut-être triste le soir à Guermantes. Et aussitôt je l'aimai, car s'il peut quelquefois suffire pour que nous aimions une femme qu'elle nous regarde avec mépris, comme j'avais cru qu'avait fait Mlle Swann, et que nous pensions qu'elle ne pourra jamais nous appartenir, quelquefois aussi il peut suffire qu'elle nous regarde avec bonté comme faisait Mme de Guermantes et que nous pensions qu'elle pourra nous appartenir. Ses yeux bleuissaient comme une pervenche impossible à cueillir et que pourtant elle m'eût dédiée; et le soleil, menacé par un nuage mais dardant encore de toute sa force sur la place et dans la sacristie, donnait une carnation de géranium aux tapis rouges qu'on y avait étendus par terre pour la solennité et sur lesquels s'avançait en souriant Mme de Guermantes, et ajoutait à leur lainage un velouté rose, un épiderme de lumière, cette sorte de tendresse, de sérieuse douceur dans la pompe et dans la joie qui caractérisent certaines pages de *Lohengrin*, certaines peintures de Carpaccio, et qui font comprendre que Baudelaire ait pu appliquer au son de la trompette l'épithète de délicieux.

Combien depuis ce jour, dans mes promenades du côté de Guermantes, il me parut plus affligeant encore qu'aupara-

vant de n'avoir pas de dispositions pour les lettres, et de
devoir renoncer à être jamais un écrivain célèbre ! Les regrets
que j'en éprouvais, tandis que je restais seul à rêver un peu à
l'écart, me faisaient tant souffrir, que pour ne plus les
ressentir, de lui-même par une sorte d'inhibition devant la
douleur, mon esprit s'arrêtait entièrement de penser aux
vers, aux romans, à un avenir poétique sur lequel mon
manque de talent m'interdisait de compter. Alors, bien en
dehors de toutes ces préoccupations littéraires et ne s'y
rattachant en rien, tout d'un coup un toit, un reflet de soleil
sur une pierre, l'odeur d'un chemin me faisaient arrêter par
un plaisir particulier qu'ils me donnaient, et aussi parce
qu'ils avaient l'air de cacher, au delà de ce que je voyais,
quelque chose qu'ils invitaient à venir prendre et que malgré
mes efforts je n'arrivais pas à découvrir. Comme je sentais
que cela se trouvait en eux, je restais là, immobile, à
regarder, à respirer, à tâcher d'aller avec ma pensée au delà
de l'image ou de l'odeur. Et s'il me fallait rattraper mon
grand-père, poursuivre ma route, je cherchais à les retrouver
en fermant les yeux ; je m'attachais à me rappeler exactement la ligne du toit, la nuance de la pierre, qui, sans que je
pusse comprendre pourquoi, m'avaient semblé pleines, prê-
tes à s'entr'ouvrir, à me livrer ce dont elles n'étaient qu'un
couvercle. Certes ce n'était pas des impressions de ce genre
qui pouvaient me rendre l'espérance que j'avais perdue de
pouvoir être un jour écrivain et poète, car elles étaient
toujours liées à un objet particulier dépourvu de valeur
intellectuelle et ne se rapportant à aucune vérité abstraite.
Mais du moins elles me donnaient un plaisir irraisonné,
l'illusion d'une sorte de fécondité et par là me distrayaient de
l'ennui, du sentiment de mon impuissance que j'avais
éprouvés chaque fois que j'avais cherché un sujet philosophique pour une grande œuvre littéraire. Mais le devoir de
conscience était si ardu, que m'imposaient ces impressions
de forme, de parfum ou de couleur — de tâcher d'apercevoir
ce qui se cachait derrière elles, que je ne tardais pas à me

chercher à moi-même des excuses qui me permissent de me dérober à ces efforts et de m'épargner cette fatigue. Par bonheur mes parents m'appelaient, je sentais que je n'avais pas présentement la tranquillité nécessaire pour poursuivre utilement ma recherche, et qu'il valait mieux n'y plus penser jusqu'à ce que je fusse rentré, et ne pas me fatiguer d'avance sans résultat. Alors je ne m'occupais plus de cette chose inconnue qui s'enveloppait d'une forme ou d'un parfum, bien tranquille puisque je la ramenais à la maison, protégée par le revêtement d'images sous lesquelles je la trouverais vivante, comme les poissons que, les jours où on m'avait laissé aller à la pêche, je rapportais dans mon panier, couverts par une couche d'herbe qui préservait leur fraîcheur. Une fois à la maison je songeais à autre chose et ainsi s'entassaient dans mon esprit (comme dans ma chambre les fleurs que j'avais cueillies dans mes promenades ou les objets qu'on m'avait donnés) une pierre où jouait un reflet, un toit, un son de cloche, une odeur de feuilles, bien des images différentes sous lesquelles il y a longtemps qu'est morte la réalité pressentie que je n'ai pas eu assez de volonté pour arriver à découvrir. Une fois pourtant — où, notre promenade s'étant prolongée fort au delà de sa durée habituelle, nous avions été bien heureux de rencontrer à mi-chemin du retour, comme l'après-midi finissait, le docteur Percepied qui passait en voiture à bride abattue, nous avait reconnus et fait monter avec lui — j'eus une impression de ce genre et ne l'abandonnai pas sans un peu l'approfondir. On m'avait fait monter près du cocher, nous allions comme le vent parce que le docteur avait encore avant de rentrer à Combray à s'arrêter à Martinville-le-Sec chez un malade à la porte duquel il avait été convenu que nous l'attendrions. Au tournant d'un chemin j'éprouvai tout à coup ce plaisir spécial qui ne ressemblait à aucun autre, à apercevoir les deux clochers de Martinville, sur lesquels donnait le soleil couchant et que le mouvement de notre voiture et les lacets du chemin avaient l'air de faire changer de place, puis celui de Vieuxvicq qui, séparé d'eux par une colline et une vallée, et situé sur un plateau plus élevé dans le lointain, semblait pourtant tout voisin d'eux.

En constatant, en notant la forme de leur flèche, le déplacement de leurs lignes, l'ensoleillement de leur surface, je sentais que je n'allais pas au bout de mon impression, que quelque chose était derrière ce mouvement, derrière cette clarté, quelque chose qu'ils semblaient contenir et dérober à la fois.

Les clochers paraissaient si éloignés et nous avions l'air de si peu nous rapprocher d'eux, que je fus étonné quand, quelques instants après, nous nous arrêtâmes devant l'église de Martinville. Je ne savais pas la raison du plaisir que j'avais eu à les apercevoir à l'horizon et l'obligation de chercher à découvrir cette raison me semblait bien pénible ; j'avais envie de garder en réserve dans ma tête ces lignes remuantes au soleil et de n'y plus penser maintenant. Et il est probable que, si je l'avais fait, les deux clochers seraient allés à jamais rejoindre tant d'arbres, de toits, de parfums, de sons, que j'avais distingués des autres à cause de ce plaisir obscur qu'ils m'avaient procuré et que je n'ai jamais approfondi. Je descendis causer avec mes parents en attendant le docteur. Puis nous repartîmes, je repris ma place sur le siège, je tournai la tête pour voir encore les clochers qu'un peu plus tard j'aperçus une dernière fois au tournant d'un chemin. Le cocher qui ne semblait pas disposé à causer ayant à peine répondu à mes propos, force me fut, faute d'autre compagnie, de me rabattre sur celle de moi-même et d'essayer de me rappeler mes clochers. Bientôt leurs lignes et leurs surfaces ensoleillées, comme si elles avaient été une sorte d'écorce, se déchirèrent, un peu de ce qui m'était caché en elles m'apparut, j'eus une pensée qui n'existait pas pour moi l'instant avant, qui se formula en mots dans ma tête, et le plaisir que m'avait fait tout à l'heure éprouver leur vue s'en trouva tellement accru que, pris d'une sorte d'ivresse, je ne pus plus penser à autre chose. A ce moment et comme nous étions déjà loin de Martinville, en tournant la tête je les aperçus de nouveau, tout noirs cette fois, car le soleil était déjà couché. Par moments les tournants du chemin me les dérobaient, puis ils se montrèrent une dernière fois, et enfin je ne les vis plus.

Sans me dire que ce qui était caché derrière les clochers de Martinville devait être quelque chose d'analogue à une jolie phrase, puisque c'était sous la forme de mots qui me faisaient plaisir que cela m'était apparu, demandant un crayon et du papier au docteur, je composai malgré les cahots de la voiture, pour soulager ma conscience et obéir à mon enthousiasme, le petit morceau suivant que j'ai retrouvé depuis et auquel je n'ai eu à faire subir que peu de changements :

« Seuls, s'élevant du niveau de la plaine et comme perdus en rase campagne, montaient vers le ciel les deux clochers de Martinville. Bientôt nous en vîmes trois : venant se placer en face d'eux par une volte hardie, un clocher retardataire, celui de Vieuxvicq, les avait rejoints. Les minutes passaient, nous allions vite et pourtant les trois clochers étaient toujours au loin devant nous, comme trois oiseaux posés sur la plaine, immobiles et qu'on distingue au soleil. Puis le clocher de Vieuxvicq s'écarta, prit ses distances, et les clochers de Martinville restèrent seuls, éclairés par la lumière du couchant que même à cette distance, sur leurs pentes, je voyais jouer et sourire. Nous avions été si longs à nous rapprocher d'eux, que je pensais au temps qu'il faudrait encore pour les atteindre quand, tout d'un coup, la voiture ayant tourné, elle nous déposa à leurs pieds ; et ils s'étaient jetés si rudement au-devant d'elle, qu'on n'eut que le temps d'arrêter pour ne pas se heurter au porche. Nous poursuivîmes notre route ; nous avions déjà quitté Martinville depuis un peu de temps et le village après nous avoir accompagnés quelques secondes avait disparu, que restés seuls à l'horizon à nous regarder fuir, ses clochers et celui de Vieuxvicq agitaient en signe d'adieu leurs cimes ensoleillées. Parfois l'un s'effaçait pour

que les deux autres pussent nous apercevoir un instant
encore ; mais la route changea de direction, ils virèrent dans
la lumière comme trois pivots d'or et disparurent à mes yeux.
Mais, un peu plus tard, comme nous étions déjà près de
Combray, le soleil étant maintenant couché, je les aperçus
une dernière fois de très loin, qui n'étaient plus que comme
trois fleurs peintes sur le ciel au-dessus de la ligne basse des
champs. Ils me faisaient penser aussi aux trois jeunes filles
d'une légende, abandonnées dans une solitude où tombait
déjà l'obscurité ; et tandis que nous nous éloignions au galop,
je les vis timidement chercher leur chemin et, après quelques
gauches trébuchements de leurs nobles silhouettes, se serrer
les uns contre les autres, glisser l'un derrière l'autre, ne plus
faire sur le ciel encore rose qu'une seule forme noire,
charmante et résignée, et s'effacer dans la nuit. »

Je ne repensai jamais à cette page, mais à ce moment-là,
quand, au coin du siège où le cocher du docteur plaçait
habituellement dans un panier les volailles qu'il avait
achetées au marché de Martinville, j'eus fini de l'écrire, je me
trouvai si heureux, je sentais qu'elle m'avait si parfaitement
débarrassé de ces clochers et de ce qu'ils cachaient derrière
eux, que comme si j'avais été moi-même une poule et si je
venais de pondre un œuf, je me mis à chanter à tue-tête.

Pendant toute la journée, dans ces promenades, j'avais pu
rêver au plaisir que ce serait d'être l'ami de la duchesse de
Guermantes, de pêcher la truite ; de me promener en barque
sur la Vivonne, et, avide de bonheur, ne demander en ces
moments-là rien d'autre à la vie que de se composer toujours
d'une suite d'heureux après-midi. Mais quand sur le chemin
du retour j'avais aperçu sur la gauche une ferme, assez
distante de deux autres qui étaient au contraire très rappro-
chées, et à partir de laquelle, pour entrer dans Combray, il
n'y avait plus qu'à prendre une allée de chênes bordée d'un
côté de prés appartenant chacun à un petit clos et plantés à
intervalles égaux de pommiers qui y portaient, quand ils
étaient éclairés par le soleil couchant, le dessin japonais de

leurs ombres, brusquement mon cœur se mettait à battre, je savait qu'avant une demi-heure nous serions rentrés et que, comme c'était de règle les jours où nous étions allés du côté de Guermantes et où le dîner était servi plus tard, on m'enverrait me coucher sitôt ma soupe prise, de sorte que ma mère, retenue à table comme s'il y avait du monde à dîner, ne monterait pas me dire bonsoir dans mon lit. La zone de tristesse où je venais d'entrer était aussi distincte de la zone où je m'élançais avec joie, il y avait un moment encore, que dans certains ciels une bande rose est séparée comme par une ligne d'une bande verte ou d'une bande noire. On voit un oiseau voler dans le rose, il va en atteindre la fin, il touche presque au noir, puis il y est entré. Les désirs qui tout à l'heure m'entouraient, d'aller à Guermantes, de voyager, d'être heureux, j'étais maintenant tellement en dehors d'eux que leur accomplissement ne m'eût fait aucun plaisir. Comme j'aurais donné tout cela pour pouvoir pleurer toute la nuit dans les bras de maman ! Je frissonnais, je ne détachais pas mes yeux angoissés du visage de ma mère, qui n'apparaîtrait pas ce soir dans la chambre où je me voyais déjà par la pensée, j'aurais voulu mourir. Et cet état durerait jusqu'au lendemain, quand les rayons du matin, appuyant, comme le jardinier, leurs barreaux au mur revêtu de capucines qui grimpaient jusqu'à ma fenêtre, je sauterais à bas du lit pour descendre vite au jardin, sans plus me rappeler que le soir ramènerait jamais l'heure de quitter ma mère. Et de la sorte c'est du côté de Guermantes que j'ai appris à distinguer ces états qui se succèdent en moi, pendant certaines périodes, et vont jusqu'à se partager chaque journée, l'un revenant chasser l'autre, avec la ponctualité de la fièvre ; contigus, mais si extérieurs l'un à l'autre, si dépourvus de moyens de communication entre eux, que je ne puis plus comprendre, plus même me représenter, dans l'un, ce que j'ai désiré, ou redouté, ou accompli dans l'autre.

Aussi le côté de Méséglise et le côté de Guermantes

restent-ils pour moi liés à bien des petits événements de celle
de toutes les diverses vies que nous menons parallèlement,
qui est la plus pleine de péripéties, la plus riche en épisodes,
je veux dire la vie intellectuelle. Sans doute elle progresse en
nous insensiblement, et les vérités qui en ont changé pour
nous le sens et l'aspect, qui nous ont ouvert de nouveaux
chemins, nous en préparions depuis longtemps la découverte ; mais c'était sans le savoir ; et elles ne datent pour nous
que du jour, de la minute où elles nous sont devenues
visibles. Les fleurs qui jouaient alors sur l'herbe, l'eau qui
passait au soleil, tout le paysage qui environna leur apparition continue à accompagner leur souvenir de son visage
inconscient ou distrait ; et certes quand ils étaient longuement contemplés par cet humble passant, par cet enfant qui
rêvait — comme l'est un roi, par un mémorialiste perdu dans
la foule, — ce coin de nature, ce bout de jardin n'eussent pu
penser que ce serait grâce à lui qu'ils seraient appelés à
survivre en leurs particularités les plus éphémères ; et
pourtant ce parfum d'aubépine qui butine le long de la haie
où les églantiers le remplaceront bientôt, un bruit de pas sans
écho sur le gravier d'une allée, une bulle formée contre une
plante aquatique par l'eau de la rivière et qui crève aussitôt,
mon exaltation les a portés et a réussi à leur faire traverser
tant d'années successives, tandis qu'alentour les chemins se
sont effacés et que sont morts ceux qui les foulèrent et le
souvenir de ceux qui les foulèrent. Parfois ce morceau de
paysage amené ainsi jusqu'à aujourd'hui se détache si isolé
de tout, qu'il flotte incertain dans ma pensée comme une
Délos fleurie, sans que je puisse dire de quel pays, de quel
temps — peut-être tout simplement de quel rêve — il vient.
Mais c'est surtout comme à des gisements profonds de mon
sol mental, comme aux terrains résistants sur lesquels je
m'appuie encore, que je dois penser au côté de Méséglise et
au côté de Guermantes. C'est parce que je croyais aux
choses, aux êtres, tandis que je les parcourais, que les choses,
les êtres qu'ils m'ont fait connaître sont les seuls que je

prenne encore au sérieux et qui me donnent encore de la joie.
Soit que la foi qui crée soit tarie en moi, soit que la réalité ne
se forme que dans la mémoire, les fleurs qu'on me montre
aujourd'hui pour la première fois ne me semblent pas de
vraies fleurs. Le côté Méséglise avec ses lilas, ses aubépines,
ses bluets, ses coquelicots, ses pommiers, le côté de Guermantes avec sa rivière à têtards, ses nymphéas et ses boutons
d'or, ont constitué à tout jamais pour moi la figure des pays
où j'aimerais vivre, où j'exige avant tout qu'on puisse aller à
la pêche, se promener en canot, voir des ruines de fortifica-
tions gothiques et trouver au milieu des blés, ainsi qu'était
Saint-André-des-Champs, une église monumentale, rustique
et dorée comme une meule ; et les bluets, les aubépines, les
pommiers qu'il m'arrive, quand je voyage, de rencontrer
encore dans les champs, parce qu'ils sont situés à la même
profondeur, au niveau de mon passé, sont immédiatement en
communication avec mon cœur. Et pourtant, parce qu'il y a
quelque chose d'individuel dans les lieux, quand me saisit le
désir de revoir le côté de Guermantes, on ne le satisferait pas
en me menant au bord d'une rivière où il y aurait d'aussi
beaux, de plus beaux nymphéas que dans la Vivonne, pas
plus que le soir en rentrant — à l'heure où s'éveillait en moi
cette angoisse qui plus tard émigre dans l'amour, et peut
devenir à jamais inséparable de lui — je n'aurais souhaité
que vînt me dire bonsoir une mère plus belle et plus
intelligente que la mienne. Non ; de même que ce qu'il me
fallait pour que je pusse m'endormir heureux, avec cette paix
sans trouble qu'aucune maîtresse n'a pu me donner depuis,
puisqu'on doute d'elles encore au moment où on croit en
elles et qu'on ne possède jamais leur cœur comme je recevais
dans un baiser celui de ma mère, tout entier, sans la réserve
d'une arrière-pensée, sans le reliquat d'une intention qui ne
fût pas pour moi — c'est que ce fût elle, c'est qu'elle inclinât
vers moi ce visage où il y avait au-dessous de l'œil quelque
chose qui était, paraît-il, un défaut, et que j'aimais à l'égal du
reste ; de même ce que je veux revoir, c'est le côté de

Guermantes que j'ai connu, avec la ferme qui est un peu
éloignée des deux suivantes serrées l'une contre l'autre, à
l'entrée de l'allée des chênes ; ce sont ces prairies où, quand
le soleil les rend réfléchissantes comme une mare, se
dessinent les feuilles des pommiers, c'est ce paysage dont
parfois, la nuit dans mes rêves, l'individualité m'étreint avec
une puissance presque fantastique et que je ne peux plus
retrouver au réveil. Sans doute pour avoir à jamais indissolublement uni en moi des impressions différentes, rien que
parce qu'ils me les avaient fait éprouver en même temps, le
côté de Méséglise ou le côté de Guermantes m'ont exposé,
pour l'avenir, à bien des déceptions et même à bien des
fautes. Car souvent j'ai voulu revoir une personne sans
discerner que c'était simplement parce qu'elle me rappelait
une haie d'aubépines, et j'ai été induit à croire, à faire croire
à un regain d'affection, par un simple désir de voyage. Mais
par là même aussi, et en restant présents en celles de mes
impressions d'aujourd'hui auxquelles ils peuvent se relier, ils
leur donnent des assises, de la profondeur, une dimension de
plus qu'aux autres. Ils leur ajoutent aussi un charme, une
signification qui n'est que pour moi. Quand par les soirs
d'été le ciel harmonieux gronde comme une bête fauve et que
chacun boude l'orage, c'est au côté de Méséglise que je dois
de rester seul en extase à respirer, à travers le bruit de la
pluie qui tombe, l'odeur d'invisibles et persistants lilas.

  C'est ainsi que je restais souvent jusqu'au matin à songer
au temps de Combray, à mes tristes soirées sans sommeil, à
tant de jours aussi dont l'image m'avait été plus récemment
rendue par la saveur — ce qu'on aurait appelé à Combray le
« parfum » — d'une tasse de thé et, par association de
souvenirs, à ce que, bien des années après avoir quitté cette
petite ville, j'avais appris au sujet d'un amour que Swann
avait eu avant ma naissance, avec cette précision dans les
détails plus faciles à obtenir quelquefois pour la vie de

personnes mortes il y a des siècles que pour celle de nos meilleurs amis, et qui semble impossible comme semblait impossible de causer d'une ville à une autre — tant qu'on ignore le biais par lequel cette impossibilité a été tournée. Tous ces souvenirs ajoutés les uns aux autres ne formaient plus qu'une masse, mais non sans qu'on pût distinguer entre eux — entre les plus anciens, et ceux plus récents, nés d'un parfum, puis ceux qui n'étaient que les souvenirs d'une autre personne de qui je les avais appris — sinon des fissures, des failles véritables, du moins ces veinures, ces bigarrures de coloration qui, dans certaines roches, dans certains marbres, révèlent des différences d'origine, d'âge, de « formation ».

Certes quand approchait le matin, il y avait bien longtemps qu'était dissipée la brève incertitude de mon réveil. Je savais dans quelle chambre je me trouvais effectivement, je l'avais reconstruite autour de moi dans l'obscurité et — soit en m'orientant par la seule mémoire, soit en m'aidant, comme indication, d'une faible lueur aperçue, au pied de laquelle je plaçais les rideaux de la croisée — je l'avais reconstruite tout entière et meublée comme un architecte et un tapissier qui gardent leur ouverture primitive aux fenêtres et aux portes, j'avais reposé les glaces et remis la commode à sa place habituelle. Mais à peine le jour — et non plus le reflet d'une dernière braise sur une tringle de cuivre que j'avais pris pour lui — traçait-il dans l'obscurité, et comme à la craie, sa première raie blanche et rectificative, que la fenêtre avec ses rideaux quittait le cadre de la porte où je l'avais située par erreur, tandis que, pour lui faire place, le bureau que ma mémoire avait maladroitement installé là se sauvait à toute vitesse, poussant devant lui la cheminée et écartant le mur mitoyen du couloir ; une courette régnait à l'endroit où, il y a un instant encore, s'étendait le cabinet de toilette, et la demeure que j'avais rebâtie dans les ténèbres était allée rejoindre les demeures entrevues dans le tourbillon du réveil, mise en fuite par ce pâle signe qu'avait tracé au-dessus des rideaux le doigt levé du jour.

DEUXIÈME PARTIE

Un amour de Swann

Pour faire partie du petit « noyau », du « petit groupe »,
du « petit clan » des Verdurin, une condition était suffisante
mais elle était nécessaire : il fallait adhérer tacitement à un
Credo dont un des articles était que le jeune pianiste, protégé
par Mme Verdurin cette année-là et dont elle disait : « Ça ne
devrait pas être permis de savoir jouer Wagner comme ça ! »,
« enfonçait » à la fois Planté et Rubinstein et que le docteur
Cottard avait plus de diagnostic que Potain. Toute « nouvelle recrue » à qui les Verdurin ne pouvaient pas persuader
que les soirées des gens qui n'allaient pas chez eux étaient
ennuyeuses comme la pluie, se voyait immédiatement exclue.
Les femmes étant à cet égard plus rebelles que les hommes à
déposer toute curiosité mondaine et l'envie de se renseigner
par soi-même sur l'agrément des autres salons, et les
Verdurin sentant d'autre part que cet esprit d'examen et ce
démon de frivolité pouvait par contagion devenir fatal à
l'orthodoxie de la petite église, ils avaient été amenés à
rejeter successivement tous les « fidèles » du sexe féminin.

En dehors de la jeune femme du docteur, ils étaient réduits
presque uniquement cette année-là (bien que Mme Verdurin
fût elle-même vertueuse et d'une respectable famille bour-

geoise, excessivement riche et entièrement obscure, avec laquelle elle avait peu à peu cessé volontairement toute relation) à une personne presque du demi-monde, Mme de Crécy, que Mme Verdurin appelait par son petit nom, Odette, et déclarait être « un amour », et à la tante du pianiste, laquelle devait avoir tiré le cordon ; personnes ignorantes du monde et à la naïveté de qui il avait été si facile de faire accroire que la princesse de Sagan et la duchesse de Guermantes étaient obligées de payer des malheureux pour avoir du monde à leurs dîners, que si on leur avait offert de les faire inviter chez ces deux grandes dames, l'ancienne concierge et la cocotte eussent dédaigneusement refusé.

Les Verdurin n'invitaient pas à dîner : on avait chez eux « son couvert mis ». Pour la soirée, il n'y avait pas de programme. Le jeune pianiste jouait, mais seulement si « ça lui chantait », car on ne forçait personne et comme disait M. Verdurin : « Tout pour les amis, vivent les camarades ! » Si le pianiste voulait jouer la chevauchée de la *Walkyrie* ou le prélude de *Tristan,* Mme Verdurin protestait, non que cette musique lui déplût, mais au contraire parce qu'elle lui causait trop d'impression. « Alors vous tenez à ce que j'aie ma migraine ? Vous savez bien que c'est la même chose chaque fois qu'il joue ça. Je sais ce qui m'attend ! Demain quand je voudrai me lever, bonsoir, plus personne ! » S'il ne jouait pas, on causait, et l'un des amis, le plus souvent leur peintre favori d'alors, « lâchait », comme disait M. Verdurin, « une grosse faribole qui faisait esclaffer tout le monde », Mme Verdurin surtout, à qui, — tant elle avait l'habitude de prendre au propre les expressions figurées des émotions qu'elle éprouvait — le docteur Cottard (un jeune débutant à cette époque) dut un jour remettre sa mâchoire qu'elle avait décrochée pour avoir trop ri.

L'habit noir était défendu parce qu'on était entre « copains » et pour ne pas ressembler aux « ennuyeux » dont on se garait comme de la peste et qu'on n'invitait qu'aux grandes soirées, données le plus rarement possible et seulement si cela pouvait amuser le peintre ou faire connaître le musicien. Le reste du temps, on se contentait de jouer des charades, de souper en costumes, mais entre soi, en ne mêlant aucun étranger au petit « noyau ».

Mais au fur et à mesure que les « camarades » avaient pris plus de place dans la vie de Mme Verdurin, les ennuyeux, les réprouvés, ce fut tout ce qui retenait les amis loin d'elle, ce qui les empêchait quelquefois d'être libres, ce fut la mère de l'un, la profession de l'autre, la maison de campagne ou la mauvaise santé d'un troisième. Si le docteur Cottard croyait devoir partir en sortant de table pour retourner auprès d'un malade en danger : « Qui sait, lui disait Mme Verdurin, cela lui fera peut-être beaucoup plus de bien que vous n'alliez pas le déranger ce soir ; il passera une bonne nuit sans vous ; demain matin vous irez de bonne heure et vous le trouverez guéri. » Dès le commencement de décembre, elle était malade à la pensée que les fidèles « lâcheraient » pour le jour de Noël et le 1er janvier. La tante du pianiste exigeait qu'il vînt dîner ce jour-là en famille chez sa mère à elle :

— Vous croyez qu'elle en mourrait, votre mère, s'écria durement Mme Verdurin, si vous ne dîniez pas avec elle le jour de l'an, comme en *province* !

Ses inquiétudes renaissaient à la semaine sainte :

— Vous, docteur, un savant, un esprit fort, vous venez naturellement le Vendredi saint comme un autre jour ? dit-elle à Cottard, la première année, d'un ton assuré comme si elle ne pouvait douter de la réponse. Mais elle tremblait en attendant qu'il l'eût prononcée, car s'il n'était pas venu, elle risquait de se trouver seule.

— Je viendrai le Vendredi saint... vous faire mes adieux, car nous allons passer les fêtes de Pâques en Auvergne.

— En Auvergne ? pour vous faire manger par les puces et la vermine, grand bien vous fasse !

Et après un silence :

— Si vous nous l'aviez dit au moins, nous aurions tâché

d'organiser cela et de faire le voyage ensemble dans des conditions confortables.

De même, si un « fidèle » avait un ami, ou une « habituée » un flirt qui serait capable de faire « lâcher » quelquefois, les Verdurin, qui ne s'effrayaient pas qu'une femme eût un amant pourvu qu'elle l'eût chez eux, l'aimât en eux et ne le leur préférât pas, disaient : « Eh bien ! amenez-le votre ami. » Et on l'engageait à l'essai, pour voir s'il était capable de ne pas avoir de secrets pour Mme Verdurin, s'il était susceptible d'être agrégé au « petit clan ». S'il ne l'était pas, on prenait à part le fidèle qui l'avait présenté et on lui rendait le service de le brouiller avec son ami ou avec sa maîtresse. Dans le cas contraire, le « nouveau » devenait à son tour un fidèle. Aussi quand cette année-là, la demi-mondaine raconta à M. Verdurin qu'elle avait fait la connaissance d'un homme charmant, M. Swann, et insinua qu'il serait très heureux d'être reçu chez eux, M. Verdurin transmit-il séance tenante la requête à sa femme. (Il n'avait jamais d'avis qu'après sa femme, dont son rôle particulier était de mettre à exécution les désirs, ainsi que les désirs des fidèles, avec de grandes ressources d'ingéniosité.)

— Voici Mme de Crécy qui a quelque chose à te demander. Elle désirerait te présenter un de ses amis, M. Swann. Qu'en dis-tu ?

— Mais voyons, est-ce qu'on peut refuser quelque chose à une petite perfection comme ça ? Taisez-vous, on ne vous demande pas votre avis, je vous dis que vous êtes une perfection.

— Puisque vous le voulez, répondit Odette sur un ton de marivaudage, et elle ajouta : vous savez que je ne suis pas *fishing for compliments.*

— Eh bien ! amenez-le votre ami, s'il est agréable.

Certes le « petit noyau » n'avait aucun rapport avec la société où fréquentait Swann, et de purs mondains auraient trouvé que ce n'était pas la peine d'y occuper comme lui une situation exceptionnelle pour se faire présenter chez les

Verdurin. Mais Swann aimait tellement les femmes qu'à partir du jour où il avait connu à peu près toutes celles de l'aristocratie et où elles n'avaient plus rien eu à lui apprendre, il n'avait plus tenu à ces lettres de naturalisation, presque des titres de noblesse, que lui avait octroyées le faubourg Saint-Germain, que comme à une sorte de valeur d'échange, de lettre de crédit, dénuée de prix en elle-même, mais lui permettant de s'improviser une situation dans tel petit trou de province ou tel milieu obscur de Paris, où la fille du hobereau ou du greffier lui avait semblé jolie. Car le désir ou l'amour lui rendait alors un sentiment de vanité dont il était maintenant exempt dans l'habitude de la vie (bien que ce fût lui sans doute qui autrefois l'avait dirigé vers cette carrière mondaine où il avait gaspillé dans les plaisirs frivoles les dons de son esprit et fait servir son érudition en matière d'art à conseiller les dames de la société dans leurs achats de tableaux et pour l'ameublement de leurs hôtels), et qui lui faisait désirer de briller, aux yeux d'une inconnue dont il s'était épris, d'une élégance que le nom de Swann à lui tout seul n'impliquait pas. Il le désirait surtout si l'inconnue était d'humble condition. De même que ce n'est pas à un autre homme intelligent qu'un homme intelligent aura peur de paraître bête, ce n'est pas par un grand seigneur, c'est par un rustre qu'un homme élégant craindra de voir son élégance méconnue. Les trois quarts des frais d'esprit et des mensonges de vanité qui ont été prodigués depuis que le monde existe par des gens qu'ils ne faisaient que diminuer, l'ont été pour des inférieurs. Et Swann, qui était simple et négligent avec une duchesse, tremblait d'être méprisé, posait, quand il était devant une femme de chambre.

Il n'était pas comme tant de gens qui, par paresse ou sentiment résigné de l'obligation que crée la grandeur sociale de rester attaché à un certain rivage, s'abstiennent des plaisirs que la réalité leur présente en dehors de la position mondaine où ils vivent cantonnés jusqu'à leur mort, se contentant de finir par appeler plaisirs, faute de mieux, une

fois qu'ils sont parvenus à s'y habituer, les divertissements
médiocres ou les supportables ennuis qu'elle renferme.
Swann, lui, ne cherchait pas à trouver jolies les femmes avec
qui il passait son temps, mais à passer son temps avec les
femmes qu'il avait d'abord trouvées jolies. Et c'étaient
souvent des femmes de beauté assez vulgaire, car les qualités
physiques qu'il recherchait sans s'en rendre compte étaient
en complète opposition avec celles qui lui rendaient admirables les femmes sculptées ou peintes par les maîtres qu'il
préférait. La profondeur, la mélancolie de l'expression,
glaçaient ses sens, que suffisait au contraire à éveiller une
chair saine, plantureuse et rose.

Si en voyage il rencontrait une famille qu'il eût été plus
élégant de ne pas chercher à connaître, mais dans laquelle
une femme se présentait à ses yeux parée d'un charme qu'il
n'avait pas encore connu, rester dans son « quant à soi » et
tromper le désir qu'elle avait fait naître, substituer un plaisir
différent au plaisir qu'il eût pu connaître avec elle, en
écrivant à une ancienne maîtresse de venir le rejoindre, lui
eût semblé une aussi lâche abdication devant la vie, un aussi
stupide renoncement à un bonheur nouveau que si, au lieu
de visiter le pays, il s'était confiné dans sa chambre en
regardant des vues de Paris. Il ne s'enfermait pas dans
l'édifice de ses relations, mais en avait fait, pour pouvoir le
reconstruire à pied d'œuvre sur de nouveaux frais partout où
une femme lui avait plu, une de ces tentes démontables
comme les explorateurs en emportent avec eux. Pour ce qui
n'en était pas transportable ou échangeable contre un plaisir
nouveau, il l'eût donné pour rien, si enviable que cela parût à
d'autres. Que de fois son crédit auprès d'une duchesse, fait
du désir accumulé depuis des années que celle-ci avait eu de
lui être agréable sans en avoir trouvé l'occasion, il s'en était
défait d'un seul coup en réclamant d'elle par une indiscrète
dépêche une recommandation télégraphique qui le mît en
relation, sur l'heure, avec un de ses intendants dont il avait
remarqué la fille à la campagne, comme ferait un affamé qui

troquerait un diamant contre un morceau de pain ! Même, après coup, il s'en amusait, car il y avait en lui, rachetée par de rares délicatesses, une certaine muflerie. Puis, il appartenait à cette catégorie d'hommes intelligents qui ont vécu dans l'oisiveté et qui cherchent une consolation et peut-être une excuse dans l'idée que cette oisiveté offre à leur intelligence des objets aussi dignes d'intérêt que pourrait faire l'art ou l'étude, que la « Vie » contient des situations plus intéressantes, plus romanesques que tous les romans. Il l'assurait du moins et le persuadait aisément aux plus affinés de ses amis du monde, notamment au baron de Charlus qu'il s'amusait à égayer par le récit des aventures piquantes qui lui arrivaient, soit qu'ayant rencontré en chemin de fer une femme qu'il avait ensuite ramenée chez lui, il eût découvert qu'elle était la sœur d'un souverain entre les mains de qui se mêlaient en ce moment tous les fils de la politique européenne, au courant de laquelle il se trouvait ainsi tenu d'une façon très agréable, soit que par le jeu complexe des circonstances, il dépendît du choix qu'allait faire le conclave, s'il pourrait ou non devenir l'amant d'une cuisinière.

Ce n'était pas seulement d'ailleurs la brillante phalange de vertueuses douairières, de généraux, d'académiciens, avec lesquels il était particulièrement lié, que Swann forçait avec tant de cynisme à lui servir d'entremetteurs. Tous ses amis avaient l'habitude de recevoir de temps en temps des lettres de lui où un mot de recommandation ou d'introduction leur était demandé avec une habileté diplomatique qui, persistant à travers les amours successives et les prétextes différents, accusait, plus que n'eussent fait les maladresses, un caractère permanent et des buts identiques. Je me suis souvent fait raconter bien des années plus tard, quand je commençai à m'intéresser à son caractère à cause des ressemblances qu'en de tout autres parties il offrait avec le mien, que quand il écrivait à mon grand-père (qui ne l'était pas encore, car c'est vers l'époque de ma naissance que commença la grande liaison de Swann, et elle interrompit longtemps ces pratiques), celui-ci, en reconnaissant sur l'enveloppe l'écriture de son ami, s'écriait : « Voilà Swann qui va demander quelque chose : à la garde ! » Et soit méfiance, soit par le sentiment inconsciemment diabolique qui nous pousse à n'offrir une chose qu'aux gens qui n'en ont pas envie, mes grands-parents opposaient une fin de non-recevoir absolue aux prières les plus faciles à satisfaire qu'il leur adressait, comme de le présenter à une jeune fille qui dînait tous les dimanches à la maison, et qu'ils étaient obligés, chaque fois que Swann leur en reparlait, de faire semblant de ne plus voir, alors que pendant toute la semaine on se demandait qui on pourrait bien inviter avec elle, finissant souvent par ne trouver personne, faute de faire signe à celui qui en eût été si heureux.

Quelquefois tel couple ami de mes grands-parents et qui jusque-là s'était plaint de ne jamais voir Swann, leur annonçait avec satisfaction et peut-être un peu le désir d'exciter l'envie, qu'il était devenu tout ce qu'il y a de plus charmant pour eux, qu'il ne les quittait plus. Mon grand-père ne voulait pas troubler leur plaisir mais regardait ma grand'mère en fredonnant :

> *Quel est donc ce mystère ?*
> *Je n'y puis rien comprendre.*

ou :

> *Vision fugitive...*

ou :

> *Dans ces affaires*
> *Le mieux est de ne rien voir.*

Quelques mois après, si mon grand-père demandait au nouvel ami de Swann : « Et Swann, le voyez-vous toujours

beaucoup ? » la figure de l'interlocuteur s'allongeait : « Ne
prononcez jamais son nom devant moi ! — Mais je croyais
que vous étiez si liés... » Il avait été ainsi pendant quelques
mois le familier de cousins de ma grand'mère, dînant
presque chaque jour chez eux. Brusquement il cessa de venir,
sans avoir prévenu. On le crut malade, et la cousine de ma
grand'mère allait envoyer demander de ses nouvelles, quand
à l'office elle trouva une lettre de lui qui traînait par mégarde
dans le livre de comptes de la cuisinière. Il y annonçait à
cette femme qu'il allait quitter Paris, qu'il ne pourrait plus
venir. Elle était sa maîtresse, et au moment de rompre,
c'était elle seule qu'il avait jugé utile d'avertir.

Quand sa maîtresse du moment était au contraire une
personne mondaine ou du moins une personne qu'une
extraction trop humble ou une situation trop irrégulière
n'empêchait pas qu'il fît recevoir dans le monde, alors pour
elle il y retournait, mais seulement dans l'orbite particulier
où elle se mouvait ou bien où il l'avait entraînée. « Inutile de
compter sur Swann ce soir, disait-on, vous savez bien que
c'est le jour d'Opéra de son Américaine. » Il la faisait inviter
dans les salons particulièrement fermés où il avait ses
habitudes, ses dîners hebdomadaires, son poker ; chaque
soir, après qu'un léger crêpelage ajouté à la brosse de ses
cheveux roux avait tempéré de quelque douceur la vivacité
de ses yeux verts, il choisissait une fleur pour sa boutonnière
et partait pour retrouver sa maîtresse à dîner chez l'une ou
l'autre des femmes de sa coterie ; et alors, pensant à
l'admiration et à l'amitié que les gens à la mode, pour qui il
faisait la pluie et le beau temps et qu'il allait retrouver là, lui
prodigueraient devant la femme qu'il aimait, il retrouvait du
charme à cette vie mondaine sur laquelle il s'était blasé, mais
dont la matière, pénétrée et colorée chaudement d'une
flamme insinuée qui s'y jouait, lui semblait précieuse et belle
depuis qu'il y avait incorporé un nouvel amour.

Mais, tandis que chacune de ces liaisons, ou chacun de ces
flirts, avait été la réalisation plus ou moins complète d'un

rêve né de la vue d'un visage ou d'un corps que Swann avait, spontanément, sans s'y efforcer, trouvés charmants, en revanche, quand un jour au théâtre il fut présenté à Odette de Crécy par un de ses amis d'autrefois, qui lui avait parlé d'elle comme d'une femme ravissante avec qui il pourrait peut-être arriver à quelque chose, mais en la lui donnant pour plus difficile qu'elle n'était en réalité afin de paraître lui-même avoir fait quelque chose de plus aimable en la lui faisant connaître, elle était apparue à Swann non pas certes sans beauté, mais d'un genre de beauté qui lui était indifférent, qui ne lui inspirait aucun désir, lui causait même une sorte de répulsion physique, de ces femmes comme tout le monde a les siennes, différentes pour chacun, et qui sont l'opposé du type que nos sens réclament. Pour lui plaire elle avait un profil trop accusé, la peau trop fragile, les pommettes trop saillantes, les traits trop tirés. Ses yeux étaient beaux, mais si grands qu'ils fléchissaient sous leur propre masse, fatiguaient le reste de son visage et lui donnaient toujours l'air d'avoir mauvaise mine ou d'être de mauvaise humeur. Quelque temps après cette présentation au théâtre, elle lui avait écrit pour lui demander à voir ses collections qui l'intéressaient tant, « elle, ignorante qui avait le goût des jolies choses », disant qu'il lui semblait qu'elle le connaîtrait mieux quand elle l'aurait vu dans « son home » où elle l'imaginait « si confortable avec son thé et ses livres », quoiqu'elle ne lui eût pas caché sa surprise qu'il habitât ce quartier qui devait être si triste et « qui était si peu *smart* pour lui qui l'était tant ». Et après qu'il l'eut laissée venir, en le quittant, elle lui avait dit son regret d'être restée si peu dans cette demeure où elle avait été heureuse de pénétrer, parlant de lui comme s'il avait été pour elle quelque chose de plus que les autres êtres qu'elle connaissait, et semblant établir entre leurs deux personnes une sorte de trait d'union romanesque qui l'avait fait sourire. Mais à l'âge déjà un peu désabusé dont approchait Swann et où l'on sait se contenter d'être amoureux pour le plaisir de l'être sans trop exiger de

réciprocité, ce rapprochement des cœurs, s'il n'est plus
comme dans la première jeunesse le but vers lequel tend
nécessairement l'amour, lui reste uni en vanche par une
association d'idées si forte qu'il peut en devenir la cause, s'il
se présente avant lui. Autrefois on rêvait de posséder le cœur
de la femme dont on était amoureux ; plus tard, sentir qu'on
possède le cœur d'une femme peut suffire à vous en rendre
amoureux. Ainsi, à l'âge où il semblerait, comme on cherche
surtout dans l'amour un plaisir subjectif, que la part du goût
pour la beauté d'une femme devait y être la plus grande,
l'amour peut naître — l'amour le plus physique — sans qu'il
y ait eu, à sa base, un désir préalable. A cette époque de la
vie, on a déjà été atteint plusieurs fois par l'amour ; il
n'évolue plus seul suivant ses propres lois inconnues et
fatales, devant notre cœur étonné et passif. Nous venons à
son aide, nous le faussons par la mémoire, par la suggestion.
En reconnaissant un de ses symptômes, nous nous rappelons,
nous faisons renaître les autres. Comme nous possédons sa
chanson, gravée en nous tout entière, nous n'avons pas
besoin qu'une femme nous en dise le début — rempli par
l'admiration qu'inspire la beauté — pour en trouver la suite.
Et si elle commence au milieu — là où les cœurs se
rapprochent, où l'on parle de n'exister plus que l'un pour
l'autre — nous avons assez l'habitude de cette musique pour
rejoindre tout de suite notre partenaire au passage où elle
nous attend.

Odette de Crécy retourna voir Swann, puis rapprocha ses
visites ; et sans doute, chacune d'elles renouvelait pour lui la
déception qu'il éprouvait à se retrouver devant ce visage
dont il avait un peu oublié les particularités dans l'intervalle
et qu'il ne s'était rappelé ni si expressif ni, malgré sa
jeunesse, si fané ; il regrettait, pendant qu'elle causait avec
lui, que la grande beauté qu'elle avait ne fût pas du genre de
celles qu'il aurait spontanément préférées. Il faut d'ailleurs
dire que le visage d'Odette paraissait plus maigre et plus
proéminent parce que le front et le haut des joues, cette

surface unie et plus plane était recouverte par la masse de
cheveux qu'on portait alors prolongés en « devants », soule-
vés en « crêpés », répandus en mèches folles le long des
oreilles ; et quant à son corps qui était admirablement fait, il
était difficile d'en apercevoir la continuité (à cause des modes
de l'époque et quoiqu'elle fût une des femmes de Paris qui
s'habillaient le mieux), tant le corsage, s'avançant en saillie
comme sur un ventre imaginaire et finissant brusquement en
pointe pendant que par en dessous commençait à s'enfler le
ballon des doubles jupes, donnait à la femme l'air d'être
composée de pièces différentes mal emmanchées les unes
dans les autres ; tant les ruchés, les volants, le gilet suivaient
en toute indépendance, selon la fantaisie de leur dessin ou la
consistance de leur étoffe, la ligne qui les conduisait aux
nœuds, aux bouillons de dentelle, aux effilés de jais perpendi-
culaires, ou qui les dirigeait le long du busc, mais ne
s'attachaient nullement à l'être vivant, qui selon que l'architecture de ces fanfreluches se rapprochait ou s'écartait trop
de la sienne, s'y trouvait engoncé ou perdu.

Mais, quand Odette était partie, Swann souriait en
pensant qu'elle lui avait dit combien le temps lui durerait
jusqu'à ce qu'il lui permît de revenir ; il se rappelait l'air
inquiet, timide, avec lequel elle l'avait une fois prié que ce ne
fût pas dans trop longtemps, et les regards qu'elle avait eus à
ce moment-là, fixés sur lui en une imploration craintive, et
qui la faisaient touchante sous le bouquet de fleurs de
pensées artificielles fixé devant son chapeau rond de paille
blanche, à brides de velours noir. « Et vous, avait-elle dit,
vous ne viendriez pas une fois chez moi prendre le thé ? » Il
avait allégué des travaux en train, une étude — en réalité
abandonnée depuis des années — sur Ver Meer de Delft.
« Je comprends que je ne peux rien faire, moi chétive, à côté
de grands savants comme vous autres, lui avait-elle répondu.
Je serais comme la grenouille devant l'aréopage. Et pourtant
j'aimerais tant m'instruire, savoir, être initiée. Comme cela
doit être amusant de bouquiner, de fourrer son nez dans de

vieux papiers ! » avait-elle ajouté avec l'air de contentement de soi-même que prend une femme élégante pour affirmer que sa joie est de se livrer sans crainte de se salir à une besogne malpropre, comme de faire la cuisine en « mettant elle-même les mains à la pâte ». « Vous allez vous moquer de moi, ce peintre qui vous empêche de me voir (elle voulait parler de Ver Meer), je n'avais jamais entendu parler de lui ; vit-il encore ? Est-ce qu'on peut voir de ses œuvres à Paris, pour que je puisse me représenter ce que vous aimez, deviner un peu ce qu'il y a sous ce grand front qui travaille tant, dans cette tête qu'on sent toujours en train de réfléchir, me dire : voilà, c'est à cela qu'il est en train de penser. Quel rêve ce serait d'être mêlée à vos travaux ! » Il s'était excusé sur sa peur des amitiés nouvelles, ce qu'il avait appelé, par galanterie, sa peur d'être malheureux. « Vous avez peur d'une affection ? comme c'est drôle, moi qui ne cherche que cela, qui donnerais ma vie pour en trouver une, avait-elle dit d'une voix si naturelle, si convaincue, qu'il en avait été remué. Vous avez dû souffrir par une femme. Et vous croyez que les autres sont comme elle. Elle n'a pas su vous comprendre ; vous êtes un être si à part. C'est cela que j'ai aimé d'abord en vous, j'ai bien senti que vous n'étiez pas comme tout le monde. — Et puis d'ailleurs vous aussi, lui avait-il dit, je sais bien ce que c'est que les femmes, vous devez avoir des tas d'occupations, être peu libre. — Moi je n'ai jamais rien à faire ! Je suis toujours libre, je le serai toujours pour vous. A n'importe quelle heure du jour ou de la nuit où il pourrait vous être commode de me voir, faites-moi chercher, et je serai trop heureuse d'accourir. Le ferez-vous ? Savez-vous ce qui serait gentil, ce serait de vous faire présenter à Mme Verdurin chez qui je vais tous les soirs. Croyez-vous ! si on s'y retrouvait et si je pensais que c'est un peu pour moi que vous y êtes ! »

Et sans doute, en se rappelant ainsi leurs entretiens, en pensant ainsi à elle quand il était seul, il faisait seulement jouer son image entre beaucoup d'autres images de femmes dans des rêveries romanesques ; mais si, grâce à une circonstance quelconque (ou même peut-être sans que ce fût grâce à elle, la circonstance qui se présente au moment où un état, latent jusque-là, se déclare, pouvant n'avoir influé en rien sur lui) l'image d'Odette de Crécy venait à absorber toutes ces rêveries, si celles-ci n'étaient plus séparables de son souvenir, alors l'imperfection de son corps ne garderait plus aucune importance, ni qu'il eût été, plus ou moins qu'un autre corps, selon le goût de Swann, puisque, devenu le corps de celle qu'il aimait, il serait désormais le seul qui fût capable de lui causer des joies et des tourments.

Mon grand-père avait précisément connu, ce qu'on n'aurait pu dire d'aucun de leurs amis actuels, la famille de ces Verdurin. Mais il avait perdu toute relation avec celui qu'il appelait le « jeune Verdurin » et qu'il considérait, un peu en gros, comme tombé — tout en gardant de nombreux millions — dans la bohème et la racaille. Un jour, il reçut une lettre de Swann lui demandant s'il ne pourrait pas le mettre en rapport avec les Verdurin : « A la garde ! à la garde ! s'était écrié mon grand-père, ça ne m'étonne pas du tout, c'est bien par là que devait finir Swann. Joli milieu ! D'abord je ne peux pas faire ce qu'il me demande, parce que je ne connais plus ce monsieur. Et puis ça doit cacher une histoire de femme, je ne me mêle pas de ces affaires-là. Ah bien ! nous allons avoir de l'agrément, si Swann s'affuble des petits Verdurin. »

Et sur la réponse négative de mon grand-père, c'est Odette qui avait amené elle-même Swann chez les Verdurin.

Les Verdurin avaient eu à dîner, le jour où Swann y fit ses débuts, le docteur et Mme Cottard, le jeune pianiste et sa tante, et le peintre qui avait alors leur faveur, auxquels s'étaient joints dans la soirée quelques autres fidèles.

Le docteur Cottard ne savait jamais d'une façon certaine de quel ton il devait répondre à quelqu'un, si son interlocuteur voulait rire ou était sérieux. Et à tout hasard il ajoutait à toutes ses expressions de physionomie l'offre d'un sourire conditionnel et provisoire dont la finesse expectante le disculperait du reproche de naïveté, si le propos qu'on lui avait tenu se trouvait avoir été facétieux. Mais comme, pour faire face à l'hypothèse opposée, il n'osait pas laisser ce sourire s'affirmer nettement sur son visage, on y voyait flotter perpétuellement une incertitude où se lisait la question qu'il n'osait pas poser : « Dites-vous cela pour de bon ? » Il n'était pas plus assuré de la façon dont il devait se comporter dans la rue, et même en général dans la vie, que dans un salon, et on le voyait opposer aux passants, aux voitures, aux événements un malicieux sourire qui ôtait d'avance à son attitude toute impropriété, puisqu'il prouvait, si elle n'était pas de mise, qu'il le savait bien et que s'il avait adopté celle-là, c'était par plaisanterie.

Sur tous les points cependant où une franche question lui semblait permise, le docteur ne se faisait pas faute de s'efforcer de restreindre le champ de ses doutes et de compléter son instruction.

C'est ainsi que, sur les conseils qu'une mère prévoyante lui avait donnés quand il avait quitté sa province, il ne laissait jamais passer soit une locution ou un nom propre qui lui étaient inconnus, sans tâcher de se faire documenter sur eux.

Pour les locutions, il était insatiable de renseignements, car, leur supposant parfois un sens plus précis qu'elles n'ont, il eût désiré savoir ce qu'on voulait dire exactement par celles qu'il entendait le plus souvent employer : la beauté du diable, du sang bleu, une vie de bâton de chaise, le quart d'heure de Rabelais, être le prince des élégances, donner carte blanche, être réduit à quia, etc., et dans quels cas déterminés il pouvait à son tour les faire figurer dans ses propos. A leur défaut il plaçait des jeux de mots qu'il avait appris. Quant aux noms de personnes nouveaux qu'on prononçait devant lui, il se contentait seulement de les répéter sur un ton interrogatif qu'il pensait suffisant pour lui valoir des explications qu'il n'aurait pas l'air de demander.

Comme le sens critique qu'il croyait exercer sur tout lui

faisait complètement défaut, le raffinement de politesse qui consiste à affirmer à quelqu'un qu'on oblige, sans souhaiter d'en être cru, que c'est à lui qu'on a obligation, était peine perdue avec lui, il prenait tout au pied de la lettre. Quel que fût l'aveuglement de Mme Verdurin à son égard, elle avait fini, tout en continuant à le trouver très fin, par être agacée de voir que quand elle l'invitait dans une avant-scène à entendre Sarah Bernhardt, lui disant, pour plus de grâce : « Vous êtes trop aimable d'être venu, docteur, d'autant plus que je suis sûre que vous avez déjà souvent entendu Sarah Bernhardt, et puis nous sommes peut-être trop près de la scène », le docteur Cottard, qui était entré dans la loge avec un sourire qui attendait pour se préciser ou pour disparaître que quelqu'un d'autorisé le renseignât sur la valeur du spectacle, lui répondait : « En effet on est beaucoup trop près et on commence à être fatigué de Sarah Bernhardt. Mais vous m'avez exprimé le désir que je vienne. Pour moi vos désirs sont des ordres. Je suis trop heureux de vous rendre ce petit service. Que ne ferait-on pas pour vous être agréable, vous êtes si bonne ! » Et il ajoutait : « Sarah Bernhardt, c'est bien la Voix d'Or, n'est-ce pas ? On écrit souvent aussi qu'elle brûle les planches. C'est une expression bizarre, n'est-ce pas ? » dans l'espoir de commentaires qui ne venaient point.

« Tu sais, avait dit Mme Verdurin à son mari, je crois que nous faisons fausse route quand par modestie nous déprécions ce que nous offrons au docteur. C'est un savant qui vit en dehors de l'existence pratique, il ne connaît pas par lui-même la valeur des choses et il s'en rapporte à ce que nous lui en disons. — Je n'avais pas osé te le dire, mais je l'avais remarqué », répondit M. Verdurin. Et au Jour de l'An suivant, au lieu d'envoyer au docteur Cottard un rubis de trois mille francs en lui disant que c'était bien peu de chose, M. Verdurin acheta pour trois cents francs une pierre reconstituée en laissant entendre qu'on pouvait difficilement en voir d'aussi belle.

Quand Mme Verdurin avait annoncé qu'on aurait, dans la soirée, M. Swann : « Swann ? » s'était écrié le docteur d'un accent rendu brutal par la surprise, car la moindre nouvelle prenait toujours plus au dépourvu que quiconque cet homme qui se croyait perpétuellement préparé à tout. Et voyant qu'on ne lui répondait pas : « Swann ? Qui ça, Swann ! » hurla-t-il au comble d'une anxiété qui se détendit soudain quand Mme Verdurin eut dit : « Mais l'ami dont Odette nous avait parlé. — Ah ! bon, bon, ça va bien », répondit le docteur apaisé. Quant au peintre, il se réjouissait de l'introduction de Swann chez Mme Verdurin, parce qu'il le supposait amoureux d'Odette et qu'il aimait à favoriser les liaisons. « Rien ne m'amuse comme de faire des mariages, confia-t-il dans l'oreille au docteur Cottard, j'en ai déjà réussi beaucoup, même entre femmes ! »

En disant aux Verdurin que Swann était très « smart », Odette leur avait fait craindre un « ennuyeux ». Il leur fit, au contraire, une excellente impression dont, à leur insu, sa fréquentation dans la société élégante était une des causes indirectes. Il avait, en effet, sur les hommes même intelligents qui ne sont jamais allés dans le monde une des supériorités de ceux qui y ont un peu vécu, qui est de ne plus le transfigurer par le désir ou par l'horreur qu'il inspire à l'imagination, de le considérer comme sans aucune importance. Leur amabilité, séparée de tout snobisme et de la peur de paraître trop aimable, devenue indépendante, a cette aisance, cette grâce des mouvements de ceux dont les membres assouplis exécutent exactement ce qu'ils veulent, sans participation indiscrète et maladroite du reste du corps. La simple gymnastique élémentaire de l'homme du monde tendant la main avec bonne grâce au jeune homme inconnu qu'on lui présente et s'inclinant avec réserve devant l'ambassadeur à qui on le présente, avait fini par passer, sans qu'il en fût conscient, dans toute l'attitude sociale de Swann, qui vis-à-vis de gens d'un milieu inférieur au sien comme étaient les Verdurin et leurs amis, fit instinctivement montre d'un empressement, se livra à des avances, dont selon eux un ennuyeux se fût abstenu. Il n'eut un moment de froideur qu'avec le docteur Cottard : en le voyant lui cligner de l'œil et lui sourire d'un air ambigu avant qu'ils se fussent encore parlé (mimique que Cottard appelait « laisser venir »), Swann crut que le docteur le connaissait sans doute pour s'être trouvé avec lui en quelque lieu de plaisir, bien que lui-même y allât pourtant fort peu, n'ayant jamais vécu dans le monde de la noce. Trouvant l'allusion de mauvais goût, surtout en présence d'Odette qui pourrait en prendre une mauvaise idée de lui, il affecta un air glacial. Mais quand il apprit qu'une dame qui se trouvait près de lui était Mme Cottard, il pensa qu'un mari aussi jeune n'aurait pas cherché à faire allusion devant sa femme à des divertissements de ce genre ; et il cessa de donner à l'air entendu du docteur la signification qu'il redoutait. Le peintre invita tout de suite Swann à venir avec Odette à son atelier ; Swann le trouva gentil. « Peut-être qu'on vous favorisera plus que moi, dit Mme Verdurin, sur un ton qui feignait d'être piqué, et qu'on vous montrera le portrait de Cottard (elle l'avait commandé au peintre). Pensez bien, " monsieur " Biche, rappela-t-elle au peintre, à qui c'était une plaisanterie consacrée de dire monsieur, à rendre le joli regard, le petit côté fin, amusant, de l'œil. Vous savez que ce que je veux surtout avoir, c'est son sourire ; ce que je vous ai demandé, c'est le portrait de son sourire. » Et comme cette expression lui sembla remarquable, elle la répéta très haut pour être sûre que plusieurs invités l'eussent entendue, et même, sous un prétexte vague, en fit d'abord rapprocher quelques-uns. Swann demanda à faire la connaissance de tout le monde, même d'un vieil ami des Verdurin, Saniette, à qui sa timidité, sa simplicité et son bon cœur avaient fait perdre partout la considération que lui avaient value sa science d'archiviste, sa grosse fortune, et la famille distinguée dont il sortait. Il avait dans la bouche, en parlant, une bouillie qui était adorable parce qu'on sentait qu'elle trahissait moins un défaut de la langue qu'une qualité de l'âme, comme un reste de l'innocence du premier âge qu'il n'avait jamais perdue. Toutes les consonnes qu'il ne pouvait prononcer figuraient comme autant de duretés dont il était incapable. En demandant à être présenté à M. Saniette, Swann fit à Mme Verdurin l'effet de renverser les rôles (au point qu'en réponse, elle dit en insistant sur la différence : « Monsieur Swann, voudriez-vous avoir la bonté de me permettre de vous présenter notre ami Saniette »), mais excita chez Saniette une sympathie ardente que d'ailleurs les Verdurin ne révélèrent jamais à Swann, car Saniette les agaçait un peu, et ils ne tenaient pas à lui faire des amis. Mais, en revanche, Swann les toucha infiniment en croyant devoir demander tout de suite à faire la connaissance de la tante du pianiste. En robe noire comme toujours, parce qu'elle croyait qu'en noir on est toujours bien et que c'est ce qu'il y a de plus distingué, elle avait le visage excessivement rouge comme chaque fois qu'elle venait de manger. Elle s'inclina devant Swann avec respect, mais se redressa avec majesté. Comme elle n'avait aucune instruction et avait peur de faire des fautes de français, elle prononçait exprès d'une manière confuse, pensant que, si elle lâchait un cuir, il serait estompé d'un tel vague qu'on ne pourrait le distinguer avec certitude, de sorte que sa conversation n'était qu'un graillonnement indistinct, duquel émergeaient de temps à autre les rares vocables dont elle se sentait sûre. Swann crut pouvoir se moquer légèrement d'elle en parlant à M. Verdurin, lequel au contraire fut piqué.

« C'est une si excellente femme, répondit-il. Je vous accorde qu'elle n'est pas étourdissante ; mais je vous assure qu'elle est agréable quand on cause avec elle. — Je n'en doute pas, s'empressa de concéder Swann. Je voulais dire qu'elle ne me semblait pas « éminente », ajouta-t-il en détachant cet adjectif, et en somme c'est plutôt un compliment ! — Tenez, dit M. Verdurin, je vais vous étonner, elle écrit d'une manière charmante. Vous n'avez jamais entendu son neveu ? c'est admirable, n'est-ce pas, docteur ? Voulez-vous que je lui demande de jouer quelque chose, monsieur Swann ? — Mais ce sera un bonheur... », commençait à répondre Swann, quand le docteur l'interrompit d'un air moqueur. En effet, ayant retenu que dans la conversation l'emphase, l'emploi de formes solennelles, était suranné, dès qu'il entendait un mot grave dit sérieusement comme venait de l'être le mot « bonheur », il croyait que celui qui l'avait prononcé venait de se montrer prudhommesque. Et si, de plus, ce mot se trouvait figurer par hasard dans ce qu'il appelait un vieux cliché, si courant que ce mot fût d'ailleurs, le docteur supposait que la phrase commencée était ridicule et la terminait ironiquement par le lieu commun qu'il semblait accuser son interlocuteur d'avoir voulu placer, alors que celui-ci n'y avait jamais pensé.

— Un bonheur pour la France ! s'écria-t-il malicieuse-ment en levant les bras avec emphase.

M. Verdurin ne put s'empêcher de rire.

— Qu'est-ce qu'ils ont à rire, toutes ces bonnes gens-là, on a l'air de ne pas engendrer la mélancolie dans votre petit coin là-bas, s'écria Mme Verdurin. Si vous croyez que je m'amuse, moi, à rester toute seule en pénitence, ajouta-t-elle sur un ton dépité, en faisant l'enfant.

Mme Verdurin était assise sur un haut siège suédois en sapin ciré, qu'un violoniste de ce pays lui avait donné et qu'elle conservait, quoiqu'il rappelât la forme d'un escabeau et jurât avec les beaux meubles anciens qu'elle avait, mais elle tenait à garder en évidence les cadeaux que les fidèles avaient l'habitude de lui faire de temps en temps, afin que les donateurs eussent le plaisir de les reconnaître quand ils venaient. Aussi tâchait-elle de persuader qu'on s'en tînt aux fleurs et aux bonbons, qui du moins se détruisent ; mais elle n'y réussissait pas, et c'était chez elle une collection de chauffe-pieds, de coussins, de pendules, de paravents, de baromètres, de potiches, dans une accumulation de redites et un disparate d'étrennes.

De ce poste élevé elle participait avec entrain à la conversation des fidèles et s'égayait de leurs « fumisteries », mais depuis l'accident qui était arrivé à sa mâchoire, elle avait renoncé à prendre la peine de pouffer effectivement et se livrait à la place à une mimique conventionnelle qui signifiait, sans fatigue ni risques pour elle, qu'elle riait aux larmes. Au moindre mot que lâchait un habitué contre un ennuyeux ou contre un ancien habitué rejeté au camp des ennuyeux — et pour le plus grand désespoir de M. Verdurin qui avait eu longtemps la prétention d'être aussi aimable que sa femme, mais qui riant pour de bon s'essoufflait vite et avait été distancé et vaincu par cette ruse d'une incessante et fictive hilarité — elle poussait un petit cri, fermait entièrement ses yeux d'oiseau qu'une taie commençait à voiler, et brusquement, comme si elle n'eût eu que le temps de cacher un spectacle indécent ou de parer à un accès mortel, plongeant sa figure dans ses mains qui la recouvraient et n'en laissaient plus rien voir, elle avait l'air de s'efforcer de réprimer, d'anéantir un rire qui, si elle s'y fût abandonnée, l'eût conduite à l'évanouissement. Telle, étourdie par la gaîté des fidèles, ivre de camaraderie, de médisance et d'assentiment, Mme Verdurin, juchée sur son perchoir, pareille à un oiseau dont on eût trempé le colifichet dans du vin chaud, sanglotait d'amabilité.

Cependant M. Verdurin, après avoir demandé à Swann la permission d'allumer sa pipe (« ici on ne se gêne pas, on est entre camarades »), priait le jeune artiste de se mettre au piano.

— Allons, voyons, ne l'ennuie pas, il n'est pas ici pour être tourmenté, s'écria Mme Verdurin, je ne veux pas qu'on le tourmente, moi !

— Mais pourquoi veux-tu que ça l'ennuie ? dit M. Verdurin, M. Swann ne connaît peut-être pas la sonate en *fa* dièse que nous avons découverte ; il va nous jouer l'arrangement pour piano.

— Ah ! non non, pas ma sonate ! cria Mme Verdurin, je

n'ai pas envie à force de pleurer de me fiche un rhume de cerveau avec névralgies faciales, comme la dernière fois; merci du cadeau, je ne tiens pas à recommencer; vous êtes bons vous autres, on voit bien que ce n'est pas vous qui garderez le lit huit jours !

Cette petite scène qui se renouvelait chaque fois que le pianiste allait jouer enchantait les amis aussi bien que si elle avait été nouvelle, comme une preuve de la séduisante originalité de la « Patronne » et de sa sensibilité musicale. Ceux qui étaient près d'elle faisaient signe à ceux qui plus loin fumaient ou jouaient aux cartes, de se rapprocher, qu'il se passait quelque chose, leur disant comme on fait au Reichstag dans les moments intéressants : « Écoutez, écoutez. » Et le lendemain on donnait des regrets à ceux qui n'avaient pas pu venir en leur disant que la scène avait été encore plus amusante que d'habitude.

— Eh bien ! voyons, c'est entendu, dit M. Verdurin, il ne jouera que l'andante.

— Que l'andante, comme tu y vas ! s'écria Mme Verdurin. C'est justement l'andante qui me casse bras et jambes. Il est vraiment superbe, le Patron ! C'est comme si dans la *Neuvième* il disait : nous n'entendrons que le finale, ou dans *les Maîtres* que l'ouverture.

Le docteur, cependant, poussait Mme Verdurin à laisser jouer le pianiste, non pas qu'il crût feints les troubles que la musique lui donnait — il y reconnaissait certains états neurasthéniques — mais par cette habitude qu'ont beaucoup de médecins de faire fléchir immédiatement la sévérité de leurs prescriptions dès qu'est en jeu, chose qui leur semble beaucoup plus importante, quelque réunion mondaine dont ils font partie et dont la personne à qui ils conseillent d'oublier pour une fois sa dyspepsie ou sa grippe, est un des facteurs essentiels.

— Vous ne serez pas malade cette fois-ci, vous verrez, lui dit-il en cherchant à la suggestionner du regard. Et si vous êtes malade, nous vous soignerons.

— Bien vrai ? répondit Mme Verdurin, comme si devant l'espérance d'une telle faveur il n'y avait plus qu'à capituler. Peut-être aussi, à force de dire qu'elle serait malade, y avait-il des moments où elle ne se rappelait plus que c'était un mensonge et prenait une âme de malade. Or ceux-ci, fatigués d'être toujours obligés de faire dépendre de leur sagesse la rareté de leurs accès, aiment se laisser aller à croire qu'ils pourront faire impunément tout ce qui leur plaît et leur fait mal d'habitude, à condition de se remettre en les mains d'un être puissant qui, sans qu'ils aient aucune peine à prendre, d'un mot ou d'une pilule les remettra sur pied.

Odette était allée s'asseoir sur un canapé de tapisserie qui était près du piano :

— Vous savez, j'ai ma petite place, dit-elle à Mme Verdurin.

Celle-ci, voyant Swann sur une chaise, le fit lever :

— Vous n'êtes pas bien là, allez donc vous mettre à côté d'Odette, n'est-ce pas Odette, vous ferez bien une place à M. Swann ?

— Quel joli Beauvais, dit avant de s'asseoir Swann qui cherchait à être aimable.

— Ah ! je suis contente que vous appréciiez mon canapé, répondit Mme Verdurin. Et je vous préviens que si vous voulez en voir d'aussi beau, vous pouvez y renoncer tout de suite. Jamais ils n'ont rien fait de pareil. Les petites chaises aussi sont des merveilles. Tout à l'heure vous regarderez cela. Chaque bronze correspond comme attribut au petit sujet du siège ; vous savez, vous avez de quoi vous amuser si vous voulez regarder cela, je vous promets un bon moment. Rien que les petites frises des bordures, tenez là, la petite vigne sur fond rouge de l'Ours et les Raisins. Est-ce dessiné ? Qu'est-ce que vous en dites, je crois qu'ils le savaient plutôt, dessiner ! Est-elle assez appétissante cette vigne ? Mon mari prétend que je n'aime pas les fruits parce que j'en mange moins que lui. Mais non, je suis plus gourmande que vous tous, mais je n'ai pas besoin de me les mettre dans la bouche

puisque je jouis par les yeux. Qu'est-ce que vous avez tous à
rire ? Demandez au docteur, il vous dira que ces raisins-là me
purgent. D'autres font des cures de Fontainebleau, moi je
fais ma petite cure de Beauvais. Mais, monsieur Swann, vous
ne partirez pas sans avoir touché les petits bronzes des
dossiers. Est-ce assez doux comme patine ? Mais non, à
pleines mains, touchez-les bien.

— Ah ! si madame Verdurin commence à peloter les
bronzes, nous n'entendrons pas de musique ce soir, dit le
peintre.

— Taisez-vous, vous êtes un vilain. Au fond, dit-elle en se
tournant vers Swann, on nous défend à nous autres femmes
des choses moins voluptueuses que cela. Mais il n'y a pas une
chair comparable à cela ! Quand M. Verdurin me faisait
l'honneur d'être jaloux de moi — allons, sois poli au moins,
ne dis pas que tu ne l'as jamais été...

— Mais je ne dis absolument rien. Voyons, docteur, je
vous prends à témoin : est-ce que j'ai dit quelque chose ?

Swann palpait les bronzes par politesse et n'osait pas
cesser tout de suite.

— Allons, vous les caresserez plus tard ; maintenant c'est
vous qu'on va caresser, qu'on va caresser dans l'oreille ; vous
aimez cela, je pense ; voilà un petit jeune homme qui va s'en
charger.

Or quand le pianiste eut joué, Swann fut plus aimable
encore avec lui qu'avec les autres personnes qui se trouvaient
là. Voici pourquoi :

L'année précédente, dans une soirée, il avait entendu une
œuvre musicale exécutée au piano et au violon. D'abord, il
n'avait goûté que la qualité matérielle des sons sécrétés par
les instruments. Et ç'avait déjà été un grand plaisir quand,
au-dessous de la petite ligne du violon, mince, résistante,
dense et directrice, il avait vu tout d'un coup chercher à
s'élever en un clapotement liquide, la masse de la partie de
piano, multiforme, indivise, plane et entrechoquée comme la
mauve agitation des flots que charme et bémolise le clair de

lune. Mais à un moment donné, sans pouvoir nettement distinguer un contour, donner un nom à ce qui lui plaisait, charmé tout d'un coup, il avait cherché à recueillir la phrase ou l'harmonie — il ne savait lui-même — qui passait et qui lui avait ouvert plus largement l'âme, comme certaines odeurs de roses circulant dans l'air humide du soir ont la propriété de dilater nos narines. Peut-être est-ce parce qu'il ne savait pas la musique qu'il avait pu éprouver une impression aussi confuse, une de ces impressions qui sont peut-être pourtant les seules purement musicales, inétendues, entièrement originales, irréductibles à tout autre ordre d'impressions. Une impression de ce genre, pendant un instant, est pour ainsi dire *sine materia*. Sans doute les notes que nous entendons alors, tendent déjà, selon leur hauteur et leur quantité, à couvrir devant nos yeux des surfaces de dimensions variées, à tracer des arabesques, à nous donner des sensations de largeur, de ténuité, de stabilité, de caprice. Mais les notes sont évanouies avant que ces sensations soient assez formées en nous pour ne pas être submergées par celles qu'éveillent déjà les notes suivantes ou même simultanées. Et cette impression continuerait à envelopper de sa liquidité et de son « fondu » les motifs qui par instants en émergent, à peine discernables, pour plonger aussitôt et disparaître, connus seulement par le plaisir particulier qu'ils donnent, impossibles à décrire, à se rappeler, à nommer, ineffables — si la mémoire, comme un ouvrier qui travaille à établir des fondations durables au milieu des flots, en fabriquant pour nous des fac-similés de ces phrases fugitives, ne nous permettait de les comparer à celles qui leur succèdent et de les différencier. Ainsi, à peine la sensation délicieuse que Swann avait ressentie était-elle expirée, que sa mémoire lui en avait fourni séance tenante une transcription sommaire et provisoire, mais sur laquelle il avait jeté les yeux tandis que le morceau continuait, si bien que, quand la même impression était tout d'un coup revenue, elle n'était déjà plus insaisissable. Il s'en représentait l'étendue, les groupements symétriques, la graphie, la valeur expressive ; il avait devant lui cette chose qui n'est plus de la musique pure, qui est du dessin, de l'architecture, de la pensée, et qui permet de se rappeler la musique. Cette fois il avait distingué nettement une phrase s'élevant pendant quelques instants au-dessus des ondes sonores. Elle lui avait proposé aussitôt des voluptés particulières, dont il n'avait jamais eu l'idée avant de l'entendre, dont il sentait que rien autre qu'elle ne pourrait les lui faire connaître, et il avait éprouvé pour elle comme un amour inconnu.

D'un rythme lent elle le dirigeait ici d'abord, puis là, puis ailleurs, vers un bonheur noble, inintelligible et précis. Et tout d'un coup, au point où elle était arrivée et d'où il se préparait à la suivre, après une pause d'un instant, brusquement elle changeait de direction, et d'un mouvement nouveau, plus rapide, menu, mélancolique, incessant et doux, elle l'entraînait avec elle vers des perspectives inconnues. Puis elle disparut. Il souhaita passionnément la revoir une troisième fois. Et elle reparut en effet, mais sans lui parler plus clairement, en lui causant même une volupté moins profonde. Mais, rentré chez lui, il eut besoin d'elle : il était comme un homme dans la vie de qui une passante qu'il a aperçue un moment vient de faire entrer l'image d'une beauté nouvelle qui donne à sa propre sensibilité une valeur plus grande, sans qu'il sache seulement s'il pourra revoir jamais celle qu'il aime déjà et dont il ignore jusqu'au nom.

Même cet amour pour une phrase musicale sembla un instant devoir amorcer chez Swann la possibilité d'une sorte de rajeunissement. Depuis si longtemps il avait renoncé à appliquer sa vie à un but idéal et la bornait à la poursuite de satisfactions quotidiennes, qu'il croyait, sans jamais se le dire formellement, que cela ne changerait plus jusqu'à sa mort ; bien plus, ne se sentant plus d'idées élevées dans l'esprit, il avait cessé de croire à leur réalité, sans pouvoir non plus la nier tout à fait. Aussi avait-il pris l'habitude de se réfugier dans des pensées sans importance qui lui permettaient de laisser de côté le fond des choses. De même qu'il ne se demandait pas s'il n'eût pas mieux fait de ne pas aller dans le monde, mais en revanche savait avec certitude que s'il avait accepté une invitation il devait s'y rendre et que, s'il ne faisait pas de visite après, il lui fallait laisser des cartes, de même dans sa conversation il s'efforçait de ne jamais exprimer avec cœur une opinion intime sur les choses, mais de fournir des détails matériels qui valaient en quelque sorte par eux-mêmes et lui permettaient de ne pas donner sa mesure. Il était extrêmement précis pour une recette de cuisine, pour la date de la naissance ou de la mort d'un peintre, pour la nomenclature de ses œuvres. Parfois, malgré tout, il se laissait aller à émettre un jugement sur une œuvre, sur une manière de comprendre la vie, mais il donnait alors à ses paroles un ton ironique comme s'il n'adhérait pas tout entier à ce qu'il disait. Or, comme certains valétudinaires chez qui, tout d'un coup, un pays où ils sont arrivés, un régime différent, quelquefois une évolution organique, spontanée et mystérieuse, semblent amener une telle régression de leur mal qu'ils commencent à envisager la possibilité inespérée de commencer sur le tard une vie toute différente, Swann trouvait en lui, dans le souvenir de la phrase qu'il avait entendue, dans certaines sonates qu'il s'était fait jouer, pour voir s'il ne l'y découvrirait pas, la présence d'une de ces réalités invisibles auxquelles il avait cessé de croire et auxquelles, comme si la musique avait eu sur la sécheresse morale dont il souffrait une sorte d'influence élective, il se sentait de nouveau le désir et presque la force de consacrer sa vie. Mais, n'étant pas arrivé à savoir de qui était l'œuvre qu'il avait entendue, il n'avait pu se la procurer et avait fini par l'oublier. Il avait bien rencontré dans la semaine quelques personnes qui se trouvaient comme lui à cette soirée et les avait interrogées ; mais plusieurs étaient arrivées après la musique ou parties avant ; certaines pourtant étaient là pendant qu'on l'exécutait, mais étaient allées causer dans un autre salon, et d'autres, restées à écouter, n'avaient pas entendu plus que les premières. Quant aux maîtres de maison, ils savaient que c'était une œuvre nouvelle que les artistes qu'ils avaient engagés avaient demandé à jouer ; ceux-ci étant partis en tournée, Swann ne put pas en savoir davantage. Il avait bien des amis musiciens, mais tout en se rappelant le plaisir spécial et intraduisible que lui avait fait la phrase, en voyant devant ses yeux les formes qu'elle dessinait, il était pourtant incapable de la leur chanter. Puis il cessa d'y penser.

Or, quelques minutes à peine après que le petit pianiste avait commencé de jouer chez Mme Verdurin, tout d'un coup, après une note haute longuement tenue pendant deux mesures, il vit approcher, s'échappant de sous cette sonorité prolongée et tendue comme un rideau sonore pour cacher le mystère de son incubation, il reconnut, secrète, bruissante et divisée, la phrase aérienne et odorante qu'il aimait. Et elle était si particulière, elle avait un charme si individuel et qu'aucun autre n'aurait pu remplacer, que ce fut pour Swann comme s'il eût rencontré dans un salon ami une personne qu'il avait admirée dans la rue et désespérait de jamais retrouver. A la fin, elle s'éloigna, indicatrice, diligente, parmi les ramifications de son parfum, laissant sur le visage de Swann le reflet de son sourire. Mais maintenant il pouvait demander le nom de son inconnue (on lui dit que c'était l'andante de la *Sonate pour piano et violon* de Vinteuil), il la tenait, il pourrait l'avoir chez lui aussi souvent qu'il voudrait, essayer d'apprendre son langage et son secret.

Aussi quand le pianiste eut fini, Swann s'approcha-t-il de lui pour lui exprimer une reconnaissance dont la vivacité plut beaucoup à Mme Verdurin.

— Quel charmeur, n'est-ce pas, dit-elle à Swann ; la comprend-il assez, sa sonate, le petit misérable ? Vous ne saviez pas que le piano pouvait atteindre à ça. C'est tout, excepté du piano, ma parole ! Chaque fois que j'y suis reprise, je crois entendre un orchestre. C'est même plus beau que l'orchestre, plus complet.

Le jeune pianiste s'inclina, et, souriant, soulignant les mots comme s'il avait fait un trait d'esprit :

— Vous êtes très indulgente pour moi, dit-il.

Et tandis que Mme Verdurin disait à son mari : « Allons, donne-lui de l'orangeade, il l'a bien méritée », Swann racontait à Odette comment il avait été amoureux de cette petite phrase. Quand Mme Verdurin, ayant dit d'un peu plus loin : « Eh bien ! il me semble qu'on est en train de vous dire de belles choses, Odette », elle répondit : « Oui, de très belles » et Swann trouva délicieuse sa simplicité. Cependant il demandait des renseignements sur Vinteuil, sur son œuvre, sur l'époque de sa vie où il avait composé cette sonate, sur ce qu'avait pu signifier pour lui la petite phrase, c'est cela surtout qu'il aurait voulu savoir.

Mais tous ces gens qui faisaient profession d'admirer ce musicien (quand Swann avait dit que sa sonate était vraiment belle, Mme Verdurin s'était écriée : « Je vous crois un peu qu'elle est belle ! Mais on n'avoue pas qu'on ne connaît pas la sonate de Vinteuil, on n'a pas le droit de ne pas la connaître », et le peintre avait ajouté : « Ah ! c'est tout à fait une très grande machine, n'est-ce pas ? Ce n'est pas, si vous voulez, la chose « cher » et « public », n'est-ce pas ? mais c'est la très grosse impression pour les artistes »), ces gens semblaient ne s'être jamais posé ces questions, car ils furent incapables d'y répondre.

Même à une ou deux remarques particulières que fit Swann sur sa phrase préférée :

— Tiens, c'est amusant, je n'avais jamais fait attention ; je vous dirai que je n'aime pas beaucoup chercher la petite bête et m'égarer dans des pointes d'aiguilles ; on ne perd pas son temps à couper les cheveux en quatre ici, ce n'est pas le genre de la maison, répondit Mme Verdurin que le docteur Cottard regardait avec une admiration béate et un zèle studieux se jouer au milieu de ce flot d'expressions toutes faites. D'ailleurs lui et Mme Cottard, avec une sorte de bon sens comme en ont aussi certaines gens du peuple, se gardaient bien de donner une opinion ou de feindre l'admiration pour une musique qu'ils s'avouaient l'un à l'autre, une fois rentrés chez eux, ne pas plus comprendre que la peinture de « M. Biche ». Comme le public ne connaît du charme, de la grâce, des formes de la nature que ce qu'il en a puisé dans les poncifs d'un art lentement assimilé, et qu'un artiste original commence par rejeter ces poncifs, M. et Mme Cottard, image en cela du public, ne trouvaient ni dans la sonate de Vinteuil, ni dans les portraits du peintre, ce qui faisait pour eux l'harmonie de la musique et la beauté de la peinture. Il leur semblait quand le pianiste jouait la sonate qu'il accrochait au hasard sur le piano des notes que ne reliaient pas en effet les formes auxquelles ils étaient habitués, et que le peintre jetait au hasard des couleurs sur ses toiles. Quand dans celles-ci ils pouvaient reconnaître une forme, ils la trouvaient alourdie et vulgarisée (c'est-à-dire dépourvue de l'élégance de l'école de peinture à travers laquelle ils voyaient dans la rue même les êtres vivants), et sans vérité, comme si M. Biche n'eût pas su comment était construite une épaule et que les femmes n'ont pas les cheveux mauves.

Pourtant les fidèles s'étant dispersés, le docteur sentit qu'il y avait là une occasion propice et, pendant que Mme Verdurin disait un dernier mot sur la sonate de Vinteuil, comme un nageur débutant qui se jette à l'eau pour apprendre mais choisit un moment où il n'y a pas trop de monde pour le voir :

— Alors, c'est ce qu'on appelle un musicien *di primo cartello* ! s'écria-t-il avec une brusque résolution.

Swann apprit seulement que l'apparition récente de la sonate de Vinteuil avait produit une grande impression dans une école de tendances très avancées, mais était entièrement inconnue du grand public.

— Je connais bien quelqu'un qui s'appelle Vinteuil, dit Swann, en pensant au professeur de piano des sœurs de ma grand'mère.

— C'est peut-être lui, s'écria Mme Verdurin.

— Oh ! non, répondit Swann en riant. Si vous l'aviez vu deux minutes, vous ne vous poseriez pas la question.

— Alors poser la question, c'est la résoudre ? dit le docteur.

— Mais ce pourrait être un parent, reprit Swann, cela serait assez triste, mais enfin un homme de génie peut être le cousin d'une vieille bête. Si cela était, j'avoue qu'il n'y a pas de supplice que je ne m'imposerais pour que la vieille bête me présentât à l'auteur de la sonate : d'abord le supplice de fréquenter la vieille bête, et qui doit être affreux.

Le peintre savait que Vinteuil était à ce moment très malade et que le docteur Potain craignait de ne pouvoir le sauver.

— Comment, s'écria Mme Verdurin, il y a encore des gens qui se font soigner par Potain !

— Ah ! madame Verdurin, dit Cottard, sur un ton de marivaudage, vous oubliez que vous parlez d'un de mes confrères, je devrais dire un de mes maîtres.

Le peintre avait entendu dire que Vinteuil était menacé d'aliénation mentale. Et il assurait qu'on pouvait s'en apercevoir à certains passages de sa sonate. Swann ne trouva pas cette remarque absurde, mais elle le troubla ; car une œuvre de musique pure ne contenant aucun des rapports logiques dont l'altération dans le langage dénonce la folie, la folie reconnue dans une sonate lui paraissait quelque chose d'aussi mystérieux que la folie d'une chienne, la folie d'un cheval, qui pourtant s'observent en effet.

— Laissez-moi donc tranquille avec vos maîtres, vous en savez dix fois autant que lui, répondit Mme Verdurin au docteur Cottard, du ton d'une personne qui a le courage de ses opinions et tient bravement tête à ceux qui ne sont pas du même avis qu'elle. Vous ne tuez pas vos malades, vous au moins !

— Mais, Madame, il est de l'Académie, répliqua le docteur d'un ton ironique. Si un malade préfère mourir de la main d'un des princes de la science... C'est beaucoup plus chic de pouvoir dire : « C'est Potain qui me soigne. »

— Ah ! c'est plus chic ? dit Mme Verdurin. Alors il y a du chic dans les maladies, maintenant ? je ne savais pas ça... Ce que vous m'amusez ! s'écria-t-elle tout à coup en plongeant sa figure dans ses mains. Et moi, bonne bête qui discutais sérieusement, sans m'apercevoir que vous me faisiez monter à l'arbre.

Quant à M. Verdurin, trouvant que c'était un peu fatigant de se mettre à rire pour si peu, il se contenta de tirer une bouffée de sa pipe en songeant avec tristesse qu'il ne pouvait plus rattraper sa femme sur le terrain de l'amabilité.

— Vous savez que votre ami nous plaît beaucoup, dit Mme Verdurin à Odette, au moment où celle-ci lui souhaitait le bonsoir. Il est simple, charmant ; si vous n'avez jamais à nous présenter que des amis comme cela, vous pouvez les amener.

M. Verdurin fit remarquer que pourtant Swann n'avait pas apprécié la tante du pianiste.

— Il s'est senti un peu dépaysé, cet homme, répondit Mme Verdurin, tu ne voudrais pourtant pas que, la première fois, il ait déjà le ton de la maison comme Cottard qui fait partie de notre petit clan depuis plusieurs années. La première fois ne compte pas, c'était utile pour prendre langue. Odette, il est convenu qu'il viendra nous retrouver demain au Châtelet. Si vous alliez le prendre ?

— Mais non, il ne veut pas.

— Ah ! enfin, comme vous voudrez. Pourvu qu'il n'aille pas lâcher au dernier moment !

A la grande surprise de Mme Verdurin, il ne lâcha jamais. Il allait les rejoindre n'importe où, quelquefois dans les restaurants de banlieue où on allait peu encore, car ce n'était pas la saison, plus souvent au théâtre, que Mme Verdurin aimait beaucoup ; et comme un jour, chez elle, elle dit devant lui que pour les soirs de premières, de galas, un coupe-fil leur eût été fort utile, que cela les avait beaucoup gênés de ne pas en avoir le jour de l'enterrement de Gambetta, Swann qui ne parlait jamais de ses relations brillantes, mais seulement de celles mal cotées qu'il eût jugé peu délicat de cacher, et au nombre desquelles il avait pris dans le faubourg Saint-Germain l'habitude de ranger les relations avec le monde officiel, répondit :

— Je vous promets de m'en occuper, vous l'aurez à temps pour la reprise des *Danicheff,* je déjeune justement demain avec le Préfet de police à l'Élysée.

— Comment ça, à l'Élysée ? cria le docteur Cottard d'une voix tonnante.

— Oui, chez M. Grévy, répondit Swann, un peu gêné de l'effet que sa phrase avait produit.

Et le peintre dit au docteur en manière de plaisanterie :

— Ça vous prend souvent ?

Généralement, une fois l'explication donnée, Cottard disait : « Ah ! bon, bon, ça va bien » et ne montrait plus trace d'émotion. Mais, cette fois-ci, les derniers mots de Swann, au lieu de lui procurer l'apaisement habituel, portèrent au comble son étonnement qu'un homme avec qui il dînait, qui n'avait ni fonctions officielles ni illustration d'aucune sorte, frayât avec le Chef de l'État.

— Comment ça, M. Grévy ? vous connaissez M. Grévy ? dit-il à Swann de l'air stupide et incrédule d'un municipal à qui un inconnu demande à voir le Président de la République et qui, comprenant par ces mots « à qui il a affaire », comme disent les journaux, assure au pauvre dément qu'il va être reçu à l'instant et le dirige sur l'Infirmerie spéciale du Dépôt.

— Je le connais un peu, nous avons des amis communs (il n'osa pas dire que c'était le prince de Galles), du reste il invite très facilement, et je vous assure que ces déjeuners n'ont rien d'amusant, ils sont d'ailleurs très simples, on n'est jamais plus de huit à table, répondit Swann qui tâchait d'effacer ce que semblaient avoir de trop éclatant, aux yeux de son interlocuteur, des relations avec le Président de la République.

Aussitôt Cottard, s'en rapportant aux paroles de Swann, adopta cette opinion, au sujet de la valeur d'une invitation chez M. Grévy, que c'était chose fort peu recherchée et qui courait les rues. Dès lors, il ne s'étonna plus que Swann, aussi bien qu'un autre, fréquentât l'Élysée, et même il le plaignait un peu d'aller à des déjeuners que l'invité avouait lui-même être ennuyeux.

— Ah! bien, bien, ça va bien, dit-il sur le ton d'un douanier, méfiant tout à l'heure, mais qui, après vos explications, vous donne son visa et vous laisse passer sans ouvrir vos malles.

— Ah! je vous crois qu'ils ne doivent pas être amusants ces déjeuners, vous avez de la vertu d'y aller, dit Mme Verdurin à qui le Président de la République apparaissait comme un ennuyeux particulièrement redoutable parce qu'il disposait de moyens de séduction et de contrainte qui, employés à l'égard des fidèles, eussent été capables de les faire lâcher. Il paraît qu'il est sourd comme un pot et qu'il mange avec ses doigts.

— En effet, alors cela ne doit pas beaucoup vous amuser d'y aller, dit le docteur avec une nuance de commisération; et, se rappelant le chiffre de huit convives : « Sont-ce des déjeuners intimes? » demanda-t-il vivement avec un zèle de linguiste plus encore qu'une curiosité de badaud. Mais le prestige qu'avait à ses yeux le Président de la République finit pourtant par triompher et de l'humilité de Swann et de la malveillance de Mme Verdurin, et à chaque dîner, Cottard demandait avec intérêt : « Verrons-nous ce soir M. Swann? Il a des relations personnelles avec M. Grévy. C'est bien ce qu'on appelle un gentleman? » Il alla même jusqu'à lui offrir une carte d'invitation pour l'exposition dentaire.

— Vous serez admis avec les personnes qui seront avec vous, mais on ne laisse pas entrer les chiens. Vous comprenez, je vous dis cela parce que j'ai eu des amis qui ne le savaient pas et qui s'en sont mordu les doigts.

Quant à M. Verdurin, il remarqua le mauvais effet qu'avait produit sur sa femme cette découverte que Swann avait des amitiés puissantes dont il n'avait jamais parlé.

Si l'on n'avait pas arrangé une partie au dehors, c'est chez les Verdurin que Swann retrouvait le petit noyau, mais il ne venait que le soir, et n'acceptait presque jamais à dîner malgré les instances d'Odette.

— Je pourrais même dîner seule avec vous, si vous aimiez mieux cela, lui disait-elle.

— Et Mme Verdurin ?

— Oh ! ce serait bien simple. Je n'aurais qu'à dire que ma robe n'a pas été prête, que mon cab est venu en retard. Il y a toujours moyen de s'arranger.

— Vous êtes gentille.

Mais Swann se disait que, s'il montrait à Odette (en consentant seulement à la retrouver après dîner) qu'il y avait des plaisirs qu'il préférait à celui d'être avec elle, le goût qu'elle ressentait pour lui ne connaîtrait pas de longtemps la satiété. Et, d'autre part, préférant infiniment à celle d'Odette la beauté d'une petite ouvrière fraîche et bouffie comme une rose et dont il était épris, il aimait mieux passer le commencement de la soirée avec elle, étant sûr de voir Odette ensuite. C'est pour les mêmes raisons qu'il n'acceptait jamais qu'Odette vînt le chercher pour aller chez les Verdurin. La petite ouvrière l'attendait près de chez lui à un coin de rue que son cocher Rémi connaissait, elle montait à côté de Swann et restait dans ses bras jusqu'au moment où la voiture l'arrêtait devant chez les Verdurin. A son entrée, tandis que Mme Verdurin montrant des roses qu'il avait envoyées le matin lui disait : « Je vous gronde » et lui indiquait une place à côté d'Odette, le pianiste jouait, pour eux deux, la petite phrase de Vinteuil qui était comme l'air national de leur amour. Il commençait par la tenue des trémolos de violon que pendant quelques mesures on entend seuls, occupant tout le premier plan, puis tout d'un coup ils semblaient s'écarter et, comme dans ces tableaux de Pieter

de Hooch qu'approfondit le cadre étroit d'une porte entr'ouverte, tout au loin, d'une couleur autre, dans le velouté d'une
lumière interposée, la petite phrase apparaissait, dansante,
pastorale, intercalée, épisodique, appartenant à un autre
monde. Elle passait à plis simples et immortels, distribuant
çà et là les dons de sa grâce, avec le même ineffable sourire ;
mais Swann y croyait distinguer maintenant du désenchantement. Elle semblait connaître la vanité de ce bonheur dont
elle montrait la voie. Dans sa grâce légère, elle avait quelque
chose d'accompli, comme le détachement qui succède au
regret. Mais peu lui importait, il la considérait moins en elle-
même — en ce qu'elle pouvait exprimer pour un musicien
qui ignorait l'existence et de lui et d'Odette quand il l'avait
composée, et pour tous ceux qui l'entendraient dans des
siècles — que comme un gage, un souvenir de son amour qui,
même pour les Verdurin, pour le petit pianiste, faisait penser
à Odette en même temps qu'à lui, les unissait ; c'était au
point que, comme Odette, par caprice, l'en avait prié, il avait
renoncé à son projet de se faire jouer par un artiste la sonate
entière, dont il continua à ne connaître que ce passage.
« Qu'avez-vous besoin du reste ? lui avait-elle dit. C'est ça
notre morceau. » Et même, souffrant de songer, au moment
où elle passait si proche et pourtant à l'infini, que tandis
qu'elle s'adressait à eux, elle ne les connaissait pas, il
regrettait presque qu'elle eût une signification, une beauté
intrinsèque et fixe, étrangère à eux, comme en des bijoux
donnés, ou même en des lettres écrites par une femme aimée,
nous en voulons à l'eau de la gemme et aux mots du langage,
de ne pas être faits uniquement de l'essence d'une liaison
passagère et d'un être particulier.

Souvent il se trouvait qu'il s'était tant attardé avec la jeune
ouvrière avant d'aller chez les Verdurin, qu'une fois la petite
phrase jouée par le pianiste, Swann s'apercevait qu'il était
bientôt l'heure qu'Odette rentrât. Il la reconduisait jusqu'à
la porte de son petit hôtel, rue La Pérouse, derrière l'Arc de
Triomphe. Et c'était peut-être à cause de cela, pour ne pas

lui demander toutes les faveurs, qu'il sacrifiait le plaisir moins nécessaire pour lui de la voir plus tôt, d'arriver chez les Verdurin avec elle, à l'exercice de ce droit qu'elle lui reconnaissait de partir ensemble et auquel il attachait plus de prix, parce que, grâce à cela, il avait l'impression que personne ne la voyait, ne se mettait entre eux, ne l'empêchait d'être encore avec lui, après qu'il l'avait quittée.

Ainsi revenait-elle dans la voiture de Swann ; un soir, comme elle venait d'en descendre et qu'il lui disait à demain, elle cueillit précipitamment dans le petit jardin qui précédait la maison un dernier chrysanthème et le lui donna avant qu'il fût reparti. Il le tint serré contre sa bouche pendant le retour, et quand au bout de quelques jours la fleur fut fanée, il l'enferma précieusement dans son secrétaire.

Mais il n'entrait jamais chez elle. Deux fois seulement, dans l'après-midi, il était allé participer à cette opération capitale pour elle : « prendre le thé ». L'isolement et le vide de ces courtes rues (faites presque toutes de petits hôtels contigus, dont tout à coup venait rompre la monotonie quelque sinistre échoppe, témoignage historique et reste sordide du temps où ces quartiers étaient encore mal famés), la neige qui était restée dans le jardin et aux arbres, le négligé de la saison, le voisinage de la nature, donnaient quelque chose de plus mystérieux à la chaleur, aux fleurs qu'il avait trouvées en entrant.

Laissant à gauche, au rez-de-chaussée surélevé, la chambre à coucher d'Odette qui donnait derrière sur une petite rue parallèle, un escalier droit, entre des murs peints de couleur sombre et d'où tombaient des étoffes orientales, des fils de chapelets turcs et une grande lanterne japonaise suspendue à une cordelette de soie (mais qui, pour ne pas priver les visiteurs des derniers conforts de la civilisation occidentale, s'éclairait au gaz), montait au salon et au petit salon. Ils étaient précédés d'un étroit vestibule dont le mur quadrillé d'un treillage de jardin, mais doré, était bordé dans toute sa longueur d'une caisse rectangulaire où fleurissaient

comme dans une serre une rangée de ces gros chrysanthèmes
encore rares à cette époque, mais bien éloignés cependant de
ceux que les horticulteurs réussirent plus tard à obtenir.
Swann était agacé par la mode qui depuis l'année dernière se
portait sur eux, mais il avait eu plaisir, cette fois, à voir la
pénombre de la pièce zébrée de rose, d'orangé et de blanc par
les rayons odorants de ces astres éphémères qui s'allument
dans les jours gris. Odette l'avait reçu en robe de chambre de
soie rose, le cou et les bras nus. Elle l'avait fait asseoir près
d'elle dans un des nombreux retraits mystérieux qui étaient
ménagés dans les enfoncements du salon, protégés par
d'immenses palmiers contenus dans des cache-pot de Chine,
ou par des paravents auxquels étaient fixés des photographies, des nœuds de rubans et des éventails. Elle lui avait
dit : « Vous n'êtes pas confortable comme cela, attendez,
moi je vais bien vous arranger », et avec le petit rire vaniteux
qu'elle aurait eu pour quelque invention particulière à elle,
avait installé derrière la tête de Swann, sous ses pieds, des
coussins de soie japonaise qu'elle pétrissait comme si elle
avait été prodigue de ces richesses et insoucieuse de leur
valeur. Mais, quand le valet de chambre était venu apporter
successivement les nombreuses lampes qui, presque toutes
enfermées dans des potiches chinoises, brûlaient isolées ou
par couples, toutes sur des meubles différents comme sur des
autels et qui dans le crépuscule déjà presque nocturne de
cette fin d'après-midi d'hiver avaient fait reparaître un
coucher de soleil plus durable, plus rose et plus humain —
faisant peut-être rêver dans la rue quelque amoureux arrêté
devant le mystère de la présence que décelaient et cachaient
à la fois les vitres rallumées, — elle avait surveillé sévèrement
du coin de l'œil le domestique pour voir s'il les posait bien à
leur place consacrée. Elle pensait qu'en en mettant une seule
là où il ne fallait pas, l'effet d'ensemble de son salon eût été
détruit, et son portrait, placé sur un chevalet oblique drapé
de peluche, mal éclairé. Aussi suivait-elle avec fièvre les
mouvements de cet homme grossier et le réprimanda-t-elle

vivement parce qu'il avait passé trop près de deux jardinières
qu'elle se réservait de nettoyer elle-même dans sa peur qu'on
ne les abîmât et qu'elle alla regarder de près pour voir s'il ne
les avait pas écornées. Elle trouvait à tous ses bibelots chinois
des formes « amusantes », et aussi aux orchidées, aux
catleyas surtout, qui étaient, avec les chrysanthèmes, ses
fleurs préférées, parce qu'ils avaient le grand mérite de ne
pas ressembler à des fleurs, mais d'être en soie, en satin.
« Celle-là a l'air d'être découpée dans la doublure de mon
manteau », dit-elle à Swann en lui montrant une orchidée,
avec une nuance d'estime pour cette fleur si « chic », pour
cette sœur élégante et imprévue que la nature lui donnait, si
loin d'elle dans l'échelle des êtres et pourtant raffinée, plus
digne que bien des femmes qu'elle lui fît une place dans son
salon. En lui montrant tour à tour des chimères à langues de
feu décorant une potiche ou brodées sur un écran, les corolles
d'un bouquet d'orchidées, un dromadaire d'argent niellé aux
yeux incrustés de rubis qui voisinait sur la cheminée avec un
crapaud de jade, elle affectait tour à tour d'avoir peur de la
méchanceté, ou de rire de la cocasserie des monstres, de
rougir de l'indécence des fleurs et d'éprouver un irrésistible
désir d'aller embrasser le dromadaire et le crapaud qu'elle
appelait : « chéris ». Et ces affectations contrastaient avec la
sincérité de certaines de ses dévotions, notamment à Notre-
Dame de Laghet qui l'avait jadis, quand elle habitait Nice,
guérie d'une maladie mortelle, et dont elle portait toujours
sur elle une médaille d'or à laquelle elle attribuait un pouvoir
sans limites. Odette fit à Swann « son » thé, lui demanda :
« Citron ou crème ? » et comme il répondit « crème », lui dit
en riant : « Un nuage ! » Et comme il le trouvait bon :
« Vous voyez que je sais ce que vous aimez. » Ce thé, en
effet, avait paru à Swann quelque chose de précieux comme à
elle-même, et l'amour a tellement besoin de se trouver une
justification, une garantie de durée, dans des plaisirs qui au
contraire sans lui n'en seraient pas et finissent avec lui, que
quand il l'avait quittée à sept heures pour rentrer chez lui

s'habiller, pendant tout le trajet qu'il fit dans son coupé, ne
pouvant contenir la joie que cet après-midi lui avait causée, il
se répétait : « Ce serait bien agréable d'avoir ainsi une petite
personne chez qui on pourrait trouver cette chose si rare, du
bon thé. » Une heure après, il reçut un mot d'Odette et
reconnut tout de suite cette grande écriture dans laquelle une
affectation de raideur britannique imposait une apparence
de discipline à des caractères informes qui eussent signifié
peut-être pour des yeux moins prévenus le désordre de la
pensée, l'insuffisance de l'éducation, le manque de franchise
et de volonté. Swann avait oublié son étui à cigarettes chez
Odette. « Que n'y avez-vous oublié aussi votre cœur, je ne
vous aurais pas laissé le reprendre. »

Une seconde visite qu'il lui fit eut plus d'importance peut-
être. En se rendant chez elle ce jour-là comme chaque fois
qu'il devait la voir, d'avance il se la représentait ; et la
nécessité où il était, pour trouver jolie sa figure, de limiter
aux seules pommettes roses et fraîches, les joues qu'elle avait
si souvent jaunes, languissantes, parfois piquées de petits
points rouges, l'affligeait comme une preuve que l'idéal est
inaccessible et le bonheur, médiocre. Il lui apportait une
gravure qu'elle désirait voir. Elle était un peu souffrante ; elle
le reçut en peignoir de crêpe de Chine mauve, ramenant sur
sa poitrine, comme un manteau, une étoffe richement
brodée. Debout à côté de lui, laissant couler le long de ses
joues ses cheveux qu'elle avait dénoués, fléchissant une
jambe dans une attitude légèrement dansante pour pouvoir
se pencher sans fatigue vers la gravure qu'elle regardait, en
inclinant la tête, de ses grands yeux, si fatigués et maussades
quand elle ne s'animait pas, elle frappa Swann par sa
ressemblance avec cette figure de Zéphora, la fille de Jéthro,
qu'on voit dans une fresque de la chapelle Sixtine. Swann
avait toujours eu ce goût particulier d'aimer à retrouver dans
la peinture des maîtres non pas seulement les caractères
généraux de la réalité qui nous entoure, mais ce qui semble
au contraire le moins susceptible de généralité, les traits

individuels des visages que nous connaissons : ainsi, dans la matière d'un buste du doge Lorédan par Antoine Rizzo, la saillie des pommettes, l'obliquité des sourcils, enfin la ressemblance criante de son cocher Rémi ; sous les couleurs d'un Ghirlandajo, le nez de M. de Palancy ; dans un portrait de Tintoret, l'envahissement du gras de la joue par l'implantation des premiers poils des favoris, la cassure du nez, la pénétration du regard, la congestion des paupières du docteur du Boulbon. Peut-être, ayant toujours gardé un remords d'avoir borné sa vie aux relations mondaines, à la conversation, croyait-il trouver une sorte d'indulgent pardon à lui accordé par les grands artistes, dans ce fait qu'ils avaient eux aussi considéré avec plaisir, fait entrer dans leur œuvre, de tels visages qui donnent à celle-ci un singulier certificat de réalité et de vie, une saveur moderne ; peut-être aussi s'était-il tellement laissé gagner par la frivolité des gens du monde qu'il éprouvait le besoin de trouver dans une œuvre ancienne ces allusions anticipées et rajeunissantes à des noms propres d'aujourd'hui. Peut-être, au contraire, avait-il gardé suffisamment une nature d'artiste pour que ces caractéristiques individuelles lui causassent du plaisir en prenant une signification plus générale, dès qu'il les apercevait, déracinées, délivrées, dans la ressemblance d'un portrait plus ancien avec un original qu'il ne représentait pas. Quoi qu'il en soit, et peut-être parce que la plénitude d'impressions qu'il avait depuis quelque temps, et bien qu'elle lui fût venue plutôt avec l'amour de la musique, avait enrichi même son goût pour la peinture, le plaisir fut plus profond — et devait exercer sur Swann une influence durable, — qu'il trouva à ce moment-là dans la ressemblance d'Odette avec la Zéphora de ce Sandro di Mariano auquel on donne plus volontiers son surnom populaire de Botticelli depuis que celui-ci évoque au lieu de l'œuvre véritable du peintre l'idée banale et fausse qui s'en est vulgarisée. Il n'estima plus le visage d'Odette selon la plus ou moins bonne qualité de ses joues et d'après la douceur purement carnée qu'il supposait devoir leur trouver en les touchant avec ses lèvres si jamais il osait l'embrasser, mais comme un écheveau de lignes subtiles et belles que ses regards dévidèrent, poursuivant la courbe de leur enroulement, rejoignant la cadence de la nuque à l'effusion des cheveux et à la flexion des paupières, comme en un portrait d'elle en lequel son type devenait intelligible et clair.

Il la regardait; un fragment de la fresque apparaissait dans son visage et dans son corps, que dès lors il chercha toujours à y retrouver, soit qu'il fût auprès d'Odette, soit qu'il pensât seulement à elle; et, bien qu'il ne tînt sans doute au chef-d'œuvre florentin que parce qu'il le retrouvait en elle, pourtant cette ressemblance lui conférait à elle aussi une beauté, la rendait plus précieuse. Swann se reprocha d'avoir méconnu le prix d'un être qui eût paru adorable au grand Sandro, et il se félicita que le plaisir qu'il avait à voir Odette trouvât une justification dans sa propre culture esthétique. Il se dit qu'en associant la pensée d'Odette à ses rêves de bonheur, il ne s'était pas résigné à un pis-aller aussi imparfait qu'il l'avait cru jusqu'ici, puisqu'elle contenait en lui ses goûts d'art les plus raffinés. Il oubliait qu'Odette n'était pas plus pour cela une femme selon son désir, puisque précisément son désir avait toujours été orienté dans un sens opposé à ses goûts esthétiques. Le mot d' « œuvre florentine » rendit un grand service à Swann. Il lui permit, comme un titre, de faire pénétrer l'image d'Odette dans un monde de rêves où elle n'avait pas eu accès jusqu'ici et où elle s'imprégna de noblesse. Et, tandis que la vue purement charnelle qu'il avait eue de cette femme, en renouvelant perpétuellement ses doutes sur la qualité de son visage, de son corps, de toute sa beauté, affaiblissait son amour, ces doutes furent détruits, cet amour assuré quand il eut à la place pour base les données d'une esthétique certaine; sans compter que le baiser et la possession qui semblaient naturels et médiocres s'ils lui étaient accordés par une chair abîmée, venant couronner l'adoration d'une pièce de musée, lui parurent devoir être surnaturels et délicieux.

Et quand il était tenté de regretter que depuis des mois il ne fît plus que voir Odette, il se disait qu'il était raisonnable de donner beaucoup de son temps à un chef-d'œuvre inestimable, coulé pour une fois dans une matière différente et particulièrement savoureuse, en un exemplaire rarissime qu'il contemplait tantôt avec l'humilité, la spiritualité et le désintéressement d'un artiste, tantôt avec l'orgueil, l'égoïsme et la sensualité d'un collectionneur.

Il plaça sur sa table de travail, comme une photographie d'Odette, une reproduction de la fille de Jéthro. Il admirait les grands yeux, le délicat visage qui laissait deviner la peau imparfaite, les boucles merveilleuses des cheveux le long des joues fatiguées ; et, adaptant ce qu'il trouvait beau jusque-là d'une façon esthétique à l'idée d'une femme vivante, il le transformait en mérites physiques qu'il se félicitait de trouver réunis dans un être qu'il pourrait posséder. Cette vague sympathie qui nous porte vers un chef-d'œuvre que nous regardons, maintenant qu'il connaissait l'original charnel de la fille de Jéthro, elle devenait un désir qui suppléa désormais à celui que le corps d'Odette ne lui avait pas d'abord inspiré. Quand il avait regardé longtemps ce Botticelli, il pensait à son Botticelli à lui qu'il trouvait plus beau encore et, approchant de lui la photographie de Zéphora, il croyait serrer Odette contre son cœur.

Et cependant ce n'était pas seulement la lassitude d'Odette qu'il s'ingéniait à prévenir, c'était quelquefois aussi la sienne propre ; sentant que depuis qu'Odette avait toutes facilités pour le voir, elle semblait n'avoir pas grand'chose à lui dire, il craignait que les façons un peu insignifiantes, monotones, et comme définitivement fixées, qui étaient maintenant les siennes quand ils étaient ensemble, ne finissent par tuer en lui cet espoir romanesque d'un jour où elle voudrait déclarer sa passion, qui seul l'avait rendu et gardé amoureux. Et pour renouveler un peu l'aspect moral,

trop figé, d'Odette, et dont il avait peur de se fatiguer, il lui
écrivait tout d'un coup une lettre pleine de déceptions feintes
et de colères simulées qu'il lui faisait porter avant le dîner. Il
savait qu'elle allait être effrayée, lui répondre, et il espérait
que dans la contradiction que la peur de le perdre ferait subir
à son âme, jailliraient des mots qu'elle ne lui avait encore
jamais dits ; — et en effet c'est de cette façon qu'il avait
obtenu les lettres les plus tendres qu'elle lui eût encore
écrites, dont l'une, qu'elle lui avait fait porter à midi de la
« Maison Dorée » (c'était le jour de la fête de Paris-Murcie
donnée pour les inondés de Murcie), commençait par ces
mots : « Mon ami, ma main tremble si fort que je peux à
peine écrire », et qu'il avait gardée dans le même tiroir que la
fleur séchée du chrysanthème. Ou bien, si elle n'avait pas eu
le temps de lui écrire, quand il arriverait chez les Verdurin,
elle irait vivement à lui et lui dirait : « J'ai à vous parler », et
il contemplerait avec curiosité sur son visage et dans ses
paroles ce qu'elle lui avait caché jusque-là de son cœur.

Rien qu'en approchant de chez les Verdurin, quand il
apercevait, éclairées par des lampes, les grandes fenêtres
dont on ne fermait jamais les volets, il s'attendrissait en
pensant à l'être charmant qu'il allait voir épanoui dans leur
lumière d'or. Parfois les ombres des invités se détachaient,
minces et noires, en écran, devant les lampes, comme ces
petites gravures qu'on intercale de place en place dans un
abat-jour translucide dont les autres feuillets ne sont que
clarté. Il cherchait à distinguer la silhouette d'Odette. Puis,
dès qu'il était arrivé, sans qu'il s'en rendît compte, ses yeux
brillaient d'une telle joie que M. Verdurin disait au peintre :
« Je crois que ça chauffe. » Et la présence d'Odette ajoutait,
en effet, pour Swann à cette maison ce dont n'était pourvue
aucune de celles où il était reçu : une sorte d'appareil sensitif,
de réseau nerveux qui se ramifiait dans toutes les pièces et
apportait des excitations constantes à son cœur.

Ainsi le simple fonctionnement de cet organisme social
qu'était le petit « clan » prenait automatiquement pour

Swann des rendez-vous quotidiens avec Odette et lui permettait de feindre une indifférence à la voir, ou même un désir de ne plus la voir, qui ne lui faisait pas courir de grands risques, puisque, quoi qu'il lui eût écrit dans la journée, il la verrait forcément le soir et la ramènerait chez elle.

Mais une fois qu'ayant songé avec maussaderie à cet inévitable retour ensemble, il avait emmené jusqu'au Bois sa jeune ouvrière pour retarder le moment d'aller chez les Verdurin, il arriva chez eux si tard qu'Odette, croyant qu'il ne viendrait plus, était partie. En voyant qu'elle n'était plus dans le salon, Swann ressentit une souffrance au cœur ; il tremblait d'être privé d'un plaisir qu'il mesurait pour la première fois, ayant eu jusque-là cette certitude de le trouver quand il le voulait, qui pour tous les plaisirs nous diminue ou même nous empêche d'apercevoir aucunement leur grandeur.

— As-tu vu la tête qu'il a fait quand il s'est aperçu qu'elle n'était pas là ? dit M. Verdurin à sa femme, je crois qu'on peut dire qu'il est pincé !

— La tête qu'il a fait ? demanda avec violence le docteur Cottard qui, étant allé un instant voir un malade, revenait chercher sa femme et ne savait pas de qui on parlait.

— Comment, vous n'avez pas rencontré devant la porte le plus beau des Swann...

— Non. M. Swann est venu ?

— Oh ! un instant seulement. Nous avons eu un Swann très agité, très nerveux. Vous comprenez, Odette était partie.

— Vous voulez dire qu'elle est du dernier bien avec lui, qu'elle lui a fait voir l'heure du berger, dit le docteur, expérimentant avec prudence le sens de ces expressions.

— Mais non, il n'y a absolument rien, et entre nous, je trouve qu'elle a bien tort et qu'elle se conduit comme une fameuse cruche, qu'elle est du reste.

— Ta, ta, ta, dit M. Verdurin, qu'est-ce que tu en sais, qu'il n'y a rien ? nous n'avons pas été y voir, n'est-ce pas ?

— A moi, elle me l'aurait dit, répliqua fièrement

Mme Verdurin. Je vous dis qu'elle me raconte toutes ses petites affaires ! Comme elle n'a plus personne en ce moment, je lui ai dit qu'elle devrait coucher avec lui. Elle prétend qu'elle ne peut pas, qu'elle a bien eu un fort béguin pour lui, mais qu'il est timide avec elle, que cela l'intimide à son tour, et puis qu'elle ne l'aime pas de cette manière-là, que c'est un être idéal, qu'elle a peur de déflorer le sentiment qu'elle a pour lui, est-ce que je sais, moi ? Ce serait pourtant absolument ce qu'il lui faut.

— Tu me permettras de ne pas être de ton avis, dit M. Verdurin, il ne me revient qu'à demi ce monsieur ; je le trouve poseur.

Mme Verdurin s'immobilisa, prit une expression inerte comme si elle était devenue une statue, fiction qui lui permit d'être censée ne pas avoir entendu ce mot insupportable de poseur qui avait l'air d'impliquer qu'on pouvait « poser » avec eux, donc qu'on était « plus qu'eux ».

— Enfin, s'il n'y a rien, je ne pense pas que ce soit que ce monsieur la croit *vertueuse,* dit ironiquement M. Verdurin. Et après tout, on ne peut rien dire, puisqu'il a l'air de la croire intelligente. Je ne sais si tu as entendu ce qu'il lui débitait l'autre soir sur la sonate de Vinteuil ; j'aime Odette de tout mon cœur, mais pour lui faire des théories d'esthétique, il faut tout de même être un fameux jobard !

— Voyons, ne dites pas du mal d'Odette, dit Mme Verdurin en faisant l'enfant. Elle est charmante.

— Mais cela ne l'empêche pas d'être charmante ; nous ne disons pas du mal d'elle, nous disons que ce n'est pas une vertu ni une intelligence. Au fond, dit-il au peintre, tenez-vous tant que ça à ce qu'elle soit vertueuse ? Elle serait peut-être beaucoup moins charmante, qui sait ?

Sur le palier, Swann avait été rejoint par le maître d'hôtel qui ne se trouvait pas là au moment où il était arrivé et avait été chargé par Odette de lui dire — mais il y avait bien une heure déjà — au cas où il viendrait encore, qu'elle irait probablement prendre du chocolat chez Prévost avant de

rentrer. Swann partit chez Prévost, mais à chaque pas sa
voiture était arrêtée par d'autres ou par des gens qui
traversaient, odieux obstacles qu'il eût été heureux de
renverser si le procès-verbal de l'agent ne l'eût retardé plus
encore que le passage du piéton. Il comptait le temps qu'il
mettait, ajoutait quelques secondes à toutes les minutes pour
être sûr de ne pas les avoir faites trop courtes, ce qui lui eût
laissé croire plus grande qu'elle n'était en réalité sa chance
d'arriver assez tôt et de trouver encore Odette. Et à un
moment, comme un fiévreux qui vient de dormir et qui prend
conscience de l'absurdité des rêvasseries qu'il ruminait sans
se distinguer nettement d'elles, Swann tout d'un coup
aperçut en lui l'étrangeté des pensées qu'il roulait depuis le
moment où on lui avait dit chez les Verdurin qu'Odette était
déjà partie, la nouveauté de la douleur au cœur dont il
souffrait, mais qu'il constata seulement comme s'il venait de
s'éveiller. Quoi ? toute cette agitation parce qu'il ne verrait
Odette que demain, ce que précisément il avait souhaité, il y
a une heure, en se rendant chez Mme Verdurin ! Il fut bien
obligé de constater que dans cette même voiture qui
l'emmenait chez Prévost il n'était plus le même, et qu'il
n'était plus seul, qu'un être nouveau était là avec lui,
adhérent, amalgamé à lui, duquel il ne pourrait peut-être pas
se débarrasser, avec qui il allait être obligé d'user de
ménagements comme avec un maître ou avec une maladie.
Et pourtant depuis un moment qu'il sentait qu'une nouvelle
personne s'était ainsi ajoutée à lui, sa vie lui paraissait plus
intéressante. C'est à peine s'il se disait que cette rencontre
possible chez Prévost (de laquelle l'attente saccageait, dénu-
dait à ce point les moments qui la précédaient qu'il ne
trouvait plus une seule idée, un seul souvenir derrière lequel
il pût faire reposer son esprit), il était probable pourtant, si
elle avait lieu, qu'elle serait comme les autres, fort peu de
chose. Comme chaque soir, dès qu'il serait avec Odette,
jetant furtivement sur son changeant visage un regard
aussitôt détourné de peur qu'elle n'y vît l'avance d'un désir

et ne crût plus à son désintéressement, il cesserait de pouvoir penser à elle, trop occupé à trouver des prétextes qui lui permissent de ne pas la quitter tout de suite et de s'assurer, sans avoir l'air d'y tenir, qu'il la retrouverait le lendemain chez les Verdurin : c'est-à-dire de prolonger pour l'instant et de renouveler un jour de plus la déception et la torture que lui apportait la vaine présence de cette femme qu'il approchait sans oser l'étreindre.

Elle n'était pas chez Prévost ; il voulut chercher dans tous les restaurants des boulevards. Pour gagner du temps, pendant qu'il visitait les uns, il envoya dans les autres son cocher Rémi (le doge Lorédan de Rizzo) qu'il alla attendre ensuite — n'ayant rien trouvé lui-même — à l'endroit qu'il lui avait désigné. La voiture ne revenait pas et Swann se représentait le moment qui approchait, à la fois comme celui où Rémi lui dirait : « Cette dame est là » et comme celui où Rémi lui dirait : « Cette dame n'était dans aucun des cafés. » Et ainsi il voyait la fin de la soirée devant lui, une et pourtant alternative, précédée soit par la rencontre d'Odette qui abolirait son angoisse, soit par le renoncement forcé à la trouver ce soir, par l'acceptation de rentrer chez lui sans l'avoir vue.

Le cocher revint, mais, au moment où il s'arrêta devant Swann, celui-ci ne lui dit pas : « Avez-vous trouvé cette dame ? » mais : « Faites-moi donc penser demain à commander du bois, je crois que la provision doit commencer à s'épuiser. » Peut-être se disait-il que si Rémi avait trouvé Odette dans un café où elle l'attendait, la fin de la soirée néfaste était déjà anéantie par la réalisation commencée de la fin de soirée bienheureuse et qu'il n'avait pas besoin de se presser d'atteindre un bonheur capturé et en lieu sûr, qui ne s'échapperait plus. Mais aussi c'était par force d'inertie ; il avait dans l'âme le manque de souplesse que certains êtres ont dans le corps, ceux-là qui au moment d'éviter un choc, d'éloigner une flamme de leur habit, d'accomplir un mouvement urgent, prennent leur temps, commencent par rester une seconde dans la situation où ils étaient auparavant comme pour y trouver leur point d'appui, leur élan. Et sans doute, si le cocher l'avait interrompu en lui disant : « Cette dame est là », il eût répondu : « Ah ! oui, c'est vrai, la course que je vous avais donnée, tiens, je n'aurais pas cru » et aurait continué à lui parler provision de bois pour lui cacher l'émotion qu'il avait eue et se laisser à lui-même le temps de rompre avec l'inquiétude et de se donner au bonheur.

Mais le cocher revint lui dire qu'il ne l'avait trouvée nulle part, et ajouta son avis, en vieux serviteur :

— Je crois que Monsieur n'a plus qu'à rentrer.

Mais l'indifférence que Swann jouait facilement quand Rémi ne pouvait plus rien changer à la réponse qu'il apportait tomba, quand il le vit essayer de le faire renoncer à son espoir et à sa recherche :

— Mais pas du tout, s'écria-t-il, il faut que nous trouvions cette dame ; c'est de la plus haute importance. Elle serait extrêmement ennuyée, pour une affaire, et froissée, si elle ne m'avait pas vu.

— Je ne vois pas comment cette dame pourrait être froissée, répondit Rémi, puisque c'est elle qui est partie sans attendre Monsieur, qu'elle a dit qu'elle allait chez Prévost et qu'elle n'y était pas.

D'ailleurs on commençait à éteindre partout. Sous les arbres des boulevards, dans une obscurité mystérieuse, les passants plus rares erraient, à peine reconnaissables. Parfois l'ombre d'une femme qui s'approchait de lui, lui murmurant un mot à l'oreille, lui demandant de la ramener, fit tressaillir Swann. Il frôlait anxieusement tous ces corps obscurs comme si, parmi les fantômes des morts, dans le royaume sombre, il eût cherché Eurydice.

De tous les modes de production de l'amour, de tous les agents de dissémination du mal sacré, il est bien l'un des plus efficaces, ce grand souffle d'agitation qui parfois passe sur nous. Alors l'être avec qui nous nous plaisons à ce moment-là, le sort en est jeté, c'est lui que nous aimerons. Il n'est même pas besoin qu'il nous plût jusque-là plus ou même autant que d'autres. Ce qu'il fallait, c'est que notre goût pour lui devînt exclusif. Et cette condition-là est réalisée quand — à ce moment où il nous a fait défaut — à la recherche des plaisirs que son agrément nous donnait, s'est brusquement substitué en nous un besoin anxieux, qui a pour objet cet être même, un besoin absurde, que les lois de ce monde rendent impossible à satisfaire et difficile à guérir — le besoin insensé et douloureux de le posséder.

Swann se fit conduire dans les derniers restaurants; c'est la seule hypothèse du bonheur qu'il avait envisagée avec calme; il ne cachait plus maintenant son agitation, le prix qu'il attachait à cette rencontre et il promit en cas de succès une récompense à son cocher, comme si, en lui inspirant le désir de réussir qui viendrait s'ajouter à celui qu'il en avait lui-même, il pouvait faire qu'Odette, au cas où elle fût déjà rentrée se coucher, se trouvât pourtant dans un restaurant du boulevard. Il poussa jusqu'à la Maison Dorée, entra deux fois chez Tortoni et, sans l'avoir vue davantage, venait de ressortir du Café Anglais, marchant à grands pas, l'air hagard, pour rejoindre sa voiture qui l'attendait au coin du boulevard des Italiens, quand il heurta une personne qui venait en sens contraire : c'était Odette; elle lui expliqua plus tard que n'ayant pas trouvé de place chez Prévost, elle était allée souper à la Maison Dorée dans un enfoncement où il ne l'avait pas découverte, et elle regagnait sa voiture.

Elle s'attendait si peu à le voir qu'elle eut un mouvement d'effroi. Quant à lui, il avait couru Paris non parce qu'il croyait possible de la rejoindre, mais parce qu'il lui était trop cruel d'y renoncer. Mais cette joie que sa raison n'avait cessé d'estimer, pour ce soir, irréalisable, ne lui en paraissait maintenant que plus réelle; car, il n'y avait pas collaboré par la prévision des vraisemblances, elle lui restait extérieure; il n'avait pas besoin de tirer de son esprit pour la lui fournir, c'est d'elle-même qu'émanait, c'est elle-même qui projetait vers lui, cette vérité qui rayonnait au point de dissiper comme un songe l'isolement qu'il avait redouté, et sur laquelle il appuyait, il reposait, sans penser, sa rêverie heureuse. Ainsi un voyageur arrivé par un beau temps au bord de la Méditerranée, incertain de l'existence des pays qu'il vient de quitter, laisse éblouir sa vue, plutôt qu'il ne leur jette des regards, par les rayons qu'émet vers lui l'azur lumineux et résistant des eaux.

Il monta avec elle dans la voiture qu'elle avait et dit à la sienne de suivre.

Elle tenait à la main un bouquet de catleyas et Swann vit, sous sa fanchon de dentelle, qu'elle avait dans les cheveux des fleurs de cette même orchidée attachées à une aigrette en plumes de cygne. Elle était habillée, sous sa mantille, d'un flot de velours noir qui, par un rattrapé oblique, découvrait en un large triangle le bas d'une jupe de faille blanche et laissait voir un empiècement, également de faille blanche, à l'ouverture du corsage décolleté, où étaient enfoncées d'autres fleurs de catleyas. Elle était à peine remise de la frayeur que Swann lui avait causée quand un obstacle fit faire un écart au cheval. Ils furent vivement déplacés, elle avait jeté un cri et restait toute palpitante, sans respiration.

— Ce n'est rien, lui dit-il, n'ayez pas peur.

Et il la tenait par l'épaule, l'appuyant contre lui pour la maintenir; puis il lui dit :

— Surtout, ne me parlez pas, ne me répondez que par signes pour ne pas vous essouffler encore davantage. Cela ne vous gêne pas que je remette droites les fleurs de votre corsage qui ont été déplacées par le choc? J'ai peur que vous ne les perdiez, je voudrais les enfoncer un peu.

Elle, qui n'avait pas été habituée à voir les hommes faire tant de façons avec elle, dit en souriant :

— Non, pas du tout, ça ne me gêne pas.

Mais lui, intimidé par sa réponse, peut-être aussi pour avoir l'air d'avoir été sincère quand il avait pris ce prétexte, ou même commençant déjà à croire qu'il l'avait été, s'écria :

— Oh! non, surtout, ne parlez pas, vous allez encore vous

essouffler, vous pouvez bien me répondre par gestes, je vous
comprendrai bien. Sincèrement je ne vous gêne pas ? Voyez,
il y a un peu... je pense que c'est du pollen qui s'est répandu
sur vous ; vous permettez que je l'essuie avec ma main ? Je ne
vais pas trop fort, je ne suis pas trop brutal ? Je vous
chatouille peut-être un peu ? mais c'est que je ne voudrais
pas toucher le velours de la robe pour ne pas le friper. Mais,
voyez-vous, il était vraiment nécessaire de les fixer, ils
seraient tombés ; et comme cela, en les enfonçant un peu
moi-même... Sérieusement, je ne suis pas désagréable ? Et en
les respirant pour voir s'ils n'ont vraiment pas d'odeur, non
plus ? Je n'en ai jamais senti, je peux ? dites la vérité.

Souriant, elle haussa légèrement les épaules, comme pour
dire « vous êtes fou, vous voyez bien que ça me plaît ».

Il élevait son autre main le long de la joue d'Odette ; elle le
regarda fixement, de l'air languissant et grave qu'ont les
femmes du maître florentin avec lesquelles il lui avait trouvé
de la ressemblance ; amenés au bord des paupières, ses yeux
brillants, larges et minces, comme les leurs, semblaient prêts
à se détacher ainsi que deux larmes. Elle fléchissait le cou
comme on leur voit faire à toutes, dans les scènes païennes
comme dans les tableaux religieux. Et en une attitude qui
sans doute lui était habituelle, qu'elle savait convenable à ces
moments-là et qu'elle faisait attention à ne pas oublier de
prendre, elle semblait avoir besoin de toute sa force pour
retenir son visage, comme si une force invisible l'eût attiré
vers Swann. Et ce fut Swann qui, avant qu'elle le laissât
tomber, comme malgré elle, sur ses lèvres, le retint un
instant, à quelque distance, entre ses deux mains. Il avait
voulu laisser à sa pensée le temps d'accourir, de reconnaître
le rêve qu'elle avait si longtemps caressé et d'assister à sa
réalisation, comme une parente qu'on appelle pour prendre
sa part du succès d'un enfant qu'elle a beaucoup aimé. Peut-
être aussi Swann attachait-il sur ce visage d'Odette non
encore possédée, ni même encore embrassée par lui, qu'il
voyait pour la dernière fois, ce regard avec lequel, un jour de

départ, on voudrait emporter un paysage qu'on va quitter pour toujours.

Mais il était si timide avec elle, qu'ayant fini par la posséder ce soir-là, en commençant par arranger ses catleyas, soit crainte de la froisser, soit peur de paraître rétrospectivement avoir menti, soit manque d'audace pour formuler une exigence plus grande que celle-là (qu'il pouvait renouveler puisqu'elle n'avait pas fâché Odette la première fois), les jours suivants il usa du même prétexte. Si elle avait des catleyas à son corsage, il disait : « C'est malheureux, ce soir, les catleyas n'ont pas besoin d'être arrangés, ils n'ont pas été déplacés comme l'autre soir ; il me semble pourtant que celui-ci n'est pas très droit. Je peux voir s'ils ne sentent pas plus que les autres ? » Ou bien, si elle n'en avait pas : « Oh ! pas de catleyas ce soir, pas moyen de me livrer à mes petits arrangements. » De sorte que, pendant quelque temps, ne fut pas changé l'ordre qu'il avait suivi le premier soir, en débutant par des attouchements de doigts et de lèvres sur la gorge d'Odette, et que ce fut par eux encore que commençaient chaque fois ses caresses ; et bien plus tard, quand l'arrangement (ou le simulacre rituel d'arrangement) des catleyas fut depuis longtemps tombé en désuétude, la métaphore « faire catleya », devenue un simple vocable qu'ils employaient sans y penser quand ils voulaient signifier l'acte de la possession physique — où d'ailleurs l'on ne possède rien, — survécut dans leur langage, où elle le commémorait, à cet usage oublié. Et peut-être cette manière particulière de dire « faire l'amour » ne signifiait-elle pas exactement la même chose que ses synonymes. On a beau être blasé sur les femmes, considérer la possession des plus différentes comme toujours la même et connue d'avance, elle devient au contraire un plaisir nouveau s'il s'agit de femmes assez difficiles — ou crues telles par nous — pour que nous soyons obligés de la faire naître de quelque épisode imprévu de nos relations avec elles, comme avait été la première fois pour Swann l'arrangement des catleyas. Il espérait en tremblant, ce soir-là (mais Odette, se disait-il, si elle était la dupe de sa ruse, ne pouvait le deviner), que c'était la possession de cette femme qui allait sortir d'entre leurs larges pétales mauves ; et le plaisir qu'il éprouvait déjà et qu'Odette ne tolérait peut-être, pensait-il, que parce qu'elle ne l'avait pas reconnu, lui semblait, à cause de cela — comme il put paraître au premier homme qui le goûta parmi les fleurs du paradis terrestre — un plaisir qui n'avait pas existé jusque-là, qu'il cherchait à créer, un plaisir — ainsi que le nom spécial qu'il lui donna en garda la trace — entièrement particulier et nouveau.

Maintenant, tous les soirs, quand il l'avait ramenée chez elle, il fallait qu'il entrât, et souvent elle ressortait en robe de chambre et le conduisait jusqu'à sa voiture, l'embrassait aux yeux du cocher, disant : « Qu'est-ce que cela peut me faire, que me font les autres ? » Les soirs où il n'allait pas chez les Verdurin (ce qui arrivait parfois depuis qu'il pouvait la voir autrement), les soirs de plus en plus rares où il allait dans le monde, elle lui demandait de venir chez elle avant de rentrer, quelque heure qu'il fût. C'était le printemps, un printemps pur et glacé. En sortant de soirée, il montait dans sa victoria, étendait une couverture sur ses jambes, répondait aux amis qui s'en allaient en même temps que lui et lui demandaient de revenir avec eux, qu'il ne pouvait pas, qu'il n'allait pas du même côté, et le cocher partait au grand trot sachant où on allait. Eux s'étonnaient, et de fait, Swann n'était plus le même. On ne recevait plus jamais de lettre de lui où il demandât à connaître une femme. Il ne faisait plus attention à aucune, s'abstenait d'aller dans les endroits où on en rencontre. Dans un restaurant, à la campagne, il avait l'attitude inverse de celle à quoi, hier encore, on l'eût reconnu et qui avait semblé devoir toujours être la sienne. Tant une passion est en nous comme un caractère momentané et différent qui se substitue à l'autre et abolit les signes jusque-là invariables par lesquels il s'exprimait ! En revanche ce qui était invariable maintenant, c'était que, où que

Swann se trouvât, il ne manquât pas d'aller rejoindre
Odette. Le trajet qui le séparait d'elle était celui qu'il
parcourait inévitablement et comme la pente même, irrésistible et rapide, de sa vie. A vrai dire, souvent resté tard dans le
monde, il aurait mieux aimé rentrer directement chez lui
sans faire cette longue course et ne la voir que le lendemain ;
mais le fait même de se déranger à une heure anormale pour
aller chez elle, de deviner que les amis qui le quittaient se
disaient : « Il est très tenu, il y a certainement une femme
qui le force à aller chez elle à n'importe quelle heure », lui
faisait sentir qu'il menait la vie des hommes qui ont une
affaire amoureuse dans leur existence et en qui le sacrifice
qu'ils font de leur repos et de leurs intérêts à une rêverie
voluptueuse fait naître un charme intérieur. Puis, sans qu'il
s'en rendît compte, cette certitude qu'elle l'attendait, qu'elle
n'était pas ailleurs avec d'autres, qu'il ne reviendrait pas
sans l'avoir vue, neutralisait cette angoisse oubliée, mais
toujours prête à renaître, qu'il avait éprouvée le soir où
Odette n'était plus chez les Verdurin, et dont l'apaisement
actuel était si doux que cela pouvait s'appeler du bonheur.
Peut-être était-ce à cette angoisse qu'il était redevable de
l'importance qu'Odette avait prise pour lui. Les êtres nous
sont d'habitude si indifférents que, quand nous avons mis
dans l'un d'eux de telles possibilités de souffrance et de joie
pour nous, il nous semble appartenir à un autre univers, il
s'entoure de poésie, il fait de notre vie comme une étendue
émouvante où il sera plus ou moins rapproché de nous.
Swann ne pouvait se demander sans trouble ce qu'Odette
deviendrait pour lui dans les années qui allaient venir.
Parfois, en voyant, de sa victoria, dans ces belles nuits
froides, la lune brillante qui répandait sa clarté entre ses
yeux et les rues désertes, il pensait à cette autre figure claire
et légèrement rosée comme celle de la lune, qui, un jour,
avait surgi devant sa pensée et, depuis, projetait sur le
monde la lumière mystérieuse dans laquelle il le voyait. S'il
arrivait après l'heure où Odette envoyait ses domestiques se

coucher, avant de sonner à la porte du petit jardin, il allait
d'abord dans la rue où donnait au rez-de-chaussée, entre les
fenêtres toutes pareilles, mais obscures, des hôtels contigus,
la fenêtre, seule éclairée, de sa chambre. Il frappait au
carreau, et elle, avertie, répondait et allait l'attendre de
l'autre côté, à la porte d'entrée. Il trouvait ouverts sur son
piano quelques-uns des morceaux qu'elle préférait : la *Valse
des Roses* ou *Pauvre Fou* de Tagliafico (qu'on devait, selon sa
volonté écrite, faire exécuter à son enterrement), il lui
demandait de jouer à la place la petite phrase de la sonate de
Vinteuil, bien qu'Odette jouât fort mal, mais la vision la plus
belle qui nous reste d'une œuvre est souvent celle qui s'éleva
au-dessus des sons faux tirés par des doigts malhabiles, d'un
piano désaccordé. La petite phrase continuait à s'associer
pour Swann à l'amour qu'il avait pour Odette. Il sentait bien
que cet amour, c'était quelque chose qui ne correspondait à
rien d'extérieur, de constatable par d'autres que lui ; il se
rendait compte que les qualités d'Odette ne justifiaient pas
qu'il attachât tant de prix aux moments passés auprès d'elle.
Et souvent, quand c'était l'intelligence positive qui régnait
seule en Swann, il voulait cesser de sacrifier tant d'intérêts
intellectuels et sociaux à ce plaisir imaginaire. Mais la petite
phrase, dès qu'il l'entendait, savait rendre libre en lui
l'espace qui pour elle était nécessaire, les proportions de
l'âme de Swann s'en trouvaient changées ; une marge y était
réservée à une jouissance qui elle non plus ne correspondait à
aucun objet extérieur et qui pourtant, au lieu d'être purement individuelle comme celle de l'amour, s'imposait à
Swann comme une réalité supérieure aux choses concrètes.
Cette soif d'un charme inconnu, la petite phrase l'éveillait en
lui, mais ne lui apportait rien de précis pour l'assouvir. De
sorte que ces parties de l'âme de Swann où la petite phrase
avait effacé le souci des intérêts matériels, les considérations
humaines et valables pour tous, elle les avait laissées
vacantes et en blanc, et il était libre d'y inscrire le nom
d'Odette. Puis à ce que l'affection d'Odette pouvait avoir

d'un peu court et décevant, la petite phrase venait ajouter, amalgamer son essence mystérieuse. A voir le visage de Swann pendant qu'il écoutait la phrase, on aurait dit qu'il était en train d'absorber un anesthésique qui donnait plus d'amplitude à sa respiration. Et le plaisir que lui donnait la musique et qui allait bientôt créer chez lui un véritable besoin, ressemblait en effet, à ces moments-là, au plaisir qu'il aurait eu à expérimenter des parfums, à entrer en contact avec un monde pour lequel nous ne sommes pas faits, qui nous semble sans forme parce que nos yeux ne le perçoivent pas, sans signification parce qu'il échappe à notre intelligence, que nous n'atteignons que par un seul sens. Grand repos, mystérieuse rénovation pour Swann — pour lui dont les yeux, quoique délicats amateurs de peinture, dont l'esprit, quoique fin observateur de mœurs, portaient à jamais la trace indélébile de la sécheresse de sa vie — de se sentir transformé en une créature étrangère à l'humanité, aveugle, dépourvue de facultés logiques, presque une fantastique licorne, une créature chimérique ne percevant le monde que par l'ouïe. Et comme dans la petite phrase il cherchait cependant un sens où son intelligence ne pouvait descendre, quelle étrange ivresse il avait à dépouiller son âme la plus intérieure de tous les secours du raisonnement et à la faire passer seule dans le couloir, dans le filtre obscur du son ! Il commençait à se rendre compte de tout ce qu'il y avait de douloureux, peut-être même de secrètement inapaisé au fond de la douceur de cette phrase, mais il ne pouvait pas en souffrir. Qu'importait qu'elle lui dît que l'amour est fragile, le sien était si fort ! Il jouait avec la tristesse qu'elle répandait, il la sentait passer sur lui, mais comme une caresse qui rendait plus profond et plus doux le sentiment qu'il avait de son bonheur. Il la faisait rejouer dix fois, vingt fois à Odette, exigeant qu'en même temps elle ne cessât pas de l'embrasser. Chaque baiser appelle un autre baiser. Ah ! dans ces premiers temps où l'on aime, les baisers naissent si naturellement ! Ils foisonnent si pressés les uns

contre les autres ; et l'on aurait autant de peine à compter les
baisers qu'on s'est donnés pendant une heure que les fleurs
d'un champ au mois de mai. Alors elle faisait mine de
s'arrêter, disant : « Comment veux-tu que je joue comme
cela si tu me tiens ? je ne peux tout faire à la fois, sache au
moins ce que tu veux, est-ce que je dois jouer la phrase ou
faire des petites caresses ? », lui se fâchait et elle éclatait d'un
rire qui se changeait et retombait sur lui, en une pluie de
baisers. Ou bien elle le regardait d'un air maussade, il
revoyait un visage digne de figurer dans la *Vie de Moïse* de
Botticelli, il l'y situait, il donnait au cou d'Odette l'inclinaison nécessaire ; et quand il l'avait bien peinte à la détrempe,
au xve siècle, sur la muraille de la Sixtine, l'idée qu'elle était
cependant restée là, près du piano, dans le moment actuel,
prête à être embrassée et possédée, l'idée de sa matérialité et
de sa vie venait l'enivrer avec une telle force que, l'œil égaré,
les mâchoires tendues comme pour dévorer, il se précipitait
sur cette vierge de Botticelli et se mettait à lui pincer les
joues. Puis, une fois qu'il l'avait quittée, non sans être rentré
pour l'embrasser encore parce qu'il avait oublié d'emporter
dans son souvenir quelque particularité de son odeur ou de
ses traits, tandis qu'il revenait dans sa victoria, il bénissait
Odette de lui permettre ces visites quotidiennes dont il
sentait qu'elles ne devaient pas lui causer à elle une bien
grande joie, mais qui en le préservant de devenir jaloux — en
lui ôtant l'occasion de souffrir de nouveau du mal qui s'était
déclaré en lui le soir où il ne l'avait pas trouvée chez les
Verdurin — l'aideraient à arriver, sans avoir plus d'autres de
ces crises dont la première avait été si douloureuse et
resterait la seule, au bout de ces heures singulières de sa vie,
heures presque enchantées, à la façon de celles où il
traversait Paris au clair de lune. Et, remarquant, pendant ce
retour, que l'astre était maintenant déplacé par rapport à lui
et presque au bout de l'horizon, sentant que son amour
obéissait, lui aussi, à des lois immuables et naturelles, il se
demandait si cette période où il était entré durerait encore

longtemps, si bientôt sa pensée ne verrait plus le cher visage
qu'occupant une position lointaine et diminuée, et près de
cesser de répandre du charme. Car Swann en trouvait aux
choses, depuis qu'il était amoureux, comme au temps où,
adolescent, il se croyait artiste ; mais ce n'était plus le même
charme ; celui-ci, c'est Odette seule qui le leur conférait. Il
sentait renaître en lui les inspirations de sa jeunesse qu'une
vie frivole avait dissipées, mais elles portaient toutes le reflet,
la marque d'un être particulier ; et, dans les longues heures
qu'il prenait maintenant un plaisir délicat à passer chez lui,
seul avec son âme en convalescence, il redevenait peu à peu
lui-même, mais à une autre.

   Il n'allait chez elle que le soir, et il ne savait rien de
l'emploi de son temps pendant le jour, pas plus que de son
passé, au point qu'il lui manquait même ce petit renseignement initial qui, en nous permettant de nous imaginer ce que
nous ne savons pas, nous donne envie de le connaître. Aussi
ne se demandait-il pas ce qu'elle pouvait faire, ni quelle avait
été sa vie. Il souriait seulement quelquefois en pensant qu'il y
a quelques années, quand il ne la connaissait pas, on lui avait
parlé d'une femme qui, s'il se rappelait bien, devait certainement être elle, comme d'une fille, d'une femme entretenue,
une de ces femmes auxquelles il attribuait encore, comme il
avait peu vécu dans leur société, le caractère entier, foncièrement pervers, dont les dota longtemps l'imagination de
certains romanciers. Il se disait qu'il n'y a souvent qu'à
prendre le contrepied des réputations que fait le monde pour
juger exactement une personne, quand à un tel caractère il
opposait celui d'Odette, bonne, naïve, éprise d'idéal, presque
si incapable de ne pas dire la vérité que, l'ayant un jour
priée, pour pouvoir dîner seul avec elle, d'écrire aux
Verdurin qu'elle était souffrante, le lendemain, il l'avait vue,
devant Mme Verdurin qui lui demandait si elle allait mieux,
rougir, balbutier et refléter malgré elle, sur son visage, le
chagrin, le supplice que cela lui était de mentir, et, tandis
qu'elle multipliait dans sa réponse les détails inventés sur sa

prétendue indisposition de la veille, avoir l'air de faire
demander pardon, par ses regards suppliants et sa voix
désolée, de la fausseté de ses paroles.

Certains jours pourtant, mais rares, elle venait chez lui
dans l'après-midi, interrompre sa rêverie ou cette étude sur
Ver Meer à laquelle il s'était remis dernièrement. On venait
lui dire que Mme de Crécy était dans son petit salon. Il allait
l'y retrouver, et quand il ouvrait la porte, au visage rosé
d'Odette, dès qu'elle avait aperçu Swann, venait — changeant la forme de sa bouche, le regard de ses yeux, le modelé
de ses joues — se mélanger un sourire. Une fois seul, il
revoyait ce sourire, celui qu'elle avait eu la veille, un autre
dont elle l'avait accueilli telle ou telle fois, celui qui avait été
sa réponse, en voiture, quand il lui avait demandé s'il lui
était désagréable en redressant les catleyas ; et la vie
d'Odette pendant le reste du temps, comme il n'en connaissait rien, lui apparaissait, avec son fond neutre et sans
couleur, semblable à ces feuilles d'études de Watteau où on
voit çà et là, à toutes les places, dans tous les sens, dessinés
aux trois crayons sur le papier chamois, d'innombrables
sourires. Mais, parfois, dans un coin de cette vie que Swann
voyait toute vide, si même son esprit lui disait qu'elle ne
l'était pas, parce qu'il ne pouvait pas l'imaginer, quelque
ami, qui, se doutant qu'ils s'aimaient, ne se fût pas risqué à
lui rien dire d'elle que d'insignifiant, lui décrivait la silhouette d'Odette, qu'il avait aperçue, le matin même,
montant à pied la rue Abbatucci dans une « visite » garnie
de skunks, sous un chapeau « à la Rembrandt » et un
bouquet de violettes à son corsage. Ce simple croquis
bouleversait Swann parce qu'il lui faisait tout d'un coup
apercevoir qu'Odette avait une vie qui n'était pas tout
entière à lui ; il voulait savoir à qui elle avait cherché à plaire
par cette toilette qu'il ne lui connaissait pas ; il se promettait
de lui demander où elle allait, à ce moment-là, comme si
dans toute la vie incolore — presque inexistante, parce
qu'elle lui était invisible — de sa maîtresse, il n'y avait

qu'une seule chose en dehors de tous ces sourires adressés à lui : sa démarche sous un chapeau à la Rembrandt, avec un bouquet de violettes au corsage.

Sauf en lui demandant la petite phrase de Vinteuil au lieu de la *Valse des Roses*, Swann ne cherchait pas à lui faire jouer plutôt des choses qu'il aimât et, pas plus en musique qu'en littérature, à corriger son mauvais goût. Il se rendait bien compte qu'elle n'était pas intelligente. En lui disant qu'elle aimerait tant qu'il lui parlât des grands poètes, elle s'était imaginé qu'elle allait connaître tout de suite des couplets héroïques et romanesques dans le genre de ceux du vicomte de Borelli, en plus émouvant encore. Pour Ver Meer de Delft, elle lui demanda s'il avait souffert par une femme, si c'était une femme qui l'avait inspiré, et Swann lui ayant avoué qu'on n'en savait rien, elle s'était désintéressée de ce peintre. Elle disait souvent : « Je crois bien, la poésie, naturellement, il n'y aurait rien de plus beau si c'était vrai, si les poètes pensaient tout ce qu'ils disent. Mais bien souvent, il n'y a pas plus intéressé que ces gens-là. J'en sais quelque chose, j'avais une amie qui a aimé une espèce de poète. Dans ses vers il ne parlait que de l'amour, du ciel, des étoiles. Ah ! ce qu'elle a été refaite ! Il lui a croqué plus de trois cent mille francs. » Si alors Swann cherchait à lui apprendre en quoi consistait la beauté artistique, comment il fallait admirer les vers ou les tableaux, au bout d'un instant elle cessait d'écouter, disant : « Oui... je ne me figurais pas que c'était comme cela. » Et il sentait qu'elle éprouvait une telle déception qu'il préférait mentir en lui disant que tout cela n'était rien, que ce n'était encore que des bagatelles, qu'il n'avait pas le temps d'aborder le fond, qu'il y avait autre chose. Mais elle lui disait vivement : « Autre chose ? quoi ?... Dis-le alors », mais il ne le disait pas, sachant combien cela lui paraîtrait mince et différent de ce qu'elle espérait, moins sensationnel et moins touchant, et craignant que, désillusionnée de l'art, elle ne le fût en même temps de l'amour.

Et en effet, elle trouvait Swann, intellectuellement, inférieur à ce qu'elle aurait cru. « Tu gardes toujours ton sang-froid, je ne peux te définir. » Elle s'émerveillait davantage de son indifférence à l'argent, de sa gentillesse pour chacun, de sa délicatesse. Et il arrive, en effet, souvent pour de plus grands que n'était Swann, pour un savant, pour un artiste, quand il n'est pas méconnu par ceux qui l'entourent, que celui de leurs sentiments qui prouve que la supériorité de son intelligence s'est imposée à eux, ce n'est pas leur admiration pour ses idées, car elles leur échappent, mais leur respect pour sa bonté. C'est aussi du respect qu'inspirait à Odette la situation qu'avait Swann dans le monde, mais elle ne désirait pas qu'il cherchât à l'y faire recevoir. Peut-être sentait-elle qu'il ne pourrait pas y réussir, et même craignait-elle que rien qu'en parlant d'elle il ne provoquât des révélations qu'elle redoutait. Toujours est-il qu'elle lui avait fait promettre de ne jamais prononcer son nom. La raison pour laquelle elle ne voulait pas aller dans le monde, lui avait-elle dit, était une brouille qu'elle avait eue autrefois avec une amie qui, pour se venger, avait ensuite dit du mal d'elle. Swann objectait : « Mais tout le monde n'a pas connu ton amie. — Mais si, ça fait la tache d'huile, le monde est si méchant. » D'une part Swann ne comprit pas cette histoire, mais d'autre part il savait que ces propositions : « Le monde est si méchant », « un propos calomnieux fait la tache d'huile », sont généralement tenues pour vraies ; il devait y avoir des cas auxquels elles s'appliquaient. Celui d'Odette était-il l'un de ceux-là ? Il se le demandait, mais pas longtemps, car il était sujet, lui aussi, à cette lourdeur d'esprit qui s'appesantissait sur son père, quand il se posait un problème difficile. D'ailleurs ce monde qui faisait si peur à Odette, ne lui inspirait peut-être pas de grands désirs, car pour qu'elle se le représentât bien nettement, il était trop éloigné de celui qu'elle connaissait. Pourtant, tout en étant restée à certains égards vraiment simple (elle avait par exemple gardé pour amie une petite couturière retirée dont elle grimpait presque chaque jour l'escalier raide, obscur et fétide), elle avait soif

de chic, mais ne s'en faisait pas la même idée que les gens du
monde. Pour eux, le chic est une émanation de quelques
personnes peu nombreuses qui le projettent jusqu'à un degré
assez éloigné — et plus ou moins affaibli dans la mesure où
l'on est distant du centre de leur intimité — dans le cercle de
leurs amis ou des amis de leurs amis dont les noms forment
une sorte de répertoire. Les gens du monde le possèdent dans
leur mémoire, ils ont sur ces matières une érudition d'où ils
ont extrait une sorte de goût, de tact, si bien que Swann par
exemple, sans avoir besoin de faire appel à son savoir
mondain, s'il lisait dans un journal les noms des personnes
qui se trouvaient à un dîner pouvait dire immédiatement la
nuance du chic de ce dîner, comme un lettré, à la simple
lecture d'une phrase, apprécie exactement la qualité littéraire de son auteur. Mais Odette faisait partie des personnes
(extrêmement nombreuses, quoi qu'en pensent les gens du
monde, et comme il y en a dans toutes les classes de la
société) qui ne possèdent pas ces notions, imaginent un chic
tout autre, qui revêt divers aspects selon le milieu auquel
elles appartiennent, mais a pour caractère particulier — que
ce soit celui dont rêvait Odette, ou celui devant lequel
s'inclinait Mme Cottard — d'être directement accessible à
tous. L'autre, celui des gens du monde, l'est à vrai dire aussi,
mais il y faut quelque délai. Odette disait de quelqu'un :

— Il ne va jamais que dans les endroits chics.

Et si Swann lui demandait ce qu'elle entendait par là, elle
lui répondait avec un peu de mépris :

— Mais les endroits chics, parbleu ! Si à ton âge il faut
t'apprendre ce que c'est que les endroits chics, que veux-tu
que je te dise, moi ? par exemple, le dimanche matin l'avenue
de l'Impératrice, à cinq heures le tour du Lac, le jeudi l'Eden
Théâtre, le vendredi l'Hippodrome, les bals...

— Mais quels bals ?

— Mais les bals qu'on donne à Paris, les bals chics, je
veux dire. Tiens, Herbinger, tu sais, celui qui est chez un
coulissier ? mais si, tu dois savoir, c'est un des hommes les

plus lancés de Paris, ce grand jeune homme blond qui est
tellement snob, il a toujours une fleur à la boutonnière, une
raie dans le dos, des paletots clairs ; il est avec ce vieux
tableau qu'il promène à toutes les premières. Eh bien ! il a
donné un bal, l'autre soir, il y avait tout ce qu'il y a de chic à
Paris. Ce que j'aurais aimé y aller ! mais il fallait présenter sa
carte d'invitation à la porte et je n'avais pas pu en avoir. Au
fond, j'aime autant ne pas y être allée, c'était une tuerie, je
n'aurais rien vu. C'est plutôt pour pouvoir dire qu'on était
chez Herbinger. Et tu sais, moi, la gloriole ! Du reste, tu peux
bien te dire que sur cent qui racontent qu'elles y étaient, il y
a bien la moitié dont ça n'est pas vrai... Mais ça m'étonne
que toi, un homme si « pschutt », tu n'y étais pas.

Mais Swann ne cherchait nullement à lui faire modifier
cette conception du chic ; pensant que la sienne n'était pas
plus vraie, était aussi sotte, dénuée d'importance, il ne
trouvait aucun intérêt à en instruire sa maîtresse, si bien
qu'après des mois elle ne s'intéressait aux personnes chez qui
il allait que pour les cartes de pesage, de concours hippique,
les billets de première qu'il pouvait avoir par elles. Elle
souhaitait qu'il cultivât des relations si utiles, mais elle était
par ailleurs portée à les croire peu chic, depuis qu'elle avait
vu passer dans la rue la marquise de Villeparisis en robe de
laine noire, avec un bonnet à brides.

— Mais elle a l'air d'une ouvreuse, d'une vieille
concierge, darling ! Ça, une marquise ! Je ne suis pas
marquise, mais il faudrait me payer bien cher pour me faire
sortir nippée comme ça !

Elle ne comprenait pas que Swann habitât l'hôtel du quai
d'Orléans que, sans oser le lui avouer, elle trouvait indigne
de lui.

Certes, elle avait la prétention d'aimer les « antiquités » et
prenait un air ravi et fin pour dire qu'elle adorait passer
toute une journée à « bibeloter », à chercher « du bric-à-
brac », des choses « du temps ». Bien qu'elle s'entêtât dans
une sorte de point d'honneur (et semblât pratiquer quelque

précepte familial) en ne répondant jamais aux questions et en ne « rendant pas de comptes » sur l'emploi de ses journées, elle parla une fois à Swann d'une amie qui l'avait invitée et chez qui tout était « de l'époque ». Mais Swann ne put arriver à lui faire dire quelle était cette époque. Pourtant, après avoir réfléchi, elle répondit que c'était « moyenâgeux ». Elle entendait par là qu'il y avait des boiseries. Quelque temps après, elle lui reparla de son amie et ajouta, sur le ton hésitant et de l'air entendu dont on cite quelqu'un avec qui on a dîné la veille et dont on n'avait jamais entendu le nom, mais que vos amphitryons avaient l'air de considérer comme quelqu'un de si célèbre qu'on espère que l'interlocuteur saura bien de qui vous voulez parler : « Elle a une salle à manger... du... dix-huitième ! » Elle trouvait du reste cela affreux, nu, comme si la maison n'était pas finie, les femmes y paraissaient affreuses et la mode n'en prendrait jamais. Enfin, une troisième fois, elle en reparla et montra à Swann l'adresse de l'homme qui avait fait cette salle à manger et qu'elle avait envie de faire venir, quand elle aurait de l'argent, pour voir s'il ne pourrait pas lui en faire, non pas certes une pareille, mais celle qu'elle rêvait et que malheureusement les dimensions de son petit hôtel ne comportaient pas, avec de hauts dressoirs, des meubles Renaissance et des cheminées comme au château de Blois. Ce jour-là, elle laissa échapper devant Swann ce qu'elle pensait de son habitation du quai d'Orléans ; comme il avait critiqué que l'amie d'Odette donnât, non pas dans le Louis XVI, car, disait-il, bien que cela ne se fasse pas, cela peut être charmant, mais dans le faux ancien : « Tu ne voudrais pas qu'elle vécût comme toi au milieu de meubles cassés et de tapis usés », lui dit-elle, le respect humain de la bourgeoisie l'emportant encore chez elle sur le dilettantisme de la cocotte.

De ceux qui aimaient à bibeloter, qui aimaient les vers, méprisaient les bas calculs, rêvaient d'honneur et d'amour, elle faisait une élite supérieure au reste de l'humanité. Il n'y avait pas besoin qu'on eût réellement ces goûts, pourvu

qu'on les proclamât ; d'un homme qui lui avait avoué à dîner
qu'il aimait à flâner, à se salir les doigts dans les vieilles
boutiques, qu'il ne serait jamais apprécié par ce siècle
commercial, car il ne se souciait pas de ses intérêts, et qu'il
était pour cela d'un autre temps, elle revenait en disant :
« Mais c'est une âme adorable, un sensible, je ne m'en étais
jamais doutée ! » et elle se sentait pour lui une immense et
soudaine amitié. Mais, en revanche ceux qui, comme Swann,
avaient ces goûts, mais n'en parlaient pas, la laissaient
froide. Sans doute elle était obligée d'avouer que Swann ne
tenait pas à l'argent, mais elle ajoutait d'un air boudeur :
« Mais lui, ça n'est pas la même chose » ; et en effet, ce qui
parlait à son imagination, ce n'était pas la pratique du
désintéressement, c'en était le vocabulaire.

Sentant que souvent il ne pouvait pas réaliser ce qu'elle
rêvait, il cherchait du moins à ce qu'elle se plût avec lui, à ne
pas contrecarrer ces idées vulgaires, ce mauvais goût qu'elle
avait en toutes choses, et qu'il aimait d'ailleurs comme tout
ce qui venait d'elle, qui l'enchantaient même, car c'était
autant de traits particuliers grâce auxquels l'essence de cette
femme lui apparaissait, devenait visible. Aussi, quand elle
avait l'air heureux parce qu'elle devait aller à la *Reine Topaze,*
ou que son regard devenait sérieux, inquiet et volontaire, si
elle avait peur de manquer la fête des fleurs ou simplement
l'heure du thé, avec muffins et toasts, au « Thé de la Rue
Royale » où elle croyait que l'assiduité était indispensable
pour consacrer la réputation d'élégance d'une femme,
Swann, transporté comme nous le sommes par le naturel
d'un enfant ou par la vérité d'un portrait qui semble sur le
point de parler, sentait si bien l'âme de sa maîtresse affleurer
à son visage qu'il ne pouvait résister à venir l'y toucher avec
ses lèvres. « Ah ! elle veut qu'on la mène à la fête des fleurs,
la petite Odette, elle veut se faire admirer, eh bien, on l'y
mènera, nous n'avons qu'à nous incliner. » Comme la vue de
Swann était un peu basse, il dut se résigner à se servir de
lunettes pour travailler chez lui et à adopter, pour aller dans

le monde, le monocle qui le défigurait moins. La première
fois qu'elle lui en vit un dans l'œil, elle ne put contenir sa
joie : « Je trouve que pour un homme, il n'y a pas à dire, ça a
beaucoup de chic ! Comme tu es bien ainsi ! Tu as l'air d'un
vrai gentleman. Il ne te manque qu'un titre ! » ajouta-t-elle,
avec une nuance de regret. Il aimait qu'Odette fût ainsi, de
même que, s'il avait été épris d'une Bretonne, il aurait été
heureux de la voir en coiffe et de lui entendre dire qu'elle
croyait aux revenants. Jusque-là, comme beaucoup d'hommes chez qui leur goût pour les arts se développe indépen-
damment de la sensualité, un disparate bizarre avait existé
entre les satisfactions qu'il accordait à l'un et à l'autre,
jouissant, dans la compagnie de femmes de plus en plus
grossières, des séductions d'œuvres de plus en plus raffinées,
emmenant une petite bonne dans une baignoire grillée à la
représentation d'une pièce décadente qu'il avait envie d'entendre ou à une exposition de peinture impressionniste, et
persuadé d'ailleurs qu'une femme du monde cultivée n'y eût
pas compris davantage, mais n'aurait pas su se taire aussi
gentiment. Mais, au contraire, depuis qu'il aimait Odette,
sympathiser avec elle, tâcher de n'avoir qu'une âme à eux
deux lui était si doux, qu'il cherchait à se plaire aux choses
qu'elle aimait, et il trouvait un plaisir d'autant plus profond
non seulement à imiter ses habitudes, mais à adopter ses opinions, que comme elles n'avaient aucune racine dans sa propre
intelligence, elles lui rappelaient seulement son amour, à
cause duquel il les avait préférées. S'il retournait à *Serge
Panine,* s'il recherchait les occasions d'aller voir conduire
Olivier Métra, c'était pour la douceur d'être initié dans toutes les conceptions d'Odette, de se sentir de moitié dans tous
ses goûts. Ce charme de le rapprocher d'elle, qu'avaient les
ouvrages ou les lieux qu'elle aimait, lui semblait plus
mystérieux que celui qui est intrinsèque à de plus beaux,
mais qui ne la lui rappelaient pas. D'ailleurs, ayant laissé
s'affaiblir les croyances intellectuelles de sa jeunesse, et son
scepticisme d'homme du monde ayant à son insu pénétré jus-

qu'à elles, il pensait (ou du moins il avait si longtemps pensé cela qu'il le disait encore) que les objets de nos goûts n'ont pas en eux une valeur absolue, mais que tout est affaire d'époque, de classe, consiste en modes, dont les plus vulgaires valent celles qui passent pour les plus distinguées. Et comme il jugeait que l'importance attachée par Odette à avoir des cartes pour le vernissage n'était pas en soi quelque chose de plus ridicule que le plaisir qu'il avait autrefois à déjeuner chez le prince de Galles, de même, il ne pensait pas que l'admiration qu'elle professait pour Monte-Carlo ou pour le Righi fût plus déraisonnable que le goût qu'il avait, lui, pour la Hollande qu'elle se figurait laide et pour Versailles qu'elle trouvait triste. Aussi, se privait-il d'y aller, ayant plaisir à se dire que c'était pour elle, qu'il voulait ne sentir, n'aimer qu'avec elle.

Comme tout ce qui environnait Odette et n'était en quelque sorte que le mode selon lequel il pouvait la voir, causer avec elle, il aimait la société des Verdurin. Là, comme au fond de tous les divertissements, repas, musique, jeux, soupers costumés, parties de campagne, parties de théâtre, même les rares « grandes soirées » données pour les « ennuyeux », il y avait la présence d'Odette, la vue d'Odette, la conversation avec Odette, dont les Verdurin faisaient à Swann, en l'invitant, le don inestimable, il se plaisait mieux que partout ailleurs dans le « petit noyau » et cherchait à lui attribuer des mérites réels, car il s'imaginait ainsi que, par goût, il le fréquenterait toute sa vie. Or, n'osant pas se dire, par peur de ne pas le croire, qu'il aimerait toujours Odette, du moins en supposant qu'il fréquenterait toujours les Verdurin (proposition qui, *a priori*, soulevait moins d'objections de principe de la part de son intelligence), il se voyait dans l'avenir continuant à rencontrer chaque soir Odette ; cela ne revenait peut-être pas tout à fait au même que l'aimer toujours, mais pour le moment, pendant qu'il aimait, croire qu'il ne cesserait pas un jour de la voir, c'est tout ce qu'il demandait. « Quel charmant milieu, se disait-il. Comme c'est au fond la vraie vie qu'on

mène là ! Comme on y est plus intelligent, plus artiste que
dans le monde ! Comme Mme Verdurin, malgré de petites
exagérations un peu risibles, a un amour sincère de la
peinture, de la musique, quelle passion pour les œuvres, quel
désir de faire plaisir aux artistes ! Elle se fait une idée
inexacte des gens du monde ; mais avec cela que le monde
n'en a pas une plus fausse encore, des milieux artistes ! Peut-
être n'ai-je pas de grands besoins intellectuels à assouvir
dans la conversation, mais je me plais parfaitement bien avec
Cottard, quoiqu'il fasse des calembours ineptes. Et quant au
peintre, si sa prétention est déplaisante quand il cherche à
étonner, en revanche c'est une des plus belles intelligences
que j'ai connues. Et puis surtout, là, on se sent libre, on fait
ce qu'on veut sans contrainte, sans cérémonie. Quelle
dépense de bonne humeur il se fait par jour dans ce salon-là !
Décidément, sauf quelques rares exceptions, je n'irai plus
jamais que dans ce milieu. C'est là que j'aurai de plus en plus
mes habitudes et ma vie. »

Et comme les qualités qu'il croyait intrinsèques aux
Verdurin n'étaient que le reflet sur eux de plaisirs qu'avait
goûtés chez eux son amour pour Odette, ces qualités
devenaient plus sérieuses, plus profondes, plus vitales, quand
ces plaisirs l'étaient aussi. Comme Mme Verdurin donnait
parfois à Swann ce qui seul pouvait constituer pour lui le
bonheur ; comme, tel soir où il se sentait anxieux parce
qu'Odette avait causé avec un invité plus qu'avec un autre,
et où, irrité contre elle, il ne voulait pas prendre l'initiative de
lui demander si elle reviendrait avec lui, Mme Verdurin lui
apportait la paix et la joie en disant spontanément :
« Odette, vous allez ramener M. Swann, n'est-ce pas ? » ;
comme, cet été qui venait et où il s'était d'abord demandé
avec inquiétude si Odette ne s'absenterait pas sans lui, s'il
pourrait continuer à la voir tous les jours, Mme Verdurin
allait les inviter à le passer tous deux chez elle à la campagne,
— Swann, laissant à son insu la reconnaissance et l'intérêt
s'infiltrer dans son intelligence et influer sur ses idées, allait

jusqu'à proclamer que Mme Verdurin était une grande âme.
De quelques gens exquis ou éminents que tel de ses anciens
camarades de l'école du Louvre lui parlât : « Je préfère cent
fois les Verdurin », lui répondait-il. Et, avec une solennité
qui était nouvelle chez lui : « Ce sont des êtres magnanimes,
et la magnanimité est, au fond, la seule chose qui importe et
qui distingue ici-bas. Vois-tu, il n'y a que deux classes
d'êtres : les magnanimes et les autres ; et je suis arrivé à un
âge où il faut prendre parti, décider une fois pour toutes qui
on veut aimer et qui on veut dédaigner, se tenir à ceux qu'on
aime et, pour réparer le temps qu'on a gâché avec les autres,
ne plus les quitter jusqu'à sa mort. Eh bien ! ajouta-t-il avec
cette légère émotion qu'on éprouve quand, même sans bien
s'en rendre compte, on dit une chose non parce qu'elle est
vraie, mais parce qu'on a plaisir à la dire et qu'on l'écoute
dans sa propre voix comme si elle venait d'ailleurs que de
nous-mêmes, le sort en est jeté, j'ai choisi d'aimer les seuls
cœurs magnanimes et de ne plus vivre que dans la magnanimité. Tu me demandes si Mme Verdurin est véritablement
intelligente. Je t'assure qu'elle m'a donné les preuves d'une
noblesse de cœur, d'une hauteur d'âme où, que veux-tu, on
n'atteint pas sans une hauteur égale de pensée. Certes elle a
la profonde intelligence des arts. Mais ce n'est peut-être pas
là qu'elle est le plus admirable ; et telle petite action
ingénieusement, exquisement bonne, qu'elle a accomplie
pour moi, telle géniale attention, tel geste familièrement
sublime, révèlent une compréhension plus profonde de
l'existence que tous les traités de philosophie. »

Il aurait pourtant pu se dire qu'il y avait des anciens amis
de ses parents aussi simples que les Verdurin, des camarades
de sa jeunesse aussi épris d'art, qu'il connaissait d'autres
êtres d'un grand cœur, et que, pourtant, depuis qu'il avait
opté pour la simplicité, les arts et la magnanimité, il ne les
voyait plus jamais. Mais ceux-là ne connaissaient pas
Odette, et, s'ils l'avaient connue, ne se seraient pas souciés
de la rapprocher de lui.

Ainsi il n'y avait sans doute pas, dans tout le milieu Verdurin, un seul fidèle qui les aimât ou crût les aimer autant que Swann. Et pourtant, quand M. Verdurin avait dit que Swann ne lui revenait pas, non seulement il avait exprimé sa propre pensée, mais il avait deviné celle de sa femme. Sans doute Swann avait pour Odette une affection trop particulière et dont il avait négligé de faire de Mme Verdurin la confidente quotidienne ; sans doute la discrétion même avec laquelle il usait de l'hospitalité des Verdurin, s'abstenant souvent de venir dîner pour une raison qu'ils ne soupçonnaient pas et à la place de laquelle ils voyaient le désir de ne pas manquer une invitation chez des « ennuyeux », sans doute aussi, et malgré toutes les précautions qu'il avait prises pour la leur cacher, la découverte progressive qu'ils faisaient de sa brillante situation mondaine, tout cela contribuait à leur irritation contre lui. Mais la raison profonde en était autre. C'est qu'ils avaient très vite senti en lui un espace réservé, impénétrable, où il continuait à professer silencieusement pour lui-même que la princesse de Sagan n'était pas grotesque et que les plaisanteries de Cottard n'étaient pas drôles, enfin, et bien que jamais il ne se départît de son amabilité et ne se révoltât contre leurs dogmes, une impossibilité de les lui imposer, de l'y convertir entièrement, comme ils n'en avaient jamais rencontré une pareille chez personne. Ils lui auraient pardonné de fréquenter des ennuyeux (auxquels d'ailleurs, dans le fond de son cœur, il préférait mille fois les Verdurin et tout le petit noyau), s'il avait consenti, pour le bon exemple, à les renier en présence des fidèles. Mais c'est une abjuration qu'ils comprirent qu'on ne pourrait pas lui arracher.

Quelle différence avec un « nouveau » qu'Odette leur avait demandé d'inviter, quoiqu'elle ne l'eût rencontré que peu de fois, et sur lequel ils fondaient beaucoup d'espoirs, le comte de Forcheville ! (Il se trouva qu'il était justement le beau-frère de Saniette, ce qui remplit d'étonnement les fidèles : le vieil archiviste avait des manières si humbles

294 A la recherche du temps perdu

qu'ils l'avaient toujours cru d'un rang social inférieur au leur et ne s'attendaient pas à apprendre qu'il appartenait à un monde riche et relativement aristocratique.) Sans doute Forcheville était grossièrement snob, alors que Swann ne l'était pas ; sans doute il était bien loin de placer, comme lui, le milieu des Verdurin au-dessus de tous les autres. Mais il n'avait pas cette délicatesse de nature qui empêchait Swann de s'associer aux critiques trop manifestement fausses que dirigeait Mme Verdurin contre des gens qu'il connaissait. Quant aux tirades prétentieuses et vulgaires que le peintre lançait à certains jours, aux plaisanteries de commis voyageur que risquait Cottard et auxquelles Swann, qui les aimait l'un et l'autre, trouvait facilement des excuses mais n'avait pas le courage et l'hypocrisie d'applaudir, Forcheville était au contraire d'un niveau intellectuel qui lui permettait d'être abasourdi, émerveillé par les unes, sans d'ailleurs les comprendre, et de se délecter aux autres. Et justement le premier dîner chez les Verdurin auquel assista Forcheville mit en lumière toutes ces différences, fit ressortir ses qualités et précipita la disgrâce de Swann.

Il y avait à ce dîner, en dehors des habitués, un professeur de la Sorbonne, Brichot, qui avait rencontré M. et Mme Verdurin aux eaux et, si ses fonctions universitaires et ses travaux d'érudition n'avaient pas rendu très rares ses moments de liberté, serait volontiers venu souvent chez eux. Car il avait cette curiosité, cette superstition de la vie qui, unie à un certain scepticisme relatif à l'objet de leurs études, donne dans n'importe quelle profession, à certains hommes intelligents, médecins qui ne croient pas à la médecine, professeurs de lycée qui ne croient pas au thème latin, la réputation d'esprits larges, brillants, et même supérieurs. Il affectait chez Mme Verdurin de chercher ses comparaisons dans ce qu'il y avait de plus actuel quand il parlait de philosophie et d'histoire, d'abord parce qu'il croyait qu'elles ne sont qu'une préparation à la vie et qu'il s'imaginait trouver en action dans le petit clan ce qu'il n'avait connu jusqu'ici que dans les livres, puis peut-être aussi parce que, s'étant vu inculquer autrefois, et ayant gardé à son insu, le respect de certains sujets, il croyait dépouiller l'universitaire en prenant avec eux des hardiesses qui, au contraire, ne lui paraissaient telles, que parce qu'il l'était resté.

Dès le commencement du repas, comme M. de Forcheville, placé à la droite de Mme Verdurin qui avait fait pour le « nouveau » de grands frais de toilette, lui disait : « C'est original, cette robe blanche », le docteur qui n'avait cessé de l'observer, tant il était curieux de savoir comment était fait ce qu'il appelait un « de », et qui cherchait une occasion d'attirer son attention et d'entrer plus en contact avec lui, saisit au vol le mot « blanche », et sans lever le nez de son assiette, dit : « Blanche ? Blanche de Castille ? », puis sans bouger la tête lança furtivement de droite et de gauche des regards incertains et souriants. Tandis que Swann, par l'effort douloureux et vain qu'il fit pour sourire, témoigna qu'il jugeait ce calembour stupide, Forcheville avait montré à la fois qu'il en goûtait la finesse et qu'il savait vivre, en contenant dans de justes limites une gaîté dont la franchise avait charmé Mme Verdurin.

— Qu'est-ce que vous dites d'un savant comme cela ? avait-elle demandé à Forcheville. Il n'y a pas moyen de causer sérieusement deux minutes avec lui. Est-ce que vous leur en dites comme cela, à votre hôpital ? avait-elle ajouté en se tournant vers le docteur, ça ne doit pas être ennuyeux tous les jours, alors. Je vois qu'il va falloir que je demande à m'y faire admettre.

— Je crois avoir entendu que le docteur parlait de cette vieille chipie de Blanche de Castille, si j'ose m'exprimer ainsi. N'est-il pas vrai, Madame ? demanda Brichot à Mme Verdurin qui, pâmant, les yeux fermés, précipita sa figure dans ses mains d'où s'échappèrent des cris étouffés. Mon Dieu, Madame, je ne voudrais pas alarmer les âmes respectueuses s'il y en a autour de cette table, *sub rosa...* Je reconnais d'ailleurs que notre ineffable république athénienne — ô combien ! — pourrait honorer en cette capétienne obscurantiste le premier des préfets de police à poigne. Si fait, mon cher hôte, si fait, si fait, reprit-il de sa voix bien timbrée qui détachait chaque syllabe, en réponse à une objection de M. Verdurin. *La Chronique de Saint-Denis* dont nous ne pouvons contester la sûreté d'information ne laisse aucun doute à cet égard. Nulle ne pourrait être mieux choisie comme patronne par un prolétariat laïcisateur que cette mère d'un saint à qui elle en fit d'ailleurs voir de saumâtres, comme dit Suger et autres saint Bernard ; car avec elle chacun en prenait pour son grade.

— Quel est ce monsieur ? demanda Forcheville à Mme Verdurin, il a l'air d'être de première force.

— Comment, vous ne connaissez pas le fameux Brichot ? il est célèbre dans toute l'Europe.

— Ah ! c'est Bréchot, s'écria Forcheville qui n'avait pas bien entendu, vous m'en direz tant, ajouta-t-il tout en attachant sur l'homme célèbre des yeux écarquillés. C'est toujours intéressant de dîner avec un homme en vue. Mais, dites-moi, vous nous invitez là avec des convives de choix. On ne s'ennuie pas chez vous.

— Oh ! vous savez, ce qu'il y a surtout, dit modestement Mme Verdurin, c'est qu'ils se sentent en confiance. Ils parlent de ce qu'ils veulent, et la conversation rejaillit en fusées. Ainsi Brichot, ce soir, ce n'est rien : je l'ai vu, vous savez, chez moi, éblouissant, à se mettre à genoux devant ; eh bien ! chez les autres, ce n'est plus le même homme, il n'a plus d'esprit, il faut lui arracher les mots, il est même ennuyeux.

— C'est curieux ! dit Forcheville étonné.

Un genre d'esprit comme celui de Brichot aurait été tenu pour stupidité pure dans la coterie où Swann avait passé sa jeunesse, bien qu'il soit compatible avec une intelligence réelle. Et celle du professeur, vigoureuse et bien nourrie, aurait probablement pu être enviée par bien des gens du monde que Swann trouvait spirituels. Mais ceux-ci avaient fini par lui inculquer si bien leurs goûts et leurs répugnances, au moins en tout ce qui touche à la vie mondaine et même en celle de ses parties annexes qui devrait plutôt relever du domaine de l'intelligence : la conversation, que Swann ne put trouver les plaisanteries de Brichot que pédantesques, vulgaires et grasses à écœurer. Puis il était choqué dans l'habitude qu'il avait des bonnes manières, par le ton rude et militaire qu'affectait, en s'adressant à chacun, l'universitaire cocardier. Enfin peut-être avait-il surtout perdu, ce soir-là, de son indulgence, en voyant l'amabilité que Mme Verdurin déployait pour ce Forcheville qu'Odette avait eu la singulière idée d'amener. Un peu gênée vis-à-vis de Swann, elle lui avait demandé en arrivant :

— Comment trouvez-vous mon invité ?

Et lui, s'apercevant pour la première fois que Forcheville qu'il connaissait depuis longtemps pouvait plaire à une femme et était assez bel homme, avait répondu : « Immonde ! » Certes, il n'avait pas l'idée d'être jaloux d'Odette, mais il ne se sentait pas aussi heureux que d'habitude et quand Brichot, ayant commencé à raconter l'histoire de la mère de Blanche de Castille qui « avait été avec Henri Plantagenet des années avant de l'épouser », voulut s'en faire demander la suite par Swann en lui disant : « n'est-ce pas, monsieur Swann ? » sur le ton martial qu'on prend pour se mettre à la portée d'un paysan ou pour donner du cœur à un troupier, Swann coupa l'effet de Brichot, à la grande fureur de la maîtresse de la maison, en répondant qu'on voulût bien l'excuser de s'intéresser si peu à Blanche de Castille, mais qu'il avait quelque chose à demander au peintre. Celui-ci en effet, était allé dans l'après-midi visiter l'exposition d'un artiste, ami de Mme Verdurin, qui était mort récemment, et Swann aurait voulu savoir par lui (car il appréciait son goût) si vraiment il y avait dans ces dernières œuvres plus que la virtuosité qui stupéfiait déjà dans les précédentes.

— A ce point de vue-là, c'était extraordinaire, mais cela

ne me semblait pas d'un art, comme on dit, très « élevé », dit
Swann en souriant.

— Élevé... à la hauteur d'une institution, interrompit
Cottard en levant les bras avec une gravité simulée.

Toute la table éclata de rire.

— Quand je vous disais qu'on ne peut pas garder son
sérieux avec lui, dit Mme Verdurin à Forcheville. Au moment
où on s'y attend le moins, il vous sort une calembredaine.

Mais elle remarqua que seul Swann ne s'était pas déridé.
Du reste il n'était pas très content que Cottard fît rire de lui
devant Forcheville. Mais le peintre, au lieu de répondre
d'une façon intéressante à Swann, ce qu'il eût probablement
fait s'il eût été seul avec lui, préféra se faire admirer des
convives en plaçant un morceau sur l'habileté du maître
disparu.

— Je me suis approché, dit-il, pour voir comme c'était
fait, j'ai mis le nez dessus. Ah! bien ouiche! on ne pourrait
pas dire si c'est fait avec de la colle, avec du rubis, avec du
savon, avec du bronze, avec du soleil, avec du caca!

— Et un font douze, s'écria trop tard le docteur dont
personne ne comprit l'interruption.

— Ça a l'air fait avec rien, reprit le peintre, pas plus
moyen de découvrir le truc que dans *la Ronde* ou *les Régentes* et
c'est encore plus fort comme patte que Rembrandt et que
Hals. Tout y est, mais non, je vous jure.

Et comme les chanteurs parvenus à la note la plus haute
qu'ils puissent donner continuent en voix de tête, piano, il se
contenta de murmurer, et en riant, comme si en effet cette
peinture eût été dérisoire à force de beauté :

— Ça sent bon, ça vous prend à la tête, ça vous coupe la
respiration, ça vous fait des chatouilles, et pas mèche de
savoir avec quoi c'est fait, c'en est sorcier, c'est de la rouerie,
c'est du miracle (éclatant tout à fait de rire) : c'en est
malhonnête ! » Et s'arrêtant, redressant gravement la tête,
prenant une note de basse profonde qu'il tâcha de rendre
harmonieuse, il ajouta : « et c'est si loyal ! »

Sauf au moment où il avait dit : « plus fort que *la Ronde* », blasphème qui avait provoqué une protestation de Mme Verdurin qui tenait *la Ronde* pour le plus grand chef-d'œuvre de l'univers avec *la Neuvième* et *la Samothrace*, et à : « fait avec du caca », qui avait fait jeter à Forcheville un coup d'œil circulaire sur la table pour voir si le mot passait et avait ensuite amené sur sa bouche un sourire prude et conciliant, tous les convives, excepté Swann, avaient attaché sur le peintre des regards fascinés par l'admiration.

— Ce qu'il m'amuse quand il s'emballe comme ça, s'écria, quand il eut terminé, Mme Verdurin, ravie que la table fût justement si intéressante le jour où M. de Forcheville venait pour la première fois. Et toi, qu'est-ce que tu as à rester comme cela, bouche bée comme une grande bête ? dit-elle à son mari. Tu sais pourtant qu'il parle bien ; on dirait que c'est la première fois qu'il vous entend. Si vous l'aviez vu pendant que vous parliez, il vous buvait. Et demain il nous récitera tout ce que vous avez dit sans manger un mot.

— Mais non, c'est pas de la blague, dit le peintre, enchanté de son succès, vous avez l'air de croire que je fais le boniment, que c'est du chiqué ; je vous y mènerai voir, vous direz si j'ai exagéré, je vous fiche mon billet que vous revenez plus emballée que moi !

— Mais nous ne croyons pas que vous exagérez, nous voulons seulement que vous mangiez, et que mon mari mange aussi ; redonnez de la sole normande à Monsieur, vous voyez bien que la sienne est froide. Nous ne sommes pas si pressés, vous servez comme s'il y avait le feu, attendez donc un peu pour donner la salade.

Mme Cottard, qui était modeste et parlait peu, savait pourtant ne pas manquer d'assurance quand une heureuse inspiration lui avait fait trouver un mot juste. Elle sentait qu'il aurait du succès, cela la mettait en confiance, et ce qu'elle en faisait était moins pour briller que pour être utile à la carrière de son mari. Aussi ne laissa-t-elle pas échapper le mot de salade que venait de prononcer Mme Verdurin.

— Ce n'est pas de la salade japonaise ? dit-elle à mi-voix
en se tournant vers Odette.

Et ravie et confuse de l'à-propos et de la hardiesse qu'il y
avait à faire ainsi une allusion discrète, mais claire, à la
nouvelle et retentissante pièce de Dumas, elle éclata d'un rire
charmant d'ingénue, peu bruyant, mais si irrésistible qu'elle
resta quelques instants sans pouvoir le maîtriser. « Qui est
cette dame ? elle a de l'esprit », dit Forcheville.

— Non, mais nous vous en ferons si vous venez tous dîner
vendredi.

— Je vais vous paraître bien provinciale, Monsieur, dit
Mme Cottard à Swann, mais je n'ai pas encore vu cette
fameuse *Francillon* dont tout le monde parle. Le docteur y est
déjà allé (je me rappelle même qu'il m'a dit avoir eu le très
grand plaisir de passer la soirée avec vous) et j'avoue que je
n'ai pas trouvé raisonnable qu'il louât des places pour y
retourner avec moi. Évidemment, au Théâtre-Français, on
ne regrette jamais sa soirée, c'est toujours si bien joué, mais
comme nous avons des amis très aimables (Mme Cottard
prononçait rarement un nom propre et se contentait de dire
« des amis à nous », « une de mes amies », par « distinction », sur un ton factice, et avec l'air d'importance d'une
personne qui ne nomme que qui elle veut) qui ont souvent
des loges et ont la bonne idée de nous emmener à toutes les
nouveautés qui en valent la peine, je suis toujours sûre de
voir *Francillon* un peu plus tôt ou un peu plus tard, et de
pouvoir me former une opinion. Je dois pourtant confesser
que je me trouve assez sotte, car, dans tous les salons où je
vais en visite, on ne parle naturellement que de cette
malheureuse salade japonaise. On commence même à en être
un peu fatigué, ajouta-t-elle en voyant que Swann n'avait pas
l'air aussi intéressé qu'elle aurait cru par une si brûlante
actualité. Il faut avouer pourtant que cela donne quelquefois
prétexte à des idées assez amusantes. Ainsi j'ai une de mes
amies qui est très originale, quoique très jolie femme, très
entourée, très lancée, et qui prétend qu'elle a fait faire chez

elle cette salade japonaise, mais en faisant mettre tout ce qu'Alexandre Dumas fils dit dans la pièce. Elle avait invité quelques amies à venir en manger. Malheureusement je n'étais pas des élues. Mais elle nous l'a raconté tantôt, à son jour ; il paraît que c'était détestable, elle nous a fait rire aux larmes. Mais vous savez, tout est dans la manière de racontèr, dit-elle en voyant que Swann gardait un air grave.

Et supposant que c'était peut-être parce qu'il n'aimait pas *Francillon* :

— Du reste je crois que j'aurai une déception. Je ne crois pas que cela vaille *Serge Panine*, l'idole de Mme de Crécy. Voilà au moins des sujets qui ont du fond, qui font réfléchir ; mais donner une recette de salade sur la scène du Théâtre-Français ! Tandis que *Serge Panine* ! Du reste, c'est comme tout ce qui vient de la plume de Georges Ohnet, c'est toujours si bien écrit. Je ne sais pas si vous connaissez *le Maître de Forges* que je préférerais encore à *Serge Panine*.

— Pardonnez-moi, lui dit Swann d'un air ironique, mais j'avoue que mon manque d'admiration est à peu près égal pour ces deux chefs-d'œuvre.

— Vraiment, qu'est-ce que vous leur reprochez ? Est-ce un parti pris ? Trouvez-vous peut-être que c'est un peu triste ? D'ailleurs, comme je dis toujours, il ne faut jamais discuter sur les romans ni sur les pièces de théâtre. Chacun a sa manière de voir et vous pouvez trouver détestable ce que j'aime le mieux.

Elle fut interrompue par Forcheville qui interpellait Swann. En effet, tandis que Mme Cottard parlait de *Francillon*, Forcheville avait exprimé à Mme Verdurin son admiration pour ce qu'il avait appelé le petit « speech » du peintre.

— Monsieur a une facilité de parole, une mémoire ! avait-il dit à Mme Verdurin quand le peintre eut terminé, comme j'en ai rarement rencontré. Bigre ! je voudrais bien en avoir autant. Il ferait un excellent prédicateur. On peut dire qu'avec M. Bréchot, vous avez là deux numéros qui se valent, je ne sais même pas si comme platine, celui-ci ne

damerait pas encore le pion au professeur. Ça vient plus
naturellement, c'est moins recherché. Quoiqu'il ait, chemin
faisant, quelques mots un peu réalistes, mais c'est le goût du
jour, je n'ai pas souvent vu tenir le crachoir avec une pareille
dextérité, comme nous disions au régiment, où pourtant
j'avais un camarade que justement Monsieur me rappelait
un peu. A propos de n'importe quoi, je ne sais que vous dire,
sur ce verre, par exemple, il pouvait dégoiser pendant des
heures ; non, pas à propos de ce verre, ce que je dis est
stupide ; mais à propos de la bataille de Waterloo, de tout ce
que vous voudrez, et il nous envoyait chemin faisant des
choses auxquelles vous n'auriez jamais pensé. Du reste
Swann était dans le même régiment ; il a dû le connaître.

— Vous voyez souvent M. Swann ? demanda Mme Verdurin.

— Mais non, répondit M. de Forcheville, et comme, pour
se rapprocher plus aisément d'Odette, il désirait être agréable à Swann, voulant saisir cette occasion, pour le flatter, de
parler de ses belles relations, mais d'en parler en homme du
monde, sur un ton de critique cordiale et n'avoir pas l'air de
l'en féliciter comme d'un succès inespéré : « N'est-ce pas,
Swann ? je ne vous vois jamais. D'ailleurs, comment faire
pour le voir ? Cet animal-là est tout le temps fourré chez les
La Trémoïlle, chez les Laumes, chez tout ça !... » Imputation
d'autant plus fausse d'ailleurs que depuis un an Swann
n'allait plus guère que chez les Verdurin. Mais le seul nom
de personnes qu'ils ne connaissaient pas était accueilli chez
eux par un silence réprobateur. M. Verdurin, craignant la
pénible impression que ces noms d' « ennuyeux », surtout
lancés ainsi sans tact à la face de tous les fidèles, avaient dû
produire sur sa femme, jeta sur elle à la dérobée un regard
plein d'inquiète sollicitude. Il vit alors que dans sa résolution
de ne pas prendre acte, de ne pas avoir été touchée par la
nouvelle qui venait de lui être notifiée, de ne pas seulement
rester muette, mais d'avoir été sourde, comme nous l'affec-
tons quand un ami fautif essaye de glisser dans la conversa-

tion une excuse que ce serait avoir l'air d'admettre que de
l'avoir écoutée sans protester, ou quand on prononce devant
nous le nom défendu d'un ingrat ; Mme Verdurin, pour que
son silence n'eût pas l'air d'un consentement, mais du silence
ignorant des choses inanimées, avait soudain dépouillé son
visage de toute vie, de toute motilité ; son front bombé n'était
plus qu'une belle étude de ronde bosse où le nom de ces La
Trémoïlle chez qui était toujours fourré Swann, n'avait pu
pénétrer ; son nez légèrement froncé laissait voir une échancrure qui semblait calquée sur la vie. On eût dit que sa
bouche entr'ouverte allait parler. Ce n'était plus qu'une cire
perdue, qu'un masque de plâtre, qu'une maquette pour un
monument, qu'un buste pour le Palais de l'Industrie, devant
lequel le public s'arrêterait certainement pour admirer
comment le sculpteur, en exprimant l'imprescriptible dignité
des Verdurin opposée à celle des La Trémoïlle et des Laumes
qu'ils valent certes ainsi que tous les ennuyeux de la terre,
était arrivé à donner une majesté presque papale à la
blancheur et à la rigidité de la pierre. Mais le marbre finit
par s'animer et fit entendre qu'il fallait ne pas être dégoûté
pour aller chez ces gens-là, car la femme était toujours ivre et
le mari si ignorant qu'il disait collidor pour corridor.

— On me paierait bien cher que je ne laisserais pas entrer
ça chez moi, conclut Mme Verdurin, en regardant Swann
d'un air impérieux.

Sans doute elle n'espérait pas qu'il se soumettrait jusqu'à
imiter la sainte simplicité de la tante du pianiste qui venait
de s'écrier : « Voyez-vous ça ? Ce qui m'étonne, c'est qu'ils
trouvent encore des personnes qui consentent à leur causer !
il me semble que j'aurais peur : un mauvais coup est si vite
reçu ! Comment y a-t-il encore du peuple assez brute pour
leur courir après ? » Mais que ne répondait-il du moins
comme Forcheville : « Dame, c'est une duchesse ; il y a des
gens que ça impressionne encore », ce qui avait permis au
moins à Mme Verdurin de répliquer : « Grand bien leur
fasse ! » Au lieu de cela, Swann se contenta de rire d'un air

qui signifiait qu'il ne pouvait même pas prendre au sérieux une pareille extravagance. M. Verdurin, continuant à jeter sur sa femme des regards furtifs, voyait avec tristesse et comprenait trop bien qu'elle éprouvait la colère d'un grand inquisiteur qui ne parvient pas à extirper l'hérésie, et pour tâcher d'amener Swann à une rétractation, comme le courage de ses opinions paraît toujours un calcul et une lâcheté aux yeux de ceux à l'encontre de qui il s'exerce, M. Verdurin l'interpella :

— Dites donc franchement votre pensée, nous n'irons pas le leur répéter.

A quoi Swann répondit :

— Mais ce n'est pas du tout par peur de la duchesse (si c'est des La Trémoïlle que vous parlez). Je vous assure que tout le monde aime aller chez elle. Je ne vous dis pas qu'elle soit « profonde » (il prononça profonde, comme si ç'avait été un mot ridicule, car son langage gardait la trace d'habitudes d'esprit qu'une certaine rénovation, marquée par l'amour de la musique, lui avait momentanément fait perdre — il exprimait parfois ses opinions avec chaleur —) mais, très sincèrement, elle est intelligente et son mari est un véritable lettré. Ce sont des gens charmants.

Si bien que Mme Verdurin, sentant que par ce seul infidèle elle serait empêchée de réaliser l'unité morale du petit noyau, ne put pas s'empêcher dans sa rage contre cet obstiné qui ne voyait pas combien ses paroles la faisaient souffrir, de lui crier du fond du cœur :

— Trouvez-le si vous voulez, mais du moins ne nous le dites pas.

— Tout dépend de ce que vous appelez intelligence, dit Forcheville qui voulait briller à son tour. Voyons, Swann, qu'entendez-vous par intelligence ?

— Voilà ! s'écria Odette, voilà les grandes choses dont je lui demande de me parler, mais il ne veut jamais.

— Mais si... protesta Swann.

— Cette blague ! dit Odette.

— Blague à tabac ? demanda le docteur.

— Pour vous, reprit Forcheville, l'intelligence, est-ce le bagout du monde, les personnes qui savent s'insinuer ?

— Finissez votre entremets qu'on puisse enlever votre assiette, dit Mme Verdurin d'un ton aigre en s'adressant à Saniette, lequel absorbé dans des réflexions, avait cessé de manger. Et peut-être un peu honteuse du ton qu'elle avait pris : « Cela ne fait rien, vous avez votre temps, mais si je vous le dis, c'est pour les autres, parce que cela empêche de servir.

— Il y a, dit Brichot en martelant les syllabes, une définition bien curieuse de l'intelligence dans ce doux anarchiste de Fénelon...

— Écoutez ! dit à Forcheville et au docteur Mme Verdurin, il va nous dire la définition de l'intelligence par Fénelon, c'est intéressant, on n'a pas toujours l'occasion d'apprendre cela. »

Mais Brichot attendait que Swann eût donné la sienne. Celui-ci ne répondit pas et en se dérobant fit manquer la brillante joute que Mme Verdurin se réjouissait d'offrir à Forcheville.

— Naturellement, c'est comme avec moi, dit Odette d'un ton boudeur, je ne suis pas fâchée de voir que je ne suis pas la seule qu'il ne trouve pas à la hauteur.

— Ces de La Trémouaille que Mme Verdurin nous a montrés comme si peu recommandables, demanda Brichot, en articulant avec force, descendent-ils de ceux que cette bonne snob de Mme de Sévigné avouait être heureuse de connaître parce que cela faisait bien pour ses paysans ? Il est vrai que la marquise avait une autre raison, et qui pour elle devait primer celle-là, car gendelettre dans l'âme, elle faisait passer la copie avant tout. Or dans le journal qu'elle envoyait régulièrement à sa fille, c'est Mme de la Trémouaille, bien documentée par ses grandes alliances, qui faisait la politique étrangère.

— Mais non, je ne crois pas que ce soit la même famille, dit à tout hasard Mme Verdurin.

Saniette qui, depuis qu'il avait rendu précipitamment au maître d'hôtel son assiette encore pleine, s'était replongé dans un silence méditatif, en sortit enfin pour raconter en riant l'histoire d'un dîner qu'il avait fait avec le duc de La Trémoïlle et d'où il résultait que celui-ci ne savait pas que George Sand était le pseudonyme d'une femme. Swann, qui avait de la sympathie pour Saniette, crut devoir lui donner sur la culture du duc des détails montrant qu'une telle ignorance de la part de celui-ci était matériellement impossible ; mais tout d'un coup il s'arrêta, il venait de comprendre que Saniette n'avait pas besoin de ces preuves et savait que l'histoire était fausse, pour la raison qu'il venait de l'inventer il y avait un moment. Cet excellent homme souffrait d'être trouvé si ennuyeux par les Verdurin ; et ayant conscience d'avoir été plus terne encore à ce dîner que d'habitude, il n'avait voulu le laisser finir sans avoir réussi à amuser. Il capitula si vite, eut l'air si malheureux de voir manqué l'effet sur lequel il avait compté, et répondit d'un ton si lâche à Swann pour que celui-ci ne s'acharnât pas à une réfutation désormais inutile : « C'est bon, c'est bon ; en tous cas, même si je me trompe, ce n'est pas un crime, je pense », que Swann aurait voulu pouvoir dire que l'histoire était vraie et délicieuse. Le docteur qui les avait écoutés eut l'idée que c'était le cas de dire : *Se non è vero,* mais il n'était pas assez sûr des mots et craignit de s'embrouiller.

Après le dîner, Forcheville alla de lui-même vers le docteur.

— Elle n'a pas dû être mal, Mme Verdurin, et puis c'est une femme avec qui on peut causer, pour moi tout est là. Évidemment elle commence à avoir un peu de bouteille. Mais Mme de Crécy, voilà une petite femme qui a l'air intelligente, ah ! saperlipopette, on voit tout de suite qu'elle a l'œil américain, celle-là ! Nous parlons de Mme de Crécy, dit-il à M. Verdurin qui s'approchait, la pipe à la bouche. Je me figure que comme corps de femme...

— J'aimerais mieux l'avoir dans mon lit que le tonnerre, dit précipitamment Cottard qui depuis quelques instants attendait en vain que Forcheville reprît haleine pour placer cette vieille plaisanterie dont il craignait que ne revînt pas l'à-propos si la conversation changeait de cours, et qu'il débita avec cet excès de spontanéité et d'assurance qui cherche à masquer la froideur de l'émoi inséparables d'une récitation. Forcheville la connaissait, il la comprit et s'en amusa. Quant à M. Verdurin, il ne marchanda pas sa gaîté, car il avait trouvé depuis peu pour la signifier un symbole autre que celui dont usait sa femme, mais aussi simple et aussi clair. A peine avait-il commencé à faire le mouvement de tête et d'épaules de quelqu'un qui s'esclaffe qu'aussitôt il se mettait à tousser comme si, en riant trop fort, il avait avalé la fumée de sa pipe. Et la gardant toujours au coin de sa bouche, il prolongeait indéfiniment le simulacre de suffocation et d'hilarité. Ainsi lui et Mme Verdurin qui, en face, écoutant le peintre qui lui racontait une histoire, fermait les yeux avant de précipiter son visage dans ses mains, avaient l'air de deux masques de théâtre qui figuraient différemment la gaîté.

M. Verdurin avait d'ailleurs fait sagement en ne retirant pas sa pipe de sa bouche, car Cottard qui avait besoin de s'éloigner un instant fit à mi-voix une plaisanterie qu'il avait apprise depuis peu et qu'il renouvelait chaque fois qu'il avait à aller au même endroit : « Il faut que j'aille entretenir un instant le duc d'Aumale », de sorte que la quinte de M. Verdurin recommença.

— Voyons, enlève donc ta pipe de ta bouche, tu vois bien que tu vas t'étouffer à te retenir de rire comme ça, lui dit Mme Verdurin qui venait offrir des liqueurs.

— Quel homme charmant que votre mari, il a de l'esprit comme quatre, déclara Forcheville à Mme Cottard. Merci

madame. Un vieux troupier comme moi, ça ne refuse jamais
la goutte.

— M. de Forcheville trouve Odette charmante, dit
M. Verdurin à sa femme.

— Mais justement elle voudrait déjeuner une fois avec
vous. Nous allons combiner ça, mais il ne faut pas que
Swann le sache. Vous savez, il met un peu de froid. Ça ne
vous empêchera pas de venir dîner, naturellement, nous
espérons vous avoir très souvent. Avec la belle saison qui
vient, nous allons souvent dîner en plein air. Cela ne vous
ennuie pas, les petits dîners au Bois ? bien, bien, ce sera très
gentil. Est-ce que vous n'allez pas travailler de votre métier,
vous ! cria-t-elle au petit pianiste, afin de faire montre,
devant un nouveau de l'importance de Forcheville, à la fois
de son esprit et de son pouvoir tyrannique sur les fidèles.

— M. de Forcheville était en train de me dire du mal de
toi, dit Mme Cottard à son mari quand il rentra au salon.

Et lui, poursuivant l'idée de la noblesse de Forcheville qui
l'occupait depuis le commencement du dîner, lui dit :

— Je soigne en ce moment une baronne, la baronne
Putbus ; les Putbus étaient aux Croisades, n'est-ce pas ? Ils
ont, en Poméranie, un lac qui est grand comme dix fois la
place de la Concorde. Je la soigne pour de l'arthrite sèche,
c'est une femme charmante. Elle connaît du reste Mme Verdurin, je crois.

Ce qui permit à Forcheville, quand il se retrouva, un
moment après, seul avec Mme Cottard, de compléter le
jugement favorable qu'il avait porté sur son mari :

— Et puis il est intéressant, on voit qu'il connaît du
monde. Dame, ça sait tant de choses, les médecins !

— Je vais jouer la phrase de la Sonate pour M. Swann, dit
le pianiste.

— Ah ! bigre ! ce n'est pas au moins le « Serpent à
Sonates » ? demanda M. de Forcheville pour faire de l'effet.

Mais le docteur Cottard, qui n'avait jamais entendu ce

calembour, ne le comprit pas et crut à une erreur de M. de
Forcheville. Il s'approcha vivement pour la rectifier :

— Mais non, ce n'est pas serpent à sonates qu'on dit, c'est
serpent à sonnettes, dit-il d'un ton zélé, impatient et
triomphal.

Forcheville lui expliqua le calembour. Le docteur rougit.

— Avouez qu'il est drôle, Docteur ?

— Oh ! je le connais depuis si longtemps, répondit
Cottard.

Mais ils se turent ; sous l'agitation des trémolos de violon
qui la protégeaient de leur tenue frémissante à deux octaves
de là — et comme dans un pays de montagne, derrière
l'immobilité apparente et vertigineuse d'une cascade, on
aperçoit, deux cents pieds plus bas, la forme minuscule d'une
promeneuse — la petite phrase venait d'apparaître, lointaine, gracieuse, protégée par le long déferlement du rideau
transparent, incessant et sonore. Et Swann, en son cœur,
s'adressa à elle comme à une confidente de son amour,
comme à une amie d'Odette qui devrait bien lui dire de ne
pas faire attention à ce Forcheville.

— Ah ! vous arrivez tard, dit Mme Verdurin à un fidèle
qu'elle n'avait invité qu'en « cure-dents », nous en avons eu
« un » Brichot incomparable, d'une éloquence ! Mais il est
parti. N'est-ce pas, monsieur Swann ? Je crois que c'est la
première fois que vous vous rencontriez avec lui, dit-elle pour
lui faire remarquer que c'était à elle qu'il devait de le
connaître. N'est-ce pas, il a été délicieux, notre Brichot ?

Swann s'inclina poliment.

— Non ? il ne vous a pas intéressé ? lui demanda sèchement Mme Verdurin.

— Mais si, Madame, beaucoup, j'ai été ravi. Il est peut-
être un peu péremptoire et un peu jovial pour mon goût. Je
lui voudrais parfois un peu d'hésitations et de douceur, mais
on sent qu'il sait tant de choses et il a l'air d'un bien brave
homme.

Tout le monde se retira fort tard. Les premiers mots de Cottard à sa femme furent :

— J'ai rarement vu Mme Verdurin aussi en verve que ce soir.

— Qu'est-ce que c'est exactement que cette Mme Verdurin, un demi-castor ? dit Forcheville au peintre à qui il proposa de revenir avec lui.

Odette le vit s'éloigner avec regret, elle n'osa pas ne pas revenir avec Swann, mais fut de mauvaise humeur en voiture, et quand il lui demanda s'il devait entrer chez elle, elle lui dit « Bien entendu » en haussant les épaules avec impatience. Quand tous les invités furent partis, Mme Verdurin dit à son mari :

— As-tu remarqué comme Swann a ri d'un rire niais quand nous avons parlé de Mme La Trémoïlle ?

Elle avait remarqué que devant ce nom Swann et Forcheville avaient plusieurs fois supprimé la particule. Ne doutant pas que ce fût pour montrer qu'ils n'étaient pas intimidés par les titres, elle souhaitait d'imiter leur fierté, mais n'avait pas bien saisi par quelle forme grammaticale elle se traduisait. Aussi sa vicieuse façon de parler l'emportant sur son intransigeance républicaine, elle disait encore les de La Trémoïlle ou plutôt par une abréviation en usage dans les paroles des chansons de café-concert et les légendes des caricaturistes et qui dissimulait le de, les d'La Trémoïlle, mais elle se rattrapait en disant : « Madame La Trémoïlle. » « La *Duchesse,* comme dit Swann », ajouta-t-elle ironiquement avec un sourire qui prouvait qu'elle ne faisait que citer et ne prenait pas à son compte une dénomination aussi naïve et ridicule.

— Je te dirai que je l'ai trouvé extrêmement bête.

Et M. Verdurin lui répondit :

— Il n'est pas franc, c'est un monsieur cauteleux, toujours entre le zist et le zest. Il veut toujours ménager la chèvre et le chou. Quelle différence avec Forcheville ! Voilà au moins un homme qui vous dit carrément sa façon de penser. Ça vous

plaît ou ça ne vous plaît pas. Ce n'est pas comme l'autre qui
n'est jamais ni figue ni raisin. Du reste Odette a l'air de
préférer joliment le Forcheville, et je lui donne raison. Et puis
enfin, puisque Swann veut nous la faire à l'homme du
monde, au champion des duchesses, au moins l'autre a son
titre ; il est toujours comte de Forcheville, ajouta-t-il d'un air
délicat, comme si, au courant de l'histoire de ce comté, il en
soupesait minutieusement la valeur particulière.

— Je te dirai, dit Mme Verdurin, qu'il a cru devoir lancer
contre Brichot quelques insinuations venimeuses et assez
ridicules. Naturellement, comme il a vu que Brichot était
aimé dans la maison, c'était une manière de nous atteindre,
de bêcher notre dîner. On sent le bon petit camarade qui
vous débinera en sortant.

— Mais je te l'ai dit, répondit M. Verdurin, c'est le raté,
le petit individu envieux de tout ce qui est un peu grand.

En réalité, il n'y avait pas un fidèle qui ne fût plus
malveillant que Swann ; mais tous ils avaient la précaution
d'assaisonner leurs médisances de plaisanteries connues,
d'une petite pointe d'émotion et de cordialité ; tandis que la
moindre réserve que se permettait Swann, dépouillée des
formules de convention telles que : « Ce n'est pas du mal que
nous disons » et auxquelles il dédaignait de s'abaisser,
paraissait une perfidie. Il y a des auteurs originaux dont la
moindre hardiesse révolte parce qu'ils n'ont pas d'abord
flatté les goûts du public et ne lui ont pas servi les lieux
communs auxquels il est habitué ; c'est de la même manière
que Swann indignait M. Verdurin. Pour Swann comme pour
eux, c'était la nouveauté de son langage qui faisait croire à la
noirceur de ses intentions.

Swann ignorait encore la disgrâce dont il était menacé
chez les Verdurin et continuait à voir leurs ridicules en beau,
au travers de son amour.

Il n'avait de rendez-vous avec Odette, au moins le plus
souvent, que le soir ; mais le jour, ayant peur de la fatiguer de
lui en allant chez elle, il aurait aimé du moins ne pas cesser

d'occuper sa pensée et à tous moments il cherchait à trouver une occasion d'y intervenir, mais d'une façon agréable pour elle. Si, à la devanture d'un fleuriste ou d'un joaillier, la vue d'un arbuste ou d'un bijou le charmait, aussitôt il pensait à les envoyer à Odette, imaginant le plaisir qu'ils lui avaient procuré, ressenti par elle, venant accroître la tendresse qu'elle avait pour lui, et les faisait porter immédiatement rue La Pérouse, pour ne pas retarder l'instant où, comme elle recevrait quelque chose de lui, il se sentirait en quelque sorte près d'elle. Il voulait surtout qu'elle les reçût avant de sortir pour que la reconnaissance qu'elle éprouverait lui valût un accueil plus tendre quand elle le verrait chez les Verdurin, ou même, qui sait ? si le fournisseur faisait assez diligence, peut-être une lettre qu'elle lui enverrait avant le dîner, ou sa venue à elle en personne chez lui, en une visite supplémentaire, pour le remercier. Comme jadis quand il expérimentait sur la nature d'Odette les réactions du dépit, il cherchait par celles de la gratitude à tirer d'elle des parcelles intimes de sentiment qu'elle ne lui avait pas révélées encore.

Souvent elle avait des embarras d'argent et, pressée par une dette, le priait de lui venir en aide. Il en était heureux comme de tout ce qui pouvait donner à Odette une grande idée de l'amour qu'il avait pour elle, ou simplement une grande idée de son influence, de l'utilité dont il pouvait lui être. Sans doute si on lui avait dit au début : « c'est ta situation qui lui plaît », et maintenant : « c'est pour ta fortune qu'elle t'aime », il ne l'aurait pas cru, et n'aurait pas été d'ailleurs très mécontent qu'on se la figurât tenant à lui — qu'on les sentît unis l'un à l'autre — par quelque chose d'aussi fort que le snobisme ou l'argent. Mais, même s'il avait pensé que c'était vrai, peut-être n'eût-il pas souffert de découvrir à l'amour d'Odette pour lui cet étai plus durable que l'agrément ou les qualités qu'elle pouvait lui trouver : l'intérêt, l'intérêt qui empêcherait de venir jamais le jour où elle aurait pu être tentée de cesser de le voir. Pour l'instant, en la comblant de présents, en lui rendant des services, il

pouvait se reposer sur des avantages extérieurs à sa personne, à son intelligence, du soin épuisant de lui plaire par
lui-même. Et cette volupté d'être amoureux, de ne vivre que
d'amour, de la réalité de laquelle il doutait parfois, le prix
dont en somme il la payait, en dilettante de sensations
immatérielles, lui en augmentait la valeur — comme on voit
des gens incertains si le spectacle de la mer et le bruit de ses
vagues sont délicieux, s'en convaincre ainsi que de la rare
qualité de leurs goûts désintéressés, en louant cent francs par
jour la chambre d'hôtel qui leur permet de les goûter.

Un jour que des réflexions de ce genre le ramenaient
encore au souvenir du temps où on lui avait parlé d'Odette
comme d'une femme entretenue, et où une fois de plus il
s'amusait à opposer cette personnification étrange : la femme
entretenue — chatoyant amalgame d'éléments inconnus et
diaboliques, serti, comme une apparition de Gustave
Moreau, de fleurs vénéneuses entrelacées à des joyaux
précieux — et cette Odette sur le visage de qui il avait vu
passer les mêmes sentiments de pitié pour un malheureux, de
révolte contre une injustice, de gratitude pour un bienfait,
qu'il avait vu éprouver autrefois par sa propre mère, par ses
amis, cette Odette dont les propos avaient si souvent trait
aux choses qu'il connaissait le mieux lui-même, à ses
collections, à sa chambre, à son vieux domestique, au
banquier chez qui il avait ses titres, il se trouva que cette
dernière image du banquier lui rappela qu'il aurait à y
prendre de l'argent. En effet, si ce mois-ci il venait moins
largement à l'aide d'Odette dans ses difficultés matérielles
qu'il n'avait fait le mois dernier où il lui avait donné cinq
mille francs, et s'il ne lui offrait pas une rivière de diamants
qu'elle désirait, il ne renouvellerait pas en elle cette admiration qu'elle avait pour sa générosité, cette reconnaissance,
qui le rendaient si heureux, et même il risquerait de lui faire
croire que son amour pour elle, comme elle en verrait les
manifestations devenir moins grandes, avait diminué. Alors,
tout d'un coup, il se demanda si cela, ce n'était pas

précisément l' « entretenir » (comme si, en effet, cette notion
d'entretenir pouvait être extraite d'éléments non pas mystérieux ni pervers, mais appartenant au fond quotidien et privé
de sa vie, tels que ce billet de mille francs, domestique et
familier, déchiré et recollé, que son valet de chambre, après
lui avoir payé les comptes du mois et le terme, avait serré
dans le tiroir du vieux bureau où Swann l'avait repris pour
l'envoyer avec quatre autres à Odette) et si on ne pouvait pas
appliquer à Odette, depuis qu'il la connaissait (car il ne
soupçonna pas un instant qu'elle eût jamais pu recevoir
d'argent de personne avant lui), ce mot qu'il avait cru si
inconciliable avec elle, de « femme entretenue ». Il ne put
approfondir cette idée, car un accès d'une paresse d'esprit
qui était chez lui congénitale, intermittente et providentielle,
vint à ce moment éteindre tout la lumière dans son intelligence, aussi brusquement que, plus tard, quand on eut
installé partout l'éclairage électrique, on put couper l'électricité dans une maison. Sa pensée tâtonna un instant dans
l'obscurité, il retira ses lunettes, en essuya les verres, se passa
la main sur les yeux, et ne revit la lumière que quand il se
retrouva en présence d'une idée toute différente, à savoir
qu'il faudrait tâcher d'envoyer le mois prochain six ou sept
mille francs à Odette au lieu de cinq, à cause de la surprise et
de la joie que cela lui causerait.

Le soir, quand il ne restait pas chez lui à attendre l'heure
de retrouver Odette chez les Verdurin ou plutôt dans un des
restaurants d'été qu'ils affectionnaient au Bois et surtout à
Saint-Cloud, il allait dîner dans quelqu'une de ces maisons
élégantes dont il était jadis le convive habituel. Il ne voulait
pas perdre contact avec des gens qui — savait-on ? —
pourraient peut-être un jour être utiles à Odette et grâce
auxquels, en attendant, il réussissait souvent à lui être
agréable. Puis l'habitude qu'il avait eue longtemps du
monde, du luxe, lui en avait donné, en même temps que le
dédain, le besoin, de sorte qu'à partir du moment où les
réduits les plus modestes lui étaient apparus exactement sur

le même pied que les plus princières demeures, ses sens
étaient tellement accoutumés aux secondes qu'il eût éprouvé
quelque malaise à se trouver dans les premiers. Il avait la
même considération — à un degré d'identité qu'ils n'auraient pu croire — pour des petits bourgeois qui faisaient
danser au cinquième étage d'un escalier D, palier à gauche,
que pour la princesse de Parme qui donnait les plus belles
fêtes de Paris ; mais il n'avait pas la sensation d'être au bal en
se tenant avec les pères dans la chambre à coucher de la
maîtresse de la maison, et la vue des lavabos recouverts de
serviettes, des lits, transformés en vestiaires, sur le couvre-
pied desquels s'entassaient les pardessus et les chapeaux, lui
donnait la même sensation d'étouffement que peut causer
aujourd'hui à des gens habitués à vingt ans d'électricité
l'odeur d'une lampe qui charbonne ou d'une veilleuse qui
file.

Le jour où il dînait en ville, il faisait atteler pour sept
heures et demie ; il s'habillait tout en songeant à Odette et
ainsi il ne se trouvait pas seul, car la pensée constante
d'Odette donnait aux moments où il était loin d'elle le même
charme particulier qu'à ceux où elle était là. Il montait en
voiture, mais il sentait que cette pensée y avait sauté en
même temps et s'installait sur ses genoux comme une bête
aimée qu'on emmène partout et qu'il garderait avec lui à
table, à l'insu des convives. Il la caressait, se réchauffait à
elle, et, éprouvant une sorte de langueur, se laissait aller à un
léger frémissement qui crispait son cou et son nez, et était
nouveau chez lui, tout en fixant à sa boutonnière le bouquet
d'ancolies. Se sentant souffrant et triste depuis quelque
temps, surtout depuis qu'Odette avait présenté Forcheville
aux Verdurin, Swann aurait aimé aller se reposer un peu à la
campagne. Mais il n'aurait pas eu le courage de quitter Paris
un seul jour pendant qu'Odette y était. L'air était chaud ;
c'étaient les plus beaux jours du printemps. Et il avait beau
traverser une ville de pierre pour se rendre en quelque hôtel
clos, ce qui était sans cesse devant ses yeux, c'était un parc

qu'il possédait près de Combray, où, dès quatre heures, avant d'arriver au plant d'asperges, grâce au vent qui vient des champs de Méséglise, on pouvait goûter sous une charmille autant de fraîcheur qu'au bord de l'étang cerné de myosotis et de glaïeuls, et où, quand il dînait, enlacés par son jardinier, couraient autour de la table les groseilles et les roses.

Après dîner, si le rendez-vous au Bois ou à Saint-Cloud était de bonne heure, il partait si vite en sortant de table — surtout si la pluie menaçait de tomber et de faire rentrer plus tôt les « fidèles » — qu'une fois la princesse des Laumes (chez qui on avait dîné tard et que Swann avait quittée avant qu'on servît le café pour rejoindre les Verdurin dans l'île du Bois) dit :

— Vraiment, si Swann avait trente ans de plus et une maladie de la vessie, on l'excuserait de filer ainsi. Mais tout de même il se moque du monde.

Il se disait que le charme du printemps qu'il ne pouvait pas aller goûter à Combray, il le trouverait du moins dans l'île des Cygnes ou à Saint-Cloud. Mais comme il ne pouvait penser qu'à Odette, il ne savait même pas s'il avait senti l'odeur des feuilles, s'il y avait eu du clair de lune. Il était accueilli par la petite phrase de la sonate jouée dans le jardin sur le piano du restaurant. S'il n'y en avait pas là, les Verdurin prenaient une grande peine pour en faire descendre un d'une chambre ou d'une salle à manger : ce n'est pas que Swann fût rentré en faveur auprès d'eux, au contraire. Mais l'idée d'organiser un plaisir ingénieux pour quelqu'un, même pour quelqu'un qu'ils n'aimaient pas, développait chez eux, pendant les moments nécessaires à ces préparatifs, des sentiments éphémères et occasionnels de sympathie et de cordialité. Parfois il se disait que c'était un nouveau soir de printemps de plus qui passait, il se contraignait à faire attention aux arbres, au ciel. Mais l'agitation où le mettait la présence d'Odette, et aussi un léger malaise fébrile qui ne le quittait guère depuis quelque temps, le privait du calme et du bien-être qui sont le fond indispensable aux impressions que peut donner la nature.

Un soir où Swann avait accepté de dîner avec les Verdurin, comme pendant le dîner il venait de dire que le lendemain il avait un banquet d'anciens camarades, Odette lui avait répondu en pleine table, devant Forcheville, qui était maintenant un des fidèles, devant le peintre, devant Cottard :

— Oui, je sais que vous avez votre banquet ; je ne vous verrai donc que chez moi, mais ne venez pas trop tard.

Bien que Swann n'eût encore jamais pris bien sérieusement ombrage de l'amitié d'Odette pour tel ou tel fidèle, il éprouvait une douceur profonde à l'entendre avouer ainsi devant tous, avec cette tranquille impudeur, leurs rendezvous quotidiens du soir, la situation privilégiée qu'il avait chez elle et la préférence pour lui qui y était impliquée. Certes Swann avait souvent pensé qu'Odette n'était à aucun degré une femme remarquable, et la suprématie qu'il exerçait sur un être qui lui était si inférieur n'avait rien qui dût lui paraître si flatteur à voir proclamer à la face des « fidèles », mais depuis qu'il s'était aperçu qu'à beaucoup d'hommes Odette semblait une femme ravissante et désirable, le charme qu'avait pour eux son corps avait éveillé en lui un besoin douloureux de la maîtriser entièrement dans les moindres parties de son cœur. Et il avait commencé d'attacher un prix inestimable à ces moments passés chez elle le soir, où il l'asseyait sur ses genoux, lui faisait dire ce qu'elle pensait d'une chose, d'une autre, où il recensait les seuls biens à la possession desquels il tînt maintenant sur terre. Aussi, après ce dîner, la prenant à part, il ne manqua pas de la remercier avec effusion, cherchant à lui enseigner selon les degrés de la reconnaissance qu'il lui témoignait, l'échelle des plaisirs qu'elle pouvait lui causer, et dont le suprême était de le garantir, pendant le temps que son amour durerait et l'y rendrait vulnérable, des atteintes de la jalousie.

Quand il sortit le lendemain du banquet, il pleuvait à

A la recherche du temps perdu

verse, il n'avait à sa disposition que sa victoria; un ami lui
proposa de le reconduire chez lui en coupé, et comme
Odette, par le fait qu'elle lui avait demandé de venir, lui
avait donné la certitude qu'elle n'attendait personne, c'est
l'esprit tranquille et le cœur content que, plutôt que de partir
ainsi dans la pluie, il serait rentré chez lui se coucher. Mais
peut-être, si elle voyait qu'il n'avait pas l'air de tenir à passer
toujours avec elle, sans aucune exception, la fin de la soirée,
négligerait-elle de la lui réserver, justement une fois où il
l'aurait particulièrement désiré.

Il arriva chez elle après onze heures, et, comme il
s'excusait de n'avoir pu venir plus tôt, elle se plaignit que ce
fût en effet bien tard, l'orage l'avait rendue souffrante, elle se
sentait mal à la tête et le prévint qu'elle ne le garderait pas
plus d'une demi-heure, qu'à minuit elle le renverrait; et, peu
après, elle se sentit fatiguée et désira s'endormir.

— Alors, pas de catleyas ce soir? lui dit-il, moi qui
espérais un bon petit catleya.

Et d'un air un peu boudeur et nerveux, elle lui répondit :

— Mais non, mon petit, pas de catleyas ce soir, tu vois
bien que je suis souffrante !

— Cela t'aurait peut-être fait du bien, mais enfin je
n'insiste pas.

Elle le pria d'éteindre la lumière avant de s'en aller, il
referma lui-même les rideaux du lit et partit. Mais, quand il
fut rentré chez lui, l'idée lui vint brusquement que peut-être
Odette attendait quelqu'un ce soir, qu'elle avait seulement
simulé la fatigue et qu'elle ne lui avait demandé d'éteindre
que pour qu'il crût qu'elle allait s'endormir, qu'aussitôt qu'il
avait été parti, elle avait rallumé, et fait entrer celui qui
devait passer la nuit auprès d'elle. Il regarda l'heure. Il y
avait à peu près une heure et demie qu'il l'avait quittée, il
ressortit, prit un fiacre et se fit arrêter tout près de chez elle,
dans une petite rue perpendiculaire à celle sur laquelle
donnait, derrière, son hôtel et où il allait quelquefois frapper
à la fenêtre de sa chambre à coucher pour qu'elle vînt lui

ouvrir ; il descendit de voiture, tout était désert et noir dans ce quartier, il n'eut que quelques pas à faire à pied et déboucha presque devant chez elle. Parmi l'obscurité de toutes les fenêtres éteintes depuis longtemps dans la rue, il en vit une seule d'où débordait — entre les volets qui en pressaient la pulpe mystérieuse et dorée — la lumière qui remplissait la chambre et qui, tant d'autres soirs, du plus loin qu'il l'apercevait en arrivant dans la rue, le réjouissait et lui annonçait : « elle est là qui t'attend » et qui maintenant, le torturait en lui disant : « elle est là avec celui qu'elle attendait ». Il voulait savoir qui ; il se glissa le long du mur jusqu'à la fenêtre, mais entre les lames obliques des volets il ne pouvait rien voir ; il entendait seulement dans le silence de la nuit le murmure d'une conversation.

Certes, il souffrait de voir cette lumière dans l'atmosphère d'or de laquelle se mouvait derrière le châssis le couple invisible et détesté, d'entendre ce murmure qui révélait la présence de celui qui était venu après son départ, la fausseté d'Odette, le bonheur qu'elle était en train de goûter avec lui. Et pourtant il était content d'être venu : le tourment qui l'avait forcé de sortir de chez lui avait perdu de son acuité en perdant de son vague, maintenant que l'autre vie d'Odette, dont il avait eu, à ce moment-là, le brusque et impuissant soupçon, il la tenait là, éclairée en plein par la lampe, prisonnière sans le savoir dans cette chambre où, quand il le voudrait, il entrerait la surprendre et la capturer ; ou plutôt il allait frapper aux volets comme il faisait souvent quand il venait très tard ; ainsi du moins, Odette apprendrait qu'il avait su, qu'il avait vu la lumière et entendu la causerie, et lui qui, tout à l'heure, se la représentait comme se riant avec l'autre de ses illusions, maintenant, c'était eux qu'il voyait, confiants dans leur erreur, trompés en somme par lui qu'ils croyaient bien loin d'ici et qui, lui, savait déjà qu'il allait frapper aux volets. Et peut-être, ce qu'il ressentait en ce moment de presque agréable, c'était autre chose aussi que l'apaisement d'un doute et d'une douleur : un plaisir de l'intelligence. Si, depuis qu'il était amoureux, les choses avaient repris pour lui un peu de l'intérêt délicieux qu'il leur trouvait autrefois, mais seulement là où elles étaient éclairées par le souvenir d'Odette, maintenant, c'était une autre faculté de sa studieuse jeunesse que sa jalousie ranimait, la passion de la vérité, mais d'une vérité, elle aussi, interposée entre lui et sa maîtresse, ne recevant sa lumière que d'elle, vérité tout individuelle qui avait pour objet unique, d'un prix infini et presque d'une beauté désintéressée, les actions d'Odette, ses relations, ses projets, son passé. A toute autre époque de sa vie, les petits faits et gestes quotidiens d'une personne avaient toujours paru sans valeur à Swann : si on lui en faisait le commérage, il le trouvait insignifiant, et, tandis qu'il l'écoutait, ce n'était que sa plus vulgaire attention qui y était intéressée ; c'était pour lui un des moments où il se sentait le plus médiocre. Mais dans cette étrange période de l'amour, l'individuel prend quelque chose de si profond que cette curiosité qu'il sentait s'éveiller en lui à l'égard des moindres occupations d'une femme, c'était celle qu'il avait eue autrefois pour l'Histoire. Et tout ce dont il aurait eu honte jusqu'ici, espionner devant une fenêtre, qui sait ? demain peut-être, faire parler habilement les indifférents, soudoyer les domestiques, écouter aux portes, ne lui semblait plus, aussi bien que le déchiffrement des textes, la comparaison des témoignages et l'interprétation des monuments, que des méthodes d'investigation scientifique d'une véritable valeur intellectuelle et appropriées à la recherche de la vérité.

Sur le point de frapper contre les volets, il eut un moment de honte en pensant qu'Odette allait savoir qu'il avait eu des soupçons, qu'il était revenu, qu'il s'était posté dans la rue. Elle lui avait dit souvent l'horreur qu'elle avait des jaloux, des amants qui espionnent. Ce qu'il allait faire était bien maladroit, et elle allait le détester désormais, tandis qu'en ce moment encore, tant qu'il n'avait pas frappé, peut-être, même en le trompant, l'aimait-elle. Que de bonheurs possibles dont on sacrifie ainsi la réalisation à l'impatience d'un plaisir immédiat! Mais le désir de connaître la vérité était plus fort et lui sembla plus noble. Il savait que la réalité de circonstances qu'il eût donné sa vie pour restituer exactement, était lisible derrière cette fenêtre striée de lumière, comme sous la couverture enluminée d'or d'un de ces manuscrits précieux à la richesse artistique elle-même desquels le savant qui les consulte ne peut rester indifférent. Il éprouvait une volupté à connaître la vérité qui le passionnait dans cet exemplaire unique, éphémère et précieux, d'une matière translucide, si chaude et si belle. Et puis l'avantage qu'il se sentait — qu'il avait tant besoin de se sentir — sur eux, était peut-être moins de savoir, que de pouvoir leur montrer qu'il savait. Il se haussa sur la pointe des pieds. Il frappa. On n'avait pas entendu, il refrappa plus fort, la conversation s'arrêta. Une voix d'homme dont il chercha à distinguer auquel de ceux des amis d'Odette qu'il connaissait elle pouvait appartenir demanda :

— Qui est là ?

Il n'était pas sûr de la reconnaître. Il frappa encore une fois. On ouvrit la fenêtre, puis les volets. Maintenant, il n'y avait plus moyen de reculer et, puisqu'elle allait tout savoir, pour ne pas avoir l'air trop malheureux, trop jaloux et curieux, il se contenta de crier d'un air négligent et gai :

— Ne vous dérangez pas, je passais par là, j'ai vu de la lumière, j'ai voulu savoir si vous n'étiez plus souffrante.

Il regarda. Devant lui, deux vieux messieurs étaient à la fenêtre, l'un tenant une lampe, et alors, il vit la chambre, une chambre inconnue. Ayant l'habitude, quand il venait chez Odette très tard, de reconnaître sa fenêtre à ce que c'était la seule éclairée entre les fenêtres toutes pareilles, il s'était trompé et avait frappé à la fenêtre suivante qui appartenait à la maison voisine. Il s'éloigna en s'excusant et rentra chez lui, heureux que la satisfaction de sa curiosité eût laissé leur amour intact et qu'après avoir simulé depuis si longtemps vis-à-vis d'Odette une sorte d'indifférence, il ne lui eût pas donné, par sa jalousie, cette preuve qu'il aimait trop, qui, entre deux amants, dispense, à tout jamais, d'aimer assez, celui qui la reçoit.

Il ne lui parla pas de cette mésaventure, lui-même n'y songeait plus. Mais par moments un mouvement de sa pensée venait en rencontrer le souvenir qu'elle n'avait pas aperçu, le heurtait, l'enfonçait plus avant, et Swann avait ressenti une douleur brusque et profonde. Comme si ç'avait été une douleur physique, les pensées de Swann ne pouvaient pas l'amoindrir ; mais du moins la douleur physique, parce qu'elle est indépendante de la pensée, la pensée peut s'arrêter sur elle, constater qu'elle a diminué, qu'elle a momentanément cessé. Mais cette douleur-là, la pensée, rien qu'en se la rappelant, la recréait. Vouloir n'y pas penser, c'était y penser encore, en souffrir encore. Et quand, causant avec des amis, il oubliait son mal, tout d'un coup un mot qu'on lui disait le faisait changer de visage, comme un blessé dont un maladroit vient de toucher sans précaution le membre douloureux. Quand il quittait Odette, il était heureux, il se sentait calme, il se rappelait les sourires qu'elle avait eus, railleurs en parlant de tel ou tel autre, et tendres pour lui, la lourdeur de sa tête qu'elle avait détachée de son axe pour l'incliner, la laisser tomber, presque malgré elle, sur ses lèvres, comme elle avait fait la première fois en voiture, les regards mourants qu'elle lui avait jetés pendant qu'elle était dans ses bras, tout en contractant frileusement contre l'épaule sa tête inclinée.

Mais aussitôt sa jalousie, comme si elle était l'ombre de son amour, se complétait du double de ce nouveau sourire qu'elle lui avait adressé le soir même — et qui, inverse maintenant, raillait Swann et se chargeait d'amour pour un autre, — de cette inclinaison de sa tête mais renversée vers d'autres lèvres, et, données à un autre, de toutes les marques de tendresse qu'elle avait eues pour lui. Et tous les souvenirs voluptueux qu'il emportait de chez elle étaient comme autant d'esquisses, de « projets » pareils à ceux que vous soumet un décorateur, et qui permettaient à Swann de se faire une idée des attitudes ardentes ou pâmées qu'elle pouvait avoir avec d'autres. De sorte qu'il en arrivait à regretter chaque plaisir qu'il goûtait près d'elle, chaque caresse inventée et dont il avait eu l'imprudence de lui signaler la douceur, chaque grâce qu'il lui découvrait, car il savait qu'un instant après, elles allaient enrichir d'instruments nouveaux son supplice.

Celui-ci était rendu plus cruel encore quand revenait à Swann le souvenir d'un bref regard qu'il avait surpris, il y avait quelques jours, et pour la première fois, dans les yeux d'Odette. C'était après dîner, chez les Verdurin. Soit que Forcheville, sentant que Saniette, son beau-frère, n'était pas en faveur chez eux, eût voulu le prendre comme tête de Turc et briller devant eux à ses dépens, soit qu'il eût été irrité par un mot maladroit que celui-ci venait de lui dire et qui, d'ailleurs, passa inaperçu pour les assistants qui ne savaient pas quelle allusion désobligeante il pouvait renfermer, bien contre le gré de celui qui le prononçait sans malice aucune, soit enfin qu'il cherchât depuis quelque temps une occasion de faire sortir de la maison quelqu'un qui le connaissait trop bien et qu'il savait trop délicat pour qu'il ne se sentît pas gêné à certains moments rien que de sa présence, Forcheville répondit à ce propos maladroit de Saniette avec une telle grossièreté, se mettant à l'insulter, s'enhardissant, au fur et à mesure qu'il vociférait, de l'effroi, de la douleur, des supplications de l'autre, que le malheureux, après avoir demandé à Mme Verdurin s'il devait rester, et n'ayant pas reçu de réponse, s'était retiré en balbutiant, les larmes aux yeux. Odette avait assisté impassible à cette scène, mais quand la porte se fut refermée sur Saniette, faisant descendre en quelque sorte de plusieurs crans l'expression habituelle de son visage, pour pouvoir se trouver, dans la bassesse, de plain-pied avec Forcheville, elle avait brillanté ses prunelles d'un sourire sournois de félicitations pour l'audace qu'il avait eue, d'ironie pour celui qui en avait été victime ; elle lui avait jeté un regard de complicité dans le mal, qui voulait si bien dire : « Voilà une exécution, ou je ne m'y connais pas. Avez-vous vu son air penaud ? il en pleurait », que Forcheville, quand ses yeux rencontrèrent ce regard, dégrisé soudain de la colère ou de la simulation de colère dont il était encore chaud, sourit et répondit :

— Il n'avait qu'à être aimable, il serait encore ici, une bonne correction peut être utile à tout âge.

Un jour que Swann était sorti au milieu de l'après-midi pour faire une visite, n'ayant pas trouvé la personne qu'il voulait rencontrer, il eut l'idée d'entrer chez Odette à cette heure où il n'allait jamais chez elle, mais où il savait qu'elle était toujours à la maison à faire sa sieste ou à écrire des lettres avant l'heure du thé, et où il aurait plaisir à la voir un peu sans la déranger. Le concierge lui dit qu'il croyait qu'elle était là ; il sonna, crut entendre du bruit, entendre marcher, mais on n'ouvrit pas. Anxieux, irrité, il alla dans la petite rue où donnait l'autre face de l'hôtel, se mit devant la fenêtre de la chambre d'Odette ; les rideaux l'empêchaient de rien voir, il frappa avec force aux carreaux, appela ; personne n'ouvrit. Il vit que des voisins le regardaient. Il partit, pensant qu'après tout, il s'était peut-être trompé en croyant entendre des pas ; mais il en resta si préoccupé qu'il ne pouvait penser à autre chose. Une heure après, il revint. Il la trouva ; elle lui dit qu'elle était chez elle tantôt quand il avait sonné, mais dormait ; la sonnette l'avait éveillée, elle avait deviné que c'était Swann, elle avait couru après lui mais il était déjà parti. Elle avait bien entendu frapper aux carreaux. Swann reconnut tout de suite dans ce dire un de ces fragments d'un fait exact que les menteurs pris de court se consolent de faire entrer dans la composition du fait faux qu'ils inventent, croyant y faire sa part et y dérober sa ressemblance à la Vérité. Certes quand Odette venait de faire quelque chose qu'elle ne voulait pas révéler, elle le cachait bien au fond d'elle-même. Mais dès qu'elle se trouvait en présence de celui à qui elle voulait mentir, un trouble la prenait, toutes ses idées s'effondraient, ses facultés d'invention et de raisonnement étaient paralysées, elle ne trouvait plus dans sa tête que le vide, il fallait pourtant dire quelque chose, et elle rencontrait à sa portée précisément la chose qu'elle avait voulu dissimuler et qui, étant vraie, était seule restée là. Elle en détachait un petit morceau, sans importance par lui-même, se disant qu'après tout c'était mieux ainsi puisque c'était un détail vérifiable qui n'offrait pas les mêmes dangers qu'un détail faux. « Ça du moins, c'est vrai, se disait-elle, c'est toujours autant de gagné, il peut s'informer, il reconnaî-tra que c'est vrai, ce n'est toujours pas ça qui me trahira. » Elle se trompait, c'était cela qui la trahissait, elle ne se rendait pas compte que ce détail vrai avait des angles qui ne pouvaient s'emboîter que dans les détails contigus du fait vrai dont elle l'avait arbitrairement détaché et qui, quels que fussent les détails inventés entre lesquels elle le placerait, révéleraient toujours par la matière excédente et les vides non remplis, que ce n'était pas d'entre ceux-là qu'il venait. « Elle avoue qu'elle m'avait entendu sonner, puis frapper, et qu'elle avait cru que c'était moi, qu'elle avait envie de me voir, se disait Swann. Mais cela ne s'arrange pas avec le fait qu'elle n'ait pas fait ouvrir. »

Mais il ne lui fit pas remarquer cette contradiction, car il pensait que, livrée à elle-même, Odette produirait peut-être quelque mensonge qui serait un faible indice de la vérité ; elle parlait ; il ne l'interrompait pas, il recueillait avec une piété avide et douloureuse ces mots qu'elle lui disait et qu'il sentait (justement parce qu'elle la cachait derrière eux tout en lui parlant) garder vaguement, comme le voile sacré, l'em-preinte, dessiner l'incertain modelé, de cette réalité infini-ment précieuse et hélas ! introuvable : — ce qu'elle faisait tantôt à trois heures, quand il était venu — de laquelle il ne posséderait jamais que ces mensonges, illisibles et divins vestiges, et qui n'existait plus que dans le souvenir recéleur de cet être qui la contemplait sans savoir l'apprécier, mais ne la lui livrerait pas. Certes il se doutait bien par moments

qu'en elles-mêmes les actions quotidiennes d'Odette
n'étaient pas passionnément intéressantes et que les relations
qu'elle pouvait avoir avec d'autres hommes n'exhalaient pas
naturellement, d'une façon universelle et pour tout être
pensant, une tristesse morbide, capable de donner la fièvre
du suicide. Il se rendait compte alors que cet intérêt, cette
tristesse n'existaient qu'en lui comme une maladie, et que,
quand celle-ci serait guérie, les actes d'Odette, les baisers
qu'elle aurait pu donner redeviendraient inoffensifs comme
ceux de tant d'autres femmes. Mais que la curiosité douloureuse que Swann y portait maintenant n'eût sa cause qu'en
lui, n'était pas pour lui faire trouver déraisonnable de
considérer cette curiosité comme importante et de mettre
tout en œuvre pour lui donner satisfaction. C'est que Swann
arrivait à un âge dont la philosophie — favorisée par celle de
l'époque, par celle aussi du milieu où Swann avait beaucoup
vécu, de cette coterie de la princesse des Laumes où il était
convenu qu'on est intelligent dans la mesure où on doute de
tout et où on ne trouvait de réel et d'incontestable que les
goûts de chacun — n'est déjà plus celle de la jeunesse, mais
une philosophie positive, presque médicale, d'hommes qui
au lieu d'extérioriser les objets de leurs aspirations, essayent
de dégager de leurs années déjà écoulées un résidu fixe
d'habitudes, de passions qu'ils puissent considérer en eux
comme caractéristiques et permanentes et auxquelles, délibérément, ils veilleront d'abord que le genre d'existence
qu'ils adoptent puisse donner satisfaction. Swann trouvait
sage de faire dans sa vie la part de la souffrance qu'il
éprouvait à ignorer ce qu'avait fait Odette, aussi bien que la
part de la recrudescence qu'un climat humide causait à son
eczéma ; de prévoir dans son budget une disponibilité
importante pour obtenir sur l'emploi des journées d'Odette
des renseignements sans lesquels il se sentirait malheureux,
aussi bien qu'il en réservait pour d'autres goûts dont il savait
qu'il pouvait attendre du plaisir, au moins avant qu'il fût

amoureux, comme celui des collections et de la bonne cuisine.

Quand il voulut dire adieu à Odette pour rentrer, elle lui demanda de rester encore et le retint même vivement, en lui prenant le bras, au moment où il allait ouvrir la porte pour sortir. Mais il n'y prit pas garde, car dans la multitude des gestes, des propos, des petits incidents qui remplissent une conversation, il est inévitable que nous passions, sans y rien remarquer qui éveille notre attention, près de ceux qui cachent une vérité que nos soupçons cherchent au hasard, et que nous nous arrêtions au contraire à ceux sous lesquels il n'y a rien. Elle lui redisait tout le temps : « Quel malheur que toi, qui ne viens jamais l'après-midi, pour une fois que cela t'arrive, je ne t'aie pas vu. » Il savait bien qu'elle n'était pas assez amoureuse de lui pour avoir un regret si vif d'avoir manqué sa visite, mais, comme elle était bonne, désireuse de lui faire plaisir, et souvent triste quand elle l'avait contrarié, il trouva tout naturel qu'elle le fût cette fois de l'avoir privé de ce plaisir de passer une heure ensemble qui était très grand, non pour elle, mais pour lui. C'était pourtant une chose assez peu importante pour que l'air douloureux qu'elle continuait d'avoir finît par l'étonner. Elle rappelait ainsi plus encore qu'il ne le trouvait d'habitude, les figures de femmes du peintre de la Primavera. Elle avait en ce moment leur visage abattu et navré qui semble succomber sous le poids d'une douleur trop lourde pour elles, simplement quand elles laissent l'enfant Jésus jouer avec une grenade ou regardent Moïse verser de l'eau dans une auge. Il lui avait déjà vu une fois une telle tristesse, mais ne savait plus quand. Et tout d'un coup, il se rappela : c'était quand Odette avait menti en parlant à Mme Verdurin, le lendemain de ce dîner où elle n'était pas venue sous prétexte qu'elle était malade et en réalité pour rester avec Swann. Certes, eût-elle été la plus scrupuleuse des femmes qu'elle n'aurait pu avoir de remords d'un mensonge aussi innocent. Mais ceux que faisait couramment Odette l'étaient moins et servaient à empêcher des découvertes qui auraient pu lui créer, avec les uns ou avec les autres, de terribles difficultés. Aussi quand elle mentait, prise de peur, se sentant peu armée pour se défendre, incertaine du succès, elle avait envie de pleurer, par fatigue, comme certains enfants qui n'ont pas dormi. Puis elle savait que son mensonge lésait d'ordinaire gravement l'homme à qui elle le faisait et à la merci duquel elle allait peut-être tomber si elle mentait mal. Alors elle se sentait à la fois humble et coupable devant lui. Et quand elle avait à faire un mensonge insignifiant et mondain, par association de sensations et de souvenirs, elle éprouvait le malaise d'un surmenage et le regret d'une méchanceté.

Quel mensonge déprimant était-elle en train de faire à Swann pour qu'elle eût ce regard douloureux, cette voix plaintive qui semblaient fléchir sous l'effort qu'elle s'imposait, et demander grâce? Il eut l'idée que ce n'était pas seulement la vérité sur l'incident de l'après-midi qu'elle s'efforçait de lui cacher, mais quelque chose de plus actuel, peut-être de non encore survenu et de tout prochain, et qui pourrait l'éclairer sur cette vérité. A ce moment, il entendit un coup de sonnette. Odette ne cessa plus de parler, mais ses paroles n'étaient qu'un gémissement : son regret de ne pas avoir vu Swann dans l'après-midi, de ne pas lui avoir ouvert, était devenu un véritable désespoir.

On entendit la porte d'entrée se refermer et le bruit d'une voiture, comme si repartait une personne — celle probablement que Swann ne devait pas rencontrer — à qui on avait dit qu'Odette était sortie. Alors en songeant que rien qu'en venant à une heure où il n'en avait pas l'habitude, il s'était trouvé déranger tant de choses qu'elle ne voulait pas qu'il sût, il éprouva un sentiment de découragement, presque de détresse. Mais comme il aimait Odette, comme il avait l'habitude de tourner vers elle toutes ses pensées, la pitié qu'il eût pu s'inspirer à lui-même, ce fut pour elle qu'il la ressentit, et il murmura : « Pauvre chérie ! » Quand il la quitta, elle prit plusieurs lettres qu'elle avait sur sa table et lui demanda s'il ne pourrait pas les mettre à la poste. Il les emporta et, une fois rentré, s'aperçut qu'il avait gardé les lettres sur lui. Il retourna jusqu'à la poste, les tira de sa poche et avant de les jeter dans la boîte regarda les adresses. Elles étaient toutes pour des fournisseurs, sauf une pour Forcheville. Il la tenait dans sa main. Il se disait : « Si je voyais ce qu'il y a dedans, je saurais comment elle l'appelle, comment elle lui parle, s'il y a quelque chose entre eux. Peut-être même qu'en ne la regardant pas, je commets une indélicatesse à l'égard d'Odette, car c'est la seule manière de me délivrer d'un soupçon peut-être calomnieux pour elle, destiné en tous cas à la faire souffrir et que rien ne pourrait plus détruire, une fois la lettre partie. »

Il rentra chez lui en quittant la poste, mais il avait gardé sur lui cette dernière lettre. Il alluma une bougie et en approcha l'enveloppe qu'il n'avait pas osé ouvrir. D'abord il ne put rien lire, mais l'enveloppe était mince, et en la faisant adhérer à la carte dure qui y était incluse, il put à travers sa transparence lire les derniers mots. C'était une formule finale très froide. Si, au lieu que ce fût lui qui regardât une lettre adressée à Forcheville, c'eût été Forcheville qui eût lu une lettre adressée à Swann, il aurait pu voir des mots autrement tendres ! Il maintint immobile la carte qui dansait dans l'enveloppe plus grande qu'elle, puis, la faisant glisser avec le pouce, en amena successivement les différentes lignes sous la partie de l'enveloppe qui n'était pas doublée, la seule à travers laquelle on pouvait lire.

Malgré cela il ne distinguait pas bien. D'ailleurs cela ne faisait rien, car il en avait assez vu pour se rendre compte qu'il s'agissait d'un petit événement sans importance et qui ne touchait nullement à des relations amoureuses ; c'était quelque chose qui se rapportait à un oncle d'Odette. Swann avait bien lu au commencement de la ligne : « J'ai eu raison », mais ne comprenait pas ce qu'Odette avait eu raison de faire, quand soudain, un mot qu'il n'avait pas pu déchiffrer d'abord apparut et éclaira le sens de la phrase tout

entière : « J'ai eu raison d'ouvrir, c'était mon oncle. »
D'ouvrir ! alors Forcheville était là tantôt quand Swann avait
sonné et elle l'avait fait partir, d'où le bruit qu'il avait
entendu.

Alors il lut toute la lettre ; à la fin elle s'excusait d'avoir agi
aussi sans façon avec lui et lui disait qu'il avait oublié ses
cigarettes chez elle, la même phrase qu'elle avait écrite à
Swann une des premières fois qu'il était venu. Mais pour
Swann elle avait ajouté : « puissiez-vous y avoir laissé votre
cœur, je ne vous aurais pas laissé le reprendre ». Pour
Forcheville rien de tel : aucune allusion qui pût faire
supposer une intrigue entre eux. A vrai dire d'ailleurs,
Forcheville était en tout ceci plus trompé que lui, puisque
Odette lui écrivait pour lui faire croire que le visiteur était
son oncle. En somme, c'était lui, Swann, l'homme à qui elle
attachait de l'importance et pour qui elle avait congédié
l'autre. Et pourtant, s'il n'y avait rien entre Odette et
Forcheville, pourquoi n'avoir pas ouvert tout de suite,
pourquoi avoir dit : « J'ai bien fait d'ouvrir, c'était mon
oncle » ? si elle ne faisait rien de mal à ce moment-là,
comment Forcheville pourrait-il même s'expliquer qu'elle
eût pu ne pas ouvrir ? Swann restait là, désolé, confus et
pourtant heureux, devant cette enveloppe qu'Odette lui
avait remise sans crainte, tant était absolue la confiance
qu'elle avait en sa délicatesse, mais à travers le vitrage
transparent de laquelle se dévoilait à lui, avec le secret d'un
incident qu'il n'aurait jamais cru possible de connaître, un
peu de la vie d'Odette, comme dans une étroite section
lumineuse pratiquée à même l'inconnu. Puis sa jalousie s'en
réjouissait, comme si cette jalousie eût eu une vitalité
indépendante, égoïste, vorace de tout ce qui la nourrissait,
fût-ce aux dépens de lui-même. Maintenant elle avait un
aliment et Swann allait pouvoir commencer à s'inquiéter
chaque jour des visites qu'Odette avait reçues vers cinq
heures, à chercher à apprendre où se trouvait Forcheville à
cette heure-là. Car la tendresse de Swann continuait à garder

le même caractère que lui avait imprimé dès le début à la fois
l'ignorance où il était de l'emploi des journées d'Odette et la
paresse cérébrale qui l'empêchait de suppléer à l'ignorance
par l'imagination. Il ne fut pas jaloux d'abord de toute la vie
d'Odette, mais des seuls moments où une circonstance, peut-
être mal interprétée, l'avait amené à supposer qu'Odette
avait pu le tromper. Sa jalousie, comme une pieuvre qui jette
une première, puis une seconde, puis une troisième amarre,
s'attacha solidement à ce moment de cinq heures du soir,
puis à un autre, puis à un autre encore. Mais Swann ne
savait pas inventer ses souffrances. Elles n'étaient que le
souvenir, la perpétuation d'une souffrance qui lui était venue
du dehors.

Mais là tout lui en apportait. Il voulut éloigner Odette de
Forcheville, l'emmener quelques jours dans le Midi. Mais il
croyait qu'elle était désirée par tous les hommes qui se
trouvaient dans l'hôtel et qu'elle-même les désirait. Aussi lui
qui jadis en voyage recherchait les gens nouveaux, les
assemblées nombreuses, on le voyait sauvage, fuyant la
société des hommes comme si elle l'eût cruellement blessé. Et
comment n'aurait-il pas été misanthrope, quand dans tout
homme il voyait un amant possible pour Odette ? Et ainsi sa
jalousie, plus encore que n'avait fait le goût voluptueux et
riant qu'il avait eu d'abord pour Odette, altérait le caractère
de Swann et changeait du tout au tout, aux yeux des autres,
l'aspect même des signes extérieurs par lesquels ce caractère
se manifestait.

Un mois après le jour où il avait lu la lettre adressée par
Odette à Forcheville, Swann alla à un dîner que les Verdurin
donnaient au Bois. Au moment où on se préparait à partir, il
remarqua des conciliabules entre Mme Verdurin et plusieurs
des invités et crut comprendre qu'on rappelait au pianiste de
venir le lendemain à une partie à Chatou ; or, lui, Swann, n'y
était pas invité.

Les Verdurin n'avaient parlé qu'à demi-voix et en termes
vagues, mais le peintre, distrait sans doute, s'écria :

— Il ne faudra aucune lumière et qu'il joue la sonate *Clair de lune* dans l'obscurité pour mieux voir s'éclairer les choses.

Mme Verdurin, voyant que Swann était à deux pas, prit cette expression où le désir de faire taire celui qui parle et de garder un air innocent aux yeux de celui qui entend, se neutralise en une nullité intense du regard, où l'immobile signe d'intelligence du complice se dissimule sous les sourires de l'ingénu et qui enfin, commune à tous ceux qui s'aperçoivent d'une gaffe, la révèle instantanément sinon à ceux qui la font, du moins à celui qui en est l'objet. Odette eut soudain l'air d'une désespérée qui renonce à lutter contre les difficultés écrasantes de la vie, et Swann comptait anxieusement les minutes qui le séparaient du moment où, après avoir quitté ce restaurant, pendant le retour avec elle, il allait pouvoir lui demander des explications, obtenir qu'elle n'allât pas le lendemain à Chatou ou qu'elle l'y fît inviter, et apaiser dans ses bras l'angoisse qu'il ressentait. Enfin on demanda les voitures. Mme Verdurin dit à Swann :

— Alors, adieu, à bientôt, n'est-ce pas ? tâchant par l'amabilité du regard et la contrainte du sourire de l'empêcher de penser qu'elle ne lui disait pas, comme elle eût toujours fait jusqu'ici : « A demain à Chatou, à après-demain chez moi. »

M. et Mme Verdurin firent monter avec eux Forcheville, la voiture de Swann s'était rangée derrière la leur dont il attendait le départ pour faire monter Odette dans la sienne.

— Odette, nous vous ramenons, dit Mme Verdurin, nous avons une petite place pour vous à côté de M. de Forcheville.

— Oui, Madame, répondit Odette.

— Comment, mais je croyais que je vous reconduisais, s'écria Swann, disant sans dissimulation les mots nécessaires, car la portière était ouverte, les secondes étaient comptées, et il ne pouvait rentrer sans elle dans l'état où il était.

— Mais Mme Verdurin m'a demandé...

— Voyons, vous pouvez bien revenir seul, nous vous l'avons laissée assez de fois, dit Mme Verdurin.

— Mais c'est que j'avais une chose importante à dire à Madame.

— Eh bien ! vous la lui écrirez...

— Adieu, lui dit Odette en lui tendant la main.

Il essaya de sourire, mais il avait l'air atterré.

— As-tu vu les façons que Swann se permet maintenant avec nous ? dit Mme Verdurin à son mari quand ils furent rentrés. J'ai cru qu'il allait me manger, parce que nous ramenions Odette. C'est d'une inconvenance, vraiment ! Alors, qu'il dise tout de suite que nous tenons une maison de rendez-vous ! Je ne comprends pas qu'Odette supporte des manières pareilles. Il a absolument l'air de dire : vous m'appartenez. Je dirai ma manière de penser à Odette, j'espère qu'elle comprendra.

Et elle ajouta encore un instant après, avec colère :

— Non, mais voyez-vous, cette sale bête ! employant sans s'en rendre compte, et peut-être en obéissant au même besoin obscur de se justifier — comme Françoise à Combray quand le poulet ne voulait pas mourir — les mots qu'arrachent les derniers sursauts d'un animal inoffensif qui agonise, au paysan qui est en train de l'écraser.

Et quand la voiture de Mme Verdurin fut partie et que celle de Swann s'avança, son cocher le regardant lui demanda s'il n'était pas malade ou s'il n'était pas arrivé de malheur.

Swann le renvoya, il voulait marcher et ce fut à pied, par le Bois, qu'il rentra. Il parlait seul, à haute voix, et sur le même ton un peu factice qu'il avait pris jusqu'ici quand il détaillait les charmes du petit noyau et exaltait la magnanimité des Verdurin. Mais, de même que les propos, les sourires, les baisers d'Odette lui devenaient aussi odieux qu'il les avait trouvés doux, s'ils étaient adressés à d'autres que lui, de même, le salon des Verdurin, qui tout à l'heure encore lui semblait amusant, respirant un goût vrai pour l'art et même une sorte de noblesse morale, maintenant que c'était un autre que lui qu'Odette allait y rencontrer, y aimer librement, lui exhibait ses ridicules, sa sottise, son ignominie.

Il se représentait avec dégoût la soirée du lendemain à Chatou. « D'abord cette idée d'aller à Chatou ! Comme des merciers qui viennent de fermer leur boutique ! Vraiment ces gens sont sublimes de bourgeoisisme, ils ne doivent pas exister réellement, ils doivent sortir du théâtre de Labiche ! »

Il y aurait là les Cottard, peut-être Brichot. « Est-ce assez grotesque, cette vie de petites gens qui vivent les uns sur les autres, qui se croiraient perdus, ma parole, s'ils ne se retrouvaient pas tous demain *à Chatou !* » Hélas ! il y aurait aussi le peintre, le peintre qui aimait « à faire des mariages », qui inviterait Forcheville à venir avec Odette à son atelier. Il voyait Odette avec une toilette trop habillée pour cette partie de campagne, « car elle est si vulgaire et surtout, la pauvre petite, elle est tellement bête ! ! ! ».

Il entendait les plaisanteries que ferait Mme Verdurin après dîner, les plaisanteries qui, quel que fût l'ennuyeux qu'elles eussent pour cible, l'avaient toujours amusé parce qu'il voyait Odette en rire, en rire avec lui, presque en lui. Maintenant il sentait que c'était peut-être de lui qu'on allait faire rire Odette. « Quelle gaîté fétide ! disait-il en donnant à sa bouche une expression de dégoût si forte qu'il avait lui-même la sensation musculaire de sa grimace jusque dans son cou révulsé contre le col de sa chemise. Et comment une créature dont le visage est fait à l'image de Dieu peut-elle trouver matière à rire dans ces plaisanteries nauséabondes ? Toute narine un peu délicate se détournerait avec horreur pour ne pas se laisser offusquer par de tels relents. C'est vraiment incroyable de penser qu'un être humain peut ne pas comprendre qu'en se permettant un sourire à l'égard d'un semblable qui lui a tendu loyalement la main, il se dégrade jusqu'à une fange d'où il ne sera plus possible à la meilleure volonté du monde de jamais le relever. J'habite à trop de milliers de mètres d'altitude au-dessus des bas-fonds où clapotent et clabaudent de tels sales papotages, pour que je puisse être éclaboussé par les plaisanteries d'une Verdurin, cria-t-il en relevant la tête, en redressant fièrement son corps en arrière. Dieu m'est témoin que j'ai sincèrement voulu tirer Odette de là, et l'élever dans une atmosphère plus noble et plus pure. Mais la patience humaine a des bornes, et la mienne est à bout », se dit-il, comme si cette mission d'arracher Odette à une atmosphère de sarcasmes datait de plus longtemps que de quelques minutes et comme s'il ne se l'était pas donnée seulement depuis qu'il pensait que ces sarcasmes l'avaient peut-être lui-même pour objet et tentaient de détacher Odette de lui.

Il voyait le pianiste prêt à jouer la sonate *Clair de lune* et les mines de Mme Verdurin s'effrayant du mal que la musique de Beethoven allait faire à ses nerfs : « Idiote, menteuse ! s'écria-t-il, et ça croit aimer *l'Art !* » Elle dirait à Odette, après lui avoir insinué adroitement quelques mots louangeurs pour Forcheville, comme elle avait fait si souvent pour lui : « Vous allez faire une petite place à côté de vous à M. de Forcheville. » « Dans l'obscurité ! maquerelle, entremetteuse ! » « Entremetteuse », c'était le nom qu'il donnait aussi à la musique qui les convierait à se taire, à rêver ensemble, à se regarder, à se prendre la main. Il trouvait du bon à la sévérité contre les arts, de Platon, de Bossuet, et de la vieille éducation française.

En somme, la vie qu'on menait chez les Verdurin et qu'il avait appelée si souvent « la vraie vie » lui semblait la pire de toutes, et leur petit noyau le dernier des milieux. « C'est vraiment, disait-il, ce qu'il y a de plus bas dans l'échelle sociale, le dernier cercle de Dante. Nul doute que le texte auguste ne se réfère aux Verdurin ! Au fond, comme les gens du monde, dont on peut médire, mais qui tout de même sont autre chose que ces bandes de voyous, montrent leur profonde sagesse en refusant de les connaître, d'y salir même le bout de leurs doigts ! Quelle divination dans ce *Noli me tangere* du faubourg Saint-Germain ! » Il avait quitté depuis bien longtemps les allées du Bois, il était presque arrivé chez

lui, que, pas encore dégrisé de sa douleur et de la verve
d'insincérité dont les intonations menteuses, la sonorité
artificielle de sa propre voix lui versaient d'instant en instant
plus abondamment l'ivresse, il continuait encore à pérorer
tout haut dans le silence de la nuit : « Les gens du monde ont
leurs défauts que personne ne reconnaît mieux que moi, mais
enfin ce sont tout de même des gens avec qui certaines choses
sont impossibles. Telle femme élégante que j'ai connue était
loin d'être parfaite, mais enfin il y avait tout de même chez
elle un fond de délicatesse, une loyauté dans les procédés qui
l'auraient rendue, quoi qu'il arrivât, incapable d'une félonie
et qui suffisent à mettre des abîmes entre elle et une mégère
comme la Verdurin. Verdurin ! quel nom ! Ah ! on peut dire
qu'ils sont complets, qu'ils sont beaux dans leur genre ! Dieu
merci, il n'était que temps de ne plus condescendre à la
promiscuité avec cette infamie, avec ces ordures. »

Mais, comme les vertus qu'il attribuait tantôt encore aux
Verdurin n'auraient pas suffi, même s'ils les avaient vraiment possédées, mais s'ils n'avaient pas favorisé et protégé
son amour, à provoquer chez Swann cette ivresse où il
s'attendrissait sur leur magnanimité et qui, même propagée
à travers d'autres personnes, ne pouvait lui venir que
d'Odette, — de même, l'immoralité, eût-elle été réelle, qu'il
trouvait aujourd'hui aux Verdurin aurait été impuissante,
s'ils n'avaient pas invité Odette avec Forcheville et sans lui, à
déchaîner son indignation et à lui faire flétrir « leur infamie ». Et sans doute la voix de Swann était plus clairvoyante
que lui-même, quand elle se refusait à prononcer ces mots
pleins de dégoût pour le milieu Verdurin et de la joie d'en
avoir fini avec lui, autrement que sur un ton factice et comme
s'ils étaient choisis plutôt pour assouvir sa colère que pour
exprimer sa pensée. Celle-ci, en effet, pendant qu'il se livrait
à ces invectives, était probablement, sans qu'il s'en aperçût,
occupée d'un objet tout à fait différent, car une fois arrivé
chez lui, à peine eut-il refermé la porte cochère, que
brusquement il se frappa le front, et, la faisant rouvrir,

ressortit en s'écriant d'une voix naturelle cette fois : « Je crois que j'ai trouvé le moyen de me faire inviter demain au dîner de Chatou ! » Mais le moyen devait être mauvais, car Swann ne fut pas invité : le docteur Cottard qui, appelé en province pour un cas grave, n'avait pas vu les Verdurin depuis plusieurs jours et n'avait pu aller à Chatou, dit, le lendemain de ce dîner, en se mettant à table chez eux :

— Mais, est-ce que nous ne verrons pas M. Swann, ce soir ? Il est bien ce qu'on appelle un ami personnel du...

— Mais j'espère bien que non ! s'écria Mme Verdurin, Dieu nous en préserve, il est assommant, bête et mal élevé.

Cottard à ces mots manifesta en même temps son étonnement et sa soumission, comme devant une vérité contraire à tout ce qu'il avait cru jusque-là, mais d'une évidence irrésistible ; et, baissant d'un air ému et peureux son nez dans son assiette, il se contenta de répondre : « Ah ! -ah ! -ah ! -ah ! -ah ! » en traversant à reculons, dans sa retraite repliée en bon ordre jusqu'au fond de lui-même, le long d'une gamme descendante, tout le registre de sa voix. Et il ne fut plus question de Swann chez les Verdurin.

Alors ce salon qui avait réuni Swann et Odette devint un obstacle à leurs rendez-vous. Elle ne lui disait plus comme au premier temps de leur amour : « Nous nous verrons en tous cas demain soir, il y a un souper chez les Verdurin » mais : « Nous ne pourrons pas nous voir demain soir, il y a un souper chez les Verdurin. » Ou bien les Verdurin devaient l'emmener à l'Opéra-Comique voir *Une Nuit de Cléopâtre* et Swann lisait dans les yeux d'Odette cet effroi qu'il lui demandât de n'y pas aller, que naguère il n'aurait pu se retenir de baiser au passage sur le visage de sa maîtresse, et qui maintenant l'exaspérait. « Ce n'est pas de la colère, pourtant, se disait-il à lui-même, que j'éprouve en voyant l'envie qu'elle a d'aller picorer dans cette musique stercoraire. C'est du chagrin, non pas certes pour moi, mais pour elle ; du chagrin de voir qu'après avoir vécu plus de six mois en contact quotidien avec moi, elle n'a pas su devenir assez une autre pour éliminer spontanément Victor Massé ! Surtout pour ne pas être arrivée à comprendre qu'il y a des soirs où un être d'une essence un peu délicate doit savoir renoncer à un plaisir, quand on le lui demande. Elle devrait savoir dire « je n'irai pas », ne fût-ce que par intelligence, puisque c'est sur sa réponse qu'on classera une fois pour toutes sa qualité d'âme. » Et s'étant persuadé à lui-même que c'était seulement en effet pour pouvoir porter un jugement plus favorable sur la valeur spirituelle d'Odette qu'il désirait que ce soir-là elle restât avec lui au lieu d'aller à l'Opéra-Comique, il lui tenait le même raisonnement, au même degré d'insincérité qu'à soi-même, et même à un degré de plus, car alors il obéissait aussi au désir de la prendre par l'amour-propre.

— Je te jure, lui disait-il, quelques instants avant qu'elle partît pour le théâtre, qu'en te demandant de ne pas sortir, tous mes souhaits, si j'étais égoïste, seraient pour que tu me refuses, car j'ai mille choses à faire ce soir, et je me trouverai moi-même pris au piège et bien ennuyé si contre toute attente tu me réponds que tu n'iras pas. Mais mes occupations, mes plaisirs, ne sont pas tout, je dois penser à toi. Il peut venir un jour où, me voyant à jamais détaché de toi, tu auras le droit de me reprocher de ne pas t'avoir avertie dans les minutes décisives où je sentais que j'allais porter sur toi un de ces jugements sévères auxquels l'amour ne résiste pas longtemps. Vois-tu, *Une Nuit de Cléopâtre* (quel titre !) n'est rien dans la circonstance. Ce qu'il faut savoir, c'est si vraiment tu es cet être qui est au dernier rang de l'esprit, et même du charme, l'être méprisable qui n'est pas capable de renoncer à un plaisir. Alors, si tu es cela, comment pourrait-on t'aimer, car tu n'es même pas une personne, une créature définie, imparfaite, mais du moins perfectible ? Tu es une eau informe qui coule selon la pente qu'on lui offre, un poisson sans mémoire et sans réflexion qui, tant qu'il vivra dans son aquarium, se heurtera cent fois par jour contre le vitrage qu'il continuera à prendre pour de l'eau. Comprends-tu que ta réponse, je ne dis pas aura pour effet que je cesserai de t'aimer immédiatement, bien entendu, mais te rendra moins séduisante à mes yeux quand je comprendrai que tu n'es pas une personne, que tu es au-dessous de toutes les choses et ne sais te placer au-dessus d'aucune ? Évidemment j'aurais mieux aimé te demander comme une chose sans importance de renoncer à *Une Nuit de Cléopâtre* (puisque tu m'obliges à me souiller les lèvres de ce nom abject) dans l'espoir que tu irais cependant. Mais, décidé à tenir un tel compte, à tirer de telles conséquences de ta réponse, j'ai trouvé plus loyal de t'en prévenir.

Odette depuis un moment donnait des signes d'émotion et d'incertitude. A défaut du sens de ce discours, elle comprenait qu'il pouvait rentrer dans le genre commun des « laïus » et scènes de reproches ou de supplications, dont l'habitude qu'elle avait des hommes lui permettait, sans s'attacher aux détails des mots, de conclure qu'ils ne les prononceraient pas s'ils n'étaient pas amoureux, que du moment qu'ils étaient amoureux, il était inutile de leur obéir, qu'ils ne le seraient que plus après. Aussi aurait-elle écouté Swann avec le plus grand calme si elle n'avait vu que l'heure passait et que pour peu qu'il parlât encore quelque temps, elle allait, comme elle le lui dit avec un sourire tendre, obstiné et confus, « finir par manquer l'Ouverture ! ».

D'autres fois il lui disait que ce qui plus que tout ferait qu'il cesserait de l'aimer, c'est qu'elle ne voulût pas renoncer à mentir. « Même au simple point de vue de la coquetterie, lui disait-il, ne comprends-tu donc pas combien tu perds de ta séduction en t'abaissant à mentir ? Par un aveu, combien de fautes tu pourrais racheter ! Vraiment tu es bien moins intelligente que je ne croyais ! » Mais c'est en vain que Swann lui exposait ainsi toutes les raisons qu'elle avait de ne pas mentir ; elles auraient pu ruiner chez Odette un système général du mensonge ; mais Odette n'en possédait pas ; elle se contentait seulement, dans chaque cas où elle voulait que Swann ignorât quelque chose qu'elle avait fait, de ne pas le lui dire. Ainsi le mensonge était pour elle un expédient d'ordre particulier ; et ce qui seul pouvait décider si elle devait s'en servir ou avouer la vérité, c'était une raison d'ordre particulier aussi, la chance plus ou moins grande qu'il y avait pour que Swann pût découvrir qu'elle n'avait pas dit la vérité.

Physiquement, elle traversait une mauvaise phase : elle épaississait ; et le charme expressif et dolent, les regards étonnés et rêveurs qu'elle avait autrefois semblaient avoir disparu avec sa première jeunesse. De sorte qu'elle était devenue si chère à Swann au moment pour ainsi dire où il la trouvait précisément bien moins jolie. Il la regardait longue-ment pour tâcher de ressaisir le charme qu'il lui avait connu, et ne le retrouvait pas. Mais savoir que sous cette chrysalide nouvelle, c'était toujours Odette qui vivait, toujours la même volonté fugace, insaisissable et sournoise, suffisait à Swann pour qu'il continuât de mettre la même passion à chercher à la capter. Puis il regardait des photographies d'il y avait deux ans, il se rappelait comme elle avait été délicieuse. Et cela le consolait un peu de se donner tant de mal pour elle.

Quand les Verdurin l'emmenaient à Saint-Germain, à Chatou, à Meulan, souvent, si c'était dans la belle saison, ils proposaient, sur place, de rester à coucher et de ne revenir que le lendemain. Mme Verdurin cherchait à apaiser les scrupules du pianiste dont la tante était restée à Paris.

— Elle sera enchantée d'être débarrassée de vous pour un jour. Et comment s'inquiéterait-elle, elle vous sait avec.nous ; d'ailleurs, je prends tout sous mon bonnet.

Mais si elle n'y réussissait pas, M. Verdurin partait en campagne, trouvait un bureau de télégraphe ou un messager et s'informait de ceux des fidèles qui avaient quelqu'un à faire prévenir. Mais Odette le remerciait et disait qu'elle n'avait de dépêche à faire pour personne, car elle avait dit à Swann une fois pour toutes qu'en lui en envoyant une aux yeux de tous, elle se compromettrait. Parfois c'était pour plusieurs jours qu'elle s'absentait, les Verdurin l'emmenaient voir les tombeaux de Dreux, ou à Compiègne admirer, sur le conseil du peintre, des couchers de soleil en forêt, et on poussait jusqu'au château de Pierrefonds.

— Penser qu'elle pourrait visiter de vrais monuments avec moi qui ai étudié l'architecture pendant dix ans et qui suis tout le temps supplié de mener à Beauvais ou à Saint-Loup-de-Naud des gens de la plus haute valeur et ne le ferais que pour elle, et qu'à la place elle va avec les dernières des brutes s'extasier successivement devant les déjections de Louis-Philippe et devant celles de Viollet-le-Duc ! Il me semble qu'il n'y a pas besoin d'être artiste pour cela et que, même sans flair particulièrement fin, on ne choisit pas d'aller villégiaturer dans des latrines pour être plus à portée de respirer des excréments.

Mais quand elle était partie pour Dreux ou pour Pierrefonds — hélas, sans lui permettre d'y aller, comme par hasard, de son côté, car « cela ferait un effet déplorable », disait-elle — il se plongeait dans le plus enivrant des romans d'amour, l'indicateur des chemins de fer, qui lui apprenait les moyens de la rejoindre, l'après-midi, le soir, ce matin même ! Le moyen ? presque davantage : l'autorisation. Car enfin l'indicateur et les trains eux-mêmes n'étaient pas faits pour des chiens. Si on faisait savoir au public, par voie d'imprimés, qu'à huit heures du matin partait un train qui arrivait à Pierrefonds à dix heures, c'est donc qu'aller à Pierrefonds était un acte licite, pour lequel la permission d'Odette était superflue ; et c'était aussi un acte qui pouvait avoir un tout autre motif que le désir de rencontrer Odette, puisque des gens qui ne la connaissaient pas l'accomplissaient chaque jour, en assez grand nombre pour que cela valût la peine de faire chauffer des locomotives.

En somme, elle ne pouvait tout de même pas l'empêcher d'aller à Pierrefonds s'il en avait envie ! Or, justement, il sentait qu'il en avait envie et que, s'il n'avait pas connu Odette, certainement il y serait allé. Il y avait longtemps qu'il voulait se faire une idée plus précise des travaux de restauration de Viollet-le-Duc. Et par le temps qu'il faisait, il éprouvait l'impérieux désir d'une promenade dans la forêt de Compiègne.

Ce n'était vraiment pas de chance qu'elle lui défendît le seul endroit qui le tentait aujourd'hui. Aujourd'hui ! S'il y allait, malgré son interdiction, il pourrait la voir *aujourd'hui* même ! Mais alors que, si elle eût retrouvé à Pierrefonds quelque indifférent, elle lui eût dit joyeusement : « Tiens, vous ici ! », et lui aurait demandé d'aller la voir à l'hôtel où elle était descendue avec les Verdurin, au contraire si elle l'y rencontrait, lui, Swann, elle serait froissée, elle se dirait qu'elle était suivie, elle l'aimerait moins, peut-être se détournerait-elle avec colère en l'apercevant. « Alors, je n'ai plus le droit de voyager ! » lui dirait-elle au retour, tandis qu'en somme c'**é**tait lui qui n'avait plus le droit de voyager !

Il avait eu un moment l'idée, pour pouvoir aller à Compiègne et à Pierrefonds sans avoir l'air que ce fût pour rencontrer Odette, de s'y faire emmener par un de ses amis, le marquis de Forestelle, qui avait un château dans le voisinage. Celui-ci, à qui il avait fait part de son projet sans lui en dire le motif, ne se sentait pas de joie et s'émerveillait que Swann, pour la première fois depuis quinze ans, consentît enfin à venir voir sa propriété et, puisqu'il ne voulait pas s'y arrêter, lui avait-il dit, lui promît au moins de faire ensemble des promenades et des excursions pendant plusieurs jours. Swann s'imaginait déjà là-bas avec M. de Forestelle. Même avant d'y voir Odette, même s'il ne réussissait pas à l'y voir, quel bonheur il aurait à mettre le pied sur cette terre où, ne sachant pas l'endroit exact, à tel moment, de sa présence, il sentirait palpiter partout la possibilité de sa brusque apparition : dans la cour du château, devenu beau pour lui parce que c'était à cause d'elle qu'il était allé le voir ; dans toutes les rues de la ville, qui lui semblait romanesque ; sur chaque route de la forêt, rosée par un couchant profond et tendre ; — asiles innombrables et alternatifs, où venait simultanément se réfugier, dans l'incer-

taine ubiquité de ses espérances, son cœur heureux, vaga-
bond et multiplié. « Surtout, dirait-il à M. de Forestelle,
prenons garde de ne pas tomber sur Odette et les Verdurin ;
je viens d'apprendre qu'ils sont justement aujourd'hui à
Pierrefonds. On a assez le temps de se voir à Paris, ce ne
serait pas la peine de le quitter pour ne pas pouvoir faire un
pas les uns sans les autres. » Et son ami ne comprendrait pas
pourquoi une fois là-bas il changerait vingt fois de projets,
inspecterait les salles à manger de tous les hôtels de
Compiègne sans se décider à s'asseoir dans aucune de celles
où pourtant on n'avait pas vu trace de Verdurin, ayant l'air
de rechercher ce qu'il disait vouloir fuir et du reste le fuyant
dès qu'il l'aurait trouvé, car s'il avait rencontré le petit
groupe, il s'en serait écarté avec affectation, content d'avoir
vu Odette et qu'elle l'eût vu, surtout qu'elle l'eût vu ne se
souciant pas d'elle. Mais non, elle devinerait bien que c'était
pour elle qu'il était là. Et quand M. de Forestelle venait le
chercher pour partir, il lui disait : « Hélas ! non, je ne peux
pas aller aujourd'hui à Pierrefonds, Odette y est justement. »
Et Swann était heureux malgré tout de sentir que, si seul de
tous les mortels il n'avait pas le droit en ce jour d'aller à
Pierrefonds, c'était parce qu'il était en effet pour Odette
quelqu'un de différent des autres, son amant, et que cette
restriction apportée pour lui au droit universel de libre
circulation, n'était qu'une des formes de cet esclavage, de cet
amour qui lui était si cher. Décidément il valait mieux ne pas
risquer de se brouiller avec elle, patienter, attendre son
retour. Il passait ses journées penché sur une carte de la forêt
de Compiègne comme si ç'avait été la carte du Tendre,
s'entourait de photographies du château de Pierrefonds. Dès
que venait le jour où il était possible qu'elle revînt, il rouvrait
l'indicateur, calculait quel train elle avait dû prendre et, si
elle s'était attardée, ceux qui lui restaient encore. Il ne sortait
pas de peur de manquer une dépêche, ne se couchait pas
pour le cas où, revenue par le dernier train, elle aurait voulu
lui faire la surprise de venir le voir au milieu de la nuit.

Justement il entendait sonner à la porte cochère, il lui
semblait qu'on tardait à ouvrir, il voulait éveiller le
concierge, se mettait à la fenêtre pour appeler Odette si
c'était elle, car malgré les recommandations qu'il était
descendu faire plus de dix fois lui-même, on était capable de
lui dire qu'il n'était pas là. C'était un domestique qui
rentrait. Il remarquait le vol incessant des voitures qui
passaient, auquel il n'avait jamais fait attention autrefois. Il
écoutait chacune venir au loin, s'approcher, dépasser sa
porte sans s'être arrêtée et porter plus loin un message qui
n'était pas pour lui. Il attendait toute la nuit, bien inutilement, car les Verdurin ayant avancé leur retour, Odette était
à Paris depuis midi ; elle n'avait pas eu l'idée de l'en
prévenir ; ne sachant que faire, elle avait été passer sa soirée
seule au théâtre et il y avait longtemps qu'elle était rentrée se
coucher et dormait.

C'est qu'elle n'avait même pas pensé à lui. Et de tels
moments où elle oubliait jusqu'à l'existence de Swann,
étaient plus utiles à Odette, servaient mieux à lui attacher
Swann, que toute sa coquetterie. Car ainsi Swann vivait dans
cette agitation douloureuse qui avait déjà été assez puissante
pour faire éclore son amour, le soir où il n'avait pas trouvé
Odette chez les Verdurin et l'avait cherchée toute la soirée.
Et il n'avait pas, comme j'eus à Combray dans mon enfance,
des journées heureuses pendant lesquelles s'oublient les
souffrances qui renaîtront le soir. Les journées, Swann les
passait sans Odette ; et par moments il se disait que laisser
une aussi jolie femme sortir ainsi seule dans Paris était aussi
imprudent que de poser un écrin plein de bijoux au milieu de
la rue. Alors il s'indignait contre tous les passants comme
contre autant de voleurs. Mais leur visage collectif et informe
échappant à son imagination ne nourrissait pas sa jalousie. Il
fatiguait la pensée de Swann, lequel, se passant la main sur
les yeux, s'écriait : « A la grâce de Dieu », comme ceux qui
après s'être acharnés à étreindre le problème de la réalité du
monde extérieur ou de l'immortalité de l'âme, accordent la

détente d'un acte de foi à leur cerveau lassé. Mais toujours la pensée de l'absente était indissolublement mêlée aux actes les plus simples de la vie de Swann — déjeuner, recevoir son courrier, sortir, se coucher — par la tristesse même qu'il avait à les accomplir sans elle, comme ces initiales de Philibert le Beau que dans l'église de Brou, à cause du regret qu'elle avait de lui, Marguerite d'Autriche entrelaça partout aux siennes. Certains jours, au lieu de rester chez lui, il allait prendre son déjeuner dans un restaurant assez voisin dont il avait apprécié autrefois la bonne cuisine et où maintenant il n'allait plus que pour une de ces raisons, à la fois mystiques et saugrenues, qu'on appelle romanesques ; c'est que ce restaurant (lequel existe encore) portait le même nom que la rue habitée par Odette : *Lapérouse*. Quelquefois, quand elle avait fait un court déplacement, ce n'est qu'après plusieurs jours qu'elle songeait à lui faire savoir qu'elle était revenue à Paris. Et elle lui disait tout simplement, sans plus prendre comme autrefois la précaution de se couvrir à tout hasard d'un petit morceau emprunté à la vérité, qu'elle venait d'y rentrer à l'instant même par le train du matin. Ces paroles étaient mensongères ; du moins pour Odette elles étaient mensongères, inconsistantes, n'ayant pas, comme si elles avaient été vraies, un point d'appui dans le souvenir de son arrivée à la gare ; même elle était empêchée de se les représenter au moment où elle les prononçait, par l'image contradictoire de ce qu'elle avait fait de tout différent au moment où elle prétendait être descendue du train. Mais dans l'esprit de Swann, au contraire, ces paroles qui ne rencontraient aucun obstacle venaient s'incruster et prendre l'inamovibilité d'une vérité si indubitable que, si un ami lui disait être venu par ce train et ne pas avoir vu Odette, il était persuadé que c'était l'ami qui se trompait de jour ou d'heure, puisque son dire ne se conciliait pas avec les paroles d'Odette. Celles-ci ne lui eussent paru mensongères que s'il s'était d'abord défié qu'elles le fussent. Pour qu'il crût qu'elle mentait, un soupçon préalable était une condition nécessaire.

C'était d'ailleurs aussi une condition suffisante. Alors tout ce que disait Odette lui paraissait suspect. L'entendait-il citer un nom, c'était certainement celui d'un de ses amants ; une fois cette supposition forgée, il passait des semaines à se désoler ; il s'aboucha même une fois avec une agence de renseignements pour savoir l'adresse, l'emploi du temps de l'inconnu qui ne le laisserait respirer que quand il serait parti en voyage, et dont il finit par apprendre que c'était un oncle d'Odette mort depuis vingt ans.

Bien qu'elle ne lui permît pas en général de la rejoindre dans des lieux publics, disant que cela ferait jaser, il arrivait que dans une soirée où il était invité comme elle — chez Forcheville, chez le peintre, ou à un bal de charité dans un ministère — il se trouvât en même temps qu'elle. Il la voyait mais n'osait pas rester de peur de l'irriter en ayant l'air d'épier les plaisirs qu'elle prenait avec d'autres et qui — tandis qu'il rentrait solitaire, qu'il allait se coucher anxieux comme je devais l'être moi-même quelques années plus tard les soirs où il viendrait dîner à la maison, à Combray — lui semblaient illimités parce qu'il n'en avait pas vu la fin. Et une fois ou deux il connut par de tels soirs de ces joies qu'on serait tenté, si elles ne subissaient avec tant de violence le choc en retour de l'inquiétude brusquement arrêtée, d'appeler des joies calmes, parce qu'elles consistent en un apaisement : il était allé passer un instant à un raout chez le peintre et s'apprêtait à le quitter ; il y laissait Odette muée en une brillante étrangère, au milieu d'hommes à qui ses regards et sa gaîté, qui n'étaient pas pour lui, semblaient parler de quelque volupté qui serait goûtée là ou ailleurs (peut-être au « Bal des Incohérents » où il tremblait qu'elle n'allât ensuite) et causait à Swann plus de jalousie que l'union charnelle même, parce qu'il l'imaginait plus difficilement ; il était déjà prêt à passer la porte de l'atelier quand il s'entendait rappeler par ces mots (qui en retranchant de la fête cette fin qui l'épouvantait, la lui rendaient rétrospectivement innocente, faisaient du retour d'Odette une chose non plus inconcevable et terrible, mais douce et connue et qui tiendrait à côté de lui, pareille à un peu de sa vie de tous les jours, dans sa voiture, et dépouillaient Odette elle-même de son apparence trop brillante et gaie, montraient que ce n'était qu'un déguisement qu'elle avait revêtu un moment, pour lui-même, non en vue de mystérieux plaisirs, et duquel elle était déjà lasse) par ces mots qu'Odette lui jetait, comme il était déjà sur le seuil : « Vous ne voudriez pas m'attendre cinq minutes, je vais partir, nous reviendrions ensemble, vous me ramèneriez chez moi. »

Il est vrai qu'un jour Forcheville avait demandé à être ramené en même temps, mais comme, arrivé devant la porte d'Odette, il avait sollicité la permission d'entrer aussi, Odette lui avait répondu en montrant Swann : « Ah ! cela dépend de ce monsieur-là, demandez-lui. Enfin, entrez un moment si vous voulez, mais pas longtemps, parce que je vous préviens qu'il aime causer tranquillement avec moi, et qu'il n'aime pas beaucoup qu'il y ait des visites quand il vient. Ah ! si vous connaissiez cet être-là autant que je le connais ! n'est-ce pas, *my love,* il n'y a que moi qui vous connaisse bien ? »

Et Swann était peut-être encore plus touché de la voir ainsi lui adresser en présence de Forcheville, non seulement ces paroles de tendresse, de prédilection, mais encore certaines critiques comme : « Je suis sûre que vous n'avez pas encore répondu à vos amis, pour votre dîner de dimanche. N'y allez pas si vous ne voulez pas, mais soyez au moins poli », ou : « Avez-vous laissé seulement ici votre essai sur Ver Meer pour pouvoir l'avancer un peu demain ? Quel paresseux ! Je vous ferai travailler, moi ! », qui prouvaient qu'Odette se tenait au courant de ses invitations dans le monde et de ses études d'art, qu'ils avaient bien une vie à eux deux. Et en disant cela, elle lui adressait un sourire au fond duquel il la sentait toute à lui.

Alors à ces moments-là, pendant qu'elle leur faisait de l'orangeade, tout d'un coup, comme quand un réflecteur mal

réglé d'abord promène autour d'un objet, sur la muraille, de
grandes ombres fantastiques, qui viennent ensuite se replier
et s'anéantir en lui, toutes les idées terribles et mouvantes
qu'il se faisait d'Odette s'évanouissaient, rejoignaient le
corps charmant que Swann avait devant lui. Il avait le
brusque soupçon que cette heure passée chez Odette, sous la
lampe, n'était peut-être pas une heure factice, à son usage à
lui (destinée à masquer cette chose effrayante et délicieuse à
laquelle il pensait sans cesse sans pouvoir bien se la
représenter, une heure de la vraie vie d'Odette, de la vie
d'Odette quand lui n'était pas là), avec des accessoires de
théâtre et des fruits de carton, mais était peut-être une heure
pour de bon de la vie d'Odette ; que s'il n'avait pas été là, elle
eût avancé à Forcheville le même fauteuil et lui eût versé
non un breuvage inconnu, mais présicément cette orangeade ; que le monde habité par Odette n'était pas cet autre
monde effroyable et surnaturel où il passait son temps à la
situer et qui n'existait peut-être que dans son imagination,
mais l'univers réel, ne dégageant aucune tristesse spéciale,
comprenant cette table où il allait pouvoir écrire et cette
boisson à laquelle il lui serait permis de goûter, tous ces
objets qu'il contemplait avec autant de curiosité et d'admiration que de gratitude, car si en absorbant ses rêves ils l'en
avaient délivré, eux en revanche s'en étaient enrichis, ils lui
en montraient la réalisation palpable, et ils intéressaient son
esprit, ils prenaient du relief devant ses regards, en même
temps qu'ils tranquillisaient son cœur. Ah ! si le destin avait
permis qu'il pût n'avoir qu'une seule demeure avec Odette et
que chez elle il fût chez lui, si en demandant au domestique
ce qu'il y avait à déjeuner, c'eût été le menu d'Odette qu'il
avait appris en réponse, si quand Odette voulait aller le
matin se promener avenue du Bois de Boulogne, son devoir
de bon mari l'avait obligé, n'eût-il pas envie de sortir, à
l'accompagner, portant son manteau quand elle avait trop
chaud, et le soir après le dîner si elle avait envie de rester
.hez elle en déshabillé, s'il avait été forcé de rester là près

d'elle, à faire ce qu'elle voudrait ; alors combien tous les riens
de la vie de Swann qui lui semblaient si tristes, au contraire
parce qu'ils auraient en même temps fait partie de la vie
d'Odette auraient pris, même les plus familiers — et comme
cette lampe, cette orangeade, ce fauteuil qui contenaient tant
de rêve, qui matérialisaient tant de désir — une sorte de
douceur surabondante et de densité mystérieuse !

Pourtant il se doutait bien que ce qu'il regrettait ainsi,
c'était un calme, une paix, qui n'auraient pas été pour son
amour une atmosphère favorable. Quand Odette cesserait
d'être pour lui une créature toujours absente, regrettée,
imaginaire ; quand le sentiment qu'il aurait pour elle ne
serait plus ce même trouble mystérieux que lui causait la
phrase de la sonate, mais de l'affection, de la reconnaissance ;
quand s'établiraient entre eux des rapports normaux qui
mettraient fin à sa folie et à sa tristesse, alors sans doute les
actes de la vie d'Odette lui paraîtraient peu intéressants en
eux-mêmes — comme il avait déjà en plusieurs fois le
soupçon qu'ils étaient, par exemple le jour où il avait lu à
travers l'enveloppe la lettre adressée à Forcheville. Considé-
rant son mal avec autant de sagacité que s'il se l'était inoculé
pour en faire l'étude, il se disait que, quand il serait guéri, ce
que pourrait faire Odette lui serait indifférent. Mais du sein
de son état morbide, à vrai dire, il redoutait à l'égal de la
mort une telle guérison, qui eût été en effet la mort de tout ce
qu'il était actuellement.

Après ces tranquilles soirées, les soupçons de Swann
étaient calmés ; il bénissait Odette et le lendemain, dès le
matin, il faisait envoyer chez elle les plus beaux bijoux, parce
que ces bontés de la veille avaient excité ou sa gratitude, ou
le désir de les voir se renouveler, ou un paroxysme d'amour
qui avait besoin de se dépenser.

Mais, à d'autres moments, sa douleur le reprenait, il
s'imaginait qu'Odette était la maîtresse de Forcheville et que
quand tous deux l'avaient vu, du fond du landau des
Verdurin, au Bois, la veille de la fête de Chatou où il n'avait

pas été invité, la prier vainement, avec cet air de désespoir
qu'avait remarqué jusqu'à son cocher, de revenir avec lui,
puis s'en retourner de son côté, seul et vaincu, elle avait dû
avoir pour le désigner à Forcheville et lui dire : « Hein ! ce
qu'il rage ! » les mêmes regards brillants, malicieux, abaissés
et sournois, que le jour où celui-ci avait chassé Saniette de
chez les Verdurin.

Alors Swann la détestait. « Mais aussi, je suis trop bête, se
disait-il, je paie avec mon argent le plaisir des autres. Elle
fera tout de même bien de faire attention et de ne pas trop
tirer sur la corde, car je pourrais bien ne plus rien donner du
tout. En tous cas, renonçons provisoirement aux gentillesses
supplémentaires ! Penser que pas plus tard qu'hier, comme
elle disait avoir envie d'assister à la saison de Bayreuth, j'ai
eu la bêtise de lui proposer de louer un des jolis châteaux du
roi de Bavière pour nous deux dans les environs. Et d'ailleurs
elle n'a pas paru plus ravie que cela, elle n'a encore dit ni oui
ni non ; espérons qu'elle refusera, grand Dieu ! Entendre du
Wagner pendant quinze jours avec elle qui s'en soucie
comme un poisson d'une pomme, ce serait gai ! » Et sa haine,
tout comme son amour, ayant besoin de se manifester et
d'agir, il se plaisait à pousser de plus en plus loin ses
imaginations mauvaises, parce que, grâce aux perfidies qu'il
prêtait à Odette, il la détestait davantage et pourrait si — ce
qu'il cherchait à se figurer — elles se trouvaient êtres vraies,
avoir une occasion de la punir et d'assouvir sur elle sa rage
grandissante. Il alla ainsi jusqu'à supposer qu'il allait
recevoir une lettre d'elle où elle lui demanderait de l'argent
pour louer ce château près de Bayreuth, mais en le prévenant
qu'il n'y pourrait pas venir, parce qu'elle avait promis à
Forcheville et aux Verdurin de les inviter. Ah ! comme il eût
aimé qu'elle pût avoir cette audace ! Quelle joie il aurait à
refuser, à rédiger la réponse vengeresse dont il se complaisait
à choisir, à énoncer tout haut les termes, comme s'il avait
reçu la lettre en réalité !

Or, c'est ce qui arriva le lendemain même. Elle lui écrivit

que les Verdurin et leurs amis avaient manifesté le désir
d'assister à ces représentations de Wagner et que, s'il voulait
bien lui envoyer cet argent, elle aurait enfin, après avoir été si
souvent reçue chez eux, le plaisir de les inviter à son tour. De
lui, elle ne disait pas un mot, il était sous-entendu que leur
présence excluait la sienne.

Alors cette terrible réponse dont il avait arrêté chaque mot
la veille, sans oser espérer qu'elle pourrait servir jamais, il
avait la joie de la lui faire porter. Hélas! il sentait bien
qu'avec l'argent qu'elle avait, ou qu'elle trouverait facilement, elle pourrait tout de même louer à Bayreuth puisqu'elle en avait envie, elle qui n'était pas capable de faire de
différence entre Bach et Clapisson. Mais elle y vivrait malgré
tout plus chichement. Pas moyen, comme s'il lui eût envoyé
cette fois quelques billets de mille francs, d'organiser chaque
soir, dans un château, de ces soupers fins après lesquels elle
se serait peut-être passé la fantaisie — qu'il était possible
qu'elle n'eût jamais eue encore — de tomber dans les bras de
Forcheville. Et puis du moins, ce voyage détesté, ce n'était
pas lui, Swann, qui le paierait! — Ah! s'il avait pu
l'empêcher! si elle avait pu se fouler le pied avant de partir,
si le cocher de la voiture qui l'emmènerait à la gare avait
consenti, à n'importe quel prix, à la conduire dans un lieu où
elle fût restée quelque temps séquestrée, cette femme perfide,
aux yeux émaillés par un sourire de complicité adressé à
Forcheville, qu'Odette était pour Swann depuis quarante-
huit heures!

Mais elle ne l'était jamais pour très longtemps; au bout de
quelques jours le regard luisant et fourbe perdait de son éclat
et de sa duplicité, cette image d'une Odette exécrée disant à
Forcheville : « Ce qu'il rage! » commençait à pâlir, à
s'effacer. Alors, progressivement reparaissait et s'élevait en
brillant doucement, le visage de l'autre Odette, de celle qui
adressait aussi un sourire à Forcheville, mais un sourire où il
n'y avait pour Swann que de la tendresse, quand elle disait :
« Ne restez pas longtemps, car ce monsieur n'aime pas

beaucoup que j'aie des visites quand il a envie d'être auprès
de moi. Ah ! si vous connaissiez cet être-là autant que je le
connais ! », ce même sourire qu'elle avait pour remercier
Swann de quelque trait de sa délicatesse qu'elle prisait si
fort, de quelque conseil qu'elle lui avait demandé dans une
de ces circonstances graves où elle n'avait confiance qu'en
lui.

Alors, à cette Odette-là, il se demandait comment il avait
pu écrire cette lettre outrageante dont sans doute jusqu'ici
elle ne l'eût pas cru capable, et qui avait dû le faire descendre
du rang élevé, unique, que par sa bonté, sa loyauté, il avait
conquis dans son estime. Il allait lui devenir moins cher, car
c'était pour ces qualités-là, qu'elle ne trouvait ni à Forcheville ni à aucun autre, qu'elle l'aimait. C'était à cause d'elles
qu'Odette lui témoignait si souvent une gentillesse qu'il
comptait pour rien au moment où il était jaloux, parce
qu'elle n'était pas une marque de désir, et prouvait même
plutôt de l'affection que de l'amour, mais dont il recommençait à sentir l'importance au fur et à mesure que la détente
spontanée de ses soupçons, souvent accentuée par la distraction que lui apportait une lecture d'art ou la conversation
d'un ami, rendait sa passion moins exigeante de réciprocités.

Maintenant qu'après cette oscillation, Odette était naturellement revenue à la place d'où la jalousie de Swann l'avait
un moment écartée, dans l'angle où il la trouvait charmante,
il se la figurait pleine de tendresse, avec un regard de
consentement, si jolie ainsi, qu'il ne pouvait s'empêcher
d'avancer les lèvres vers elle comme si elle avait été là et qu'il
eût pu l'embrasser ; et il lui gardait de ce regard enchanteur
et bon autant de reconnaissance que si elle venait de l'avoir
réellement et si ce n'eût pas été seulement son imagination
qui venait de le peindre pour donner satisfaction à son désir.

Comme il avait dû lui faire de la peine ! Certes il trouvait
des raisons valables à son ressentiment contre elle, mais elles
n'auraient pas suffi à le lui faire éprouver s'il ne l'avait pas
autant aimée. N'avait-il pas eu des griefs aussi graves contre

d'autres femmes, auxquelles il eût néanmoins volontiers
rendu service aujourd'hui, étant contre elles sans colère
parce qu'il ne les aimait plus ? S'il devait jamais un jour se
trouver dans le même état d'indifférence vis-à-vis d'Odette, il
comprendrait que c'était sa jalousie seule qui lui avait fait
trouver quelque chose d'atroce, d'impardonnable, à ce désir,
au fond si naturel, provenant d'un peu d'enfantillage et aussi
d'une certaine délicatesse d'âme, de pouvoir à son tour,
puisqu'une occasion s'en présentait, rendre des politesses
aux Verdurin, jouer à la maîtresse de maison.

Il revenait à ce point de vue — opposé à celui de son
amour et de sa jalousie, et auquel il se plaçait quelquefois par
une sorte d'équité intellectuelle et pour faire la part des
diverses probabilités — d'où il essayait de juger Odette
comme s'il ne l'avait pas aimée, comme si elle était pour lui
une femme comme les autres, comme si la vie d'Odette
n'avait pas été, dès qu'il n'était plus là, différente, tramée en
cachette de lui, ourdie contre lui.

Pourquoi croire qu'elle goûterait là-bas avec Forcheville
ou avec d'autres des plaisirs enivrants qu'elle n'avait pas
connus auprès de lui et que seule sa jalousie forgeait de
toutes pièces ? A Bayreuth comme à Paris, s'il arrivait que
Forcheville pensât à lui, ce n'eût pu être que comme à
quelqu'un qui comptait beaucoup dans la vie d'Odette, à qui
il était obligé de céder la place, quand ils se rencontraient
chez elle. Si Forcheville et elle triomphaient d'être là-bas
malgré lui, c'est lui qui l'aurait voulu en cherchant inutilement à l'empêcher d'y aller, tandis que s'il avait approuvé
son projet, d'ailleurs défendable, elle aurait eu l'air d'être là-
bas d'après son avis, elle s'y serait sentie envoyée, logée par
lui, et le plaisir qu'elle aurait éprouvé à recevoir ces gens qui
l'avaient tant reçue, c'est à Swann qu'elle en aurait su gré.

Et — au lieu qu'elle allait partir brouillée avec lui, sans
l'avoir revu — s'il lui envoyait cet argent, s'il l'encourageait
à ce voyage et s'occupait de le lui rendre agréable, elle allait
accourir, heureuse, reconnaissante, et il aurait cette joie de la

voir qu'il n'avait pas goûtée depuis près d'une semaine et que rien ne pouvait lui remplacer. Car sitôt que Swann pouvait se la représenter sans horreur, qu'il revoyait de la bonté dans son sourire, et que le désir de l'enlever à tout autre n'était plus ajouté par la jalousie à son amour, cet amour redevenait surtout un goût pour les sensations que lui donnait la personne d'Odette, pour le plaisir qu'il avait à admirer comme un spectacle ou à interroger comme un phénomène, le lever d'un de ses regards, la formation d'un de ses sourires, l'émission d'une intonation de sa voix. Et ce plaisir différent de tous les autres avait fini par créer en lui un besoin d'elle et qu'elle seule pouvait assouvir par sa présence ou ses lettres, presque aussi désintéressé, presque aussi artistique, aussi pervers, qu'un autre besoin qui caractérisait cette période nouvelle de la vie de Swann où à la sécheresse, à la dépression des années antérieures avait succédé une sorte de trop-plein spirituel, sans qu'il sût davantage à quoi il devait cet enrichissement inespéré de sa vie intérieure qu'une personne de santé délicate qui à partir d'un certain moment se fortifie, engraisse, et semble pendant quelque temps s'acheminer vers une complète guérison : cet autre besoin qui se développait aussi en dehors du monde réel, c'était celui d'entendre, de connaître de la musique.

Ainsi, par le chimisme même de son mal, après qu'il avait fait de la jalousie avec son amour, il recommençait à fabriquer de la tendresse, de la pitié pour Odette. Elle était redevenue l'Odette charmante et bonne. Il avait des remords d'avoir été dur pour elle. Il voulait qu'elle vînt près de lui et, auparavant, il voulait lui avoir procuré quelque plaisir, pour voir la reconnaissance pétrir son visage et modeler son sourire.

Aussi Odette, sûre de le voir venir après quelques jours, aussi tendre et soumis qu'avant, lui demander une réconciliation, prenait-elle l'habitude de ne plus craindre de lui déplaire et même de l'irriter et lui refusait-elle, quand cela lui était commode, les faveurs auxquelles il tenait le plus.

Peut-être ne savait-elle pas combien il avait été sincère vis-à-vis d'elle pendant la brouille, quand il lui avait dit qu'il ne lui enverrait pas d'argent et chercherait à lui faire du mal. Peut-être ne savait-elle pas davantage combien il l'était, vis-à-vis sinon d'elle, du moins de lui-même, en d'autres cas où dans l'intérêt de l'avenir de leur liaison, pour montrer à Odette qu'il était capable de se passer d'elle, qu'une rupture restait toujours possible, il décidait de rester quelque temps sans aller chez elle.

Parfois c'était après quelques jours où elle ne lui avait pas causé de souci nouveau ; et comme, des visites prochaines qu'il lui ferait, il savait qu'il ne pouvait tirer nulle bien grande joie, mais plus probablement quelque chagrin qui mettrait fin au calme où il se trouvait, il lui écrivait qu'étant très occupé il ne pourrait la voir aucun des jours qu'il lui avait dit. Or une lettre d'elle, se croisant avec la sienne, le priait précisément de déplacer un rendez-vous. Il se demandait pourquoi : ses soupçons, sa douleur le reprenaient. Il ne pouvait plus tenir, dans l'état nouveau d'agitation où il se trouvait, l'engagement qu'il avait pris dans l'état antérieur de calme relatif, il courait chez elle et exigeait de la voir tous les jours suivants. Et même si elle ne lui avait pas écrit la première, si elle répondait seulement, en y acquiesçant, à sa demande d'une courte séparation, cela suffisait pour qu'il ne pût plus rester sans la voir. Car, contrairement au calcul de Swann, le consentement d'Odette avait tout changé en lui. Comme tous ceux qui possèdent une chose, pour savoir ce qui arriverait s'il cessait un moment de la posséder, il avait ôté cette chose de son esprit, en y laissant tout le reste dans le même état que quand elle était là. Or l'absence d'une chose, ce n'est pas que cela, ce n'est pas un simple manque partiel, c'est un bouleversement de tout le reste, c'est un état nouveau qu'on ne peut prévoir dans l'ancien.

Mais d'autres fois au contraire — Odette était sur le point de partir en voyage — c'était après quelque petite querelle dont il choisissait le prétexte, qu'il se résolvait à ne pas lui écrire et à ne pas la revoir avant son retour, donnant ainsi les apparences, et demandant le bénéfice, d'une grande brouille, qu'elle croirait peut-être définitive, à une séparation dont la plus longue part était inévitable du fait du voyage et qu'il faisait commencer seulement un peu plus tôt. Déjà il se figurait Odette inquiète, affligée de n'avoir reçu ni visite ni lettre, et cette image, en calmant sa jalousie, lui rendait facile de se déshabituer de la voir. Sans doute, par moments, tout au bout de son esprit où sa résolution la refoulait grâce à toute la longueur interposée des trois semaines de séparation acceptée, c'était avec plaisir qu'il considérait l'idée qu'il reverrait Odette à son retour : mais c'était aussi avec si peu d'impatience, qu'il commençait à se demander s'il ne doublerait pas volontiers la durée d'une abstinence si facile. Elle ne datait encore que de trois jours, temps beaucoup moins long que celui qu'il avait souvent passé en ne voyant pas Odette, et sans l'avoir comme maintenant prémédité. Et pourtant voici qu'une légère contrariété ou un malaise physique — en l'incitant à considérer le moment présent comme un moment exceptionnel, en dehors de la règle, où la sagesse même admettrait d'accueillir l'apaisement qu'apporte un plaisir et de donner congé, jusqu'à la reprise utile de l'effort, à la volonté — suspendait l'action de celle-ci qui cessait d'exercer sa compression ; ou, moins que cela, le souvenir d'un renseignement qu'il avait oublié de demander à Odette, si elle avait décidé la couleur dont elle voulait faire repeindre sa voiture, ou, pour une certaine valeur de bourse, si c'était des actions ordinaires ou privilégiées qu'elle désirait acquérir (c'était très joli de lui montrer qu'il pouvait rester sans la voir, mais si après ça la peinture était à refaire ou si les actions ne donnaient pas de dividende, il serait bien avancé), voici que comme un caoutchouc tendu qu'on lâche ou comme l'air dans une machine pneumatique qu'on entr'ouvre, l'idée de la revoir, des lointains où elle était maintenue, revenait d'un bond dans le champ du présent et des possibilités immédiates.

Elle y revenait sans plus trouver de résistance, et d'ailleurs si irrésistible que Swann avait eu bien moins de peine à sentir s'approcher un à un les quinze jours qu'il devait rester séparé d'Odette, qu'il n'en avait à attendre les dix minutes que son cocher mettait pour atteler la voiture qui allait l'emmener chez elle et qu'il passait dans des transports d'impatience et de joie où il ressaisissait mille fois pour lui prodiguer sa tendresse, cette idée de la retrouver qui, par un retour si brusque, au moment où il la croyait si loin, était de nouveau près de lui dans sa plus proche conscience. C'est qu'elle ne trouvait plus pour lui faire obstacle le désir de chercher sans plus tarder à lui résister, qui n'existait plus chez Swann depuis que, s'étant prouvé à lui-même — il le croyait du moins — qu'il en était si aisément capable, il ne voyait plus aucun inconvénient à ajourner un essai de séparation qu'il était certain maintenant de mettre à exécution dès qu'il le voudrait. C'est aussi que cette idée de la revoir revenait parée pour lui d'une nouveauté, d'une séduction, douée d'une virulence que l'habitude avait émoussées, mais qui s'étaient retrempées dans cette privation non de trois jours mais de quinze (car la durée d'un renoncement doit se calculer, par anticipation, sur le terme assigné), et de ce qui jusquelà eût été un plaisir attendu qu'on sacrifie aisément, avait fait un bonheur inespéré contre lequel on est sans force. C'est enfin qu'elle y revenait embellie par l'ignorance où était Swann de ce qu'Odette avait pu penser, faire peut-être, en voyant qu'il ne lui avait pas donné signe de vie, si bien que ce qu'il allait trouver c'était la révélation passionnante d'une Odette presque inconnue.

Mais elle, de même qu'elle avait cru que son refus d'argent n'était qu'une feinte, ne voyait qu'un prétexte dans le renseignement que Swann venait lui demander sur la voiture à repeindre ou la valeur à acheter. Car elle ne reconstituait pas les diverses phases de ces crises qu'il traversait et, dans l'idée qu'elle s'en faisait, elle omettait d'en comprendre le mécanisme, ne croyant qu'à ce qu'elle connaissait d'avance,

à la nécessaire, à l'infaillible et toujours identique terminai-
son. Idée incomplète — d'autant plus profonde peut-être —
si on la jugeait du point de vue de Swann qui eût sans doute
trouvé qu'il était incompris d'Odette, comme un morphino-
mane ou un tuberculeux, persuadés qu'ils ont été arrêtés,
l'un par un événement extérieur au moment où il allait se
délivrer de son habitude invétérée, l'autre par une indisposition accidentelle au moment où il allait être enfin rétabli, se
sentent incompris du médecin qui n'attache pas la même
importance qu'eux à ces prétendues contingences, simples
déguisements selon lui, revêtus, pour redevenir sensibles à
ses malades, par le vice et l'état morbide qui, en réalité, n'ont
pas cessé de peser incurablement sur eux tandis qu'ils
berçaient des rêves de sagesse ou de guérison. Et de fait,
l'amour de Swann en était arrivé à ce degré où le médecin et,
dans certaines affections, le chirurgien le plus audacieux, se
demandent si priver un malade de son vice ou lui ôter son
mal, est encore raisonnable ou même possible.

Certes l'étendue de cet amour, Swann n'en avait pas une
conscience directe. Quand il cherchait à le mesurer, il lui
arrivait parfois qu'il semblât diminué, presque réduit à rien ;
par exemple, le peu de goût, presque le dégoût que lui
avaient inspiré, avant qu'il aimât Odette, ses traits expres-
sifs, son teint sans fraîcheur, lui revenait à certains jours.
« Vraiment il y a progrès sensible, se disait-il le lendemain ; à
voir exactement les choses, je n'avais presque aucun plaisir
hier à être dans son lit : c'est curieux, je la trouvais même
laide. » Et certes, il était sincère, mais son amour s'étendait
bien au delà des régions du désir physique. La personne
même d'Odette n'y tenait plus une grande place. Quand du
regard il rencontrait sur sa table la photographie d'Odette,
ou quand elle venait le voir, il avait peine à identifier la figure
de chair ou de bristol avec le trouble douloureux et constant
qui habitait en lui. Il se disait presque avec étonnement :
« C'est elle », comme si tout d'un coup on nous montrait
extériorisée devant nous une de nos maladies et que nous ne

la trouvions pas ressemblante à ce que nous souffrons.
« Elle », il essayait de se demander ce que c'était ; car c'est
une ressemblance de l'amour et de la mort, plutôt que celles,
si vagues, que l'on redit toujours, de nous faire interroger
plus avant, dans la peur que sa réalité se dérobe, le mystère
de la personnalité. Et cette maladie qu'était l'amour de
Swann avait tellement multiplié, il était si étroitement mêlé à
toutes les habitudes de Swann, à tous ses actes, à sa pensée, à
sa santé, à son sommeil, à sa vie, même à ce qu'il désirait
pour après sa mort, il ne faisait tellement plus qu'un avec lui,
qu'on n'aurait pas pu l'arracher de lui sans le détruire lui-
même à peu près tout entier : comme on dit en chirurgie, son
amour n'était plus opérable.

Par cet amour Swann avait été tellement détaché de tous
les intérêts que quand par hasard il retournait dans le
monde, en se disant que ses relations, comme une monture
élégante qu'elle n'aurait pas d'ailleurs su estimer très
exactement, pouvaient lui rendre à lui-même un peu de prix
aux yeux d'Odette (et ç'aurait peut-être été vrai, en effet, si
elles n'avaient été aviles par cet amour même, qui pour
Odette dépréciait toutes les choses qu'il touchait par le fait
qu'il semblait les proclamer moins précieuses), il y éprouvait, à côté de la détresse d'être dans des lieux, au milieu de
gens qu'elle ne connaissait pas, le plaisir désintéressé qu'il
aurait pris à un roman ou à un tableau où sont peints les
divertissements d'une classe oisive, comme, chez lui, il se
complaisait à considérer le fonctionnement de sa vie domestique, l'élégance de sa garde-robe et de sa livrée, le bon
placement de ses valeurs, de la même façon qu'à lire dans
Saint-Simon, qui était un de ses auteurs favoris, la mécanique des journées, le menu des repas de Mme de Maintenon,
ou l'avarice avisée et le grand train de Lulli. Et dans la faible
mesure où ce détachement n'était pas absolu, la raison de ce
plaisir nouveau que goûtait Swann, c'était de pouvoir
émigrer un moment dans les rares parties de lui-même
restées presque étrangères à son amour, à son chagrin. A cet

égard, cette personnalité que lui attribuait ma grand'tante, de « fils Swann », distincte de sa personnalité plus individuelle de Charles Swann, était celle où il se plaisait maintenant le mieux. Un jour que, pour l'anniversaire de la princesse de Parme (et parce qu'elle pouvait souvent être indirectement agréable à Odette en lui faisant avoir des places pour des galas, des jubilés), il avait voulu lui envoyer des fruits, ne sachant pas trop comment les commander, il en avait chargé une cousine de sa mère qui, ravie de faire une commission pour lui, lui avait écrit, en lui rendant compte, qu'elle n'avait pas pris tous les fruits au même endroit, mais les raisins chez Crapote dont c'est la spécialité, les fraises chez Jauret, les poires chez Chevet, où elles étaient plus belles, etc., « chaque fruit visité et examiné un par un par moi ». Et en effet, par les remerciements de la princesse, il avait pu juger du parfum des fraises et du moelleux des poires. Mais surtout le « chaque fruit visité et examiné un par un par moi » avait été un apaisement à sa souffrance, en emmenant sa conscience dans une région où il se rendait rarement, bien qu'elle lui appartînt comme héritier d'une famille de riche et bonne bourgeoisie où s'étaient conservés héréditairement, tout prêts à être mis à son service dès qu'il le souhaitait, la connaissance des « bonnes adresses » et l'art de savoir bien faire une commande.

Certes, il avait trop longtemps oublié qu'il était le « fils Swann » pour ne pas ressentir, quand il le redevenait un moment, un plaisir plus vif que ceux qu'il eût pu éprouver le reste du temps et sur lesquels il était blasé ; et si l'amabilité des bourgeois, pour lesquels il restait surtout cela, était moins vive que celle de l'aristocratie (mais plus flatteuse d'ailleurs, car chez eux du moins elle ne se sépare jamais de la considération), une lettre d'altesse, quelques divertissements princiers qu'elle lui proposât, ne pouvait lui être aussi agréable que celle qui lui demandait d'être témoin, ou seulement d'assister à un mariage dans la famille de vieux amis de ses parents, dont les uns avaient continué à le voir —

comme mon grand-père qui, l'année précédente, l'avait invité au mariage de ma mère — et dont certains autres le connaissaient personnellement à peine, mais se croyaient des devoirs de politesse envers le fils, envers le digne successeur de feu M. Swann.

Mais, par les intimités déjà anciennes qu'il avait parmi eux, les gens du monde, dans une certaine mesure, faisaient aussi partie de sa maison, de son domestique et de sa famille. Il se sentait, à considérer ses brillantes amitiés, le même appui hors de lui-même, le même confort, qu'à regarder les belles terres, la belle argenterie, le beau linge de table, qui lui venaient des siens. Et la pensée que s'il tombait chez lui frappé d'une attaque, ce serait tout naturellement le duc de Chartres, le prince de Reuss, le duc de Luxembourg et le baron de Charlus que son valet de chambre courrait chercher, lui apportait la même consolation qu'à notre vieille Françoise de savoir qu'elle serait ensevelie dans des draps fins à elle, marqués, non reprisés (ou si finement que cela ne donnait qu'une plus haute idée du soin de l'ouvrière), linceul de l'image fréquente duquel elle tirait une certaine satisfaction, sinon de bien-être, au moins d'amour-propre. Mais surtout, comme, dans toutes celles de ses actions et de ses pensées qui se rapportaient à Odette, Swann était constamment dominé et dirigé par le sentiment inavoué qu'il lui était, peut-être pas moins cher, mais moins agréable à voir que quiconque, que le plus ennuyeux fidèle des Verdurin, — quand il se reportait à un monde pour qui il était l'homme exquis par excellence, qu'on faisait tout pour attirer, qu'on se désolait de ne pas voir, il recommençait à croire à l'existence d'une vie plus heureuse, presque à en éprouver l'appétit, comme il arrive à un malade alité depuis des mois, à la diète, et qui aperçoit dans un journal le menu d'un déjeuner officiel ou l'annonce d'une croisière en Sicile.

S'il était obligé de donner des excuses aux gens du monde pour ne pas leur faire de visites, c'était de lui en faire qu'il cherchait à s'excuser auprès d'Odette. Encore les payait-il

(se demandant à la fin du mois, pour peu qu'il eût un peu
abusé de sa patience et fût allé souvent la voir, si c'était assez
de lui envoyer quatre mille francs), et pour chacune trouvait
un prétexte, un présent à lui apporter, un renseignement
dont elle avait besoin, M. de Charlus qu'il avait rencontré
allant chez elle et qui avait exigé qu'il l'accompagnât. Et à
défaut d'aucun, il priait M. de Charlus de courir chez elle, de
lui dire comme spontanément, au cours de la conversation,
qu'il se rappelait avoir à parler à Swann, qu'elle voulût bien
lui faire demander de passer tout de suite chez elle ; mais le
plus souvent Swann attendait en vain et M. de Charlus lui
disait le soir que son moyen n'avait pas réussi. De sorte que
si elle faisait maintenant de fréquentes absences, même à
Paris, quand elle y restait, elle le voyait peu, et elle qui,
quand elle l'aimait, lui disait : « Je suis toujours libre » et
« Qu'est-ce que l'opinion des autres peut me faire ? »
maintenant, chaque fois qu'il voulait la voir, elle invoquait
les convenances ou prétextait des occupations. Quand il
parlait d'aller à une fête de charité, à un vernissage, à une
première où elle serait, elle lui disait qu'il voulait afficher
leur liaison, qu'il la traitait comme une fille. C'est au point
que pour tâcher de n'être pas partout privé de la rencontrer,
Swann qui savait qu'elle connaissait et affectionnait beaucoup mon grand-oncle Adolphe dont il avait été lui-même
l'ami, alla le voir un jour dans son petit appartement de la
rue de Bellechasse afin de lui demander d'user de son
influence sur Odette. Comme elle prenait toujours, quand
elle parlait à Swann de mon oncle, des airs poétiques,
disant : « Ah ! lui, ce n'est pas comme toi, c'est une si belle
chose, si grande, si jolie, que son amitié pour moi ! Ce n'est
pas lui qui me considérerait assez peu pour vouloir se
montrer avec moi dans tous les lieux publics », Swann fut
embarrassé et ne savait pas à quel ton il devait se hausser
pour parler d'elle à mon oncle. Il posa d'abord l'excellence *a
priori* d'Odette, l'axiome de sa supra-humanité séraphique, la
révélation de ses vertus indémontrables et dont la notion ne

pouvait dériver de l'expérience. « Je veux parler avec vous.
Vous, vous savez quelle femme au-dessus de toutes les
femmes, quel être adorable, quel ange est Odette. Mais vous
savez ce que c'est que la vie de Paris. Tout le monde ne
connaît pas Odette sous le jour où nous la connaissons vous
et moi. Alors il y a des gens qui trouvent que je joue un rôle
un peu ridicule ; elle ne peut même pas admettre que je la
rencontre dehors, au théâtre. Vous, en qui elle a tant de
confiance, ne pourriez-vous lui dire quelques mots pour moi,
lui assurer qu'elle s'exagère le tort qu'un salut de moi lui
cause ? »

Mon oncle conseilla à Swann de rester un peu sans voir
Odette qui ne l'en aimerait que plus, et à Odette de laisser
Swann la retrouver partout où cela lui plairait. Quelques
jours après, Odette disait à Swann qu'elle venait d'avoir une
déception en voyant que mon oncle était pareil à tous les
hommes : il venait d'essayer de la prendre de force. Elle
calma Swann qui au premier moment voulait aller provoquer mon oncle, mais il refusa de lui serrer la main quand il
le rencontra. Il regretta d'autant plus cette brouille avec mon
oncle Adolphe qu'il avait espéré, s'il l'avait revu quelquefois
et avait pu causer en toute confiance avec lui, tâcher de tirer
au clair certains bruits relatifs à la vie qu'Odette avait menée
autrefois à Nice. Or mon oncle Adolphe y passait l'hiver. Et
Swann pensait que c'était même peut-être là qu'il avait
connu Odette. Le peu qui avait échappé à quelqu'un devant
lui, relativement à un homme qui aurait été l'amant
d'Odette, avait bouleversé Swann. Mais les choses qu'il
aurait, avant de les connaître, trouvé le plus affreux d'apprendre et le plus impossible de croire, une fois qu'il les
savait, elles étaient incorporées à tout jamais à sa tristesse, il
les admettait, il n'aurait plus pu comprendre qu'elles
n'eussent pas été. Seulement chacune opérait sur l'idée qu'il
se faisait de sa maîtresse une retouche ineffaçable. Il crut
même comprendre, une fois, que cette légèreté des mœurs
d'Odette qu'il n'eût pas soupçonnée, était assez connue, et

qu'à Bade et à Nice, quand elle y passait jadis plusieurs
mois, elle avait eu une sorte de notoriété galante. Il chercha,
pour les interroger, à se rapprocher de certains viveurs ; mais
ceux-ci savaient qu'il connaissait Odette ; et puis il avait
peur de les faire penser de nouveau à elle, de les mettre sur
ses traces. Mais lui à qui jusque-là rien n'aurait pu paraître
aussi fastidieux que tout ce qui se rapportait à la vie
cosmopolite de Bade ou de Nice, apprenant qu'Odette avait
peut-être fait autrefois la fête dans ces villes de plaisir, sans
qu'il dût jamais arriver à savoir si c'était seulement pour
satisfaire à des besoins d'argent que grâce à lui elle n'avait
plus, ou à des caprices qui pouvaient renaître, maintenant il
se penchait avec une angoisse impuissante, aveugle et
vertigineuse vers l'abîme sans fond où étaient allées s'englou-
tir ces années du début du Septennat pendant lesquelles on
passait l'hiver sur la promenade des Anglais, l'été sous les tilleuls de Bade, et il leur trouvait une profondeur douloureuse
mais magnifique comme celle que leur eût prêtée un poète ;
et il eût mis à reconstituer les petits faits de la chronique de
la Côte d'Azur d'alors, si elle avait pu l'aider à comprendre
quelque chose du sourire ou des regards — pourtant si
honnêtes et si simples — d'Odette, plus de passion que
l'esthéticien qui interroge les documents subsistant de la
Florence du XVe siècle pour tâcher d'entrer plus avant dans
l'âme de la Primavera, de la bella Vanna, ou de la Vénus, de
Botticelli. Souvent sans lui rien dire il la regardait, il
songeait ; elle lui disait : « Comme tu as l'air triste ! » Il n'y
avait pas bien longtemps encore, de l'idée qu'elle était une
créature bonne, analogue aux meilleures qu'il eût connues, il
avait passé à l'idée qu'elle était une femme entretenue ;
inversement il lui était arrivé depuis de revenir de l'Odette
de Crécy, peut-être trop connue des fêtards, des hommes à
femmes, à ce visage d'une expression parfois si douce, à cette
nature si humaine. Il se disait : « Qu'est-ce que cela veut
dire qu'à Nice tout le monde sache qui est Odette de Crécy ?
Ces réputations-là, même vraies, sont faites avec les idées des

autres » ; il pensait que cette légende — fût-elle authentique
— était extérieure à Odette, n'était pas en elle comme une
personnalité irréductible et malfaisante ; que la créature qui
avait pu être amenée à mal faire, c'était une femme aux bons
yeux, au cœur plein de pitié pour la souffrance, au corps
docile qu'il avait tenu, qu'il avait serré dans ses bras et
manié, une femme qu'il pourrait arriver un jour à posséder
toute, s'il réussissait à se rendre indispensable à elle. Elle
était là, souvent fatiguée, le visage vidé pour un instant de la
préoccupation fébrile et joyeuse des choses inconnues qui
faisaient souffrir Swann ; elle écartait ses cheveux avec ses
mains ; son front, sa figure paraissaient plus larges ; alors
tout d'un coup, quelque pensée simplement humaine, quelque bon sentiment comme il en existe dans toutes les
créatures, quand dans un moment de repos ou de repliement
elles sont livrées à elles-mêmes, jaillissait de ses yeux comme
un rayon jaune. Et aussitôt tout son visage s'éclairait comme
une campagne grise, couverte de nuages qui soudain s'écar-
tent, pour sa transfiguration, au moment du soleil couchant.
La vie qui était en Odette à ce moment-là, l'avenir même
qu'elle semblait rêveusement regarder, Swann aurait pu les
partager avec elle ; aucune agitation mauvaise ne semblait y
avoir laissé de résidu. Si rares qu'ils devinssent, ces
moments-là ne furent pas inutiles. Par le souvenir Swann
reliait ces parcelles, abolissait les intervalles, coulait comme
en or une Odette de bonté et de calme pour laquelle il fit plus
tard (comme on le verra dans la deuxième partie de cet
ouvrage) des sacrifices que l'autre Odette n'eût pas obtenus.
Mais que ces moments étaient rares, et que maintenant il la
voyait peu ! Même pour leur rendez-vous du soir, elle ne lui
disait qu'à la dernière minute si elle pourrait le lui accorder,
car, comptant qu'elle le trouverait toujours libre, elle voulait
d'abord être certaine que personne d'autre ne lui proposerait
de venir. Elle alléguait qu'elle était obligée d'attendre une
réponse de la plus haute importance pour elle, et même si
après qu'elle avait fait venir Swann, des amis demandaient à

Odette, quand la soirée était déjà commencée, de les
rejoindre au théâtre ou à souper, elle faisait un bond joyeux
et s'habillait à la hâte. Au fur et à mesure qu'elle avançait
dans sa toilette, chaque mouvement qu'elle faisait rapprochait Swann du moment où il faudrait la quitter, où elle
s'enfuirait d'un élan irrésistible ; et quand, enfin prête,
plongeant une dernière fois dans son miroir ses regards
tendus et éclairés par l'attention, elle remettait un peu de
rouge à ses lèvres, fixait une mèche sur son front et
demandait son manteau de soirée bleu ciel avec des glands
d'or, Swann avait l'air si triste qu'elle ne pouvait réprimer un
geste d'impatience et disait : « Voilà comme tu me remercies
de t'avoir gardé jusqu'à la dernière minute. Moi qui croyais
avoir fait quelque chose de gentil. C'est bon à savoir pour
une autre fois ! » Parfois, au risque de la fâcher, il se
promettait de chercher à savoir où elle était allée, il rêvait
d'une alliance avec Forcheville qui peut-être aurait pu le
renseigner. D'ailleurs quand il savait avec qui elle passait la
soirée, il était bien rare qu'il ne pût pas découvrir dans toutes
ses relations à lui quelqu'un qui connaissait, fût-ce indirectement, l'homme avec qui elle était sortie et pouvait facilement
en obtenir tel ou tel renseignement. Et tandis qu'il écrivait à
un de ses amis pour lui demander de chercher à éclaircir tel
ou tel point, il éprouvait le repos de cesser de se poser ses
questions sans réponses et de transférer à un autre la fatigue
d'interroger. Il est vrai que Swann n'était guère plus avancé
quand il avait certains renseignements. Savoir ne permet pas
toujours d'empêcher, mais du moins les choses que nous
savons, nous les tenons, sinon entre nos mains, du moins
dans notre pensée où nous les disposons à notre gré, ce qui
nous donne l'illusion d'une sorte de pouvoir sur elles. Il était
heureux toutes les fois où M. de Charlus était avec Odette.
Entre M. de Charlus et elle, Swann savait qu'il ne pouvait
rien se passer, que quand M. de Charlus sortait avec elle,
c'était par amitié pour lui et qu'il ne ferait pas difficulté à lui
raconter ce qu'elle avait fait. Quelquefois elle avait déclaré si

catégoriquement à Swann qu'il lui était impossible de le voir un certain soir, elle avait l'air de tenir tant à une sortie, que Swann attachait une véritable importance à ce que M. de Charlus fût libre de l'accompagner. Le lendemain, sans oser poser beaucoup de questions à M. de Charlus, il le contraignait, en ayant l'air de ne pas bien comprendre ses premières réponses, à lui en donner de nouvelles, après chacune desquelles il se sentait plus soulagé, car il apprenait bien vite qu'Odette avait occupé sa soirée aux plaisirs les plus innocents. « Mais comment, mon petit Mémé, je ne comprends pas bien..., ce n'est pas en sortant de chez elle que vous êtes allés au musée Grévin. Vous étiez allés ailleurs d'abord. Non? Oh! que c'est drôle! Vous ne savez pas comme vous m'amusez, mon petit Mémé. Mais quelle drôle d'idée elle a eue d'aller ensuite au Chat Noir, c'est bien une idée d'elle... Non? c'est vous. C'est curieux. Après tout ce n'est pas une mauvaise idée, elle devait y connaître beaucoup de monde? Non? elle n'a parlé à personne? C'est extraordinaire. Alors vous êtes restés là comme cela tous les deux tout seuls? Je vois d'ici cette scène. Vous êtes gentil, mon petit Mémé, je vous aime bien. » Swann se sentait soulagé. Pour lui à qui il était arrivé, en causant avec des indifférents qu'il écoutait à peine, d'entendre quelquefois certaines phrases (celle-ci par exemple : « J'ai vu hier Mme de Crécy, elle était avec un monsieur que je ne connais pas »), phrases qui, aussitôt dans le cœur de Swann, passaient à l'état solide, s'y durcissaient comme une incrustation, le déchiraient, n'en bougeaient plus, qu'ils étaient doux au contraire ces mots : « Elle ne connaissait personne, elle n'a parlé à personne », comme ils circulaient aisément en lui, qu'ils étaient fluides, faciles, respirables! Et pourtant au bout d'un instant il se disait qu'Odette devait le trouver bien ennuyeux pour que ce fussent là les plaisirs qu'elle préférait à sa compagnie. Et leur insignifiance, si elle le rassurait, lui faisait pourtant de la peine comme une trahison.

Même quand il ne pouvait savoir où elle était allée, il lui

aurait suffi pour calmer l'angoisse qu'il éprouvait alors, et
contre laquelle la présence d'Odette, la douceur d'être
auprès d'elle était le seul spécifique (un spécifique qui à la
longue aggravait le mal, mais du moins calmait momentanément la souffrance), il lui aurait suffi, si Odette l'avait
seulement permis, de rester chez elle tant qu'elle ne serait
pas là, de l'attendre jusqu'à cette heure du retour dans
l'apaisement de laquelle seraient venues se confondre les
heures qu'un prestige, un maléfice lui avaient fait croire
différentes des autres. Mais elle ne le voulait pas ; il revenait
chez lui ; il se forçait en chemin à former divers projets, il
cessait de songer à Odette ; même il arrivait, tout en se
déshabillant, à rouler en lui des pensées assez joyeuses ; c'est
le cœur plein de l'espoir d'aller le lendemain voir quelque
chef-d'œuvre qu'il se mettait au lit et éteignait sa lumière ;
mais, dès que, pour se préparer à dormir, il cessait d'exercer
sur lui-même une contrainte dont il n'avait même pas
conscience tant elle était devenue habituelle, au même
instant un frisson glacé refluait en lui et il se mettait à
sangloter. Il ne voulait même pas savoir pourquoi, s'essuyait
les yeux, se disait en riant : « C'est charmant, je deviens
névropathe. » Puis il ne pouvait penser sans une grande
lassitude que le lendemain il faudrait recommencer de
chercher à savoir ce qu'Odette avait fait, à mettre en jeu des
influences pour tâcher de la voir. Cette nécessité d'une
activité sans trêve, sans variété, sans résultats, lui était si
cruelle qu'un jour, apercevant une grosseur sur son ventre, il
ressentit une véritable joie à la pensée qu'il avait peut-être
une tumeur mortelle, qu'il n'allait plus avoir à s'occuper de
rien, que c'était la maladie qui allait le gouverner, faire de lui
son jouet, jusqu'à la fin prochaine. Et en effet si, à cette
époque, il lui arriva souvent, sans se l'avouer, de désirer la
mort, c'était pour échapper moins à l'acuité de ses souffrances qu'à la monotonie de son effort.

Et pourtant il aurait voulu vivre jusqu'à l'époque où il ne
l'aimerait plus, où elle n'aurait aucune raison de lui mentir et

où il pourrait enfin apprendre d'elle si le jour où il était allé la
voir dans l'après-midi, elle était ou non couchée avec
Forcheville. Souvent pendant quelques jours, le soupçon
qu'elle aimait quelqu'un d'autre le détournait de se poser
cette question relative à Forcheville, la lui rendait presque
indifférente, comme ces formes nouvelles d'un même état
maladif qui semblent momentanément nous avoir délivrés
des précédentes. Même il y avait des jours où il n'était
tourmenté par aucun soupçon. Il se croyait guéri. Mais le
lendemain matin, au réveil, il sentait à la même place la
même douleur dont, la veille pendant la journée, il avait
comme dilué la sensation dans le torrent des impressions
différentes. Mais elle n'avait pas bougé de place. Et même,
c'était l'acuité de cette douleur qui avait réveillé Swann.

Comme Odette ne lui donnait aucun renseignement sur
ces choses si importantes qui l'occupaient tant chaque jour
(bien qu'il eût assez vécu pour savoir qu'il n'y en a jamais
d'autres que les plaisirs), il ne pouvait pas chercher longtemps de suite à les imaginer, son cerveau fonctionnait à
vide ; alors il passait son doigt sur ses paupières fatiguées
comme il aurait essuyé le verre de son lorgnon, et cessait
entièrement de penser. Il surnageait pourtant à cet inconnu
certaines occupations qui réapparaissaient de temps en
temps, vaguement rattachées par elle à quelque obligation
envers des parents éloignés ou des amis d'autrefois, qui,
parce qu'ils étaient les seuls qu'elle lui citait souvent comme
l'empêchant de le voir, paraissaient à Swann former le cadre
fixe, nécessaire, de la vie d'Odette. A cause du ton dont elle
lui disait de temps à autre « le jour où je vais avec mon amie
à l'Hippodrome », si, s'étant senti malade et ayant pensé :
« Peut-être Odette voudrait bien passer chez moi », il se
rappelait brusquement que c'était justement ce jour-là, il se
disait : « Ah ! non, ce n'est pas la peine de lui demander de
venir, j'aurais dû y penser plus tôt, c'est le jour où elle va
avec son amie à l'Hippodrome. Réservons-nous pour ce qui
est possible ; c'est inutile de s'user à proposer des choses

inacceptables et refusées d'avance. » Et ce devoir qui
incombait à Odette d'aller à l'Hippodrome et devant lequel
Swann s'inclinait ainsi ne lui paraissait pas seulement
inéluctable ; mais ce caractère de nécessité dont il était
empreint semblait rendre plausible et légitime tout ce qui de
près ou de loin se rapportait à lui. Si, Odette dans la rue
ayant reçu d'un passant un salut qui avait éveillé la jalousie
de Swann, elle répondait aux questions de celui-ci en
rattachant l'existence de l'inconnu à un des deux ou trois
grands devoirs dont elle lui parlait, si, par exemple, elle
disait : « C'est un monsieur qui était dans la loge de mon
amie avec qui je vais à l'Hippodrome », cette explication
calmait les soupçons de Swann qui en effet trouvait inévitable que l'amie eût d'autres invités qu'Odette dans sa loge à
l'Hippodrome, mais n'avait jamais cherché ou réussi à se les
figurer. Ah ! comme il eût aimé la connaître, l'amie qui allait
à l'Hippodrome, et qu'elle l'y emmenât avec Odette !
Comme il aurait donné toutes ses relations pour n'importe
quelle personne qu'avait l'habitude de voir Odette, fût-ce
une manucure ou une demoiselle de magasin ! Il eût fait pour
elles plus de frais que pour des reines. Ne lui auraient-elles
pas fourni, dans ce qu'elles contenaient de la vie d'Odette, le
seul calmant efficace pour ses souffrances ? Comme il aurait
couru avec joie passer les journées chez telle de ces petites
gens avec lesquelles Odette gardait des relations, soit par
intérêt, soit par simplicité véritable ! Comme il eût volontiers
élu domicile à jamais au cinquième étage de telle maison
sordide et enviée où Odette ne l'emmenait pas et où, s'il y
avait habité avec la petite couturière retirée dont il eût
volontiers fait semblant d'être l'amant, il aurait presque
chaque jour reçu sa visite ! Dans ces quartiers presque
populaires, quelle existence modeste, abjecte, mais douce,
mais nourrie de calme et de bonheur, il eût accepté de vivre
indéfiniment !

Il arrivait encore parfois, quand, ayant rencontré Swann,
elle voyait s'approcher d'elle quelqu'un qu'il ne connaissait

pas, qu'il pût remarquer sur le visage d'Odette cette tristesse qu'elle avait eue le jour où il était venu pour la voir pendant que Forcheville était là. Mais c'était rare ; car les jours où, malgré tout ce qu'elle avait à faire et la crainte de ce que penserait le monde, elle arrivait à voir Swann, ce qui dominait maintenant dans son attitude était l'assurance : grand contraste, peut-être revanche inconsciente ou réaction naturelle de l'émotion craintive qu'aux premiers temps où elle l'avait connu, elle éprouvait auprès de lui, et même loin de lui, quand elle commençait une lettre par ces mots : « Mon ami, ma main tremble si fort que je peux à peine écrire » (elle le prétendait du moins, et un peu de cet émoi devait être sincère pour qu'elle désirât d'en feindre davantage). Swann lui plaisait alors. On ne tremble jamais que pour soi, que pour ceux qu'on aime. Quand notre bonheur n'est plus dans leurs mains, de quel calme, de quelle aisance, de quelle hardiesse on jouit auprès d'eux ! En lui parlant, en lui écrivant, elle n'avait plus de ces mots par lesquels elle cherchait à se donner l'illusion qu'il lui appartenait, faisant naître les occasions de dire « mon », « mien », quand il s'agissait de lui : « Vous êtes mon bien, c'est le parfum de notre amitié, je le garde », de lui parler de l'avenir, de la mort même, comme d'une seule chose pour eux deux. Dans ce temps-là, à tout ce qu'il disait, elle répondait avec admiration : « Vous, vous ne serez jamais comme tout le monde » ; elle regardait sa longue tête un peu chauve, dont les gens qui connaissaient les succès de Swann pensaient : « Il n'est pas régulièrement beau, si vous voulez, mais il est chic : ce toupet, ce monocle, ce sourire ! », et, plus curieuse peut-être de connaître ce qu'il était que désireuse d'être sa maîtresse, elle disait : « Si je pouvais savoir ce qu'il y a dans cette tête-là ! » Maintenant, à toutes les paroles de Swann elle répondait d'un ton parfois irrité, parfois indulgent : « Ah ! tu ne seras donc jamais comme tout le monde ! » Elle regardait cette tête qui n'était qu'un peu plus vieillie par le souci (mais dont maintenant tous pensaient, en vertu de cette même aptitude qui permet de découvrir les intentions d'un morceau symphonique dont on a lu le programme, et les ressemblances d'un enfant quand on connaît sa parenté : « Il n'est pas positivement laid si vous voulez, mais il est ridicule ; ce monocle, ce toupet, ce sourire ! », réalisant dans leur imagination suggestionnée la démarcation immatérielle qui sépare à quelques mois de distance une tête d'amant de cœur et une tête de cocu), elle disait : « Ah ! si je pouvais changer, rendre raisonnable ce qu'il y a dans cette tête-là. »

Toujours prêt à croire ce qu'il souhaitait, si seulement les manières d'être d'Odette avec lui laissaient place au doute, il se jetait avidement sur cette parole.

— Tu le peux si tu le veux, lui disait-il.

Et il tâchait de lui montrer que l'apaiser, le diriger, le faire travailler, serait une noble tâche à laquelle ne demandaient qu'à se vouer d'autres femmes qu'elle, entre les mains desquelles il est vrai d'ajouter que la noble tâche ne lui eût paru plus qu'une indiscrète et insupportable usurpation de sa liberté. « Si elle ne m'aimait pas un peu, se disait-il, elle ne souhaiterait pas de me transformer. Pour me transformer, il faudra qu'elle me voie davantage. » Ainsi trouvait-il dans ce reproche qu'elle lui faisait, comme une preuve d'intérêt, d'amour peut-être ; et en effet, elle lui en donnait maintenant si peu qu'il était obligé de considérer comme telles les défenses qu'elle lui faisait d'une chose ou d'une autre. Un jour, elle lui déclara qu'elle n'aimait pas son cocher, qu'il lui montait peut-être la tête contre elle, qu'en tous cas il n'était pas avec lui de l'exactitude et de la déférence qu'elle voulait. Elle sentait qu'il désirait lui entendre dire : « Ne le prends plus pour venir chez moi », comme il aurait désiré un baiser. Comme elle était de bonne humeur, elle le lui dit ; il fut attendri. Le soir, causant avec M. de Charlus avec qui il avait la douceur de pouvoir parler d'elle ouvertement (car les moindres propos qu'il tenait, même aux personnes qui ne la connaissaient pas, se rapportaient en quelque manière à elle), il lui dit :

— Je crois pourtant qu'elle m'aime ; elle est si gentille pour moi, ce que je fais ne lui est certainement pas indifférent.

Et si, au moment d'aller chez elle, montant dans sa voiture avec un ami qu'il devait laisser en route, l'autre lui disait : « Tiens, ce n'est pas Lorédan qui est sur le siège ? », avec quelle joie mélancolique Swann lui répondait :

— Oh ! sapristi non ! je te dirai, je ne peux pas prendre Lorédan quand je vais rue La Pérouse. Odette n'aime pas que je prenne Lorédan, elle ne le trouve pas bien pour moi ; enfin que veux-tu, les femmes, tu sais ! je sais que ça lui déplairait beaucoup. Ah bien oui ! je n'aurais eu qu'à prendre Rémi ! j'en aurais eu une histoire !

Ces nouvelles façons indifférentes, distraites, irritables, qui étaient maintenant celles d'Odette avec lui, certes Swann en souffrait ; mais il ne connaissait pas sa souffrance ; comme c'était progressivement, jour par jour, qu'Odette s'était refroidie à son égard, ce n'est qu'en mettant en regard de ce qu'elle était aujourd'hui ce qu'elle avait été en début, qu'il aurait pu sonder la profondeur du changement qui s'était accompli. Or ce changement c'était sa profonde, sa secrète blessure qui lui faisait mal jour et nuit, et dès qu'il sentait que ses pensées allaient un peu trop près d'elle, vivement il les dirigeait d'un autre côté de peur de trop souffrir. Il se disait bien d'une façon abstraite : « Il fut un temps où Odette m'aimait davantage », mais jamais il ne revoyait ce temps. De même qu'il y avait dans son cabinet une commode qu'il s'arrangeait à ne pas regarder, qu'il faisait un crochet pour éviter en entrant et en sortant, parce que dans un tiroir étaient serrés le chrysanthème qu'elle lui avait donné le premier soir où il l'avait reconduite, les lettres où elle disait : « Que n'y avez-vous oublié aussi votre cœur, je ne vous aurais pas laissé le reprendre » et « A quelque heure du jour et de la nuit que vous ayez besoin de moi, faites-moi signe et disposez de ma vie », de même il y avait en lui une place dont il ne laissait jamais approcher son esprit, lui faisant faire s'il le fallait le détour d'un long raisonnement pour qu'il n'eût à passer devant elle : c'était celle où vivait le souvenir des jours heureux.

Mais sa si précautionneuse prudence fut déjouée un soir qu'il était allé dans le monde.

C'était chez la marquise de Saint-Euverte, à la dernière, pour cette année-là, des soirées où elle faisait entendre des artistes qui lui servaient ensuite pour ses concerts de charité. Swann, qui avait voulu successivement aller à toutes les précédentes et n'avait pu s'y résoudre, avait reçu, tandis qu'il s'habillait pour se rendre à celle-ci, la visite du baron de Charlus qui venait lui offrir de retourner avec lui chez la marquise, si sa compagnie devait l'aider à s'y ennuyer un peu moins, à s'y trouver moins triste. Mais Swann lui avait répondu :

— Vous ne doutez pas du plaisir que j'aurais à être avec vous. Mais le plus grand plaisir que vous puissiez me faire, c'est d'aller plutôt voir Odette. Vous savez l'excellente influence que vous avez sur elle. Je crois qu'elle ne sort pas ce soir avant d'aller chez son ancienne couturière où, du reste, elle sera sûrement contente que vous l'accompagniez. En tous cas vous la trouveriez chez elle avant. Tâchez de la distraire et aussi de lui parler raison. Si vous pouviez arranger quelque chose pour demain qui lui plaise et que nous pourrions faire tous les trois ensemble... Tâchez aussi de poser des jalons pour cet été, si elle avait envie de quelque chose, d'une croisière que nous ferions tous les trois, que sais-je ? Quant à ce soir, je ne compte pas la voir ; maintenant si elle le désirait ou si vous trouviez un joint, vous n'avez qu'à m'envoyer un mot chez Mme de Saint-Euverte jusqu'à minuit, et après chez moi. Merci de tout ce que vous faites pour moi, vous savez comme je vous aime.

Le baron lui promit d'aller faire la visite qu'il désirait après qu'il l'aurait conduit jusqu'à la porte de l'hôtel Saint-Euverte, où Swann arriva tranquillisé par la pensée que M. de Charlus passerait la soirée rue La Pérouse, mais dans

un état de mélancolique indifférence à toutes les choses qui
ne touchaient pas Odette, et en particulier aux choses
mondaines, qui leur donnait le charme de ce qui, n'étant plus
un but pour notre volonté, nous apparaît en soi-même. Dès
sa descente de voiture, au premier plan de ce résumé fictif de
leur vie domestique que les maîtresses de maison prétendent
offrir à leurs invités les jours de cérémonie et où elles
cherchent à respecter la vérité du costume et celle du décor,
Swann prit plaisir à voir les héritiers des « tigres » de Balzac,
les grooms, suivants ordinaires de la promenade, qui,
chapeautés et bottés, restaient dehors devant l'hôtel sur le sol
de l'avenue, ou devant les écuries, comme des jardiniers
auraient été rangés à l'entrée de leurs parterres. La disposition particulière qu'il avait toujours eue à chercher des
analogies entre les êtres vivants et les portraits des musées,
s'exerçait encore mais d'une façon plus constante et plus
générale ; c'est la vie mondaine tout entière, maintenant qu'il
en était détaché, qui se présentait à lui comme une suite de
tableaux. Dans le vestibule où autrefois, quand il était un
mondain, il entrait enveloppé dans son pardessus pour en
sortir en frac, mais sans savoir ce qui s'y était passé, étant
par la pensée, pendant les quelques instants qu'il y séjour-
nait, ou bien encore dans la fête qu'il venait de quitter, ou
bien déjà dans la fête où on allait l'introduire, pour la
première fois il remarqua, réveillée par l'arrivée inopinée
d'un invité aussi tardif, la meute éparse, magnifique et
désœuvrée des grands valets de pied qui dormaient çà et là
sur des banquettes et des coffres et qui, soulevant leurs
nobles profils aigus de lévriers, se dressèrent et, rassemblés,
formèrent le cercle autour de lui.

L'un d'eux, d'aspect particulièrement féroce et assez
semblable à l'exécuteur dans certains tableaux de la Renaissance qui figurent des supplices, s'avança vers lui d'un air
implacable pour lui prendre ses affaires. Mais la dureté de
son regard d'acier était compensée par la douceur de ses
gants de fil, si bien qu'en approchant de Swann il semblait

témoigner du mépris pour sa personne et des égards pour son
chapeau. Il le prit avec un soin auquel l'exactitude de sa
pointure donnait quelque chose de méticuleux et une délicatesse que rendait presque touchante l'appareil de sa force.
Puis il le passa à un de ses aides, nouveau et timide, qui
exprimait l'effroi qu'il ressentait en roulant en tous sens des
regards furieux et montrait l'agitation d'une bête captive
dans les premières heures de sa domesticité.

A quelques pas, un grand gaillard en livrée rêvait,
immobile, sculptural, inutile, comme ce guerrier purement
décoratif qu'on voit dans les tableaux les plus tumultueux de
Mantegna, songer, appuyé sur son bouclier, tandis qu'on se
précipite et qu'on s'égorge à côté de lui ; détaché du groupe
de ses camarades qui s'empressaient autour de Swann, il
semblait aussi résolu à se désintéresser de cette scène, qu'il
suivait vaguement de ses yeux glauques et cruels, que si c'eût
été le massacre des Innocents ou le martyre de saint Jacques.
Il semblait précisément appartenir à cette race disparue
— ou qui peut-être n'exista jamais que dans le retable de
San Zeno et les fresques des Eremitani où Swann l'avait
approchée et où elle rêve encore — issue de la fécondation
d'une statue antique par quelque modèle padouan du Maître
ou quelque Saxon d'Albert Dürer. Et les mèches de ses
cheveux roux crespelés par la nature, mais collés par la
brillantine, étaient largement traitées comme elles sont dans
la sculpture grecque qu'étudiait sans cesse le peintre de
Mantoue, et qui, si dans la création elle ne figure que
l'homme, sait du moins tirer de ses simples formes des
richesses si variées et comme empruntées à toute la nature
vivante, qu'une chevelure, par l'enroulement lisse et les becs
aigus de ses boucles, ou dans la superposition du triple et
fleurissant diadème de ses tresses, a l'air à la fois d'un paquet
d'algues, d'une nichée de colombes, d'un bandeau de
jacinthes et d'une torsade de serpents.

D'autres encore, colossaux aussi, se tenaient sur les degrés
d'un escalier monumental que leur présence décorative et

leur immobilité marmoréenne auraient pu faire nommer
comme celui du Palais Ducal : « l'Escalier des Géants » et
dans lequel Swann s'engagea avec la tristesse de penser
qu'Odette ne l'avait jamais gravi. Ah ! avec quelle joie au
contraire il eût grimpé les étages noirs, malodorants et casse-
cou de la petite couturière retirée, dans le « cinquième » de
laquelle il aurait été si heureux de payer plus cher qu'une
avant-scène hebdomadaire à l'Opéra le droit de passer la
soirée quand Odette y venait, et même les autres jours, pour
pouvoir parler d'elle, vivre avec les gens qu'elle avait
l'habitude de voir quand il n'était pas là, et qui à cause de
cela lui paraissaient recéler, de la vie de sa maîtresse,
quelque chose de plus réel, de plus inaccessible et de plus
mystérieux. Tandis que dans cet escalier pestilentiel et désiré
de l'ancienne couturière, comme il n'y en avait pas un second
pour le service, on voyait le soir devant chaque porte une
boîte au lait vide et sale préparée sur le paillasson, dans
l'escalier magnifique et dédaigné que Swann montait à ce
moment, d'un côté et de l'autre, à des hauteurs différentes,
devant chaque anfractuosité que faisait dans le mur la
fenêtre de la loge ou la porte d'un appartement, représentant
le service intérieur qu'ils dirigeaient et en faisant hommage
aux invités, un concierge, un majordome, un argentier
(braves gens qui vivaient le reste de la semaine un peu
indépendants dans leur domaine, y dînaient chez eux comme
de petits boutiquiers et seraient peut-être demain au service
bourgeois d'un médecin ou d'un industriel), attentifs à ne
pas manquer aux recommandations qu'on leur avait faites
avant de leur laisser endosser la livrée éclatante qu'ils ne
revêtaient qu'à de rares intervalles et dans laquelle ils ne se
sentaient pas très à leur aise, se tenaient sous l'arcature de
leur portail avec un éclat pompeux tempéré de bonhomie
populaire, comme des saints dans leur niche ; et un énorme
suisse, habillé comme à l'église, frappait les dalles de sa
canne au passage de chaque arrivant. Parvenu en haut de
l'escalier le long duquel l'avait suivi un domestique à face

blême, avec une petite queue de cheveux noués d'un catogan
derrière la tête, comme un sacristain de Goya ou un tabellion
du répertoire, Swann passa devant un bureau où des valets,
assis comme des notaires devant de grands registres, se
levèrent et inscrivirent son nom. Il traversa alors un petit
vestibule qui — tel que certaines pièces aménagées par leur
propriétaire pour servir de cadre à une seule œuvre d'art,
dont elles tirent leur nom et, d'une nudité voulue ne
contiennent rien d'autre — exhibait à son entrée, comme
quelque précieuse effigie de Benvenuto Cellini représentant
un homme de guet, un jeune valet de pied, le corps
légèrement fléchi en avant, dressant sur son hausse-col rouge
une figure plus rouge encore d'où s'échappaient des torrents
de feu, de timidité et de zèle, et qui, perçant les tapisseries
d'Aubusson tendues devant le salon où on écoutait la
musique, de son regard impétueux, vigilant, éperdu, avait
l'air, avec une impassibilité militaire ou une foi surnaturelle
— allégorie de l'alarme, incarnation de l'attente, commémo-
ration du branle-bas — d'épier, ange ou vigie, d'une tour de
donjon ou de cathédrale, l'apparition de l'ennemi ou l'heure
du Jugement. Il ne restait plus à Swann qu'à pénétrer dans
la salle du concert dont un huissier chargé de chaînes lui
ouvrit les portes en s'inclinant, comme il lui aurait remis les
clefs d'une ville. Mais il pensait à la maison où il aurait pu se
trouver en ce moment même, si Odette l'avait permis, et le
souvenir entrevu d'une boîte au lait vide sur un paillasson lui
serra le cœur.

Swann retrouva rapidement le sentiment de la laideur
masculine, quand au delà de la tenture de tapisserie, au
spectacle des domestiques succéda celui des invités. Mais
cette laideur même de visages, qu'il connaissait pourtant si
bien, lui semblait neuve depuis que leurs traits — au lieu
d'être pour lui des signes pratiquement utilisables à l'identi-
fication de telle personne qui lui avait représenté jusque-là
un faisceau de plaisirs à poursuivre, d'ennuis à éviter, ou de
politesses à rendre — reposaient, coordonnés seulement par

des rapports esthétiques, dans l'autonomie de leurs lignes. Et en ces hommes au milieu desquels Swann se trouva enserré, il n'était pas jusqu'aux monocles que beaucoup portaient (et qui, autrefois, auraient tout au plus permis à Swann de dire qu'ils portaient un monocle), qui, déliés maintenant de signifier une habitude, la même pour tous, ne lui apparussent chacun avec une sorte d'individualité. Peut-être parce qu'il ne regarda le général de Froberville et le marquis de Bréauté qui causaient dans l'entrée que comme deux personnages dans un tableau, alors qu'ils avaient été longtemps pour lui les amis utiles qui l'avaient présenté au Jockey et assisté dans des duels, le monocle du général, resté entre ses paupières comme un éclat d'obus dans sa figure vulgaire, balafrée et triomphale, au milieu du front qu'il éborgnait comme l'œil unique du cyclope, apparut à Swann comme une blessure monstrueuse qu'il pouvait être glorieux d'avoir reçue, mais qu'il était indécent d'exhiber ; tandis que celui que M. de Bréauté ajoutait, en signe de festivité, aux gants gris perle, au « gibus », à la cravate blanche et substituait au binocle familier (comme faisait Swann lui-même) pour aller dans le monde, portait, collé à son revers, comme une préparation d'histoire naturelle sous un microscope, un regard infinitésimal et grouillant d'amabilité, qui ne cessait de sourire à la hauteur des plafonds, à la beauté des fêtes, à l'intérêt des programmes et à la qualité des rafraîchissements.

— Tiens, vous voilà, mais il y a des éternités qu'on ne vous a vu, dit à Swann le général qui, remarquant ses traits tirés et en concluant que c'était peut-être une maladie grave qui l'éloignait du monde, ajouta : « Vous avez bonne mine, vous savez ! » pendant que M. de Bréauté demandait : « Comment, vous, mon cher, qu'est-ce que vous pouvez bien faire ici ? » à un romancier mondain qui venait d'installer au coin de son œil un monocle, son seul organe d'investigation psychologique et d'impitoyable analyse, et répondit d'un air important et mystérieux, en roulant l'*r* :

— J'observe.

Le monocle du marquis de Forestelle était minuscule, n'avait aucune bordure et, obligeant à une crispation incessante et douloureuse l'œil où il s'incrustait comme un cartilage superflu dont la présence est inexplicable et la matière recherchée, il donnait au visage du marquis une délicatesse mélancolique, et le faisait juger par les femmes comme capable de grands chagrins d'amour. Mais celui de M. de Saint-Candé, entouré d'un gigantesque anneau, comme Saturne, était le centre de gravité d'une figure qui s'ordonnait à tout moment par rapport à lui, dont le nez frémissant et rouge et la bouche lippue et sarcastique tâchaient par leurs grimaces d'être à la hauteur des feux roulants d'esprit dont étincelait le disque de verre, et se voyait préférer aux plus beaux regards du monde par des jeunes femmes snobs et dépravées qu'il faisait rêver de charmes artificiels et d'un raffinement de volupté ; et cependant, derrière le sien, M. de Palancy qui, avec sa grosse tête de carpe aux yeux ronds, se déplaçait lentement au milieu des fêtes en desserrant d'instant en instant ses mandibules comme pour chercher son orientation, avait l'air de transporter seulement avec lui un fragment accidentel, et peut-être purement symbolique, du vitrage de son aquarium, partie destinée à figurer le tout, qui rappela à Swann, grand admirateur des *Vices* et des *Vertus* de Giotto à Padoue, cet Injuste à côté duquel un rameau feuillu évoque les forêts où se cache son repaire.

Swann s'était avancé, sur l'insistance de Mme de Saint-Euverte, et pour entendre un air d'*Orphée* qu'exécutait un flûtiste, s'était mis dans un coin où il avait malheureusement comme seule perspective deux dames déjà mûres assises l'une à côté de l'autre, la marquise de Cambremer et la vicomtesse de Franquetot, lesquelles, parce qu'elles étaient cousines, passaient leur temps dans les soirées, portant leurs sacs et suivies de leurs filles, à se chercher comme dans une gare et n'étaient tranquilles que quand elles avaient marqué, par leur éventail ou leur mouchoir, deux places voisines :

Mme de Cambremer, comme elle avait très peu de relations, étant d'autant plus heureuse d'avoir une compagne, Mme de Franquetot, qui était au contraire très lancée, trouvant quelque chose d'élégant, d'original, à montrer à toutes ses belles connaissances qu'elle leur préférait une dame obscure avec qui elle avait en commun des souvenirs de jeunesse. Plein d'une mélancolique ironie, Swann les regardait écouter l'intermède de piano (« Saint-François parlant aux oiseaux » de Liszt) qui avait succédé à l'air de flûte, et suivre le jeu vertigineux du virtuose, Mme de Franquetot anxieusement, les yeux éperdus comme si les touches sur lesquelles il courait avec agilité avaient été une suite de trapèzes d'où il pouvait tomber d'une hauteur de quatre-vingts mètres, et non sans lancer à sa voisine des regards d'étonnement, de dénégation qui signifiaient : « Ce n'est pas croyable, je n'aurais jamais pensé qu'un homme pût faire cela », Mme de Cambremer, en femme qui a reçu une forte éducation musicale, battant la mesure avec sa tête transformée en balancier de métronome dont l'amplitude et la rapidité d'oscillations d'une épaule à l'autre étaient devenues telles (avec cette espèce d'égarement et d'abandon du regard qu'ont les douleurs qui ne se connaissent plus ni ne cherchent à se maîtriser et disent « Que voulez-vous ! ») qu'à tout moment elle accrochait avec ses solitaires les pattes de son corsage et était obligée de redresser les raisins noirs qu'elle avait dans les cheveux, sans cesser pour cela d'accélérer le mouvement. De l'autre côté de Mme de Franquetot, mais un peu en avant, était la marquise de Gallardon, occupée à sa pensée favorite, l'alliance qu'elle avait avec les Guermantes et d'où elle tirait pour le monde et pour elle-même beaucoup de gloire avec quelque honte, les plus brillants d'entre eux la tenant un peu à l'écart, peut-être parce qu'elle était ennuyeuse, ou parce qu'elle était méchante, ou parce qu'elle était d'une branche inférieure, ou peut-être sans aucune raison. Quand elle se trouvait auprès de quelqu'un qu'elle ne connaissait pas, comme en ce moment auprès de Mme de Franquetot, elle souffrait que la

conscience qu'elle avait de sa parenté avec les Guermantes
ne pût se manifester extérieurement en caractères visibles
comme ceux qui, dans les mosaïques des églises byzantines,
placés les uns au-dessous des autres, inscrivent en une
colonne verticale, à côté d'un saint personnage, les mots qu'il
est censé prononcer. Elle songeait en ce moment qu'elle
n'avait jamais reçu une invitation ni une visite de sa jeune
cousine la princesse des Laumes, depuis six ans que celle-ci
était mariée. Cette pensée la remplissait de colère, mais aussi
de fierté; car, à force de dire aux personnes qui s'étonnaient
de ne pas la voir chez Mme des Laumes, que c'est parce
qu'elle aurait été exposée à y rencontrer la princesse
Mathilde — ce que sa famille ultralégitimiste ne lui aurait
jamais pardonné, — elle avait fini par croire que c'était en
effet la raison pour laquelle elle n'allait pas chez sa jeune
cousine. Elle se rappelait pourtant qu'elle avait demandé
plusieurs fois à Mme des Laumes comment elle pourrait faire
pour la rencontrer, mais ne se le rappelait que confusément
et d'ailleurs neutralisait et au delà ce souvenir un peu
humiliant en murmurant : « Ce n'est tout de même pas à
moi à faire les premiers pas, j'ai vingt ans de plus qu'elle. »
Grâce à la vertu de ces paroles intérieures, elle rejetait
fièrement en arrière ses épaules détachées de son buste et sur
lesquelles sa tête posée presque horizontalement faisait
penser à la tête « rapportée » d'un orgueilleux faisan qu'on
sert sur une table avec toutes ses plumes. Ce n'est pas qu'elle
ne fût par nature courtaude, hommasse et boulotte; mais les
camouflets l'avaient redressée comme ces arbres qui, nés
dans une mauvaise position au bord d'un précipice, sont
forcés de croître en arrière pour garder leur équilibre.
Obligée, pour se consoler de ne pas être tout à fait l'égale des
autres Guermantes, de se dire sans cesse que c'était par
intransigeance de principes et fierté qu'elle les voyait peu,
cette pensée avait fini par modeler son corps et par lui
enfanter une sorte de prestance qui passait aux yeux des
bourgeoises pour un signe de race et troublait quelquefois

d'un désir fugitif le regard fatigué des hommes de cercle. Si on avait fait subir à la conversation de Mme de Gallardon ces analyses qui en relevant la fréquence plus ou moins grande de chaque terme permettent de découvrir la clef d'un langage chiffré, on se fût rendu compte qu'aucune expression, même la plus usuelle, n'y revenait aussi souvent que « chez mes cousins de Guermantes », « chez ma tante de Guermantes », « la santé d'Elzéar de Guermantes », « la baignoire de ma cousine de Guermantes ». Quand on lui parlait d'un personnage illustre, elle répondait que, sans le connaître personnellement, elle l'avait rencontré mille fois chez sa tante de Guermantes, mais elle répondait cela d'un ton si glacial et d'une voix si sourde qu'il était clair que, si elle ne le connaissait pas personnellement, c'était en vertu de tous les principes indéracinables et entêtés auxquels ses épaules touchaient en arrière, comme à ces échelles sur lesquelles les professeurs de gymnastique vous font étendre pour vous développer le thorax.

Or, la princesse des Laumes, qu'on ne se serait pas attendu à voir chez Mme de Saint-Euverte, venait précisément d'arriver. Pour montrer qu'elle ne cherchait pas à faire sentir dans un salon, où elle ne venait que par condescendance, la supériorité de son rang, elle était entrée en effaçant les épaules là même où il n'y avait aucune foule à fendre et personne à laisser passer, restant exprès dans le fond, de l'air d'y être à sa place, comme un roi qui fait la queue à la porte d'un théâtre tant que les autorités n'ont pas été prévenues qu'il est là ; et, bornant simplement son regard — pour ne pas avoir l'air de signaler sa présence et de réclamer des égards — à la considération d'un dessin du tapis ou de sa propre jupe, elle se tenait debout à l'endroit qui lui avait paru le plus modeste (et d'où elle savait bien qu'une exclamation ravie de Mme de Saint-Euverte allait la tirer dès que celle-ci l'aurait aperçue), à côté de Mme de Cambremer qui lui était inconnue. Elle observait la mimique de sa voisine mélomane, mais ne l'imitait pas. Ce n'est pas que, pour une fois qu'elle venait passer cinq minutes chez Mme de Saint-Euverte, la princesse des Laumes n'eût souhaité, pour que la politesse qu'elle lui faisait comptât double, de se montrer le plus aimable possible. Mais par nature, elle avait horreur de ce qu'elle appelait « les exagérations » et tenait à montrer qu'elle « n'avait pas à » se livrer à des manifestations qui n'allaient pas avec le « genre » de la coterie où elle vivait, mais qui pourtant d'autre part ne laissaient pas de l'impressionner, à la faveur de cet esprit d'imitation voisin de la timidité que développe, chez les gens les plus sûrs d'eux-mêmes, l'ambiance d'un milieu nouveau, fût-il inférieur. Elle commençait à se demander si cette gesticulation n'était pas rendue nécessaire par le morceau qu'on jouait et qui ne rentrait peut-être pas dans le cadre de la musique qu'elle avait entendue jusqu'à ce jour, si s'abstenir n'était pas faire preuve d'incompréhension à l'égard de l'œuvre et d'inconvenance vis-à-vis de la maîtresse de la maison : de sorte que pour exprimer par une « cote mal taillée » ses sentiments contradictoires, tantôt elle se contentait de remonter la bride de ses épaulettes ou d'assurer dans ses cheveux blonds les petites boules de corail ou d'émail rose, givrées de diamant, qui lui faisaient une coiffure simple et charmante, en examinant avec une froide curiosité sa fougueuse voisine, tantôt de son éventail elle battait pendant un instant la mesure, mais, pour ne pas abdiquer son indépendance, à contretemps. Le pianiste ayant terminé le morceau de Liszt et ayant commencé un prélude de Chopin, Mme de Cambremer lança à Mme de Franquetot un sourire attendri de satisfaction compétente et d'allusion au passé. Elle avait appris dans sa jeunesse à caresser les phrases, au long col sinueux et démesuré, de Chopin, si libres, si flexibles, si tactiles, qui commencent par chercher et essayer leur place en dehors et bien loin de la direction de leur départ, bien loin du point où on avait pu espérer qu'atteindrait leur attouchement, et qui ne se jouent dans cet écart de fantaisie que pour revenir plus délibérément — d'un retour plus prémédité, avec plus de précision, comme sur un cristal qui résonnerait jusqu'à faire crier — vous frapper au cœur.

Vivant dans une famille provinciale qui avait peu de relations, n'allant guère au bal, elle s'était grisée dans la solitude de son manoir, à ralentir, à précipiter la danse de tous ces couples imaginaires, à les égrener comme des fleurs, à quitter un moment le bal pour entendre le vent souffler dans les sapins, au bord du lac, et à y voir tout d'un coup s'avancer, plus différent de tout ce qu'on a jamais rêvé que ne sont les amants de la terre, un mince jeune homme à la voix un peu chantante, étrangère et fausse, en gants blancs. Mais aujourd'hui la beauté démodée de cette musique semblait défraîchie. Privée depuis quelques années de l'estime des connaisseurs, elle avait perdu son honneur et son charme, et ceux mêmes dont le goût est mauvais n'y trouvaient plus qu'un plaisir inavoué et médiocre. Mᵐᵉ de Cambremer jeta un regard furtif derrière elle. Elle savait que sa jeune bru (pleine de respect pour sa nouvelle famille, sauf en ce qui touchait les choses de l'esprit sur lesquelles, sachant jusqu'à l'harmonie et jusqu'au grec, elle avait des lumières spéciales) méprisait Chopin et souffrait quand elle en entendait jouer. Mais loin de la surveillance de cette wagnérienne qui était plus loin avec un groupe de personnes de son âge, Mᵐᵉ de Cambremer se laissait aller à des impressions délicieuses. La princesse des Laumes les éprouvait aussi. Sans être par nature douée pour la musique, elle avait reçu il y a quinze ans les leçons qu'un professeur de piano du faubourg Saint-Germain, femme de génie qui avait été à la fin de sa vie réduite à la misère, avait recommencé, à l'âge de soixante-dix ans, à donner aux filles et aux petites-filles de ses anciennes élèves. Elle était morte aujourd'hui. Mais sa méthode, son beau son, renaissaient parfois sous les doigts de ses élèves, même de celles qui étaient devenues pour le reste des personnes médiocres, avaient abandonné la musique et n'ouvraient presque plus jamais un piano. Aussi Mᵐᵉ des Laumes put-elle secouer la tête, en pleine connaissance de cause, avec une appréciation juste de la façon dont le pianiste jouait ce prélude qu'elle savait par cœur. La fin de la phrase commencée chanta d'elle-même sur ses lèvres. Et elle murmura « C'est toujours *ch*armant », avec un double *ch* au commencement du mot qui était une marque de délicatesse et dont elle sentait ses lèvres si romanesquement froissées comme une belle fleur, qu'elle harmonisa instinctivement son regard avec elles en lui donnant à ce moment-là une sorte de sentimentalité et de vague. Cependant Mme de Gallardon était en train de se dire qu'il était fâcheux qu'elle n'eût que bien rarement l'occasion de rencontrer la princesse des Laumes, car elle souhaitait lui donner une leçon en ne répondant pas à son salut. Elle ne savait pas que sa cousine fût là. Un mouvement de tête de Mme de Franquetot la lui découvrit. Aussitôt elle se précipita vers elle en dérangeant tout le monde ; mais, désireuse de garder un air hautain et glacial qui rappelât à tous qu'elle ne désirait pas avoir de relations avec une personne chez qui on pouvait se trouver nez à nez avec la princesse Mathilde et au-devant de qui elle n'avait pas à aller car elle n'était pas « sa contemporaine », elle voulut pourtant compenser cet air de hauteur et de réserve par quelque propos qui justifiât sa démarche et forçât la princesse à engager la conversation ; aussi une fois arrivée près de sa cousine, Mme de Gallardon, avec un visage dur, une main tendue comme une carte forcée, lui dit : « Comment va ton mari ? » de la même voix soucieuse que si le prince avait été gravement malade. La princesse, éclatant d'un rire qui lui était particulier et qui était destiné à la fois à montrer aux autres qu'elle se moquait de quelqu'un et aussi à se faire paraître plus jolie en concentrant les traits de son visage autour de sa bouche animée et de son regard brillant, lui répondit :

— Mais le mieux du monde !

Et elle rit encore. Cependant tout en redressant sa taille et refroidissant sa mine, inquiète encore pourtant de l'état du prince, Mme de Gallardon dit à sa cousine :

— Oriane (ici Mme des Laumes regarda d'un air étonné et rieur un tiers invisible vis-à-vis duquel elle semblait tenir à attester qu'elle n'avait jamais autorisé Mme de Gallardon à l'appeler par son prénom), je tiendrais beaucoup à ce que tu viennes un moment demain soir chez moi entendre un quintette avec clarinette de Mozart. Je voudrais avoir ton appréciation.

Elle semblait non pas adresser une invitation, mais demander un service, et avoir besoin de l'avis de la princesse sur le quintette de Mozart, comme si ç'avait été un plat de la composition d'une nouvelle cuisinière sur les talents de laquelle il lui eût été précieux de recueillir l'opinion d'un gourmet.

— Mais je connais ce quintette, je peux te dire tout de suite... que je l'aime !

— Tu sais, mon mari n'est pas bien, son foie..., cela lui ferait grand plaisir de te voir, reprit Mme de Gallardon, faisant maintenant à la princesse une obligation de charité de paraître à sa soirée.

La princesse n'aimait pas à dire aux gens qu'elle ne voulait pas aller chez eux. Tous les jours elle écrivait son regret d'avoir été privée — par une visite inopinée de sa belle-mère, par une invitation de son beau-frère, par l'Opéra, par une partie de campagne — d'une soirée à laquelle elle n'aurait jamais songé à se rendre. Elle donnait ainsi à beaucoup de gens la joie de croire qu'elle était de leurs relations, qu'elle eût été volontiers chez eux, qu'elle n'avait été empêchée de le faire que par les contretemps princiers qu'ils étaient flattés de voir entrer en concurrence avec leur soirée. Puis, faisant partie de cette spirituelle coterie des Guermantes où survivait quelque chose de l'esprit alerte, dépouillé de lieux communs et de sentiments convenus, qui descend de Mérimée et a trouvé sa dernière expression dans le théâtre de Meilhac et Halévy, elle l'adaptait même aux rapports sociaux, le transposait jusque dans sa politesse qui s'efforçait d'être positive, précise, de se rapprocher de l'humble vérité.

Elle ne développait pas longuement à une maîtresse de maison l'expression du désir qu'elle avait d'aller à sa soirée ; elle trouvait plus aimable de lui exposer quelques petits faits d'où dépendrait qu'il lui fût ou non possible de s'y rendre.

— Écoute, je vais te dire, dit-elle à Mme de Gallardon, il faut demain soir que j'aille chez une amie qui m'a demandé mon jour depuis longtemps. Si elle nous emmène au théâtre, il n'y aura pas, avec la meilleure volonté, possibilité que j'aille chez toi ; mais si nous restons chez elle, comme je sais que nous serons seuls, je pourrai la quitter.

— Tiens, tu as vu ton ami M. Swann ?

— Mais non, cet amour de Charles, je ne savais pas qu'il fût là, je vais tâcher qu'il me voie.

— C'est drôle qu'il aille même chez la mère Saint-Euverte, dit Mme de Gallardon. Oh ! je sais qu'il est intelligent, ajouta-t-elle en voulant dire par là intrigant, mais cela ne fait rien, un Juif chez la sœur et la belle-sœur de deux archevêques !

— J'avoue à ma honte que je n'en suis pas choquée, dit la princesse des Laumes.

— Je sais qu'il est converti, et même déjà ses parents et ses grands-parents. Mais on dit que les convertis restent plus attachés à leur religion que les autres, que c'est une frime, est-ce vrai ?

— Je suis sans lumières à ce sujet.

Le pianiste qui avait à jouer deux morceaux de Chopin, après avoir terminé le prélude, avait attaqué aussitôt une polonaise. Mais depuis que Mme de Gallardon avait signalé à sa cousine la présence de Swann, Chopin ressuscité aurait pu venir jouer lui-même toutes ses œuvres sans que Mme des Laumes pût y faire attention. Elle faisait partie d'une de ces deux moitiés de l'humanité chez qui la curiosité qu'a l'autre moitié pour les êtres qu'elle ne connaît pas est remplacée par l'intérêt pour les êtres qu'elle connaît. Comme beaucoup de femmes du faubourg Saint-Germain, la présence dans un endroit où elle se trouvait de quelqu'un de sa coterie, et auquel d'ailleurs elle n'avait rien de particulier à dire, accaparait exclusivement son attention aux dépens de tout le reste. A partir de ce moment, dans l'espoir que Swann la remarquerait, la princesse ne fit plus, comme une souris blanche apprivoisée à qui on tend puis on retire un morceau de sucre, que tourner sa figure, remplie de mille signes de connivence dénués de rapports avec le sentiment de la polonaise de Chopin, dans la direction où était Swann et si celui-ci changeait de place, elle déplaçait parallèlement son sourire aimanté.

— Oriane, ne te fâche pas, reprit Mme de Gallardon qui ne pouvait jamais s'empêcher de sacrifier ses plus grandes espérances sociales et d'éblouir un jour le monde, au plaisir obscur, immédiat et privé, de dire quelque chose de désa-gréable, il y a des gens qui prétendent que ce M. Swann, c'est quelqu'un qu'on ne peut pas recevoir chez soi, est-ce vrai ?

— Mais... tu dois bien savoir que c'est vrai, répondit la princesse des Laumes, puisque tu l'as invité cinquante fois et qu'il n'est jamais venu.

Et quittant sa cousine mortifiée, elle éclata de nouveau d'un rire qui scandalisa les personnes qui écoutaient la musique, mais attira l'attention de Mme de Saint-Euverte, restée par politesse près du piano et qui aperçut seulement alors la princesse. Mme de Saint-Euverte était d'autant plus ravie de voir Mme des Laumes qu'elle la croyait encore à Guermantes en train de soigner son beau-père malade.

— Mais comment, princesse, vous étiez là ?

— Oui, je m'étais assise dans un petit coin, j'ai entendu de belles choses.

— Comment, vous êtes là depuis déjà un long moment !

— Mais oui, un très long moment qui m'a semblé très court, long seulement parce que je ne vous voyais pas.

Mme de Saint-Euverte voulut donner son fauteuil à la princesse qui répondit :

— Mais pas du tout ! Pourquoi ! Je suis bien n'importe où !

Et, avisant avec intention, pour mieux manifester sa simplicité de grande dame, un petit siège sans dossier :
— Tenez, ce pouf, c'est tout ce qu'il me faut. Cela me fera tenir droite. Oh ! mon Dieu, je fais encore du bruit, je vais me faire conspuer.

Cependant le pianiste redoublant de vitesse, l'émotion musicale était à son comble, un domestique passait des rafraîchissements sur un plateau et faisait tinter des cuillers et, comme chaque semaine, Mme de Saint-Euverte lui faisait, sans qu'il la vît, des signes de s'en aller. Une nouvelle mariée, à qui on avait appris qu'une jeune femme ne doit pas avoir l'air blasé, souriait de plaisir, et cherchait des yeux la maîtresse de maison pour lui témoigner par son regard sa reconnaissance d'avoir « pensé à elle » pour un pareil régal. Pourtant, quoique avec plus de calme que Mme de Franquetot, ce n'est pas sans inquiétude qu'elle suivait le morceau ; mais la sienne avait pour objet, au lieu du pianiste, le piano sur lequel une bougie tressautant à chaque fortissimo risquait, sinon de mettre le feu à l'abat-jour, du moins de faire des taches sur le palissandre. A la fin elle n'y tint plus et, escaladant les deux marches de l'estrade sur laquelle était placé le piano, se précipita pour enlever la bobèche. Mais à peine ses mains allaient-elles la toucher que, sur un dernier accord, le morceau finit et le pianiste se leva. Néanmoins l'initiative hardie de cette jeune femme, la courte promiscuité qui en résulta entre elle et l'instrumentiste, produisirent une impression généralement favorable.

— Vous avez remarqué ce qu'a fait cette personne, princesse, dit le général de Froberville à la princesse des Laumes qu'il était venu saluer et que Mme de Saint-Euverte quitta un instant. C'est curieux. Est-ce donc une artiste ?

— Non, c'est une petite Mme de Cambremer, répondit étourdiment la princesse et elle ajouta vivement : Je vous répète ce que j'ai entendu dire, je n'ai aucune espèce de notion de qui c'est, on a dit derrière moi que c'étaient des voisins de campagne de Mme de Saint-Euverte, mais je ne

crois pas que personne les connaisse. Ça doit être des « gens
de la campagne » ! Du reste, je ne sais pas si vous êtes très
répandu dans la brillante société qui se trouve ici, mais je
n'ai pas idée du nom de toutes ces étonnantes personnes. A
quoi pensez-vous qu'ils passent leur vie en dehors des soirées
de Mme de Saint-Euverte ? Elle a dû les faire venir avec les
musiciens, les chaises et les rafraîchissements. Avouez que
ces « invités de chez Belloir » sont magnifiques. Est-ce que
vraiment elle a le courage de louer ces figurants toutes les
semaines ? Ce n'est pas possible !

— Ah ! Mais Cambremer, c'est un nom authentique et
ancien, dit le général.

— Je ne vois aucun mal à ce que ce soit ancien, répondit
sèchement la princesse, mais en tout cas ce n'est pas
euphonique, ajouta-t-elle en détachant le mot euphonique
comme s'il était entre guillemets, petite affectation de débit
qui était particulière à la coterie Guermantes.

— Vous trouvez ? Elle est jolie à croquer, dit le général
qui ne perdait pas Mme de Cambremer de vue. Ce n'est pas
votre avis, princesse ?

— Elle se met trop en avant, je trouve que chez une si
jeune femme, ce n'est pas agréable, car je ne crois pas qu'elle
soit ma contemporaine, répondit Mme des Laumes (cette
expression étant commune aux Gallardon et aux Guermantes).

Mais la princesse voyant que M. de Froberville continuait
à regarder Mme de Cambremer, ajouta moitié par méchanceté pour celle-ci, moitié par amabilité pour le général :
« Pas agréable... pour son mari ! Je regrette de ne pas la
connaître puisqu'elle vous tient à cœur, je vous aurais
présenté », dit la princesse qui probablement n'en aurait rien
fait si elle avait connu la jeune femme. « Je vais être obligée
de vous dire bonsoir, parce que c'est la fête d'une amie à qui
je dois aller la souhaiter, dit-elle d'un ton modeste et vrai,
réduisant la réunion mondaine à laquelle elle se rendait à la
simplicité d'une cérémonie ennuyeuse, mais où il était

obligatoire et touchant d'aller. D'ailleurs je dois y retrouver
Basin qui, pendant que j'étais ici, est allé voir ses amis que
vous connaissez, je crois, qui ont un nom de pont, les Iéna. »

— Ç'a été d'abord un nom de victoire, princesse, dit le
général. Qu'est-ce que vous voulez, pour un vieux briscard
comme moi, ajouta-t-il en ôtant son monocle pour l'essuyer,
comme il aurait changé un pansement, tandis que la
princesse détournait instinctivement les yeux, cette noblesse
d'Empire, c'est autre chose bien entendu, mais enfin, pour ce
que c'est, c'est très beau dans son genre, ce sont des gens qui
en somme se sont battus en héros.

— Mais je suis pleine de respect pour les héros, dit la
princesse, sur un ton légèrement ironique : si je ne vais pas
avec Basin chez cette princesse d'Iéna, ce n'est pas du tout
pour ça, c'est tout simplement parce que je ne les connais
pas. Basin les connaît, les chérit. Oh ! non, ce n'est pas ce que
vous pouvez penser, ce n'est pas un flirt, je n'ai pas à m'y
opposer ! Du reste, pour ce que cela sert quand je veux m'y
opposer ! ajouta-t-elle d'une voix mélancolique, car tout le
monde savait que dès le lendemain du jour où le prince des
Laumes avait épousé sa ravissante cousine, il n'avait pas
cessé de la tromper. Mais enfin ce n'est pas le cas, ce sont des
gens qu'il a connus autrefois, il en fait ses choux gras, je
trouve cela très bien. D'abord je vous dirai que rien que ce
qu'il m'a dit de leur maison... Pensez que tous leurs meubles
sont « Empire » !

— Mais, princesse, naturellement, c'est parce que c'est le
mobilier de leurs grands-parents.

— Mais je ne vous dis pas, mais ça n'est pas moins laid
pour ça. Je comprends très bien qu'on ne puisse pas avoir de
jolies choses, mais au moins qu'on n'ait pas de choses
ridicules. Qu'est-ce que vous voulez ? je ne connais rien de
plus pompier, de plus bourgeois que cet horrible style, avec
ces commodes qui ont des têtes de cygnes comme des
baignoires.

— Mais je crois même qu'ils ont de belles choses, ils

doivent avoir la fameuse table de mosaïque sur laquelle a été
signé le traité de...

— Ah ! Mais qu'ils aient des choses intéressantes au point
de vue de l'histoire, je ne vous dis pas. Mais ça ne peut pas
être beau... puisque c'est horrible ! Moi j'ai aussi des choses
comme ça que Basin a héritées des Montesquiou. Seulement
elles sont dans les greniers de Guermantes où personne ne les
voit. Enfin, du reste, ce n'est pas la question, je me
précipiterais chez eux avec Basin, j'irais les voir même au
milieu de leurs sphinx et de leur cuivre si je les connaissais,
mais... je ne les connais pas ! Moi, on m'a toujours dit quand
j'étais petite que ce n'était pas poli d'aller chez les gens qu'on
ne connaissait pas, dit-elle en prenant un ton puéril. Alors, je
fais ce qu'on m'a appris. Voyez-vous ces braves gens s'ils
voyaient entrer une personne qu'ils ne connaissent pas ? Ils
me recevraient peut-être très mal ! dit la princesse.

Et par coquetterie elle embellit le sourire que cette
supposition lui arrachait, en donnant à son regard bleu fixé
sur le général une expression rêveuse et douce.

— Ah ! princesse, vous savez bien qu'ils ne se tiendraient
pas de joie...

— Mais non, pourquoi ? lui demanda-t-elle avec une
extrême vivacité, soit pour ne pas avoir l'air de savoir que
c'est parce qu'elle était une des plus grandes dames de
France, soit pour avoir le plaisir de l'entendre dire au
général. Pourquoi ? Qu'en savez-vous ? Cela leur serait peut-
être tout ce qu'il y a de plus désagréable. Moi je ne sais pas,
mais si j'en juge par moi, cela m'ennuie déjà tant de voir les
personnes que je connais, je crois que s'il fallait voir des gens
que je ne connais pas, « même héroïques », je deviendrais folle.
D'ailleurs, voyons, sauf lorsqu'il s'agit de vieux amis comme
vous qu'on connaît sans cela, je ne sais pas si l'héroïsme
serait d'un format très portatif dans le monde. Ça m'ennuie
déjà souvent de donner des dîners, mais s'il fallait offrir le
bras à Spartacus pour aller à table... Non vraiment, ce ne
serait jamais à Vercingétorix que je ferais signe comme

quatorzième. Je sens que je le réserverais pour les grandes soirées. Et comme je n'en donne pas...

— Ah ! princesse, vous n'êtes pas Guermantes pour des prunes. Le possédez-vous assez, l'esprit des Guermantes !

— Mais on dit toujours l'esprit *des* Guermantes, je n'ai jamais pu comprendre pourquoi. Vous en connaissez donc *d'autres* qui en aient, ajouta-t-elle dans un éclat de rire écumant et joyeux, les traits de son visage concentrés, accouplés dans le réseau de son animation, les yeux étincelants, enflammés d'un ensoleillement radieux de gaîté que seuls avaient le pouvoir de faire rayonner ainsi les propos, fussent-ils tenus par la princesse elle-même, qui étaient une louange de son esprit ou de sa beauté. Tenez, voilà Swann qui a l'air de saluer votre Cambremer ; là... il est à côté de la mère Saint-Euverte, vous ne voyez pas ! Demandez-lui de vous présenter. Mais dépêchez-vous, il cherche à s'en aller !

— Avez-vous remarqué quelle affreuse mine il a ? dit le général.

— Mon petit Charles ! Ah ! enfin il vient, je commençais à supposer qu'il ne voulait pas me voir !

Swann aimait beaucoup la princesse des Laumes, puis sa vue lui rappelait Guermantes, terre voisine de Combray, tout ce pays qu'il aimait tant et où il ne retournait plus pour ne pas s'éloigner d'Odette. Usant des formes mi-artistes, mi-galantes, par lesquelles il savait plaire à la princesse et qu'il retrouvait tout naturellement quand il se retrempait un instant dans son ancien milieu — et voulant d'autre part pour lui-même exprimer la nostalgie qu'il avait de la campagne :

— Ah ! dit-il à la cantonade, pour être entendu à la fois de Mme de Saint-Euverte à qui il parlait et de Mme des Laumes pour qui il parlait, voici la charmante princesse ! Voyez, elle est venue tout exprès de Guermantes pour entendre le *Saint François d'Assise* de Liszt et elle n'a eu le temps, comme une jolie mésange, que d'aller piquer pour les mettre sur sa tête quelques petits fruits de prunier des oiseaux et d'aubépine ; il y a même encore de petites gouttes de rosée, un peu de la gelée blanche qui doit faire gémir la duchesse. C'est très joli, ma chère princesse.

— Comment, la princesse est venue exprès de Guermantes ? Mais c'est trop ! Je ne savais pas, je suis confuse, s'écria naïvement Mme de Saint-Euverte qui était peu habituée au tour d'esprit de Swann. Et examinant la coiffure de la princesse : Mais c'est vrai, cela imite... comment dirais-je, pas les châtaignes, non oh ! c'est une idée ravissante ! Mais comment la princesse pouvait-elle connaître mon programme ! Les musiciens ne me l'ont même pas communiqué à moi.

Swann, habitué, quand il était auprès d'une femme avec qui il avait gardé des habitudes galantes de langage, de dire des choses délicates que beaucoup de gens du monde ne comprenaient pas, ne daigna pas expliquer à Mme de Saint-Euverte qu'il n'avait parlé que par métaphore. Quant à la princesse, elle se mit à rire aux éclats, parce que l'esprit de Swann était extrêmement apprécié dans sa coterie, et aussi parce qu'elle ne pouvait entendre un compliment s'adressant à elle sans lui trouver les grâces les plus fines et une irrésistible drôlerie.

— Hé bien ! je suis ravie, Charles, si mes petits fruits d'aubépine vous plaisent. Pourquoi est-ce que vous saluez cette Cambremer, est-ce que vous êtes aussi son voisin de campagne ?

Mme de Saint-Euverte voyant que la princesse avait l'air content de causer avec Swann s'était éloignée.

— Mais vous l'êtes vous-même, princesse.

— Moi, mais ils ont donc des campagnes partout, ces gens ! Mais comme j'aimerais être à leur place !

— Ce ne sont pas les Cambremer, c'étaient ses parents à elle ; elle est une demoiselle Legrandin qui venait à Combray. Je ne sais pas si vous savez que vous êtes comtesse de Combray et que le chapitre vous doit une redevance ?

— Je ne sais pas ce que me doit le chapitre, mais je sais

que je suis tapée de cent francs tous les ans par le curé, ce
dont je me passerais. Enfin ces Cambremer ont un nom bien
étonnant. Il finit juste à temps, mais il finit mal ! dit-elle en
riant.

— Il ne commence pas mieux, répondit Swann.

— En effet cette double abréviation !...

— C'est quelqu'un de très en colère et de très convenable
qui n'a pas osé aller jusqu'au bout du premier mot.

— Mais puisqu'il ne devait pas pouvoir s'empêcher de
commencer le second, il aurait mieux fait d'achever le
premier pour en finir une bonne fois. Nous sommes en train
de faire des plaisanteries d'un goût charmant, mon petit
Charles, mais comme c'est ennuyeux de ne plus vous voir,
ajouta-t-elle d'un ton câlin, j'aime tant causer avec vous.
Pensez que je n'aurais même pas pu faire comprendre à cet
idiot de Froberville que le nom de Cambremer était étonnant. Avouez que la vie est une chose affreuse. Il n'y a que
quand je vous vois que je cesse de m'ennuyer.

Et sans doute cela n'était pas vrai. Mais Swann et la
princesse avaient une même manière de juger les petites
choses qui avait pour effet — à moins que ce ne fût pour
cause — une grande analogie dans la façon de s'exprimer et
jusque dans la prononciation. Cette ressemblance ne frappait
pas parce que rien n'était plus différent que leurs deux voix.
Mais si on parvenait par la pensée à ôter aux propos de
Swann la sonorité qui les enveloppait, les moustaches d'entre
lesquelles ils sortaient, on se rendait compte que c'étaient les
mêmes phrases, les mêmes inflexions, le tour de la coterie
Guermantes. Pour les choses importantes, Swann et la
princesse n'avaient les mêmes idées sur rien. Mais depuis
que Swann était si triste, ressentant toujours cette espèce de
frisson qui précède le moment où l'on va pleurer, il avait le
même besoin de parler du chagrin qu'un assassin a de parler
de son crime. En entendant la princesse lui dire que la vie
était une chose affreuse, il éprouva la même douceur que si
elle lui avait parlé d'Odette.

— Oh ! oui, la vie est une chose affreuse. Il faut que nous nous voyions, ma chère amie. Ce qu'il y a de gentil avec vous, c'est que vous n'êtes pas gaie. On pourrait passer une soirée ensemble.

— Mais je crois bien, pourquoi ne viendriez-vous pas à Guermantes, ma belle-mère serait folle de joie. Cela passe pour très laid, mais je vous dirai que ce pays ne me déplaît pas, j'ai horreur des pays « pittoresques ».

— Je crois bien, c'est admirable, répondit Swann, c'est presque trop beau, trop vivant pour moi, en ce moment ; c'est un pays pour être heureux. C'est peut-être parce que j'y ai vécu, mais les choses m'y parlent tellement ! Dès qu'il se lève un souffle d'air, que les blés commencent à remuer, il me semble qu'il y a quelqu'un qui va arriver, que je vais recevoir une nouvelle ; et ces petites maisons au bord de l'eau... je serais bien malheureux !

— Oh ! mon petit Charles, prenez garde, voilà l'affreuse Rampillon qui m'a vue, cachez-moi, rappelez-moi donc ce qui lui est arrivé, je confonds, elle a marié sa fille ou son amant, je ne sais plus ; peut-être les deux... et ensemble !... Ah ! non, je me rappelle, elle a été répudiée par son prince... ayez l'air de me parler, pour que cette Bérénice ne vienne pas m'inviter à dîner. Du reste, je me sauve. Écoutez, mon petit Charles, pour une fois que je vous vois, vous ne voulez pas vous laisser enlever et que je vous emmène chez la princesse de Parme qui serait tellement contente, et Basin aussi qui doit m'y rejoindre. Si on n'avait pas de vos nouvelles par Mémé... Pensez que je ne vous vois plus jamais !

Swann fusa ; ayant prévenu M. de Charlus qu'en quittant de chez Mme de Saint-Euverte, il rentrerait directement chez lui, il ne se souciait pas en allant chez la princesse de Parme de risquer de manquer un mot qu'il avait tout le temps espéré se voir remettre par un domestique pendant la soirée, et que peut-être il allait trouver chez son concierge. « Ce pauvre Swann, dit ce soir-là Mme des Laumes à son mari, il est toujours gentil, mais il a l'air bien malheureux.

Vous le verrez, car il a promis de venir dîner un de ces jours.
Je trouve ridicule au fond qu'un homme de son intelligence
souffre pour une personne de ce genre et qui n'est même pas
intéressante, car on la dit idiote », ajouta-t-elle avec la
sagesse des gens non amoureux, qui trouvent qu'un homme
d'esprit ne devrait être malheureux que pour une personne
qui en valût la peine ; c'est à peu près comme s'étonner qu'on
daigne souffrir du choléra par le fait d'un être aussi petit que
le bacille virgule.

Swann voulait partir, mais au moment où il allait enfin
s'échapper, le général de Froberville lui demanda à connaître
Mme de Cambremer et il fut obligé de rentrer avec lui dans le
salon pour la chercher.

— Dites donc, Swann, j'aimerais mieux être le mari de
cette femme-là que d'être massacré par les sauvages, qu'en
dites-vous ?

Ces mots « massacré par les sauvages » percèrent douloureusement le cœur de Swann ; aussitôt il éprouva le besoin de
continuer la conversation avec le général :

— Ah ! lui dit-il, il y a eu de bien belles vies qui ont fini de
cette façon... Ainsi vous savez... ce navigateur dont Dumont
d'Urville ramena les cendres, La Pérouse... (et Swann était
déjà heureux comme s'il avait parlé d'Odette). C'est un beau
caractère et qui m'intéresse beaucoup que celui de La
Pérouse, ajouta-t-il d'un air mélancolique.

— Ah ! parfaitement, La Pérouse, dit le général. C'est un
nom connu. Il a sa rue.

— Vous connaissez quelqu'un rue La Pérouse ? demanda
Swann d'un air agité.

— Je ne connais que Mme de Chanlivault, la sœur de ce
brave Chaussepierre. Elle nous a donné une jolie soirée de
comédie l'autre jour. C'est un salon qui sera un jour très
élégant, vous verrez !

— Ah ! elle demeure rue La Pérouse. C'est sympathique,
c'est une jolie rue, si triste.

— Mais non, c'est que vous n'y êtes pas allé depuis

quelque temps ; ce n'est plus triste, cela commence à se construire, tout ce quartier-là.

Quand enfin Swann présenta M. de Froberville à la jeune Mme de Cambremer, comme c'était la première fois qu'elle entendait le nom du général, elle esquissa le sourire de joie et de surprise qu'elle aurait eu si on n'en avait jamais prononcé devant elle d'autre que celui-là, car ne connaissant pas les amis de sa nouvelle famille, à chaque personne qu'on lui amenait, elle croyait que c'était l'un d'eux, et pensant qu'elle faisait preuve de tact en ayant l'air d'en avoir tant entendu parler depuis qu'elle était mariée, elle tendait la main d'un air hésitant destiné à prouver la réserve apprise qu'elle avait à vaincre et la sympathie spontanée qui réussissait à en triompher. Aussi ses beaux-parents, qu'elle croyait encore les gens les plus brillants de France, déclaraient-ils qu'elle était un ange ; d'autant plus qu'ils préféraient paraître, en la faisant épouser à leur fils, avoir cédé à l'attrait plutôt de ses qualités que de sa grande fortune.

— On voit que vous êtes musicienne dans l'âme, Madame, lui dit le général, en faisant inconsciemment allusion à l'incident de la bobèche.

Mais le concert recommença et Swann comprit qu'il ne pourrait pas s'en aller avant la fin de ce nouveau numéro du programme. Il souffrait de rester enfermé au milieu de ces gens dont la bêtise et les ridicules le frappaient d'autant plus douloureusement qu'ignorant son amour, incapables, s'ils l'avaient connu, de s'y intéresser et de faire autre chose que d'en sourire comme d'un enfantillage ou de le déplorer comme une folie, ils le lui faisaient apparaître sous l'aspect d'un état subjectif qui n'existait que pour lui, dont rien d'extérieur ne lui affirmait la réalité ; il souffrait surtout, et au point que même le son des instruments lui donnait envie de crier, de prolonger son exil dans ce lieu où Odette ne viendrait jamais, où personne, où rien ne la connaissait, d'où elle était entièrement absente.

Mais tout à coup ce fut comme si elle était entrée, et cette

apparition lui fut une si déchirante souffrance qu'il dut
porter la main à son cœur. C'est que le violon était monté à
des notes hautes où il restait comme pour une attente, une
attente qui se prolongeait sans qu'il cessât de les tenir, dans
l'exaltation où il était d'apercevoir déjà l'objet de son attente
qui s'approchait, et avec un effort désespéré pour tâcher de
durer jusqu'à son arrivée, de l'accueillir avant d'expirer, de
lui maintenir encore un moment de toutes ses dernières
forces le chemin ouvert pour qu'il pût passer, comme on
soutient une porte qui sans cela retomberait. Et avant que
Swann eût le temps de comprendre, et de se dire : « C'est la
petite phrase de la sonate de Vinteuil, n'écoutons pas ! » tous
ses souvenirs du temps où Odette était éprise de lui, et qu'il
avait réussi jusqu'à ce jour à maintenir invisibles dans les
profondeurs de son être, trompés par ce brusque rayon du
temps d'amour qu'ils crurent revenu, s'étaient réveillés et, à
tire-d'aile, étaient remontés lui chanter éperdument, sans
pitié pour son infortune présente, les refrains oubliés du
bonheur.

Au lieu des expressions abstraites « temps où j'étais
heureux », « temps où j'étais aimé », qu'il avait souvent
prononcées jusque-là et sans trop souffrir, car son intelligence n'y avait enfermé du passé que de prétendus extraits
qui n'en conservaient rien, il retrouva tout ce qui de ce
bonheur perdu avait fixé à jamais la spécifique et volatile
essence ; il revit tout, les pétales neigeux et frisés du
chrysanthème qu'elle lui avait jeté dans sa voiture, qu'il
avait gardé contre ses lèvres — l'adresse en relief de la
« Maison Dorée » sur la lettre où il avait lu : « Ma main
tremble si fort en vous écrivant » — le rapprochement de ses
sourcils quand elle lui avait dit d'un air suppliant : « Ce
n'est pas dans trop longtemps que vous me ferez signe ? » ; il
sentit l'odeur du fer du coiffeur par lequel il se faisait relever
sa « brosse » pendant que Lorédan allait chercher la petite
ouvrière, les pluies d'orage qui tombèrent si souvent ce
printemps-là, le retour glacial dans sa victoria, au clair de

lune, toutes les mailles d'habitudes mentales, d'impressions
saisonnières, de réactions cutanées, qui avaient étendu sur
une suite de semaines un réseau uniforme dans lequel son
corps se trouvait repris. A ce moment-là, il satisfaisait une
curiosité voluptueuse en connaissant les plaisirs des gens qui
vivent par l'amour. Il avait cru qu'il pourrait s'en tenir là,
qu'il ne serait pas obligé d'en apprendre les douleurs ;
comme maintenant le charme d'Odette lui était peu de chose
auprès de cette formidable terreur qui le prolongeait comme
un trouble halo, cette immense angoisse de ne pas savoir à
tous moments ce qu'elle avait fait, de ne pas la posséder
partout et toujours ! Hélas, il se rappela l'accent dont elle
s'était écriée : « Mais je pourrai toujours vous voir, je suis
toujours libre ! » elle qui ne l'était plus jamais ! l'intérêt, la
curiosité qu'elle avait eus pour sa vie à lui, le désir passionné
qu'il lui fît la faveur — redoutée au contraire par lui en ce
temps-là comme une cause d'ennuyeux dérangements — de
l'y laisser pénétrer ; comme elle avait été obligée de le prier
pour qu'il se laissât mener chez les Verdurin ; et, quand il la
faisait venir chez lui une fois par mois, comme il avait fallu,
avant qu'il se laissât fléchir, qu'elle lui répétât le délice que
serait cette habitude de se voir tous les jours dont elle rêvait,
alors qu'elle ne lui semblait à lui qu'un fastidieux tracas, puis
qu'elle avait prise en dégoût et définitivement rompue,
pendant qu'elle était devenue pour lui un si invincible et si
douloureux besoin. Il ne savait pas dire si vrai quand, à la
troisième fois qu'il l'avait vue, comme elle lui répétait :
« Mais pourquoi ne me laissez-vous pas venir plus souvent ? », il lui avait dit en riant, avec galanterie : « par peur
de souffrir ». Maintenant, hélas ! il arrivait encore parfois
qu'elle lui écrivît d'un restaurant ou d'un hôtel sur du papier
qui en portait le nom imprimé ; mais c'était comme des
lettres de feu qui le brûlaient. « C'est écrit de l'hôtel
Vouillemont ? Qu'y peut-elle être allée faire ? avec qui ? que
s'y est-il passé ? » Il se rappela les becs de gaz qu'on éteignait
boulevard des Italiens, quand il l'avait rencontrée contre

tout espoir parmi les ombres errantes, dans cette nuit qui lui
avait semblé presque surnaturelle et qui en effet — nuit d'un
temps où il n'avait même pas à se demander s'il ne la
contrarierait pas en la cherchant, en la retrouvant, tant il
était sûr qu'elle n'avait pas de plus grande joie que de le voir
et de rentrer avec lui — appartenait bien à un monde
mystérieux où on ne peut jamais revenir quand les portes
s'en sont refermées. Et Swann aperçut, immobile en face de
ce bonheur revécu, un malheureux qui lui fit pitié parce qu'il
ne le reconnut pas tout de suite, si bien qu'il dut baisser les
yeux pour qu'on ne vît pas qu'ils étaient pleins de larmes.
C'était lui-même.

Quand il l'eut compris, sa pitié cessa, mais il fut jaloux de
l'autre lui-même qu'elle avait aimé, il fut jaloux de ceux dont
il s'était dit souvent sans trop souffrir « elle les aime peut-
être », maintenant qu'il avait échangé l'idée vague d'aimer,
dans laquelle il n'y a pas d'amour, contre les pétales du
chrysanthème et l' « en-tête » de la Maison d'Or, qui, eux,
en étaient pleins. Puis sa souffrance devenant trop vive, il
passa sa main sur son front, laissa tomber son monocle, en
essuya le verre. Et sans doute, s'il s'était vu à ce moment-là,
il eût ajouté à la collection de ceux qu'il avait distingués, le
monocle qu'il déplaçait comme une pensée importune et sur
la face embuée duquel, avec un mouchoir, il cherchait à
effacer des soucis.

Il y a dans le violon — si, ne voyant pas l'instrument, on
ne peut pas rapporter ce qu'on entend à son image, laquelle
modifie la sonorité — des accents qui lui sont si communs
avec certaines voix de contralto, qu'on a l'illusion qu'une
chanteuse s'est ajoutée au concert. On lève les yeux, on ne
voit que les étuis, précieux comme des boîtes chinoises, mais,
par moments, on est encore trompé par l'appel décevant de
la sirène ; parfois aussi on croit entendre un génie captif qui
se débat au fond de la docte boîte, ensorcelée et frémissante,
comme un diable dans un bénitier ; parfois enfin, c'est, dans

l'air, comme un être surnaturel et pur qui passe en déroulant son message invisible.

Comme si les instrumentistes, beaucoup moins jouaient la petite phrase qu'ils n'exécutaient les rites exigés d'elle pour qu'elle apparût, et procédaient aux incantations nécessaires pour obtenir et prolonger quelques instants le prodige de son évocation, Swann, qui ne pouvait pas plus la voir que si elle avait appartenu à un monde ultra-violet, et qui goûtait comme le rafraîchissement d'une métamorphose dans la cécité momentanée dont il était frappé en approchant d'elle, Swann la sentait présente, comme une déesse protectrice et confidente de son amour, et qui pour pouvoir arriver jusqu'à lui devant la foule et l'emmener à l'écart pour lui parler, avait revêtu le déguisement de cette apparence sonore. Et tandis qu'elle passait, légère, apaisante et murmurée comme un parfum, lui disant ce qu'elle avait à lui dire et dont il scrutait tous les mots, regrettant de les voir s'envoler si vite, il faisait involontairement avec ses lèvres le mouvement de baiser au passage le corps harmonieux et fuyant. Il ne se sentait plus exilé et seul puisque, elle, qui s'adressait à lui, lui parlait à mi-voix d'Odette. Car il n'avait plus comme autrefois l'impression qu'Odette et lui n'étaient pas connus de la petite phrase. C'est que si souvent elle avait été témoin de leurs joies ! Il est vrai que souvent aussi elle l'avait averti de leur fragilité. Et même, alors que dans ce temps-là il devinait de la souffrance dans son sourire, dans son intonation limpide et désenchantée, aujourd'hui il y trouvait plutôt la grâce d'une résignation presque gaie. De ces chagrins dont elle lui parlait autrefois et qu'il la voyait, sans qu'il fût atteint par eux, entraîner en souriant dans son cours sinueux et rapide, de ces chagrins qui maintenant étaient devenus les siens sans qu'il eût l'espérance d'en être jamais délivré, elle semblait lui dire comme jadis de son bonheur : « Qu'est-ce cela ? tout cela n'est rien. » Et la pensée de Swann se porta pour la première fois dans un élan de pitié et de tendresse vers ce Vinteuil, vers ce frère inconnu et sublime qui lui aussi

avait dû tant souffrir ; qu'avait pu être sa vie ? au fond de
quelles douleurs avait-il puisé cette force de dieu, cette
puissance illimitée de créer ? Quand c'était la petite phrase
qui lui parlait de la vanité de ses souffrances, Swann trouvait
de la douceur à cette même sagesse qui tout à l'heure
pourtant lui avait paru intolérable, quand il croyait la lire
dans les visages des indifférents qui considéraient son amour
comme une divagation sans importance. C'est que la petite
phrase, au contraire, quelque opinion qu'elle pût avoir sur la
brève durée de ces états de l'âme, y voyait quelque chose,
non pas comme faisaient tous ces gens, de moins sérieux que
la vie positive, mais au contraire de si supérieur à elle que
seul il valait la peine d'être exprimé. Ces charmes d'une
tristesse intime, c'était eux qu'elle essayait d'imiter, de
recréer, et jusqu'à leur essence qui est pourtant d'être
incommunicables et de sembler frivoles à tout autre qu'à
celui qui les éprouve, la petite phrase l'avait captée, rendue
visible. Si bien qu'elle faisait confesser leur prix et goûter leur
douceur divine, par tous ces mêmes assistants — si seulement ils étaient un peu musiciens — qui ensuite les
méconnaîtraient dans la vie, en chaque amour particulier
qu'ils verraient naître près d'eux. Sans doute la forme sous
laquelle elle les avait codifiés ne pouvait pas se résoudre en
raisonnements. Mais depuis plus d'une année que, lui
révélant à lui-même bien des richesses de son âme, l'amour
de la musique était, pour quelque temps au moins, né en lui,
Swann tenait les motifs musicaux pour de véritables idées,
d'un autre monde, d'un autre ordre, idées voilées de
ténèbres, inconnues, impénétrables à l'intelligence, mais qui
n'en sont pas moins parfaitement distinctes les unes des
autres, inégales entre elles de valeur et de signification.
Quand après la soirée Verdurin, se faisant rejouer la petite
phrase, il avait cherché à démêler comment à la façon d'un
parfum, d'une caresse, elle le circonvenait, elle l'enveloppait,
il s'était rendu compte que c'était au faible écart entre les
cinq notes qui la composaient et au rappel constant de deux

d'entre elles qu'était due cette impression de douceur
rétractée et frileuse; mais en réalité il savait qu'il raisonnait
ainsi non sur la phrase elle-même, mais sur de simples
valeurs, substituées pour la commodité de son intelligence à
la mystérieuse entité qu'il avait perçue, avant de connaître
les Verdurin, à cette soirée où il avait entendu pour la
première fois la sonate. Il savait que le souvenir même du
piano faussait encore le plan dans lequel il voyait les choses
de la musique, que le champ ouvert au musicien n'est pas un
clavier mesquin de sept notes, mais un clavier incommensu-
rable, encore presque tout entier inconnu, où seulement çà et
là, séparées par d'épaisses ténèbres inexplorées, quelques-
unes des millions de touches de tendresse, de passion, de
courage, de sérénité, qui le composent, chacune aussi
différente des autres qu'un univers d'un autre univers, ont
été découvertes par quelques grands artistes qui nous
rendent le service, en éveillant en nous le correspondant du
thème qu'ils ont trouvé, de nous montrer quelle richesse,
quelle variété, cache à notre insu cette grande nuit impéné-
trée et décourageante de notre âme que nous prenons pour
du vide et pour du néant. Vinteuil avait été l'un de ces
musiciens. En sa petite phrase, quoiqu'elle présentât à la
raison une surface obscure, on sentait un contenu si consis-
tant, si explicite, auquel elle donnait une force si nouvelle, si
originale, que ceux qui l'avaient entendue la conservaient en
eux de plain-pied avec les idées de l'intelligence. Swann s'y
reportait comme à une conception de l'amour et du bonheur
dont immédiatement il savait aussi bien en quoi elle était
particulière, qu'il le savait pour *la Princesse de Clèves* ou pour
René, quand leur nom se présentait à sa mémoire. Même
quand il ne pensait pas à la petite phrase, elle existait latente
dans son esprit au même titre que certaines autres notions
sans équivalent, comme la notion de lumière, de son, de
relief, de volupté physique, qui sont les riches possessions
dont se diversifie et se pare notre domaine intérieur. Peut-
être les perdrons-nous, peut-être s'effaceront-elles, si nous

retournons au néant. Mais tant que nous vivons, nous ne pouvons pas plus faire que nous ne les ayons connues que nous ne le pouvons pour quelque objet réel, que nous ne pouvons par exemple douter de la lumière de la lampe qu'on allume devant les objets métamorphosés de notre chambre d'où s'est échappé jusqu'au souvenir de l'obscurité. Par là, la phrase de Vinteuil avait, comme tel thème de *Tristan* par exemple, qui nous représente aussi une certaine acquisition sentimentale, épousé notre condition mortelle, pris quelque chose d'humain qui était assez touchant. Son sort était lié à l'avenir, à la réalité de notre âme dont elle était un des ornements les plus particuliers, les mieux différenciés. Peut-être est-ce le néant qui est le vrai et tout notre rêve est-il inexistant, mais alors nous sentons qu'il faudra que ces phrases musicales, ces notions qui existent par rapport à lui, ne soient rien non plus. Nous périrons, mais nous avons pour otages ces captives divines qui suivront notre chance. Et la mort avec elles a quelque chose de moins amer, de moins inglorieux, peut-être de moins probable.

Swann n'avait donc pas tort de croire que la phrase de la sonate existât réellement. Certes, humaine à ce point de vue, elle appartenait pourtant à un ordre de créatures surnaturelles et que nous n'avons jamais vues, mais que malgré cela nous reconnaissons avec ravissement quand quelque explorateur de l'invisible arrive à en capter une, à l'amener, du monde divin où il a accès, briller quelques instants au-dessus du nôtre. C'est ce que Vinteuil avait fait pour la petite phrase. Swann sentait que le compositeur s'était contenté, avec ses instruments de musique, de la dévoiler, de la rendre visible, d'en suivre et d'en respecter le dessin d'une main si tendre, si prudente, si délicate et si sûre que le son s'altérait à tout moment, s'estompant pour indiquer une ombre, revivifié quand il lui fallait suivre à la piste un plus hardi contour. Et une preuve que Swann ne se trompait pas quand il croyait à l'existence réelle de cette phrase, c'est que tout amateur un peu fin se fût tout de suite aperçu de l'imposture, si Vinteuil, ayant eu moins de puissance pour en voir et en rendre les formes, avait cherché à dissimuler, en ajoutant çà et là des traits de son cru, les lacunes de sa vision ou les défaillances de sa main.

Elle avait disparu. Swann savait qu'elle reparaîtrait à la fin du dernier mouvement, après tout un long morceau que le pianiste de Mme Verdurin sautait toujours. Il y avait là d'admirables idées que Swann n'avait pas distinguées à la première audition et qu'il percevait maintenant, comme si elles se fussent, dans le vestiaire de sa mémoire, débarrassées du déguisement uniforme de la nouveauté. Swann écoutait tous les thèmes épars qui entreraient dans la composition de la phrase, comme les prémisses dans la conclusion néces-saire, il assistait à sa genèse. « O audace aussi géniale peut-être, se disait-il, que celle d'un Lavoisier, d'un Ampère, l'audace d'un Vinteuil expérimentant, découvrant les lois secrètes d'une force inconnue, menant à travers l'inexploré, vers le seul but possible, l'attelage invisible auquel il se fie et qu'il n'apercevra jamais ! » Le beau dialogue que Swann entendit entre le piano et le violon au commencement du dernier morceau ! La suppression des mots humains, loin d'y laisser régner la fantaisie, comme on aurait pu croire, l'en avait éliminée ; jamais le langage parlé ne fut si inflexible-ment nécessité, ne connut à ce point la pertinence des questions, l'évidence des réponses. D'abord le piano solitaire se plaignit, comme un oiseau abandonné de sa compagne ; le violon l'entendit, lui répondit comme d'un arbre voisin. C'était comme au commencement du monde, comme s'il n'y avait encore eu qu'eux deux sur la terre, ou plutôt dans ce monde fermé à tout le reste, construit par la logique d'un créateur et où ils ne seraient jamais que tous les deux : cette sonate. Est-ce un oiseau, est-ce l'âme incomplète encore de la petite phrase, est-ce une fée, cet être invisible et gémissant dont le piano ensuite redisait tendrement la plainte ? Ses cris étaient si soudains que le violoniste devait se précipiter sur son archet pour les recueillir. Merveilleux oiseau ! le violo-

niste semblait vouloir le charmer, l'apprivoiser, le capter.
Déjà il avait passé dans son âme, déjà la petite phrase
évoquée agitait comme celui d'un médium le corps vraiment
possédé du violoniste. Swann savait qu'elle allait parler une
fois encore. Et il s'était si bien dédoublé que l'attente de
l'instant imminent où il allait se retrouver en face d'elle le
secoua d'un de ces sanglots qu'un beau vers ou une triste
nouvelle provoquent en nous, non pas quand nous sommes
seuls, mais si nous les apprenons à des amis en qui nous nous
apercevons comme un autre dont l'émotion probable les
attendrit. Elle reparut, mais cette fois pour se suspendre dans
l'air et se jouer un instant seulement, comme immobile, et
pour expirer après. Aussi Swann ne perdait-il rien du temps
si court où elle se prorogeait. Elle était encore là comme une
bulle irisée qui se soutient. Tel un arc-en-ciel, dont l'éclat
faiblit, s'abaisse, puis se relève et, avant de s'éteindre,
s'exalte un moment comme il n'avait pas encore fait : aux
deux couleurs qu'elle avait jusque-là laissé paraître, elle
ajouta d'autres cordes diaprées, toutes celles du prisme, et
elle les fit chanter. Swann n'osait pas bouger et aurait voulu
faire tenir tranquilles aussi les autres personnes, comme si le
moindre mouvement avait pu compromettre le prestige
surnaturel, délicieux et fragile qui était si près de s'évanouir.
Personne, à dire vrai, ne songeait à parler. La parole
ineffable d'un seul absent, peut-être d'un mort (Swann ne
savait pas si Vinteuil vivait encore), s'exhalant au-dessus des
rites de ces officiants, suffisait à tenir en échec l'attention de
trois cents personnes, et faisait de cette estrade où une âme
était ainsi évoquée un des plus nobles autels où pût
s'accomplir une cérémonie surnaturelle. De sorte que, quand
la phrase se fut enfin défaite, flottant en lambeaux dans les
motifs suivants qui déjà avaient pris sa place, si Swann au
premier instant fut irrité de voir la comtesse de Monterien-
der, célèbre par ses naïvetés, se pencher vers lui pour lui
confier ses impressions avant même que la sonate fût finie, il
ne put s'empêcher de sourire, et peut-être de trouver aussi un

sens profond qu'elle n'y voyait pas, dans les mots dont elle se servit. Émerveillée par la virtuosité des exécutants, la comtesse s'écria en s'adressant à Swann : « C'est prodigieux, je n'ai jamais rien vu d'aussi fort... » Mais un scrupule d'exactitude lui faisant corriger cette première assertion, elle ajouta cette réserve : « rien d'aussi fort... depuis les tables tournantes » !

A partir de cette soirée, Swann comprit que le sentiment qu'Odette avait eu pour lui ne renaîtrait jamais, que ses espérances de bonheur ne se réaliseraient plus. Et les jours où par hasard elle avait encore été gentille et tendre avec lui, si elle avait eu quelque attention, il notait ces signes apparents et menteurs d'un léger retour vers lui, avec cette sollicitude attendrie et sceptique, cette joie désespérée de ceux qui, soignant un ami arrivé aux derniers jours d'une maladie incurable, relatent comme des faits précieux : « Hier, il a fait ses comptes lui-même et c'est lui qui a relevé une erreur d'addition que nous avions faite ; il a mangé un œuf avec plaisir, s'il le digère bien on essaiera demain d'une côtelette », quoiqu'ils les sachent dénués de signification à la veille d'une mort inévitable. Sans doute Swann était certain que s'il avait vécu maintenant loin d'Odette, elle aurait fini par lui devenir indifférente, de sorte qu'il aurait été content qu'elle quittât Paris pour toujours ; il aurait eu le courage de rester ; mais il n'avait pas celui de partir.

Il en avait eu souvent la pensée. Maintenant qu'il s'était remis à son étude sur Ver Meer, il aurait eu besoin de retourner au moins quelques jours à la Haye, à Dresde, à Brunswick. Il était persuadé qu'une « Toilette de Diane » qui avait été achetée par le Mauritshuis à la vente Goldschmidt comme un Nicolas Maes, était en réalité de Ver Meer. Et il aurait voulu pouvoir étudier le tableau sur place pour étayer sa conviction. Mais quitter Paris pendant qu'Odette y était et même quand elle était absente — car dans des lieux nouveaux où les sensations ne sont pas amorties par l'habitude, on retrempe, on ranime une douleur

— c'était pour lui un projet si cruel qu'il ne se sentait capable d'y penser sans cesse que parce qu'il se savait résolu à ne l'exécuter jamais. Mais il arrivait qu'en dormant l'intention du voyage renaissait en lui — sans qu'il se rappelât que ce voyage était impossible — et elle s'y réalisait. Un jour il rêva qu'il partait pour un an ; penché à la portière du wagon vers un jeune homme qui sur le quai lui disait adieu en pleurant, Swann cherchait à le convaincre de partir avec lui. Le train s'ébranlant, l'anxiété le réveilla, il se rappela qu'il ne partait pas, qu'il verrait Odette ce soir-là, le lendemain et presque chaque jour. Alors, encore tout ému de son rêve, il bénit les circonstances particulières qui le rendaient indépendant, grâce auxquelles il pouvait rester près d'Odette, et aussi réussir à ce qu'elle lui permît de la voir quelquefois ; et, récapitulant tous ces avantages : sa situation, — sa fortune, dont elle avait souvent trop besoin pour ne pas reculer devant une rupture (ayant même, disait-on, une arrière-pensée de se faire épouser par lui), — cette amitié de M. de Charlus qui à vrai dire ne lui avait jamais fait obtenir grand'chose d'Odette, mais lui donnait la douceur de sentir qu'elle entendait parler de lui d'une manière flatteuse par cet ami commun pour qui elle avait une si grande estime, — et jusqu'à son intelligence enfin, qu'il employait tout entière à combiner chaque jour une intrigue nouvelle qui rendît sa présence sinon agréable, du moins nécessaire à Odette, — il songea à ce qu'il serait devenu si tout cela lui avait manqué, il songea que s'il avait été, comme tant d'autres, pauvre, humble, dénué, obligé d'accepter toute besogne, ou lié à des parents, à une épouse, il aurait pu être obligé de quitter Odette, que ce rêve dont l'effroi était encore si proche aurait pu être vrai, et il se dit : « On ne connaît pas son bonheur. On n'est jamais aussi malheureux qu'on croit. » Mais il compta que cette existence durait déjà depuis plusieurs années, que tout ce qu'il pouvait espérer c'est qu'elle durât toujours, qu'il sacrifierait ses travaux, ses plaisirs, ses amis, finalement toute sa vie à l'attente quotidienne d'un rendez-vous qui ne pouvait rien lui apporter d'heureux, et il se demanda s'il ne se trompait pas, si ce qui avait favorisé sa liaison et en avait empêché la rupture n'avait pas desservi sa destinée, si l'événement désirable, ce n'aurait pas été celui dont il se réjouissait tant qu'il n'eût eu lieu qu'en rêve : son départ ; il se dit qu'on ne connaît pas son malheur, qu'on n'est jamais si heureux qu'on croit.

Quelquefois il espérait qu'elle mourrait sans souffrances dans un accident, elle qui était dehors, dans les rues, sur les routes, du matin au soir. Et comme elle revenait saine et sauve, il admirait que le corps humain fût si souple et si fort, qu'il pût continuellement tenir en échec, déjouer tous les périls qui l'environnent (et que Swann trouvait innombrables depuis que son secret désir les avait supputés) et permît ainsi aux êtres de se livrer chaque jour et à peu près impunément à leur œuvre de mensonge, à la poursuite du plaisir. Et Swann sentait bien près de son cœur ce Mahomet II dont il aimait le portrait par Bellini et qui, ayant senti qu'il était devenu amoureux fou d'une de ses femmes, la poignarda afin, dit naïvement son biographe vénitien, de retrouver sa liberté d'esprit. Puis il s'indignait de ne penser ainsi qu'à soi, et les souffrances qu'il avait éprouvées lui semblaient ne mériter aucune pitié puisque lui-même faisait si bon marché de la vie d'Odette.

Ne pouvant se séparer d'elle sans retour, du moins, s'il l'avait vue sans séparations, sa douleur aurait fini par s'apaiser et peut-être son amour par s'éteindre. Et du moment qu'elle ne voulait pas quitter Paris à jamais, il eût souhaité qu'elle ne le quittât jamais. Du moins comme il savait que la seule grande absence qu'elle faisait était tous les ans celle d'août et septembre, il avait le loisir plusieurs mois d'avance d'en dissoudre l'idée amère dans tout le Temps à venir qu'il portait en lui par anticipation et qui, composé de jours homogènes aux jours actuels, circulait transparent et froid en son esprit où il entretenait la tristesse, mais sans lui causer de trop vives souffrances. Mais cet avenir intérieur, ce

412   A la recherche du temps perdu

fleuve incolore et libre, voici qu'une seule parole d'Odette
venait l'atteindre jusqu'en Swann et, comme un morceau
de glace, l'immobilisait, durcissait sa fluidité, le faisait
geler tout entier ; et Swann s'était senti soudain rempli
d'une masse énorme et infrangible qui pesait sur les
parois intérieures de son être jusqu'à le faire éclater : c'est
qu'Odette lui avait dit, avec un regard souriant et sournois
qui l'observait : « Forcheville va faire un beau voyage à la
Pentecôte. Il va en Égypte », et Swann avait aussitôt compris
que cela signifiait : « Je vais aller en Égypte à la Pentecôte
avec Forcheville. » Et en effet, si quelques jours après,
Swann lui disait : « Voyons, à propos de ce voyage que tu
m'as dit que tu ferais avec Forcheville », elle répondait
étourdiment : « Oui, mon petit, nous partons le 19, on
t'enverra une vue des Pyramides. » Alors il voulait apprendre si elle était la maîtresse de Forcheville, le lui demander à
elle-même. Il savait que, superstitieuse comme elle était, il y
avait certains parjures qu'elle ne ferait pas, et puis la crainte,
qui l'avait retenu jusqu'ici, d'irriter Odette en l'interrogeant,
de se faire détester d'elle, n'existait plus maintenant qu'il
avait perdu tout espoir d'en être jamais aimé.

Un jour, il reçut une lettre anonyme qui lui disait
qu'Odette avait été la maîtresse d'innombrables hommes
(dont on lui citait quelques-uns, parmi lesquels Forcheville,
M. de Bréauté et le peintre), de femmes, et qu'elle fréquentait les maisons de passe. Il fut tourmenté de penser qu'il y
avait parmi ses amis un être capable de lui avoir adressé
cette lettre (car par certains détails elle révélait chez celui qui
l'avait écrite une connaissance familière de la vie de Swann).
Il chercha qui cela pouvait être. Mais il n'avait jamais eu
aucun soupçon des actions inconnues des êtres, de celles qui
sont sans liens visibles avec leurs propos. Et quand il voulut
savoir si c'était plutôt sous le caractère apparent de M. de
Charlus, de M. des Laumes, de M. d'Orsan, qu'il devait
situer la région inconnue où cet acte ignoble avait dû naître,
comme aucun de ces hommes n'avait jamais approuvé

devant lui les lettres anonymes et que tout ce qu'ils lui avaient dit impliquait qu'ils les réprouvaient, il ne vit pas de raisons pour relier cette infamie plutôt à la nature de l'un que de l'autre. Celle de M. de Charlus était un peu d'un détraqué, mais foncièrement bonne et tendre ; celle de M. des Laumes, un peu sèche, mais saine et droite. Quant à M. d'Orsan, Swann n'avait jamais rencontré personne qui, dans les circonstances même les plus tristes, vînt à lui avec une parole plus sentie, un geste plus discret et plus juste. C'était au point qu'il ne pouvait comprendre le rôle peu délicat qu'on prêtait à M. d'Orsan dans la liaison qu'il avait avec une femme riche et que, chaque fois que Swann pensait à lui, il était obligé de laisser de côté cette mauvaise réputation inconciliable avec tant de témoignages certains de délicatesse. Un instant Swann sentit que son esprit s'obscurcissait et il pensa à autre chose pour retrouver un peu de lumière. Puis il eut le courage de revenir vers ces réflexions. Mais alors, après n'avoir pu soupçonner personne, il lui fallut soupçonner tout le monde. Après tout, M. de Charlus l'aimait, avait bon cœur. Mais c'était un névropathe, peut-être demain pleurerait-il de le savoir malade, et aujourd'hui par jalousie, par colère, sur quelque idée subite qui s'était emparée de lui, avait-il désiré lui faire du mal. Au fond, cette race d'hommes est la pire de toutes. Certes, le prince des Laumes était bien loin d'aimer Swann autant que M. de Charlus. Mais à cause de cela même, il n'avait pas avec lui les mêmes susceptibilités ; et puis c'était une nature froide sans doute, mais aussi incapable de vilenies que de grandes actions ; Swann se repentait de ne s'être pas attaché dans la vie qu'à de tels êtres. Puis il songeait que ce qui empêche les hommes de faire du mal à leur prochain, c'est la bonté, qu'il ne pouvait au fond répondre que de natures analogues à la sienne, comme était, à l'égard du cœur, celle de M. de Charlus. La seule pensée de faire cette peine à Swann eût révolté celui-ci. Mais, avec un homme insensible, d'une autre humanité, comme était le prince des Laumes, comment prévoir à quels actes pouvaient le conduire des mobiles d'une essence différente ? Avoir du cœur, c'est tout, et M. de Charlus en avait. M. d'Orsan n'en manquait pas non plus, et ses relations, cordiales mais peu intimes, avec Swann, nées de l'agrément que, pensant de même sur tout, ils avaient à causer ensemble, étaient de plus de repos que l'affection exaltée de M. de Charlus, capable de se porter à des actes de passion, bons ou mauvais. S'il y avait quelqu'un par qui Swann s'était toujours senti compris et délicatement aimé, c'était par M. d'Orsan. Oui, mais cette vie peu honorable qu'il menait ? Swann regrettait de n'en avoir pas tenu compte, d'avoir souvent avoué en plaisantant qu'il n'avait jamais éprouvé si vivement des sentiments de sympathie et d'estime que dans la société d'une canaille. Ce n'est pas pour rien, se disait-il maintenant, que depuis que les hommes jugent leur prochain, c'est sur ses actes. Il n'y a que cela qui signifie quelque chose, et nullement ce que nous disons, ce que nous pensons. Charlus et des Laumes peuvent avoir tels ou tels défauts, ce sont d'honnêtes gens. Orsan n'en a peut-être pas, mais ce n'est pas un honnête homme. Il a pu mal agir une fois de plus. Puis Swann soupçonna Rémi qui, il est vrai, n'aurait pu qu'inspirer la lettre, mais cette piste lui parut un instant la bonne. D'abord Lorédan avait des raisons d'en vouloir à Odette. Et puis comment ne pas supposer que nos domestiques, vivant dans une situation inférieure à la nôtre, ajoutant à notre fortune et à nos défauts des richesses et des vices imaginaires pour lesquels ils nous envient et nous méprisent, se trouveront fatalement amenés à agir autrement que des gens de notre monde ? Il soupçonna aussi mon grand-père. Chaque fois que Swann lui avait demandé un service, ne le lui avait-il pas toujours refusé ? puis, avec ses idées bourgeoises, il avait pu croire agir pour le bien de Swann. Celui-ci soupçonna encore Bergotte, le peintre, les Verdurin, admira une fois de plus au passage la sagesse des gens du monde de ne pas vouloir frayer avec ces milieux artistes où de telles choses sont possibles, peut-être même avouées sous le nom de bonnes farces ; mais il se rappelait des traits de droiture de ces bohèmes et les rapprocha de la vie d'expédients, presque d'escroqueries, où le manque d'argent, le besoin de luxe, la corruption des plaisirs conduisent souvent l'aristocratie. Bref, cette lettre anonyme prouvait qu'il connaissait un être capable de scélératesse, mais il ne voyait pas plus de raison pour que cette scélératesse fût cachée dans le tuf — inexploré d'autrui — du caractère de l'homme tendre que de l'homme froid, de l'artiste que du bourgeois, du grand seigneur que du valet. Quel critérium adopter pour juger les hommes ? au fond il n'y avait pas une seule des personnes qu'il connaissait qui ne pût être capable d'une infamie. Fallait-il cesser de les voir toutes ? Son esprit se voila ; il passa deux ou trois fois ses mains sur son front, essuya les verres de son lorgnon avec son mouchoir et, songeant qu'après tout des gens qui le valaient fréquentaient M. de Charlus, le prince des Laumes et les autres, il se dit que cela signifiait, sinon qu'ils fussent incapables d'infamie, du moins que c'est une nécessité de la vie à laquelle chacun se soumet, de fréquenter des gens qui n'en sont peut-être pas incapables. Et il continua à serrer la main à tous ces amis qu'il avait soupçonnés, avec cette réserve de pur style qu'ils avaient peut-être cherché à le désespérer.

Quant au fond même de la lettre, il ne s'en inquiéta pas, car pas une des accusations formulées contre Odette n'avait l'ombre de vraisemblance. Swann comme beaucoup de gens avait l'esprit paresseux et manquait d'invention. Il savait bien comme une vérité générale que la vie des êtres est pleine de contrastes, mais pour chaque être en particulier, il imaginait toute la partie de sa vie qu'il ne connaissait pas comme identique à la partie qu'il connaissait. Il imaginait ce qu'on lui taisait à l'aide de ce qu'on lui disait. Dans les moments où Odette était auprès de lui, s'ils parlaient ensemble d'une action indélicate commise ou d'un sentiment indélicat éprouvé par un autre, elle les flétrissait en vertu des

mêmes principes que Swann avait toujours entendu professer
par ses parents et auxquels il était resté fidèle ; et puis elle
arrangeait ses fleurs, elle buvait une tasse de thé, elle
s'inquiétait des travaux de Swann. Donc Swann étendait ces
habitudes au reste de la vie d'Odette, il répétait ces gestes
quand il voulait se représenter les moments où elle était loin
de lui. Si on la lui avait dépeinte telle qu'elle était ou plutôt
qu'elle avait été si longtemps avec lui, mais auprès d'un
autre homme, il eût souffert, car cette image lui eût paru
vraisemblable. Mais qu'elle allât chez des maquerelles, se
livrât à des orgies avec des femmes, qu'elle menât la vie
crapuleuse de créatures abjectes, quelle divagation insensée,
à la réalisation de laquelle, Dieu merci, les chrysanthèmes
imaginés, les thés successifs, les indignations vertueuses ne
laissaient aucune place ! Seulement de temps à autre, il
laissait entendre à Odette que, par méchanceté, on lui
racontait tout ce qu'elle faisait ; et, se servant, à propos, d'un
détail insignifiant mais vrai, qu'il avait appris par hasard,
comme s'il était le seul petit bout qu'il laissât passer malgré
lui, entre tant d'autres, d'une reconstitution complète de la
vie d'Odette qu'il tenait cachée en lui, il l'amenait à supposer
qu'il était renseigné sur des choses qu'en réalité il ne savait ni
même ne soupçonnait, car si bien souvent il adjurait Odette
de ne pas altérer la vérité, c'était seulement, qu'il s'en rendît
compte ou non, pour qu'Odette lui dît tout ce qu'elle faisait.
Sans doute, comme il le disait à Odette, il aimait la sincérité,
mais il l'aimait comme une proxénète pouvant le tenir au
courant de la vie de sa maîtresse. Aussi son amour de la
sincérité, n'étant pas désintéressé, ne l'avait pas rendu
meilleur. La vérité qu'il chérissait, c'était celle que lui dirait
Odette ; mais lui-même, pour obtenir cette vérité, ne craignait pas de recourir au mensonge, le mensonge qu'il ne
cessait de peindre à Odette comme conduisant à la dégradation toute créature humaine. En somme, il mentait autant
qu'Odette parce que, plus malheureux qu'elle, il n'était pas
moins égoïste. Et elle, entendant Swann lui raconter ainsi à

elle-même des choses qu'elle avait faites, le regardait d'un air méfiant, et, à toute aventure, fâché, pour ne pas avoir l'air de s'humilier et de rougir de ses actes.

Un jour, étant dans la période de calme la plus longue qu'il eût encore pu traverser sans être repris d'accès de jalousie, il avait accepté d'aller le soir au théâtre avec la princesse des Laumes. Ayant ouvert le journal, pour chercher ce qu'on jouait, la vue du titre : *Les Filles de Marbre* de Théodore Barrière le frappa si cruellement qu'il eut un mouvement de recul et détourna la tête. Éclairé comme par la lumière de la rampe, à la place nouvelle où il figurait, ce mot de « marbre » qu'il avait perdu la faculté de distinguer tant il avait l'habitude de l'avoir souvent sous les yeux, lui était soudain redevenu visible et l'avait aussitôt fait souvenir de cette histoire qu'Odette lui avait racontée autrefois, d'une visite qu'elle avait faite au Salon du Palais de l'Industrie avec Mme Verdurin et où celle-ci lui avait dit : « Prends garde, je saurai bien te dégeler, tu n'es pas de marbre. » Odette lui avait affirmé que ce n'était qu'une plaisanterie, et il n'y avait attaché aucune importance. Mais il avait alors plus de confiance en elle qu'aujourd'hui. Et justement la lettre anonyme parlait d'amours de ce genre. Sans oser lever les yeux vers le journal, il le déplia, tourna une feuille pour ne plus voir ce mot : « Les Filles de Marbre » et commença à lire machinalement les nouvelles des départements. Il y avait eu une tempête dans la Manche, on signalait des dégâts à Dieppe, à Cabourg, à Beuzeval. Aussitôt il fit un nouveau mouvement en arrière.

Le nom de Beuzeval l'avait fait penser à celui d'une autre localité de cette région, Beuzeville; qui porte uni à celui-là par un trait d'union un autre nom, celui de Bréauté, qu'il avait vu souvent sur les cartes, mais dont pour la première fois il remarquait que c'était le même que celui de son ami M. de Bréauté, dont la lettre anonyme disait qu'il avait été l'amant d'Odette. Après tout, pour M. de Bréauté, l'accusation n'était pas invraisemblable; mais en ce qui concernait

Mme Verdurin, il y avait impossibilité. De ce qu'Odette
mentait quelquefois, on ne pouvait conclure qu'elle ne disait
jamais la vérité et, dans ces propos qu'elle avait échangés
avec Mme Verdurin et qu'elle avait racontés elle-même à
Swann, il avait reconnu ces plaisanteries inutiles et dange-
reuses que, par inexpérience de la vie et ignorance du vice,
tiennent des femmes dont ils révèlent l'innocence et qui —
comme par exemple Odette — sont plus éloignées qu'aucune
d'éprouver une tendresse exaltée pour une autre femme.
Tandis qu'au contraire, l'indignation avec laquelle elle avait
repoussé les soupçons qu'elle avait involontairement fait
naître un instant en lui par son récit, cadrait avec tout ce
qu'il savait des goûts, du tempérament de sa maîtresse. Mais
à ce moment, par une de ces inspirations de jaloux,
analogues à celle qui apporte au poète ou au savant, qui n'a
encore qu'une rime ou qu'une observation, l'idée ou la loi qui
leur donnera toute leur puissance, Swann se rappela pour la
première fois une phrase qu'Odette lui avait dite, il y avait
déjà deux ans : « Oh ! Mme Verdurin, en ce moment il n'y en
a que pour moi, je suis un amour, elle m'embrasse, elle veut
que je fasse des courses avec elle, elle veut que je la tutoie. »
Loin de voir alors dans cette phrase un rapport quelconque
avec les absurdes propos destinés à simuler le vice que lui
avait racontés Odette, il l'avait accueillie comme la preuve
d'une chaleureuse amitié. Maintenant voilà que le souvenir
de cette tendresse de Mme Verdurin était venu brusquement
rejoindre le souvenir de sa conversation de mauvais goût. Il
ne pouvait plus les séparer dans son esprit et les vit mêlées
aussi dans la réalité, la tendresse donnant quelque chose de
sérieux et d'important à ces plaisanteries qui en retour lui
faisaient perdre de son innocence. Il alla chez Odette. Il
s'assit loin d'elle. Il n'osait l'embrasser, ne sachant si en elle,
si en lui, c'était l'affection ou la colère qu'un baiser
réveillerait. Il se taisait, il regardait mourir leur amour. Tout
à coup il prit une résolution.

— Odette, lui dit-il, mon chéri, je sais bien que je suis

odieux, mais il faut que je te demande des choses. Tu te
souviens de l'idée que j'avais eue à propos de toi et de
Mme Verdurin ? Dis-moi si c'était vrai, avec elle ou avec une
autre.

Elle secoua la tête en fronçant la bouche, signe fréquem-
ment employé par les gens pour répondre qu'ils n'iront pas,
que cela les ennuie, à quelqu'un qui leur a demandé :
« Viendrez-vous voir passer la cavalcade, assisterez-vous à la
Revue ? » Mais ce hochement de tête affecté ainsi d'habitude
à un événement à venir, mêle à cause de cela de quelque
incertitude la dénégation d'un événement passé. De plus il
n'évoque que des raisons de convenance personnelle plutôt
que la réprobation, qu'une impossibilité morale. En voyant
Odette lui faire ainsi le signe que c'était faux, Swann comprit
que c'était peut-être vrai.

— Je te l'ai dit, tu le sais bien, ajouta-t-elle d'un air irrité
et malheureux.

— Oui, je sais, mais en es-tu sûre ? Ne me dis pas : « Tu le
sais bien », dis-moi : « Je n'ai jamais fait ce genre de choses
avec aucune femme. »

Elle répéta comme une leçon, sur un ton ironique, et
comme si elle voulait se débarrasser de lui :

— Je n'ai jamais fait ce genre de choses avec aucune
femme.

— Peux-tu me le jurer sur ta médaille de Notre-Dame de
Laghet ?

Swann savait qu'Odette ne se parjurerait pas sur cette
médaille-là.

— Oh ! que tu me rends malheureuse, s'écria-t-elle en se
dérobant par un sursaut à l'étreinte de sa question. Mais as-
tu bientôt fini ? Qu'est-ce que tu as aujourd'hui ? Tu as donc
décidé qu'il fallait que je te déteste, que je t'exècre ? Voilà, je
voulais reprendre avec toi le bon temps comme autrefois et
voilà ton remerciement !

Mais, ne la lâchant pas, comme un chirurgien attend la fin

du spasme qui interrompt son intervention, mais ne l'y fait
pas renoncer :

— Tu as bien tort de te figurer que je t'en voudrais le
moins du monde, Odette, lui dit-il avec une douceur
persuasive et menteuse. Je ne te parle jamais que de ce que je
sais, et j'en sais toujours bien plus long que je ne dis. Mais toi
seule peux adoucir, par ton aveu, ce qui me fait te haïr, tant
que cela ne m'a été dénoncé que par d'autres. Ma colère
contre toi ne vient pas de tes actions, je te pardonne tout
puisque je t'aime, mais de ta fausseté, de ta fausseté absurde
qui te fait persévérer à nier des choses que je sais. Mais
comment veux-tu que je puisse continuer à t'aimer, quand je
te vois me soutenir, me jurer une chose que je sais fausse ?
Odette, ne prolonge pas cet instant qui est une torture pour
nous deux. Si tu le veux, ce sera fini dans une seconde, tu
seras pour toujours délivrée. Dis-moi sur ta médaille, si oui
ou non, tu as jamais fait ces choses.

— Mais je n'en sais rien, moi, s'écria-t-elle avec colère,
peut-être il y a très longtemps, sans me rendre compte de ce
que je faisais, peut-être deux ou trois fois.

Swann avait envisagé toutes les possibilités. La réalité est
donc quelque chose qui n'a aucun rapport avec les possibilités, pas plus qu'un coup de couteau que nous recevons avec
les légers mouvements des nuages au-dessus de notre tête,
puisque ces mots « deux ou trois fois » marquèrent à vif une
sorte de croix dans son cœur. Chose étrange que ces mots
« deux ou trois fois », rien que des mots, des mots prononcés
dans l'air, à distance, puissent ainsi déchirer le cœur comme
s'ils le touchaient véritablement, puissent rendre malade,
comme un poison qu'on absorberait. Involontairement
Swann pensa à ce mot qu'il avait entendu chez Mme de Saint-
Euverte : « C'est ce que j'ai vu de plus fort depuis les tables
tournantes. » Cette souffrance qu'il ressentait ne ressemblait
à rien de ce qu'il avait cru. Non pas seulement parce que
dans ses heures de plus entière méfiance il avait rarement
imaginé si loin dans le mal, mais parce que, même quand il

imaginait cette chose, elle restait vague, incertaine, dénuée
de cette horreur particulière qui s'était échappée des mots
« peut-être deux ou trois fois », dépourvue de cette cruauté
spécifique aussi différente de tout ce qu'il avait connu qu'une
maladie dont on est atteint pour la première fois. Et pourtant
cette Odette, d'où lui venait tout ce mal, ne lui était pas
moins chère, bien au contraire plus précieuse, comme si au
fur et à mesure que grandissait la souffrance, grandissait en
même temps le prix du calmant, du contrepoison que seule
cette femme possédait. Il voulait lui donner plus de soins
comme à une maladie qu'on découvre soudain plus grave. Il
voulait que la chose affreuse qu'elle lui avait dit avoir faite
« deux ou trois fois » ne pût pas se renouveler. Pour cela il lui
fallait veiller sur Odette. On dit souvent qu'en dénonçant à
un ami les fautes de sa maîtresse, on ne réussit qu'à le
rapprocher d'elle parce qu'il ne leur ajoute pas foi, mais
combien davantage s'il leur ajoute foi ! Mais, se disait
Swann, comment réussir à la protéger ? Il pouvait peut-être
la préserver d'une certaine femme, mais il y en avait des
centaines d'autres, et il comprit quelle folie avait passé sur
lui quand il avait, le soir où il n'avait pas trouvé Odette chez
les Verdurin, commencé de désirer la possession, toujours
impossible, d'un autre être. Heureusement pour Swann, sous
les souffrances nouvelles qui venaient d'entrer dans son âme
comme des hordes d'envahisseurs, il existait un fond de
nature plus ancien, plus doux et silencieusement laborieux,
comme les cellules d'un organe blessé qui se mettent aussitôt
en mesure de refaire les tissus lésés, comme les muscles d'un
membre paralysé qui tendent à reprendre leurs mouvements.
Ces plus anciens, plus autochtones habitants de son âme,
employèrent un instant toutes les forces de Swann à ce
travail obscurément réparateur qui donne l'illusion du repos
à un convalescent, à un opéré. Cette fois-ci, ce fut moins
comme d'habitude dans le cerveau de Swann que se pro-
duisit cette détente par épuisement, ce fut plutôt dans son
cœur. Mais toutes les choses de la vie qui ont existé une fois

tendent à se recréer, et comme un animal expirant qu'agite de nouveau le sursaut d'une convulsion qui semblait finie, sur le cœur, un instant épargné, de Swann, d'elle-même la même souffrance vint retracer la même croix. Il se rappela ces soirs de clair de lune où, allongé dans sa victoria qui le menait rue La Pérouse, il cultivait voluptueusement en lui les émotions de l'homme amoureux, sans savoir le fruit empoisonné qu'elles produiraient nécessairement. Mais toutes ces pensées ne durèrent que l'espace d'une seconde, le temps qu'il portât la main à son cœur, reprît sa respiration et parvînt à sourire pour dissimuler sa torture. Déjà il recommençait à poser ses questions. Car sa jalousie qui avait pris une peine qu'un ennemi ne se serait pas donnée pour arriver à lui faire assener ce coup, à lui faire faire la connaissance de la douleur la plus cruelle qu'il eût encore jamais connue, sa jalousie ne trouvait pas qu'il eût assez souffert et cherchait à lui faire recevoir une blessure plus profonde encore. Telle, comme une divinité méchante, sa jalousie inspirait Swann et le poussait à sa perte. Ce ne fut pas sa faute, mais celle d'Odette seulement, si d'abord son supplice ne s'aggrava pas.

— Ma chérie, lui dit-il, c'est fini, était-ce avec une personne que je connais ?

— Mais non, je te jure, d'ailleurs je crois que j'ai exagéré, que je n'ai pas été jusque-là.

Il sourit et reprit :

— Que veux-tu ? cela ne fait rien, mais c'est malheureux que tu ne puisses pas me dire le nom. De pouvoir me représenter la personne, cela m'empêcherait de plus jamais y penser. Je le dis pour toi, parce que je ne t'ennuierais plus. C'est si calmant de se représenter les choses ! Ce qui est affreux c'est ce qu'on ne peut pas imaginer. Mais tu as déjà été si gentille, je ne veux pas te fatiguer. Je te remercie de tout mon cœur de tout le bien que tu m'as fait. C'est fini. Seulement ce mot : « Il y a combien de temps ? »

— Oh ! Charles, mais tu ne vois pas que tu me tues ! c'est

tout ce qu'il y a de plus ancien. Je n'y avais jamais repensé, on dirait que tu veux absolument me redonner ces idées-là. Tu seras bien avancé, dit-elle, avec une sottise inconsciente et une méchanceté voulue.

— Oh ! je voulais seulement savoir si c'est depuis que je te connais. Mais ce serait si naturel, est-ce que ça se passait ici ? tu ne peux pas me dire un certain soir, que je me représente ce que je faisais ce soir-là ; tu comprends bien qu'il n'est pas possible que tu ne te rappelles pas avec qui, Odette, mon amour.

— Mais je ne sais pas, moi, je crois que c'était au Bois un soir où tu es venu nous retrouver dans l'île. Tu avais dîné chez la princesse des Laumes, dit-elle, heureuse de fournir un détail précis qui attestait sa véracité. A une table voisine il y avait une femme que je n'avais pas vue depuis très long-temps. Elle m'a dit : « Venez donc derrière le petit rocher voir l'effet du clair de lune sur l'eau. » D'abord j'ai bâillé et j'ai répondu : « Non, je suis fatiguée et je suis bien ici. » Elle a assuré qu'il n'y avait jamais eu un clair de lune pareil. Je lui ai dit : « Cette blague ! » ; je savais bien où elle voulait en venir.

Odette racontait cela presque en riant, soit que cela lui parût tout naturel, ou parce qu'elle croyait en atténuer ainsi l'importance, ou pour ne pas avoir l'air humilié. En voyant le visage de Swann, elle changea de ton :

— Tu es un misérable, tu te plais à me torturer, à me faire faire des mensonges que je dis afin que tu me laisses tranquille.

Ce second coup porté à Swann était plus atroce encore que le premier. Jamais il n'avait supposé que ce fût une chose aussi récente, cachée à ses yeux, qui n'avaient pas su la découvrir, non dans un passé qu'il n'avait pas connu, mais dans des soirs qu'il se rappelait si bien, qu'il avait vécus avec Odette, qu'il avait crus connus si bien par lui et qui maintenant prenaient rétrospectivement quelque chose de fourbe et d'atroce ; au milieu d'eux, tout d'un coup, se creusait cette ouverture béante, ce moment dans l'île du Bois. Odette, sans être intelligente, avait le charme du naturel. Elle avait raconté, elle avait mimé cette scène avec tant de simplicité que Swann, haletant, voyait tout : le bâillement d'Odette, le petit rocher. Il l'entendait répondre — gaîment, hélas ! — : « Cette blague ! » Il sentait qu'elle ne dirait rien de plus ce soir, qu'il n'y avait aucune révélation nouvelle à attendre en ce moment ; il lui dit : « Mon pauvre chéri, pardonne-moi, je sens que je te fais de la peine, c'est fini, je n'y pense plus. »

Mais elle vit que ses yeux restaient fixés sur les choses qu'il ne savait pas et sur ce passé de leur amour, monotone et doux dans sa mémoire parce qu'il était vague, et que déchirait maintenant comme une blessure cette minute dans l'île du Bois, au clair de lune, après le dîner chez la princesse des Laumes. Mais il avait tellement pris l'habitude de trouver la vie intéressante — d'admirer les curieuses découvertes qu'on peut y faire — que tout en souffrant au point de croire qu'il ne pourrait pas supporter longtemps une pareille douleur, il se disait : « La vie est vraiment étonnante et réserve de belles surprises ; en somme le vice est quelque chose de plus répandu qu'on ne croit. Voilà une femme en qui j'avais confiance, qui a l'air si simple, si honnête, en tous cas, si même elle était légère, qui semblait bien normale et saine dans ses goûts : sur une dénonciation invraisemblable, je l'interroge, et le peu qu'elle m'avoue révèle bien plus que ce qu'on eût pu soupçonner. » Mais il ne pouvait pas se borner à ces remarques désintéressées. Il cherchait à apprécier exactement la valeur de ce qu'elle lui avait raconté, afin de savoir s'il devait conclure que ces choses, elle les avait faites souvent, qu'elles se renouvelleraient. Il se répétait ces mots qu'elle avait dits : « Je voyais bien où elle voulait en venir », « Deux ou trois fois », « Cette blague ! », mais ils ne reparaissaient pas désarmés dans la mémoire de Swann, chacun d'eux tenait son couteau et lui en portait un nouveau coup. Pendant bien longtemps, comme un malade ne peut

s'empêcher d'essayer à toute minute de faire le mouvement
qui lui est douloureux, il se redisait ces mots : « Je suis bien
ici », « Cette blague ! », mais la souffrance était si forte qu'il
était obligé de s'arrêter. Il s'émerveillait que des actes que
toujours il avait jugés si légèrement, si gaîment, maintenant
fussent devenus pour lui graves comme une maladie dont on
peut mourir. Il connaissait bien des femmes à qui il eût pu
demander de surveiller Odette. Mais comment espérer
qu'elles se placeraient au même point de vue que lui et ne
resteraient pas à celui qui avait été si longtemps le sien, qui
avait toujours guidé sa vie voluptueuse, ne lui diraient pas en
riant : « Vilain jaloux qui veut priver les autres d'un
plaisir » ? Par quelle trappe soudainement abaissée (lui qui
n'avait eu autrefois de son amour pour Odette que des
plaisirs délicats) avait-il été brusquement précipité dans ce
nouveau cercle de l'enfer d'où il n'apercevait pas comment il
pourrait jamais sortir. Pauvre Odette ! il ne lui en voulait
pas. Elle n'était qu'à demi coupable. Ne disait-on pas que
c'était par sa propre mère qu'elle avait été livrée, presque
enfant, à Nice, à un riche Anglais ? Mais quelle vérité
douloureuse prenaient pour lui ces lignes du *Journal d'un Poète*
d'Alfred de Vigny qu'il avait lues avec indifférence autrefois : « Quand on se sent pris d'amour pour une femme, on
devrait se dire : Comment est-elle entourée ? Quelle a été sa
vie ? Tout le bonheur de la vie est appuyé là-dessus. » Swann
s'étonnait que de simples phrases épelées par sa pensée,
comme « Cette blague ! », « Je voyais bien où elle voulait en
venir » pussent lui faire si mal. Mais il comprenait que ce
qu'il croyait de simples phrases n'était que les pièces de
l'armature entre lesquelles tenait, pouvait lui être rendue, la
souffrance qu'il avait éprouvée pendant le récit d'Odette, car
c'était bien cette souffrance-là qu'il éprouvait de nouveau. Il
avait beau savoir maintenant, — même il eut beau, le temps
passant, avoir un peu oublié, avoir pardonné, — au moment
où il se redisait ces mots, la souffrance ancienne le refaisait
tel qu'il était avant qu'Odette ne parlât : ignorant, confiant ;

sa cruelle jalousie le replaçait, pour le faire frapper par l'aveu d'Odette, dans la position de quelqu'un qui ne sait pas encore, et au bout de plusieurs mois cette vieille histoire le bouleversait toujours comme une révélation. Il admirait la terrible puissance recréatrice de sa mémoire. Ce n'est que de l'affaiblissement de cette génératrice dont la fécondité diminue avec l'âge qu'il pouvait espérer un apaisement à sa torture. Mais quand paraissait un peu épuisé le pouvoir qu'avait de le faire souffrir un des mots prononcés par Odette, alors un de ceux sur lesquels l'esprit de Swann s'était moins arrêté jusque-là, un mot presque nouveau venait relayer les autres et le frappait avec une vigueur intacte. La mémoire du soir où il avait dîné chez la princesse des Laumes lui était douloureuse, mais ce n'était que le centre de son mal. Celui-ci irradiait confusément à l'entour dans tous les jours avoisinants. Et à quelque point d'elle qu'il voulût toucher dans ses souvenirs, c'est la saison tout entière où les Verdurin avaient si souvent dîné dans l'île du Bois qui lui faisait mal. Si mal que peu à peu les curiosités qu'excitait en lui sa jalousie furent neutralisées par la peur des tortures nouvelles qu'il s'infligerait en les satisfaisant. Il se rendait compte que toute la période de la vie d'Odette écoulée avant qu'elle ne le rencontrât, période qu'il n'avait jamais cherché à se représenter, n'était pas l'étendue abstraite qu'il voyait vaguement, mais avait été faite d'années particulières, remplie d'incidents concrets. Mais en les apprenant, il craignait que ce passé incolore, fluide et supportable, ne prît un corps tangible et immonde, un visage individuel et diabolique. Et il continuait à ne pas chercher à le concevoir, non plus par paresse de penser, mais par peur de souffrir. Il espérait qu'un jour il finirait par pouvoir entendre le nom de l'île du Bois, de la princesse des Laumes, sans ressentir le déchirement ancien, et trouvait imprudent de provoquer Odette à lui fournir de nouvelles paroles, le nom d'endroits, de circonstances différentes qui, son mal à peine calmé, le feraient renaître sous une autre forme.

Mais souvent les choses qu'il ne connaissait pas, qu'il redoutait maintenant de connaître, c'est Odette elle-même qui les lui révélait spontanément, et sans s'en rendre compte ; en effet l'écart que le vice mettait entre la vie réelle d'Odette et la vie relativement innocente que Swann avait cru, et bien souvent croyait encore, que menait sa maîtresse, cet écart, Odette en ignorait l'étendue : un être vicieux, affectant toujours la même vertu devant les êtres de qui il ne veut pas que soient soupçonnés ses vices, n'a pas de contrôle pour se rendre compte combien ceux-ci, dont la croissance continue est insensible pour lui-même, l'entraînent peu à peu loin des façons de vivre normales. Dans leur cohabitation, au sein de l'esprit d'Odette, avec le souvenir des actions qu'elle cachait à Swann, d'autres peu à peu en recevaient le reflet, étaient contagionnées par elles, sans qu'elle pût leur trouver rien d'étrange, sans qu'elles détonnassent dans le milieu particulier où elle les faisait vivre en elle ; mais si elle les racontait à Swann, il était épouvanté par la révélation de l'ambiance qu'elles trahissaient. Un jour il cherchait, sans blesser Odette, à lui demander si elle n'avait jamais été chez des entremetteuses. A vrai dire, il était convaincu que non ; la lecture de la lettre anonyme en avait introduit la supposition dans son intelligence, mais d'une façon mécanique ; elle n'y avait rencontré aucune créance, mais en fait y était restée, et Swann, pour être débarrassé de la présence purement matérielle mais pourtant gênante du soupçon, souhaitait qu'Odette l'extirpât. « Oh ! non ! Ce n'est pas que je ne sois pas persécutée pour cela, ajouta-t-elle, en dévoilant dans un sourire une satisfaction de vanité qu'elle ne s'apercevait plus ne pas pouvoir paraître légitime à Swann. Il y en a une qui est encore restée plus de deux heures hier à m'attendre, elle me proposait n'importe quel prix. Il paraît qu'il y a un ambassadeur qui lui a dit : « Je me tue si vous ne me l'amenez pas. » On lui a dit que j'étais sortie, j'ai fini par aller moi-même lui parler pour qu'elle s'en aille. J'aurais voulu que tu voies comme je l'ai reçue, ma femme de

chambre qui m'entendait de la pièce voisine m'a dit que je
criais à tue-tête : « Mais puisque je vous dis que je ne veux
pas ! C'est une idée comme ça, ça ne me plaît pas. Je pense
que je suis libre de faire ce que je veux, tout de même ! Si
j'avais besoin d'argent, je comprends... » Le concierge a
ordre de ne plus la laisser entrer, il dira que je suis à la
campagne. Ah ! j'aurais voulu que tu sois caché quelque
part. Je crois que tu aurais été content, mon chéri. Elle a du
bon, tout de même, tu vois, ta petite Odette, quoiqu'on la
trouve si détestable. »

D'ailleurs ses aveux même, quand elle lui en faisait, de
fautes qu'elle le supposait avoir découvertes, servaient plutôt
pour Swann de point de départ à de nouveaux doutes qu'ils
ne mettaient un terme aux anciens. Car ils n'étaient jamais
exactement proportionnés à ceux-ci. Odette avait eu beau
retrancher de sa confession tout l'essentiel, il restait dans
l'accessoire quelque chose que Swann n'avait jamais imaginé, qui l'accablait de sa nouveauté et allait lui permettre de
changer les termes du problème de sa jalousie. Et ces aveux,
il ne pouvait plus les oublier. Son âme les charriait, les
rejetait, les berçait, comme des cadavres. Et elle en était
empoisonnée.

Une fois elle lui parla d'une visite que Forcheville lui avait
faite le jour de la fête de Paris-Murcie. « Comment, tu le
connaissais déjà ? Ah ! oui, c'est vrai », dit-il, en se reprenant
pour ne pas paraître l'avoir ignoré. Et tout d'un coup il se
mit à trembler à la pensée que le jour de cette fête de Paris-
Murcie où il avait reçu d'elle la lettre qu'il avait si
précieusement gardée, elle déjeunait peut-être avec Forcheville à la Maison d'Or. Elle lui jura que non. « Pourtant la
Maison d'Or me rappelle je ne sais quoi que j'ai su ne pas
être vrai », lui dit-il pour l'effrayer. « Oui, que je n'y étais
pas allée le soir où je t'ai dit que j'en sortais quand tu m'avais
cherchée chez Prévost », lui répondit-elle (croyant à son air
qu'il le savait), avec une décision où il y avait, beaucoup
plutôt que du cynisme, de la timidité, une peur de contrarier

Swann et que par amour-propre elle voulait cacher, puis le désir de lui montrer qu'elle pouvait être franche. Aussi frappa-t-elle avec une netteté et une vigueur de bourreau et qui étaient exemptes de cruauté, car Odette n'avait pas conscience du mal qu'elle faisait à Swann ; et même elle se mit à rire, peut-être, il est vrai, surtout pour ne pas avoir l'air humilié, confus. « C'est vrai que je n'avais pas été à la Maison Dorée, que je sortais de chez Forcheville. J'avais vraiment été chez Prévost, ça n'était pas de la blague, il m'y avait rencontrée et m'avait demandé d'entrer regarder ses gravures. Mais il était venu quelqu'un pour le voir. Je t'ai dit que je venais de la Maison d'Or, parce que j'avais peur que cela ne t'ennuie. Tu vois, c'était plutôt gentil de ma part. Mettons que j'aie eu tort, au moins je te le dis carrément. Quel intérêt aurais-je à ne pas te dire aussi bien que j'avais déjeuné avec lui le jour de la Fête Paris-Murcie, si c'était vrai ? D'autant plus qu'à ce moment-là on ne se connaissait pas encore beaucoup tous les deux, dis, chéri. » Il lui sourit avec la lâcheté soudaine de l'être sans forces qu'avaient fait de lui ces accablantes paroles. Ainsi, même dans les mois auxquels il n'avait jamais plus osé repenser parce qu'ils avaient été trop heureux, dans ces mois où elle l'avait aimé, elle lui mentait déjà ! Aussi bien que ce moment (le premier soir qu'ils avaient « fait catleya ») où elle lui avait dit sortir de la Maison Dorée, combien devait-il y en avoir eu d'autres, receleurs eux aussi d'un mensonge que Swann n'avait pas soupçonné. Il se rappela qu'elle lui avait dit un jour : « Je n'aurais qu'à dire à Mme Verdurin que ma robe n'a pas été prête, que mon cab est venu en retard. Il y a toujours moyen de s'arranger. » A lui aussi probablement, bien des fois où elle lui avait glissé de ces mots qui expliquent un retard, justifient un changement d'heure dans un rendez-vous, ils avaient dû cacher, sans qu'il s'en fût douté alors, quelque chose qu'elle avait à faire avec un autre, avec un autre à qui elle avait dit : « Je n'aurai qu'à dire à Swann que ma robe n'a pas été prête, que mon cab est arrivé en retard, il y a

toujours moyen de s'arranger. » Et sous tous les souvenirs les
plus doux de Swann, sous les paroles les plus simples que lui
avait dites autrefois Odette, qu'il avait crues comme paroles
d'évangile, sous les actions quotidiennes qu'elle lui avait
racontées, sous les lieux les plus accoutumés, la maison de sa
couturière, l'avenue du Bois, l'Hippodrome, il sentait, dissimulée à la faveur de cet excédent de temps qui dans les
journées les plus détaillées laisse encore du jeu, de la place, et
peut servir de cachette à certaines actions, il sentait s'insinuer la présence possible et souterraine de mensonges qui lui
rendaient ignoble tout ce qui lui était resté le plus cher (ses
meilleurs soirs, la rue La Pérouse elle-même qu'Odette avait
toujours dû quitter à d'autres heures que celles qu'elle lui
avait dites) faisant circuler partout un peu de la ténébreuse
horreur qu'il avait ressentie en entendant l'aveu relatif à la
Maison Dorée, et, comme les bêtes immondes dans la
Désolation de Ninive, ébranlant pierre à pierre tout son
passé. Si maintenant il se détournait chaque fois que sa
mémoire lui disait le nom cruel de la Maison Dorée, ce
n'était plus, comme tout récemment encore à la soirée de
Mme de Saint-Euverte, parce qu'il lui rappelait un bonheur
qu'il avait perdu depuis longtemps, mais un malheur qu'il
venait seulement d'apprendre. Puis il en fut du nom de la
Maison Dorée comme de celui de l'île du Bois, il cessa peu à
peu de faire souffrir Swann. Car ce que nous croyons notre
amour, notre jalousie, n'est pas une même passion continue,
indivisible. Ils se composent d'une infinité d'amours successifs, de jalousies différentes et qui sont éphémères, mais par
leur multitude ininterrompue donnent l'impression de la
continuité, l'illusion de l'unité. La vie de l'amour de Swann,
la fidélité de sa jalousie, étaient faites de la mort, de
l'infidélité d'innombrables désirs, d'innombrables doutes,
qui avaient tous Odette pour objet. S'il était resté longtemps
sans la voir, ceux qui mouraient n'auraient pas été remplacés
par d'autres. Mais la présence d'Odette continuait d'ense-

mencer le cœur de Swann de tendresses et de soupçons alternés.

Certains soirs elle redevenait tout d'un coup avec lui d'une gentillesse dont elle l'avertissait durement qu'il devait profiter tout de suite, sous peine de ne pas la voir se renouveler avant des années ; il fallait rentrer immédiatement chez elle « faire catleya », et ce désir qu'elle prétendait avoir de lui était si soudain, si inexplicable, si impérieux, les caresses qu'elle lui prodiguait ensuite si démonstratives et si insolites, que cette tendresse brutale et sans vraisemblance faisait autant de chagrin à Swann qu'un mensonge et qu'une méchanceté. Un soir qu'il était ainsi, sur l'ordre qu'elle lui en avait donné, rentré avec elle, et qu'elle entremêlait ses baisers de paroles passionnées qui contrastaient avec sa sécheresse ordinaire, il crut tout d'un coup entendre du bruit ; il se leva, chercha partout, ne trouva personne, mais n'eut pas le courage de reprendre sa place auprès d'elle qui alors, au comble de la rage, brisa un vase et dit à Swann : « On ne peut jamais rien faire avec toi ! » Et il resta incertain si elle n'avait pas caché quelqu'un dont elle avait voulu faire souffrir la jalousie ou allumer les sens.

Quelquefois il allait dans des maisons de rendez-vous, espérant apprendre quelque chose d'elle, sans oser la nommer cependant. « J'ai une petite qui va vous plaire », disait l'entremetteuse. Et il restait une heure à causer tristement avec quelque pauvre fille étonnée qu'il ne fît rien de plus. Une toute jeune et ravissante lui dit un jour : « Ce que je voudrais, c'est trouver un ami, alors il pourrait être sûr, je n'irais plus jamais avec personne. — Vraiment, crois-tu que ce soit possible qu'une femme soit touchée qu'on l'aime, ne vous trompe jamais ? lui demanda Swann anxieusement. — Pour sûr ! ça dépend des caractères ! » Swann ne pouvait s'empêcher de dire à ces filles les mêmes choses qui auraient plu à la princesse des Laumes. A celle qui cherchait un ami, il dit en souriant : « C'est gentil, tu as mis des yeux bleus de la couleur de ta ceinture. — Vous aussi, vous avez des

manchettes bleues. — Comme nous avons une belle conversation, pour un endroit de ce genre ! Je ne t'ennuie pas ? tu as
peut-être à faire ? — Non, j'ai tout mon temps. Si vous
m'auriez ennuyée, je vous l'aurais dit. Au contraire, j'aime
bien vous entendre causer. — Je suis très flatté. N'est-ce pas
que nous causons gentiment ? dit-il à l'entremetteuse qui
venait d'entrer. — Mais oui, c'est justement ce que je me
disais. Comme ils sont sages ! Voilà ! on vient maintenant
pour causer chez moi. Le Prince le disait, l'autre jour, c'est
bien mieux ici que chez sa femme. Il paraît que maintenant
dans le monde elles ont toutes un genre, c'est un vrai
scandale ! Je vous quitte, je suis discrète. » Et elle laissa
Swann avec la fille qui avait les yeux bleus. Mais bientôt il se
leva et lui dit adieu, elle lui était indifférente, elle ne
connaissait pas Odette.

Le peintre ayant été malade, le docteur Cottard lui
conseilla un voyage en mer ; plusieurs fidèles parlèrent de
partir avec lui ; les Verdurin ne purent se résoudre à rester
seuls, louèrent un yacht, puis s'en rendirent acquéreurs, et
ainsi Odette fit de fréquentes croisières. Chaque fois qu'elle
était partie depuis un peu de temps, Swann sentait qu'il
commençait à se détacher d'elle, mais comme si cette
distance morale était proportionnée à la distance matérielle,
dès qu'il savait Odette de retour, il ne pouvait pas rester sans
la voir. Une fois, partis pour un mois seulement, croyaient-
ils, soit qu'ils eussent été tentés en route, soit que M. Verdurin eût sournoisement arrangé les choses d'avance pour faire
plaisir à sa femme et n'eût averti les fidèles qu'au fur et à
mesure, d'Alger ils allèrent à Tunis, puis en Italie, puis en
Grèce, à Constantinople, en Asie Mineure. Le voyage durait
depuis près d'un an. Swann se sentait absolument tranquille,
presque heureux. Bien que Mme Verdurin eût cherché à
persuader au pianiste et au docteur Cottard que la tante de
l'un et les malades de l'autre n'avaient aucun besoin d'eux et
qu'en tous cas il était imprudent de laisser Mme Cottard
rentrer à Paris que M. Verdurin assurait être en révolution,

elle fut obligée de leur rendre leur liberté à Constantinople.
Et le peintre partit avec eux. Un jour, peu après le retour de
ces trois voyageurs, Swann voyant passer un omnibus pour le
Luxembourg où il avait à faire, avait sauté dedans, et s'y
était trouvé assis en face de Mme Cottard qui faisait sa
tournée de visites « de jours », en grande tenue, plumet au
chapeau, robe de soie, manchon, en-tout-cas, porte-cartes, et
gants blancs nettoyés. Revêtue de ces insignes, quand il
faisait sec elle allait à pied d'une maison à l'autre, dans un
même quartier, mais pour passer ensuite dans un quartier
différent usait de l'omnibus avec correspondance. Pendant
les premiers instants, avant que la gentillesse native de la
femme eût pu percer l'empesé de la petite bourgeoise, et ne
sachant trop d'ailleurs si elle devait parler des Verdurin à
Swann, elle tint tout naturellement, de sa voix lente, gauche
et douce que par moments l'omnibus couvrait complètement
de son tonnerre, des propos choisis parmi ceux qu'elle
entendait et répétait dans les vingt-cinq maisons dont elle
montait les étages dans une journée :

— Je ne vous demande pas, Monsieur, si un homme dans
le mouvement comme vous a vu, aux Mirlitons, le portrait de
Machard qui fait courir tout Paris. Eh bien, qu'en dites-
vous ? Êtes-vous dans le camp de ceux qui approuvent ou
dans le camp de ceux qui blâment ? Dans tous les salons on
ne parle que du portrait de Machard ; on n'est pas chic, on
n'est pas pur, on n'est pas dans le train, si on ne donne pas
son opinion sur le portrait de Machard.

Swann ayant répondu qu'il n'avait pas vu ce portrait,
Mme Cottard eut peur de l'avoir blessé en l'obligeant à le
confesser.

— Ah ! c'est très bien, au moins vous l'avouez franchement, vous ne vous croyez pas déshonoré parce que vous
n'avez pas vu le portrait de Machard. Je trouve cela très
beau de votre part. Hé bien, moi, je l'ai vu, les avis sont
partagés, il y en a qui trouvent que c'est un peu léché, un peu
crème fouettée, moi, je le trouve idéal. Évidemment elle ne

ressemble pas aux femmes bleues et jaunes de notre ami
Biche. Mais je dois vous l'avouer franchement, vous ne me
trouverez pas très fin de siècle, mais je le dis comme je le
pense, je ne comprends pas. Mon Dieu, je reconnais les
qualités qu'il y a dans le portrait de mon mari, c'est moins
étrange que ce qu'il fait d'habitude, mais il a fallu qu'il lui
fasse des moustaches bleues. Tandis que Machard ! Tenez,
justement le mari de l'amie chez qui je vais en ce moment (ce
qui me donne le très grand plaisir de faire route avec vous)
lui a promis, s'il est nommé à l'Académie (c'est un des
collègues du docteur) de lui faire faire son portrait par
Machard. Évidemment c'est un beau rêve ! J'ai une autre
amie qui prétend qu'elle aime mieux Leloir. Je ne suis
qu'une pauvre profane et Leloir est peut-être encore supérieur comme science. Mais je trouve que la première qualité
d'un portrait, surtout quand il coûte 10 000 francs, est d'être
ressemblant et d'une ressemblance agréable.

Ayant tenu ces propos que lui inspiraient la hauteur de son
aigrette, le chiffre de son porte-cartes, le petit numéro tracé à
l'encre dans ses gants par le teinturier et l'embarras de parler
à Swann des Verdurin, Mme Cottard, voyant qu'on était
encore loin du coin de la rue Bonaparte où le conducteur
devait l'arrêter, écouta son cœur qui lui conseillait d'autres
paroles.

— Les oreilles ont dû vous tinter, Monsieur, lui dit-elle,
pendant le voyage que nous avons fait avec Mme Verdurin.
On ne parlait que de vous.

Swann fut bien étonné, il supposait que son nom n'était
jamais proféré devant les Verdurin.

— D'ailleurs, ajouta Mme Cottard, Mme de Crécy était là,
et c'est tout dire. Quand Odette est quelque part, elle ne peut
jamais rester bien longtemps sans parler de vous. Et vous
pensez que ce n'est pas en mal. Comment ! vous en doutez ?
dit-elle, en voyant un geste sceptique de Swann.

Et emportée par la sincérité de sa conviction, ne mettant
d'ailleurs aucune mauvaise pensée sous ce mot qu'elle

prenait seulement dans le sens où on l'emploie pour parler de l'affection qui unit des amis :

— Mais elle vous adore ! Ah ! je crois qu'il ne faudrait pas dire ça de vous devant elle ! On serait bien arrangé ! A propos de tout, si on voyait un tableau par exemple elle disait : « Ah ! s'il était là, c'est lui qui saurait vous dire si c'est authentique ou non. Il n'y a personne comme lui pour ça. » Et à tout moment elle demandait : « Qu'est-ce qu'il peut faire en ce moment ? Si seulement il travaillait un peu ! C'est malheureux, un garçon si doué, qu'il soit si paresseux. (Vous me pardonnez, n'est-ce pas ?) En ce moment je le vois, il pense à nous, il se demande où nous sommes. » Elle a même eu un mot que j'ai trouvé bien joli : M. Verdurin lui disait : « Mais comment pouvez-vous voir ce qu'il fait en ce moment puisque vous êtes à huit cents lieues de lui ? » Alors Odette lui a répondu : « Rien n'est impossible à l'œil d'une amie. » Non je vous jure, je ne vous dis pas cela pour vous flatter, vous avez là une vraie amie comme on n'en a pas beaucoup. Je vous dirai du reste que si vous ne le savez pas, vous êtes le seul. Mme Verdurin me le disait encore le dernier jour (vous savez, les veilles de départ on cause mieux) : « Je ne dis pas qu'Odette ne nous aime pas, mais tout ce que nous lui disons ne pèserait pas lourd auprès de ce que lui dirait M. Swann. » Oh ! mon Dieu, voilà que le conducteur m'arrête, en bavardant avec vous j'allais laisser passer la rue Bonaparte... me rendriez-vous le service de me dire si mon aigrette est droite ? »

Et Mme Cottard sortit de son manchon pour la tendre à Swann, sa main gantée de blanc d'où s'échappa, avec une correspondance, une vision de haute vie qui remplit l'omnibus, mêlée à l'odeur du teinturier. Et Swann se sentit déborder de tendresse pour elle, autant que pour Mme Verdurin (et presque autant que pour Odette, car le sentiment qu'il éprouvait pour cette dernière, n'étant plus mêlé de douleur, n'était plus guère de l'amour), tandis que de la plate-forme il la suivait de ses yeux attendris, qui enfilait

courageusement la rue Bonaparte, l'aigrette haute, d'une
main relevant sa jupe, de l'autre tenant son en-tout-cas et
son porte-cartes dont elle laissait voir le chiffre, laissant
baller devant elle son manchon.

Pour faire concurrence aux sentiments maladifs que
Swann avait pour Odette, Mme Cottard, meilleur thérapeute
que n'eût été son mari, avait greffé à côté d'eux d'autres
sentiments, normaux ceux-là, de gratitude, d'amitié, des
sentiments qui dans l'esprit de Swann rendraient Odette
plus humaine (plus semblable aux autres femmes, parce que
d'autres femmes aussi pouvaient les lui inspirer), hâteraient
sa transformation définitive en cette Odette aimée d'affection
paisible, qui l'avait ramené un soir, après une fête chez le
peintre, boire un verre d'orangeade avec Forcheville et près
de qui Swann avait entrevu qu'il pourrait vivre heureux.

Jadis ayant souvent pensé avec terreur, qu'un jour il
cesserait d'être épris d'Odette, il s'était promis d'être vigilant
et, dès qu'il sentirait que son amour commencerait à le
quitter, de s'accrocher à lui, de le retenir. Mais voici qu'à
l'affaiblissement de son amour correspondait simultanément
un affaiblissement du désir de rester amoureux. Car on ne
peut pas changer, c'est-à-dire devenir une autre personne,
tout en continuant à obéir aux sentiments de celle qu'on n'est
plus. Parfois le nom aperçu dans un journal, d'un des
hommes qu'il supposait avoir pu être les amants d'Odette,
lui redonnait de la jalousie. Mais elle était bien légère et
comme elle lui prouvait qu'il n'était pas encore complètement sorti de ce temps où il avait tant souffert — mais aussi
où il avait connu une manière de sentir si voluptueuse — et
que les hasards de la route lui permettraient peut-être d'en
apercevoir encore furtivement et de loin les beautés, cette
jalousie lui procurait plutôt une excitation agréable comme
au morne Parisien qui quitte Venise pour retrouver la
France, un dernier moustique prouve que l'Italie et l'été ne
sont pas encore bien loin. Mais le plus souvent, le temps si
particulier de sa vie d'où il sortait, quand il faisait effort,

sinon pour y rester, du moins pour en avoir une vision claire
pendant qu'il le pouvait encore, il s'apercevait qu'il ne le
pouvait déjà plus ; il aurait voulu apercevoir, comme un
paysage qui allait disparaître, cet amour qu'il venait de
quitter ; mais il est si difficile d'être double et de se donner le
spectacle véridique d'un sentiment qu'on a cessé de posséder, que bientôt, l'obscurité se faisant dans son cerveau, il ne
voyait plus rien, renonçait à regarder, retirait son lorgnon, en
essuyait les verres ; et il se disait qu'il valait mieux se reposer
un peu, qu'il serait encore temps tout à l'heure, et se
rencognait avec l'incuriosité, dans l'engourdissement du
voyageur ensommeillé qui rabat son chapeau sur ses yeux
pour dormir dans le wagon qu'il sent l'entraîner de plus en
plus vite, loin du pays où il a si longtemps vécu et qu'il s'était
promis de ne pas laisser fuir sans lui donner un dernier
adieu. Même, comme ce voyageur s'il se réveille seulement
en France, quand Swann ramassa par hasard près de lui la
preuve que Forcheville avait été l'amant d'Odette, il s'aperçut qu'il n'en ressentait aucune douleur, que l'amour était
loin maintenant, et regretta de n'avoir pas été averti du
moment où il le quittait pour toujours. Et de même qu'avant
d'embrasser Odette pour la première fois il avait cherché à
imprimer dans sa mémoire le visage qu'elle avait eu si
longtemps pour lui et qu'allait transformer le souvenir de ce
baiser, de même il eût voulu, en pensée au moins, avoir pu
faire ses adieux, pendant qu'elle existait encore, à cette
Odette lui inspirant de l'amour, de la jalousie, à cette Odette
lui causant des souffrances et que maintenant il ne reverrait
jamais.

Il se trompait. Il devait la revoir une fois encore, quelques
semaines plus tard. Ce fut en dormant, dans le crépuscule
d'un rêve. Il se promenait avec Mme Verdurin, le docteur
Cottard, un jeune homme en fez qu'il ne pouvait identifier, le
peintre, Odette, Napoléon III et mon grand-père, sur un
chemin qui suivait la mer et la surplombait à pic tantôt de
très haut, tantôt de quelques mètres seulement, de sorte

qu'on montait et redescendait constamment; ceux des
promeneurs qui redescendaient déjà n'étaient plus visibles à
ceux qui montaient encore, le peu de jour qui restât
faiblissait et il semblait alors qu'une nuit noire allait
s'étendre immédiatement. Par moments les vagues sautaient
jusqu'au bord, et Swann sentait sur sa joue des éclaboussures
glacées. Odette lui disait de les essuyer, il ne pouvait pas et
en était confus vis-à-vis d'elle, ainsi que d'être en chemise de
nuit. Il espérait qu'à cause de l'obscurité on ne s'en rendait
pas compte, mais cependant Mme Verdurin le fixa d'un
regard étonné durant un long moment pendant lequel il vit
sa figure se déformer, son nez s'allonger et qu'elle avait de
grandes moustaches. Il se détourna pour regarder Odette,
ses joues étaient pâles, avec des petits points rouges, ses traits
tirés, cernés, mais elle le regardait avec des yeux pleins de
tendresse prêts à se détacher comme des larmes pour tomber
sur lui, et il se sentait l'aimer tellement qu'il aurait voulu
l'emmener tout de suite. Tout d'un coup Odette tourna son
poignet, regarda une petite montre et dit : « Il faut que je
m'en aille », elle prenait congé de tout le monde de la même
façon, sans prendre à part Swann, sans lui dire où elle le
reverrait le soir ou un autre jour. Il n'osa pas le lui
demander, il aurait voulu la suivre et était obligé, sans se
retourner vers elle, de répondre en souriant à une question de
Mme Verdurin, mais son cœur battait horriblement, il éprouvait de la haine pour Odette, il aurait voulu crever ses yeux
qu'il aimait tant tout à l'heure, écraser ses joues sans
fraîcheur. Il continuait à monter avec Mme Verdurin, c'est-à-
dire à s'éloigner à chaque pas d'Odette, qui descendait en
sens inverse. Au bout d'une seconde il y eut beaucoup
d'heures qu'elle était partie. Le peintre fit remarquer à
Swann que Napoléon III s'était éclipsé un instant après elle.
« C'était certainement entendu entre eux, ajouta-t-il, ils ont
dû se rejoindre en bas de la côte, mais n'ont pas voulu dire
adieu ensemble à cause des convenances. Elle est sa maîtresse. » Le jeune homme inconnu se mit à pleurer. Swann

essaya de le consoler. « Après tout elle a raison, lui dit-il en
lui essuyant les yeux et en lui ôtant son fez pour qu'il fût plus
à son aise. Je le lui ai conseillé dix fois. Pourquoi en être
triste ? C'était bien l'homme qui pouvait la comprendre. »
Ainsi Swann se parlait-il à lui-même, car le jeune homme
qu'il n'avait pu identifier d'abord était aussi lui ; comme
certains romanciers, il avait distribué sa personnalité à deux
personnages, celui qui faisait le rêve, et un qu'il voyait
devant lui coiffé d'un fez.

Quant à Napoléon III, c'est à Forcheville que quelque
vague association d'idées, puis une certaine modification
dans la physionomie habituelle du baron, enfin le grand
cordon de la Légion d'honneur en sautoir, lui avaient fait
donner ce nom ; mais en réalité, et pour tout ce que le
personnage présent dans le rêve lui représentait et lui
rappelait, c'était bien Forcheville. Car, d'images incomplètes
et changeantes, Swann endormi tirait des déductions fausses,
ayant d'ailleurs momentanément un tel pouvoir créateur
qu'il se reproduisait par simple division comme certains
organismes inférieurs ; avec la chaleur sentie de sa propre
paume il modelait le creux d'une main étrangère qu'il croyait
serrer, et de sentiments et d'impressions dont il n'avait pas
conscience encore, faisait naître comme des péripéties qui,
par leur enchaînement logique, amèneraient à point nommé
dans le sommeil de Swann le personnage nécessaire pour
recevoir son amour ou provoquer son réveil. Une nuit noire
se fit tout d'un coup, un tocsin sonna, des habitants
passèrent en courant, se sauvant des maisons en flammes ;
Swann entendait le bruit des vagues qui sautaient et son
cœur qui, avec la même violence, battait d'anxiété dans sa
poitrine. Tout d'un coup ses palpitations de cœur redoublè-
rent de vitesse, il éprouva une souffrance, une nausée
inexplicables ; un paysan couvert de brûlures lui jetait en
passant : « Venez demander à Charlus où Odette est allée
finir la soirée avec son camarade, il a été avec elle autrefois et

elle lui dit tout. C'est eux qui ont mis le feu. » C'était son
valet de chambre qui venait l'éveiller et lui disait :

— Monsieur, il est huit heures et le coiffeur est là, je lui ai
dit de repasser dans une heure.

Mais ces paroles, en pénétrant dans les ondes du sommeil
où Swann était plongé, n'étaient arrivées jusqu'à sa
conscience qu'en subissant cette déviation qui fait qu'au fond
de l'eau un rayon paraît un soleil, de même qu'un moment
auparavant le bruit de la sonnette, prenant au fond de ces
abîmes une sonorité de tocsin, avait enfanté l'épisode de
l'incendie. Cependant le décor qu'il avait sous les yeux vola
en poussière, il ouvrit les yeux, entendit une dernière fois le
bruit d'une des vagues de la mer qui s'éloignait. Il toucha sa
joue. Elle était sèche. Et pourtant il se rappelait la sensation
de l'eau froide et le goût du sel. Il se leva, s'habilla. Il avait
fait venir le coiffeur de bonne heure parce qu'il avait écrit la
veille à mon grand-père qu'il irait dans l'après-midi à
Combray, ayant appris que Mme de Cambremer —
Mlle Legrandin — devait y passer quelques jours. Associant
dans son souvenir au charme de ce jeune visage celui d'une
campagne où il n'était pas allé depuis si longtemps, ils lui
offraient ensemble un attrait qui l'avait décidé à quitter enfin
Paris pour quelques jours. Comme les différents hasards qui
nous mettent en présence de certaines personnes ne coïnci-
dent pas avec le temps où nous les aimons, mais, le
dépassant, peuvent se produire avant qu'il commence et se
répéter après qu'il a fini, les premières apparitions que fait
dans notre vie un être destiné plus tard à nous plaire,
prennent rétrospectivement à nos yeux une valeur d'avertis-
sement, de présage. C'est de cette façon que Swann s'était
souvent reporté à l'image d'Odette rencontrée au théâtre, ce
premier soir où il ne songeait pas à la revoir jamais — et qu'il
se rappelait maintenant la soirée de Mme de Saint-Euverte
où il avait présenté le général de Froberville à Mme de
Cambremer. Les intérêts de notre vie sont si multiples qu'il
n'est pas rare que dans une même circonstance les jalons

d'un bonheur qui n'existe pas encore soient posés à côté de l'aggravation d'un chagrin dont nous souffrons. Et sans doute cela aurait pu arriver à Swann ailleurs que chez Mme de Saint-Euverte. Qui sait même, dans le cas où, ce soir-là, il se fût trouvé ailleurs, si d'autres bonheurs, d'autres chagrins ne lui seraient pas arrivés, et qui ensuite lui eussent paru avoir été inévitables ? Mais ce qui lui semblait l'avoir été, c'était ce qui avait eu lieu, et il n'était pas loin de voir quelque chose de providentiel dans ce fait qu'il se fût décidé à aller à la soirée de Mme de Saint-Euverte, parce que son esprit désireux d'admirer la richesse d'invention de la vie et incapable de se poser longtemps une question difficile, comme de savoir ce qui eût été le plus à souhaiter, considérait dans les souffrances qu'il avait éprouvées ce soir-là et les plaisirs encore insoupçonnés qui germaient déjà — et entre lesquels la balance était trop difficile à établir — une sorte d'enchaînement nécessaire.

Mais tandis que, une heure après son réveil, il donnait des indications au coiffeur pour que sa brosse ne se dérangeât pas en wagon, il repensa à son rêve, il revit, comme il les avait sentis tout près de lui, le teint pâle d'Odette, les joues trop maigres, les traits tirés, les yeux battus, tout ce que — au cours des tendresses successives qui avaient fait de son durable amour pour Odette un long oubli de l'image première qu'il avait reçue d'elle — il avait cessé de remarquer depuis les premiers temps de leur liaison dans lesquels sans doute, pendant qu'il dormait, sa mémoire en avait été chercher la sensation exacte. Et avec cette muflerie intermittente qui reparaissait chez lui dès qu'il n'était plus malheureux et que baissait du même coup le niveau de sa moralité, il s'écria en lui-même : « Dire que j'ai gâché des années de ma vie, que j'ai voulu mourir, que j'ai eu mon plus grand amour, pour une femme qui ne me plaisait pas, qui n'était pas mon genre ! »

Noms de pays :
le nom

TROISIÈME PARTIE

Noms de pays:
le nom

Parmi les chambres dont j'évoquais le plus souvent l'image dans mes nuits d'insomnie, aucune ne ressemblait moins aux chambres de Combray, saupoudrées d'une atmosphère grenue, pollinisée, comestible et dévote, que celle du Grand-Hôtel de la Plage, à Balbec, dont les murs passés au ripolin contenaient, comme les parois polies d'une piscine où l'eau bleuit, un air pur, azuré et salin. Le tapissier bavarois qui avait été chargé de l'aménagement de cet hôtel avait varié la décoration des pièces et sur trois côtés fait courir le long des murs, dans celle que je me trouvai habiter, des bibliothèques basses, à vitrines en glace, dans lesquelles, selon la place qu'elles occupaient, et par un effet qu'il n'avait pas prévu, telle ou telle partie du tableau changeant de la mer se reflétait, déroulant une frise de claires marines, qu'interrompaient seuls les pleins de l'acajou. Si bien que toute la pièce avait l'air d'un de ces dortoirs modèles qu'on présente dans les expositions « modern style » du mobilier, où ils sont ornés d'œuvres d'art qu'on a supposées capables de réjouir les yeux de celui qui couchera là, et auxquelles on a donné des sujets en rapport avec le genre de site où l'habitation doit se trouver.

Mais rien ne ressemblait moins non plus à ce Balbec réel que celui dont j'avais souvent rêvé, les jours de tempête, quand le vent était si fort que Françoise en me menant aux Champs-Élysées me recommandait de ne pas marcher trop près des murs pour ne pas recevoir de tuiles sur la tête, et parlait en gémissant des grands sinistres et naufrages annoncés par les journaux. Je n'avais pas de plus grand désir que de voir une tempête sur la mer, moins comme un beau spectacle que comme un moment dévoilé de la vie réelle de la nature ; ou plutôt il n'y avait pour moi de beaux spectacles que ceux que je savais qui n'étaient pas artificiellement combinés pour mon plaisir, mais étaient nécessaires, inchangeables, — les beautés des paysages ou du grand art. Je n'étais curieux, je n'étais avide de connaître que ce que je croyais plus vrai que moi-même, ce qui avait pour moi le prix de me montrer un peu de la pensée d'un grand génie, ou de la force ou de la grâce de la nature telle qu'elle se manifeste livrée à elle-même, sans l'intervention des hommes. De même que le beau son de sa voix, isolément reproduit par le phonographe, ne nous consolerait pas d'avoir perdu notre mère, de même une tempête mécaniquement imitée m'aurait laissé aussi indifférent que les fontaines lumineuses de l'Exposition. Je voulais aussi, pour que la tempête fût absolument vraie, que le rivage lui-même fût un rivage naturel, non une digue récemment créée par une municipalité. D'ailleurs la nature, par tous les sentiments qu'elle éveillait en moi, me semblait ce qu'il y avait de plus opposé aux productions mécaniques des hommes. Moins elle portait leur empreinte et plus elle offrait d'espace à l'expansion de mon cœur. Or j'avais retenu le nom de Balbec que nous avait cité Legrandin, comme d'une plage toute proche de « ces côtes funèbres, fameuses par tant de naufrages, qu'enveloppent six mois de l'année le linceul des brumes et l'écume des vagues ».

« On y sent encore sous ses pas, disait-il, bien plus qu'au Finistère lui-même (et quand bien même des hôtels s'y superposeraient maintenant, sans pouvoir y modifier la plus antique ossature de la terre), on y sent la véritable fin de la terre française, européenne, de la Terre antique. Et c'est le dernier campement de pêcheurs, pareils à tous les pêcheurs qui ont vécu depuis le commencement du monde, en face du royaume éternel des brouillards de la mer et des ombres. »

Un jour qu'à Combray j'avais parlé de cette plage de Balbec devant M. Swann, afin d'apprendre de lui si c'était le point le mieux choisi pour voir les plus fortes tempêtes, il m'avait répondu : « Je crois bien que je connais Balbec ! L'église de Balbec, du XIIe et XIIIe siècle, encore à moitié romane, est peut-être le plus curieux échantillon du gothique normand, et si singulière ! on dirait de l'art persan. » Et ces lieux qui jusque-là ne m'avaient semblé être que de la nature immémoriale, restée contemporaine des grands phénomènes géologiques — et tout aussi en dehors de l'histoire humaine que l'Océan ou la Grande Ourse, avec ces sauvages pêcheurs pour qui, pas plus que pour les baleines, il n'y eut de moyen âge —, ç'avait été un grand charme pour moi de les voir tout d'un coup entrés dans la série des siècles, ayant connu l'époque romane, et de savoir que le trèfle gothique était venu nervurer aussi ces rochers sauvages à l'heure voulue, comme ces plantes frêles mais vivaces qui, quand c'est le printemps, étoilent çà et là la neige des pôles. Et si le gothique apportait à ces lieux et à ces hommes une détermination qui leur manquait, eux aussi lui conféraient une en retour. J'essayais de me représenter comment ces pêcheurs avaient vécu, le timide et insoupçonné essai de rapports sociaux qu'ils avaient tenté là, pendant le moyen âge, ramassés sur un point des côtes d'Enfer, aux pieds des falaises de la mort ; et le gothique me semblait plus vivant maintenant que, séparé des villes où je l'avais toujours imaginé jusque-là, je pouvais voir comment, dans un cas particulier, sur des rochers sauvages, il avait germé et fleuri en un fin clocher. On me mena voir des reproductions des plus célèbres statues de Balbec — les apôtres moutonnants et

camus, la Vierge du porche, et de joie ma respiration
s'arrêtait dans ma poitrine quand je pensais que je pourrais
les voir se modeler en relief sur le brouillard éternel et salé.
Alors, par les soirs orageux et doux de février, le vent —
soufflant dans mon cœur, qu'il ne faisait pas trembler moins
fort que la cheminée de ma chambre, le projet d'un voyage à
Balbec — mêlait en moi le désir de l'architecture gothique
avec celui d'une tempête sur la mer.

J'aurais voulu prendre dès le lendemain le beau train
généreux d'une heure vingt-deux dont je ne pouvais jamais
sans que mon cœur palpitât lire, dans les réclames des
Compagnies de chemin de fer, dans les annonces de voyages
circulaires, l'heure de départ : elle me semblait inciser à un
point précis de l'après-midi une savoureuse entaille, une
marque mystérieuse à partir de laquelle les heures déviées
conduisaient bien encore au soir, au matin du lendemain,
mais qu'on verrait, au lieu de Paris, dans l'une de ces villes
par où le train passe et entre lesquelles il nous permettait de
choisir ; car il s'arrêtait à Bayeux, à Coutances, à Vitré, à
Questambert, à Pontorson, à Balbec, à Lannion, à Lamballe,
à Bénodet, à Pont-Aven, à Quimperlé, et s'avançait magnifi-
quement surchargé de noms qu'il m'offrait et entre lesquels
je ne savais lequel j'aurais préféré, par impossibilité d'en
sacrifier aucun. Mais sans même l'attendre, j'aurais pu, en
m'habillant à la hâte, partir le soir même, si mes parents me
l'avaient permis, et arriver à Balbec quand le petit jour se
lèverait sur la mer furieuse, contre les écumes envolées de
laquelle j'irais me réfugier dans l'église de style persan. Mais
à l'approche des vacances de Pâques, quand mes parents
m'eurent promis de me les faire passer une fois dans le nord
de l'Italie, voilà qu'à ces rêves de tempête dont j'avais été
rempli tout entier, ne souhaitant voir que des vagues
accourant de partout, toujours plus haut, sur la côte la plus
sauvage, près d'églises escarpées et rugueuses comme des
falaises et dans les tours desquelles crieraient les oiseaux de
mer, voilà que tout à coup les effaçant, leur ôtant tout

charme, les excluant parce qu'ils lui étaient opposés et n'auraient pu que l'affaiblir, se substituait en moi le rêve contraire du printemps le plus diapré, non pas le printemps de Combray qui piquait encore aigrement avec toutes les aiguilles du givre, mais celui qui couvrait déjà de lys et d'anémones les champs de Fiesole et éblouissait Florence de fonds d'or pareils à ceux de l'Angelico. Dès lors, seuls les rayons, les parfums, les couleurs me semblaient avoir du prix ; car l'alternance des images avait amené en moi un changement de front du désir et — aussi brusque que ceux qu'il y a parfois en musique — un complet changement de ton dans ma sensibilité. Puis il arriva qu'une simple variation atmosphérique suffit à provoquer en moi cette modulation sans qu'il y eût besoin d'attendre le retour d'une saison. Car souvent dans l'une on trouve égaré un jour d'une autre, qui nous y fait vivre, en évoque aussitôt, en fait désirer les plaisirs particuliers et interrompt les rêves que nous étions en train de faire, en plaçant plus tôt ou plus tard qu'à son tour ce feuillet détaché d'un autre chapitre, dans le calendrier interpolé du Bonheur. Mais bientôt, comme ces phénomènes naturels dont notre confort ou notre santé ne peuvent tirer qu'un bénéfice accidentel et assez mince jusqu'au jour où la science s'empare d'eux et, les produisant à volonté, remet en nos mains la possibilité de leur apparition, soustraite à la tutelle et dispensée de l'agrément du hasard, de même la production de ces rêves d'Atlantique et d'Italie cessa d'être soumise uniquement aux changements des saisons et du temps. Je n'eus besoin pour les faire renaître que de prononcer ces noms : Balbec, Venise, Florence, dans l'intérieur desquels avait fini par s'accumuler le désir que m'avaient inspiré les lieux qu'ils désignaient. Même au printemps, trouver dans un livre le nom de Balbec suffisait à réveiller en moi le désir des tempêtes et du gothique normand ; même par un jour de tempête, le nom de Florence ou de Venise me donnait le désir du soleil, des lys, du palais des Doges et de Sainte-Marie-des-Fleurs.

Mais si ces noms absorbèrent à tout jamais l'image que j'avais de ces villes, ce ne fut qu'en la transformant, qu'en soumettant sa réapparition en moi à leurs lois propres ; ils eurent ainsi pour conséquence de la rendre plus belle, mais aussi plus différente de ce que les villes de Normandie ou de Toscane pouvaient être en réalité, et, en accroissant les joies arbitraires de mon imagination, d'aggraver la déception future de mes voyages. Ils exaltèrent l'idée que je me faisais de certains lieux de la terre, en les faisant plus particuliers, par conséquent plus réels. Je ne me représentais pas alors les villes, les paysages, les monuments comme des tableaux plus ou moins agréables, découpés çà et là dans une même matière, mais chacun d'eux comme un inconnu, essentiellement différent des autres, dont mon âme avait soif et qu'elle aurait profit à connaître. Combien ils prirent quelque chose de plus individuel encore, d'être désignés par des noms, des noms qui n'étaient que pour eux, des noms comme en ont les personnes ! Les mots nous présentent des choses une petite image claire et usuelle comme celles que l'on suspend aux murs des écoles pour donner aux enfants l'exemple de ce qu'est un établi, un oiseau, une fourmilière, choses conçues comme pareilles à toutes celles de même sorte. Mais les noms présentent des personnes — et des villes qu'ils nous habituent à croire individuelles, uniques comme des personnes — une image confuse qui tire d'eux, de leur sonorité éclatante ou sombre, la couleur dont elle est peinte uniformément, comme une de ces affiches, entièrement bleues ou entièrement rouges, dans lesquelles, à cause des limites du procédé employé ou par un caprice du décorateur, sont bleus ou rouges, non seulement le ciel et la mer, mais les barques, l'église, les passants. Le nom de Parme, une des villes où je désirais le plus aller depuis que j'avais lu *la Chartreuse,* m'apparaissant compact, lisse, mauve et doux, si on me parlait d'une maison quelconque de Parme dans laquelle je serais reçu, on me causait le plaisir de penser que j'habiterais une demeure lisse, compacte, mauve et douce, qui n'avait de rapport avec les demeures d'aucune ville d'Italie, puisque je l'imaginais seulement à l'aide de cette syllabe lourde du nom de Parme, où ne circule aucun air, et de tout ce que je lui avais fait absorber de douceur stendhalienne et du reflet des violettes. Et quand je pensais à Florence, c'était comme à une ville miraculeusement embaumée et semblable à une corolle, parce qu'elle s'appelait la cité des lys et sa cathédrale, Sainte-Marie-des Fleurs. Quant à Balbec, c'était un de ces noms où, comme sur une vieille poterie normande qui garde la couleur de la terre d'où elle fut tirée, on voit se peindre encore la représentation de quelque usage aboli, de quelque droit féodal, d'un état ancien de lieux, d'une manière désuète de prononcer qui en avait formé les syllabes hétéroclites et que je ne doutais pas de retrouver jusque chez l'aubergiste qui me servirait du café au lait à mon arrivée, me menant voir la mer déchaînée devant l'église, et auquel je prêtais l'aspect disputeur, solennel et médiéval d'un personnage de fabliau.

Si ma santé s'affermissait et que mes parents me permissent, sinon d'aller séjourner à Balbec, du moins de prendre une fois, pour faire connaissance avec l'architecture et les paysages de la Normandie ou de la Bretagne, ce train d'une heure vingt-deux dans lequel j'étais monté tant de fois en imagination, j'aurais voulu m'arrêter de préférence dans les villes les plus belles; mais j'avais beau les comparer, comment choisir, plus qu'entre des êtres individuels qui ne sont pas interchangeables, entre Bayeux si haute dans sa noble dentelle rougeâtre et dont le faîte était illuminé par le vieil or de sa dernière syllabe; Vitré dont l'accent aigu losangeait de bois noir le vitrage ancien; le doux Lamballe qui, dans son blanc, va du jaune coquille d'œuf au gris perle; Coutances, cathédrale normande, que sa diphtongue finale, grasse et jaunissante, couronne par une tour de beurre; Lannion avec le bruit, dans son silence villageois, du coche suivi de la mouche; Questambert, Pontorson, risibles et naïfs, plumes blanches et becs jaunes éparpillés sur la route

de ces lieux fluviatiles et poétiques ; Bénodet, nom à peine
amarré que semble vouloir entraîner la rivière au milieu de
ses algues ; Pont-Aven, envolée blanche et rose de l'aile d'une
coiffe légère qui se reflète en tremblant dans une eau verdie
de canal ; Quimperlé, lui, mieux attaché, et depuis le moyen
âge, entre les ruisseaux dont il gazouille et s'emperle en une
grisaille pareille à celle que dessinent, à travers les toiles
d'araignées d'une verrière, les rayons de soleil changés en
pointes émoussées d'argent bruni ?

Ces images étaient fausses pour une autre raison encore ;
c'est qu'elles étaient forcément très simplifiées ; sans doute ce
à quoi aspirait mon imagination et que mes sens ne
percevaient qu'incomplètement et sans plaisir dans le présent, je l'avais enfermé dans le refuge des noms ; sans doute,
parce que j'y avais accumulé du rêve, ils aimantaient
maintenant mes désirs ; mais les noms ne sont pas très
vastes ; c'est tout au plus si je pouvais y faire entrer deux ou
trois des « curiosités » principales de la ville et elles s'y
juxtaposaient sans intermédiaires ; dans le nom de Balbec,
comme dans le verre grossissant de ces porte-plume qu'on
achète aux bains de mer, j'apercevais des vagues soulevées
autour d'une église de style persan. Peut-être même la
simplification de ces images fut-elle une des causes de
l'empire qu'elles prirent sur moi. Quand mon père eut
décidé, une année, que nous irions passer les vacances de
Pâques à Florence et à Venise, n'ayant pas la place de faire
entrer dans le nom de Florence les éléments qui composent
d'habitude les villes, je fus contraint à faire sortir une cité
surnaturelle de la fécondation, par certains parfums printa-
niers, de ce que je croyais être, en son essence, le génie de
Giotto. Tout au plus — et parce qu'on ne peut pas faire tenir
dans un nom beaucoup plus de durée que d'espace —
comme certains tableaux de Giotto eux-mêmes qui montrent
à deux moments différents de l'action un même personnage,
ici couché dans son lit, là s'apprêtant à monter à cheval, le
nom de Florence était-il divisé en deux compartiments. Dans

l'un, sous un dais architectural, je contemplais une fresque à
laquelle était partiellement superposé un rideau de soleil
matinal, poudreux, oblique et progressif ; dans l'autre (car,
ne pensant pas aux noms comme à un idéal inaccessible,
mais comme à une ambiance réelle dans laquelle j'irais me
plonger, la vie non vécue encore, la vie intacte et pure que j'y
enfermais donnait aux plaisirs les plus matériels, aux scènes
les plus simples, cet attrait qu'ils ont dans les œuvres des
primitifs) je traversais rapidement — pour trouver plus vite
le déjeuner qui m'attendait avec des fruits et du vin de
Chianti — le Ponte Vecchio encombré de jonquilles, de
narcisses et d'anémones. Voilà (bien que je fusse à Paris) ce
que je voyais, et non ce qui était autour de moi. Même à un
simple point de vue réaliste, les pays que nous désirons
tiennent à chaque moment beaucoup plus de place dans
notre vie véritable, que le pays où nous nous trouvons
effectivement. Sans doute si alors j'avais fait moi-même plus
attention à ce qu'il y avait dans ma pensée quand je
prononçais les mots « aller à Florence, à Parme, à Pise, à
Venise », je me serais rendu compte que ce que je voyais
n'était nullement une ville, mais quelque chose d'aussi
différent de tout ce que je connaissais, d'aussi délicieux, que
pourrait être pour une humanité dont la vie se serait toujours
écoulée dans des fins d'après-midi d'hiver, cette merveille
inconnue : une matinée de printemps. Ces images irréelles,
fixes, toujours pareilles, remplissant mes nuits et mes jours,
différencièrent cette époque de ma vie de celles qui l'avaient
précédée (et qui auraient pu se confondre avec elle aux yeux
d'un observateur qui ne voit les choses que du dehors, c'est-
à-dire qui ne voit rien), comme dans un opéra un motif
mélodique introduit une nouveauté qu'on ne pourrait pas
soupçonner si on ne faisait que lire le livret, moins encore si
on restait en dehors du théâtre à compter seulement les
quarts d'heure qui s'écoulent. Et encore, même à ce point de
vue de simple quantité, dans notre vie les jours ne sont pas
égaux. Pour parcourir les jours, les natures un peu nerveuses,

comme était la mienne, disposent, comme les voitures
automobiles, de « vitesses » différentes. Il y a des jours
montueux et malaisés qu'on met un temps infini à gravir et
des jours en pente qui se laissent descendre à fond de train en
chantant. Pendant ce mois — où je ressassai comme une
mélodie, sans pouvoir m'en rassasier, ces images de Florence, de Venise et de Pise, desquelles le désir qu'elles
excitaient en moi gardait quelque chose d'aussi profondément individuel que si ç'avait été un amour, un amour pour
une personne — je ne cessai pas de croire qu'elles correspon-
daient à une réalité indépendante de moi, et elles me firent
connaître une aussi belle espérance que pouvait en nourrir
un chrétien des premiers âges à la veille d'entrer dans le
paradis. Aussi, sans que je me souciasse de la contradiction
qu'il y avait à vouloir regarder et toucher avec les organes
des sens ce qui avait été élaboré par la rêverie et non perçu
par eux — et d'autant plus tentant pour eux, plus différent
de ce qu'ils connaissaient —, c'est ce qui me rappelait la
réalité de ces images qui enflammait le plus mon désir, parce
que c'était comme une promesse qu'il serait contenté. Et,
bien que mon exaltation eût pour motif un désir de
jouissances artistiques, les guides l'entretenaient encore plus
que les livres d'esthétique et, plus que les guides, l'indicateur
des chemins de fer. Ce qui m'émouvait, c'était de penser que
cette Florence que je voyais proche, mais inaccessible, dans
mon imagination, si le trajet qui la séparait de moi, en moi-
même, n'était pas viable, je pourrais l'atteindre par un biais,
par un détour, en prenant la « voie de terre ». Certes, quand
je me répétais, donnant ainsi tant de valeur à ce que j'allais
voir, que Venise était « l'école de Giorgione, la demeure du
Titien, le plus complet musée de l'architecture domestique
au moyen âge », je me sentais heureux. Je l'étais pourtant
davantage quand, sorti pour une course, marchant vite à
cause du temps qui, après quelques jours de printemps
précoce, était redevenu un temps d'hiver (comme celui que
nous trouvions d'habitude à Combray, la Semaine Sainte) —

voyant sur les boulevards les marronniers qui, plongés dans
un air glacial et liquide comme de l'eau, n'en commençaient
pas moins, invités exacts, déjà en tenue, et qui ne se sont pas
laissé décourager, à arrondir et à ciseler, en leurs blocs
congelés, l'irrésistible verdure dont la puissance abortive du
froid contrariait, mais ne parvenait pas à refréner la progressive poussée — je pensais que déjà le Ponte Vecchio était
jonché à foison de jacinthes et d'anémones et que le soleil du
printemps teignait déjà les flots du Grand Canal d'un si
sombre azur et de si nobles émeraudes qu'en venant se briser
aux pieds des peintures du Titien, ils pouvaient rivaliser de
riche coloris avec elles. Je ne pus plus contenir ma joie quand
mon père, tout en consultant le baromètre et en déplorant le
froid, commença à chercher quels seraient les meilleurs
trains, et quand je compris qu'en pénétrant après le déjeuner
dans le laboratoire charbonneux, dans la chambre magique
qui se chargeait d'opérer la transmutation tout autour d'elle
on pouvait s'éveiller le lendemain dans la cité de marbre et
d'or « rehaussée de jaspe et pavée d'émeraudes ». Ainsi, elle
et la Cité des lys n'étaient pas seulement des tableaux fictifs
qu'on mettait à volonté devant son imagination, mais
existaient à une certaine distance de Paris qu'il fallait
absolument franchir si l'on voulait les voir, à une certaine
place déterminée de la terre, et à aucune autre, en un mot
étaient bien réelles. Elles le devinrent encore plus pour moi,
quand mon père en disant : « En somme, vous pourriez
rester à Venise du 20 avril au 29 et arriver à Florence dès le
matin de Pâques », les fit sortir toutes deux non plus
seulement de l'Espace abstrait, mais de ce Temps imaginaire
où nous situons non pas un seul voyage à la fois, mais
d'autres, simultanés, et sans trop d'émotion puisqu'ils ne
sont que possibles — ce Temps qui se refabrique si bien
qu'on peut encore le passer dans une ville après qu'on l'a
passé dans une autre — et leur consacra de ces jours
particuliers qui sont le certificat d'authenticité des objets
auxquels on les emploie, car ces jours uniques, ils se

consument par l'usage, ils ne reviennent pas, on ne peut plus
les vivre ici quand on les a vécus là ; je sentis que c'était vers
la semaine qui commençait le lundi où la blanchisseuse
devait rapporter le gilet blanc que j'avais couvert d'encre,
que se dirigeaient pour s'y absorber, au sortir du temps idéal
où elles n'existaient pas encore, les deux cités Reines dont
j'allais avoir, par la plus émouvante des géométries, à
inscrire les dômes et les tours dans le plan de ma propre vie.
Mais je n'étais encore qu'en chemin vers le dernier degré de
l'allégresse ; je l'atteignis enfin (ayant seulement alors la
révélation que, sur les rues clapotantes, rougies du reflet des
fresques de Giorgione, ce n'était pas, comme j'avais, malgré
tant d'avertissements, continué à l'imaginer, les hommes
« majestueux et terribles comme la mer, portant leur armure
aux reflets de bronze sous les plis de leur manteau sanglant »
qui se promèneraient dans Venise la semaine prochaine, la
veille de Pâques, mais que ce pourrait être moi, le personnage minuscule que, dans une grande photographie de Saint-
Marc qu'on m'avait prêtée, l'illustrateur avait représenté, en
chapeau melon, devant les porches), quand j'entendis mon
père me dire : « Il doit faire encore froid sur le Grand Canal,
tu ferais bien de mettre à tout hasard dans ta malle ton
pardessus d'hiver et ton gros veston. » A ces mots je m'élevai
à une sorte d'extase ; ce que j'avais cru jusque-là impossible,
je me sentis vraiment pénétrer entre ces « rochers d'amé-
thyste pareils à un récif de la mer des Indes » ; par une
gymnastique suprême et au-dessus de mes forces, me dévê-
tant comme d'une carapace sans objet de l'air de ma
chambre qui m'entourait, je le remplaçai par des parties
égales d'air vénitien, cette atmosphère marine, indicible et
particulière comme celle des rêves, que mon imagination
avait enfermée dans le nom de Venise ; je sentis s'opérer en
moi une miraculeuse désincarnation ; elle se doubla aussitôt de la vague envie de vomir qu'on éprouve quand on
vient de prendre un gros mal de gorge, et on dut me mettre
au lit avec une fièvre si tenace que le docteur déclara qu'il

fallait renoncer non seulement à me laisser partir maintenant à Florence et à Venise mais, même quand je serais entièrement rétabli, m'éviter, d'ici au moins un an, tout projet de voyage et toute cause d'agitation.

Et hélas, il défendit aussi d'une façon absolue qu'on me laissât aller au théâtre entendre la Berma ; l'artiste sublime, à laquelle Bergotte trouvait du génie, m'aurait, en me faisant connaître quelque chose qui était peut-être aussi important et aussi beau, consolé de n'avoir pas été à Florence et à Venise, de n'aller pas à Balbec. On devait se contenter de m'envoyer chaque jour aux Champs-Élysées, sous la surveillance d'une personne qui m'empêcherait de me fatiguer et qui fut Françoise, entrée à notre service après la mort de ma tante Léonie. Aller aux Champs-Élysées me fut insupportable. Si seulement Bergotte les eût décrits dans un de ses livres, sans doute j'aurais désiré de les connaître, comme toutes les choses dont on avait commencé par mettre le « double » dans mon imagination. Elle les réchauffait, les faisait vivre, leur donnait une personnalité, et je voulais les retrouver dans la réalité ; mais dans ce jardin public rien ne se rattachait à mes rêves.

Un jour, comme je m'ennuyais à notre place familière, à côté des chevaux de bois, Françoise m'avait emmené en excursion — au delà de la frontière que gardent à intervalles égaux les petits bastions des marchandes de sucre d'orge — dans ces régions voisines mais étrangères où les visages sont inconnus, où passe la voiture aux chèvres ; puis elle était revenue prendre ses affaires sur sa chaise adossée à un massif de lauriers ; en l'attendant je foulais la grande pelouse chétive et rase, jaunie par le soleil, au bout de laquelle le bassin est dominé par une statue, quand de l'allée, s'adressant à une fillette à cheveux roux qui jouait au volant devant la vasque, une autre, en train de mettre son manteau et de serrer sa raquette, lui cria, d'une voix brève : « Adieu, Gilberte, je rentre, n'oublie pas que nous venons ce soir chez

toi après dîner. » Ce nom de Gilberte passa près de moi,
évoquant d'autant plus l'existence de celle qu'il désignait
qu'il ne la nommait pas seulement comme un absent dont on
parle, mais l'interpellait ; il passa ainsi près de moi, en action
pour ainsi dire, avec une puissance qu'accroissait la courbe
de son jet et l'approche de son but ; — transportant à son
bord, je le sentais, la connaissance, les notions qu'avait de
celle à qui il était adressé, non pas moi, mais l'amie qui
l'appelait, tout ce que, tandis qu'elle le prononçait, elle
revoyait ou, du moins, possédait en sa mémoire, de leur
intimité quotidienne, des visites qu'elles se faisaient l'une
chez l'autre, et tout cet inconnu encore plus inaccessible et
plus douloureux pour moi d'être au contraire si familier et si
maniable pour cette fille heureuse qui m'en frôlait sans que
j'y puisse pénétrer et le jetait en plein air dans un cri ; —
laissant déjà flotter dans l'air l'émanation délicieuse qu'il
avait fait se dégager, en les touchant avec précision, de
quelques points invisibles de la vie de Mlle Swann, du soir qui
allait venir, tel qu'il serait, après dîner, chez elle ; — formant,
passager céleste au milieu des enfants et des bonnes, un petit
nuage d'une couleur précieuse, pareil à celui qui, bombé au-
dessus d'un beau jardin du Poussin, reflète minutieusement,
comme un nuage d'opéra plein de chevaux et de chars,
quelque apparition de la vie des dieux ; — jetant enfin, sur
cette herbe pelée, à l'endroit où elle était un morceau à la fois
de pelouse flétrie et un moment de l'après-midi de la blonde
joueuse de volant (qui ne s'arrêta de le lancer et de le
rattaper que quand une institutrice à plumet bleu l'eut
appelée), une petite bande merveilleuse et couleur d'hélio-
trope, impalpable comme un reflet et superposée comme un
tapis, sur lequel je ne pus me lasser de promener mes pas
attardés, nostalgiques et profanateurs, tandis que Françoise
me criait : « Allons, aboutonnez voir votre paletot et fi-
lons » et que je remarquais pour la première fois avec
irritation qu'elle avait un langage vulgaire, et hélas ! pas de
plumet bleu à son chapeau.

Retournerait-elle seulement aux Champs-Élysées ? Le lendemain elle n'y était pas ; mais je l'y vis, les jours suivants ; je
tournais tout le temps autour de l'endroit où elle jouait avec
ses amies, si bien qu'une fois où elles ne se trouvèrent pas en
nombre pour leur partie de barres, elle me fit demander si je
voulais compléter leur camp, et je jouai désormais avec elle
chaque fois qu'elle était là. Mais ce n'était pas tous les jours ;
il y en avait où elle était empêchée de venir par ses cours, le
catéchisme, un goûter, toute cette vie séparée de la mienne
que par deux fois, condensée dans le nom de Gilberte, j'avais
sentie passer si douloureusement près de moi, dans le
raidillon de Combray et sur la pelouse des Champs-Élysées.
Ces jours-là, elle annonçait d'avance qu'on ne la verrait pas ;
si c'était à cause de ses études, elle disait : « C'est rasant, je
ne pourrai pas venir demain ; vous allez tous vous amuser
sans moi », d'un air chagrin qui me consolait un peu ; mais
en revanche quand elle était invitée à une matinée et que, ne
le sachant pas, je lui demandais si elle viendrait jouer, elle
me répondait : « J'espère bien que non ! J'espère bien que
maman me laissera aller chez mon amie. » Du moins, ces
jours-là, je savais que je ne la verrais pas, tandis que,
d'autres fois, c'était à l'improviste que sa mère l'emmenait
faire des courses avec elle, et le lendemain elle disait : « Ah
oui, je suis sortie avec maman », comme une chose naturelle,
et qui n'eût pas été pour quelqu'un le plus grand malheur
possible. Il y avait aussi les jours de mauvais temps où son
institutrice, qui pour elle-même craignait la pluie, ne voulait
pas l'emmener aux Champs-Élysées.

Aussi si le ciel était douteux, dès le matin je ne cessais de
l'interroger et je tenais compte de tous les présages. Si je
voyais la dame d'en face qui, près de la fenêtre, mettait son
chapeau, je me disais : « Cette dame va sortir ; donc il fait un
temps où l'on peut sortir : pourquoi Gilberte ne ferait-elle
pas comme cette dame ? » Mais le temps s'assombrissait, ma
mère disait qu'il pouvait se lever encore, qu'il suffirait pour
cela d'un rayon de soleil, mais que plus probablement il

pleuvrait; et s'il pleuvait, à quoi bon aller aux Champs-
Élysées? Aussi depuis le déjeuner mes regards anxieux ne
quittaient plus le ciel incertain et nuageux. Il restait sombre.
Devant la fenêtre, le balcon était gris. Tout d'un coup, sur sa
pierre maussade je ne voyais pas une couleur moins terne,
mais je sentais comme un effort vers une couleur moins terne,
la pulsation d'un rayon hésitant qui voudrait libérer sa
lumière. Un instant après, le balcon était pâle et réfléchissant
comme une eau matinale, et mille reflets de la ferronnerie de
son treillage étaient venus s'y poser. Un souffle de vent les
dispersait, la pierre s'était de nouveau assombrie, mais,
comme apprivoisés, ils revenaient; elle recommençait imperceptiblement à blanchir et par un de ces crescendos continus
comme ceux qui, en musique, à la fin d'une Ouverture,
mènent une seule note jusqu'au fortissimo suprême en la
faisant passer rapidement par tous les degrés intermédiaires,
je la voyais atteindre à cet or inaltérable et fixe des beaux
jours, sur lequel l'ombre découpée de l'appui ouvragé de la
balustrade se détachait en noir comme une végétation
capricieuse, avec une ténuité dans la délinéation des moindres détails qui semblait trahir une conscience appliquée,
une satisfaction d'artiste, et avec un tel relief, un tel velours
dans le repos de ses masses sombres et heureuses qu'en vérité
ces reflets larges et feuillus qui reposaient sur ce lac de soleil
semblaient savoir qu'ils étaient des gages de calme et de
bonheur.

Lierre instantané, flore pariétaire et fugitive! la plus
incolore, la plus triste, au gré de beaucoup, de celles qui
peuvent ramper sur le mur ou décorer la croisée; pour moi,
de toutes la plus chère depuis le jour où elle était apparue sur
notre balcon, comme l'ombre même de la présence de
Gilberte qui était peut-être déjà aux Champs-Élysées et, dès
que j'y arriverais, me dirait : « Commençons tout de suite à
jouer aux barres, vous êtes dans mon camp »; fragile,
emportée par un souffle, mais aussi en rapport non pas avec
la saison, mais avec l'heure; promesse du bonheur immédiat

que la journée refuse ou accomplira, et par là du bonheur immédiat par excellence, le bonheur de l'amour ; plus douce, plus chaude sur la pierre que n'est la mousse même ; vivace, à qui il suffit d'un rayon pour naître et faire éclore de la joie, même au cœur de l'hiver.

Et jusque dans ces jours où toute autre végétation a disparu, où le beau cuir vert qui enveloppe le tronc des vieux arbres est caché sous la neige, quand celle-ci cessait de tomber, mais que le temps restait trop couvert pour espérer que Gilberte sortît, alors tout d'un coup, faisant dire à ma mère : « Tiens voilà justement qu'il fait beau, vous pourriez peut-être essayer tout de même d'aller aux Champs-Élysées », sur le manteau de neige qui couvrait le balcon, le soleil apparu entrelaçait des fils d'or et brodait des reflets noirs. Ce jour-là nous ne trouvions personne, ou une seule fillette prête à partir qui m'assurait que Gilberte ne viendrait pas. Les chaises désertées par l'assemblée imposante mais frileuse des institutrices étaient vides. Seule, près de la pelouse, était assise une dame d'un certain âge qui venait par tous les temps, toujours harnachée d'une toilette identique, magnifique et sombre, et pour faire la connaissance de laquelle j'aurais à cette époque sacrifié, si l'échange m'avait été permis, tous les plus grands avantages futurs de ma vie. Car Gilberte allait tous les jours la saluer ; elle demandait à Gilberte des nouvelles de « son amour de mère » ; et il me semblait que, si je l'avais connue, j'aurais été pour Gilberte quelqu'un de tout autre, quelqu'un qui connaissait les relations de ses parents. Pendant que ses petits-enfants jouaient plus loin, elle lisait toujours les *Débats* qu'elle appelait « mes vieux Débats », et par genre aristocratique disait en parlant du sergent de ville ou de la loueuse de chaises : « Mon vieil ami le sergent de ville », « la loueuse de chaises et moi qui sommes de vieux amis ».

Françoise avait trop froid pour rester immobile, nous allâmes jusqu'au pont de la Concorde voir la Seine prise, dont chacun et même les enfants s'approchaient sans peur comme d'une immense baleine échouée, sans défense, et qu'on allait dépecer. Nous revenions aux Champs-Élysées ; je languissais de douleur entre les chevaux de bois immobiles et la pelouse blanche, prise dans le réseau noir des allées dont on avait enlevé la neige et sur laquelle la statue avait à la main un jet de glace ajouté, qui semblait l'explication de son geste. La vieille dame elle-même, ayant plié ses *Débats*, demanda l'heure à une bonne d'enfants qui passait et qu'elle remercia en lui disant : « Comme vous êtes aimable ! » puis, priant le cantonnier de dire à ses petits-enfants de revenir, qu'elle avait froid, ajouta : « Vous serez mille fois bon. Vous savez que je suis confuse ! » Tout à coup l'air se déchira : entre le guignol et le cirque, à l'horizon embelli, sur le ciel entr'ouvert, je venais d'apercevoir, comme un signe fabuleux, le plumet bleu de Mademoiselle. Et déjà Gilberte courait à toute vitesse dans ma direction, étincelante et rouge sous un bonnet carré de fourrure, animée par le froid, le retard et le désir du jeu ; un peu avant d'arriver à moi, elle se laissa glisser sur la glace et, soit pour mieux garder son équilibre, soit parce qu'elle trouvait cela plus gracieux, ou par affectation du maintien d'une patineuse, c'est les bras grands ouverts qu'elle avançait en souriant, comme si elle avait voulu m'y recevoir. « Brava ! Brava ! ça c'est très bien, je dirais comme vous que c'est chic, que c'est crâne, si je n'étais pas d'un autre temps, du temps de l'ancien régime, s'écria la vieille dame prenant la parole au nom des Champs-Élysées silencieux pour remercier Gilberte d'être venue sans se laisser intimider par le temps. Vous êtes comme moi, fidèle quand même à nos vieux Champs-Élysées ; nous sommes deux intrépides. Si je vous disais que je les aime, même ainsi. Cette neige, vous allez rire de moi, ça me fait penser à de l'hermine ! » Et la vieille dame se mit à rire.

Le premier de ces jours — auxquels la neige, image des puissances qui pouvaient me priver de voir Gilberte, donnait la tristesse d'un jour de séparation et jusqu'à l'aspect d'un jour de départ, parce qu'il changeait la figure et empêchait presque l'usage du lieu habituel de nos seules entrevues, maintenant changé, tout enveloppé de housses — ce jour fit pourtant faire un progrès à mon amour, car il fut comme un premier chagrin qu'elle eût partagé avec moi. Il n'y avait que nous deux de notre bande, et être ainsi le seul qui fût avec elle, c'était non seulement comme un commencement d'intimité, mais aussi de sa part — comme si elle ne fût venue rien que pour moi par un temps pareil — cela me semblait aussi touchant que si, un de ces jours où elle était invitée à une matinée, elle y avait renoncé pour venir me retrouver aux Champs-Élysées ; je prenais plus de confiance en la vitalité et en l'avenir de notre amitié qui restait vivace au milieu de l'engourdissement, de la solitude et de la ruine des choses environnantes ; et tandis qu'elle me mettait des boules de neige dans le cou, je souriais avec attendrissement à ce qui me semblait à la fois une prédilection qu'elle me marquait en me tolérant comme compagnon de voyage dans ce pays hivernal et nouveau, et une sorte de fidélité qu'elle me gardait au milieu du malheur. Bientôt, l'une après l'autre, comme des moineaux hésitants, ses amies arrivèrent, toutes noires sur la neige. Nous commençâmes à jouer, et comme ce jour si tristement commencé devait finir dans la joie, comme je m'approchais, avant de jouer aux barres, de l'amie à la voix brève que j'avais entendue le premier jour crier le nom de Gilberte, elle me dit : « Non, non, on sait bien que vous aimez mieux être dans le camp de Gilberte, d'ailleurs, vous voyez, elle vous fait signe. » Elle m'appelait en effet pour que je vinsse sur la pelouse de neige, dans son camp, dont le soleil en lui donnant les reflets roses, l'usure métallique des brocarts anciens, faisait un Camp du Drap d'or.

Ce jour que j'avais tant redouté fut au contraire un des seuls où je ne fus pas trop malheureux.

Car, moi qui ne pensais plus qu'à ne jamais rester un jour sans voir Gilberte (au point qu'une fois, ma grand'mère n'étant pas rentrée pour l'heure du dîner, je ne pus m'empêcher de me dire tout de suite que si elle avait été écrasée par une voiture, je ne pourrais pas aller de quelque temps aux Champs-Élysées; on n'aime plus personne dès qu'on aime), pourtant ces moments où j'étais auprès d'elle et que depuis la veille j'avais si impatiemment attendus, pour lesquels j'avais tremblé, auxquels j'aurais sacrifié tout le reste, n'étaient nullement des moments heureux; et je le savais bien, car c'était les seuls moments de ma vie sur lesquels je concentrasse une attention méticuleuse, acharnée, et elle ne découvrait pas en eux un atome de plaisir.

Tout le temps que j'étais loin de Gilberte, j'avais besoin de la voir, parce que cherchant sans cesse à me représenter son image, je finissais par ne plus y réussir, et par ne plus savoir exactement à quoi correspondait mon amour. Puis, elle ne m'avait encore jamais dit qu'elle m'aimait. Bien au contraire, elle avait souvent prétendu qu'elle avait des amis qu'elle me préférait, que j'étais un bon camarade avec qui elle jouait volontiers, quoique trop distrait, pas assez au jeu; enfin elle m'avait donné souvent des marques apparentes de froideur qui auraient pu ébranler ma croyance que j'étais pour elle un être différent des autres, si cette croyance avait pris sa source dans un amour que Gilberte aurait eu pour moi, et non pas, comme cela était, dans l'amour que j'avais pour elle, ce qui la rendait autrement résistante, puisque cela la faisait dépendre de la manière même dont j'étais obligé, par une nécessité intérieure, de penser à Gilberte. Mais les sentiments que je ressentais pour elle, moi-même je ne les lui avais pas encore déclarés. Certes, à toutes les pages de mes cahiers, j'écrivais indéfiniment son nom et son adresse, mais à la vue de ces vagues lignes que je traçais sans qu'elle pensât pour cela à moi, qui lui faisaient prendre autour de moi tant de place apparente sans qu'elle fût mêlée davantage à ma vie, je me sentais découragé parce qu'elles ne me parlaient pas de Gilberte qui ne les verrait même pas, mais de mon propre désir qu'elles semblaient me montrer comme quelque chose de purement personnel, d'irréel, de fastidieux et d'impuissant. Le plus pressé était que nous nous vissions,

Gilberte et moi, et que nous puissions nous faire l'aveu réciproque de notre amour, qui jusque-là n'aurait pour ainsi dire pas commencé. Sans doute les diverses raisons qui me rendaient si impatient de la voir auraient été moins impérieuses pour un homme mûr. Plus tard, il arrive que, devenus habiles dans la culture de nos plaisirs, nous nous contentions de celui que nous avons à penser à une femme comme je pensais à Gilberte, sans être inquiets de savoir si cette image correspond à la réalité, et aussi de celui de l'aimer sans avoir besoin d'être certains qu'elle nous aime ; ou encore que nous renoncions au plaisir de lui avouer notre inclination pour elle, afin d'entretenir plus vivace l'inclination qu'elle a pour nous, imitant ces jardiniers japonais qui, pour obtenir une plus belle fleur, en sacrifient plusieurs autres. Mais à l'époque où j'aimais Gilberte, je croyais encore que l'Amour existait réellement en dehors de nous ; que, en permettant tout au plus que nous écartions les obstacles, il offrait ses bonheurs dans un ordre auquel on n'était pas libre de rien changer ; il me semblait que si j'avais, de mon chef, substitué à la douceur de l'aveu la simulation de l'indifférence, je ne me serais pas seulement privé d'une des joies dont j'avais le plus rêvé, mais que je me serais fabriqué à ma guise un amour factice et sans valeur, sans communication avec le vrai, dont j'aurais renoncé à suivre les chemins mystérieux et préexistants.

Mais quand j'arrivais aux Champs-Élysées — et que d'abord j'allais pouvoir confronter mon amour, pour lui faire subir les rectifications nécessaires, à sa cause vivante, indépendante de moi — dès que j'étais en présence de cette Gilberte Swann sur la vue de laquelle j'avais compté pour rafraîchir les images que ma mémoire fatiguée ne retrouvait plus, de cette Gilberte Swann avec qui j'avais joué hier, et que venait de me faire saluer et reconnaître un instinct aveugle comme celui qui dans la marche nous met un pied devant l'autre avant que nous ayons eu le temps de penser, aussitôt tout se passait comme si elle et la fillette qui était l'objet de mes rêves avaient été deux êtres différents. Par exemple, si depuis la veille je portais dans ma mémoire deux yeux de feu dans des joues pleines et brillantes, la figure de Gilberte m'offrait maintenant avec insistance quelque chose que précisément je ne m'étais pas rappelé, un certain effilement aigu du nez qui, s'associant instantanément à d'autres traits, prenait l'importance de ces caractères qui en histoire naturelle définissent une espèce, et la transmuait en une fillette du genre de celles à museau pointu. Tandis que je m'apprêtais à profiter de cet instant désiré pour me livrer, sur l'image de Gilberte que j'avais préparée avant de venir et que je ne retrouvais plus dans ma tête, à la mise au point qui me permettrait, dans les longues heures où j'étais seul, d'être sûr que c'était bien elle que je me rappelais, que c'était bien mon amour pour elle que j'accroissais peu à peu comme un ouvrage qu'on compose, elle me passait une balle ; et comme le philosophe idéaliste dont le corps tient compte du monde extérieur à la réalité duquel son intelligence ne croit pas, le même moi qui m'avait fait la saluer avant que je l'eusse identifiée, s'empressait de me faire saisir la balle qu'elle me tendait (comme si elle était une camarade avec qui j'étais venu jouer, et non une âme sœur que j'étais venu rejoindre), me faisait lui tenir par bienséance jusqu'à l'heure où elle s'en allait, mille propos aimables et insignifiants et m'empêchait ainsi ou de garder le silence pendant lequel j'aurais pu enfin remettre la main sur l'image urgente et égarée, ou de lui dire les paroles qui pouvaient faire faire à notre amour les progrès décisifs sur lesquels j'étais chaque fois obligé de ne plus compter que pour l'après-midi suivant.

Il en faisait pourtant quelques-uns. Un jour, nous étions allés avec Gilberte jusqu'à la baraque de notre marchande qui était particulièrement aimable pour nous — car c'était chez elle que M. Swann faisait acheter son pain d'épice, et par hygiène, il en consommait beaucoup, souffrant d'un eczéma ethnique et de la constipation des Prophètes —, Gilberte me montrait en riant deux petits garçons qui étaient

comme le petit coloriste et le petit naturaliste des livres
d'enfants. Car l'un ne voulait pas d'un sucre d'orge rouge
parce qu'il préférait le violet, et l'autre, les larmes aux yeux,
refusait une prune que voulait lui acheter sa bonne, parce
que, finit-il par dire d'une voix passionnée : « J'aime mieux
l'autre prune parce qu'elle a un ver ! » J'achetai deux billes
d'un sou. Je regardais avec admiration, lumineuses et
captives dans une sébile isolée, les billes d'agate qui me
semblaient précieuses parce qu'elles étaient souriantes et
blondes comme des jeunes filles et parce qu'elles coûtaient
cinquante centimes pièce. Gilberte, à qui on donnait beaucoup plus d'argent qu'à moi, me demanda laquelle je
trouvais la plus belle. Elles avaient la transparence et le
fondu de la vie. Je n'aurais voulu lui en faire sacrifier aucune.
J'aurais aimé qu'elle pût les acheter, les délivrer toutes.
Pourtant je lui en désignai une qui avait la couleur dé ses
yeux. Gilberte la prit, chercha son rayon doré, la caressa,
paya sa rançon, mais aussitôt me remit sa captive en me
disant : « Tenez, elle est à vous, je vous la donne, gardez-la
comme souvenir. »

Une autre fois, toujours préoccupé du désir d'entendre la
Berma dans une pièce classique, je lui avais demandé si elle
ne possédait pas une brochure où Bergotte parlait de Racine
et qui ne se trouvait plus dans le commerce. Elle m'avait prié
de lui en rappeler le titre exact, et le soir je lui avais adressé
un petit télégramme en écrivant sur l'enveloppe ce nom de
Gilberte Swann que j'avais tant de fois tracé sur mes cahiers.
Le lendemain elle m'apporta, dans un paquet noué de
faveurs mauves et scellé de cire blanche, la brochure qu'elle
avait fait chercher. « Vous voyez que c'est bien ce que vous
m'avez demandé », me dit-elle, tirant de son manchon le
télégramme que je lui avais envoyé. Mais dans l'adresse de
ce pneumatique — qui hier encore n'était rien, n'était qu'un
petit bleu que j'avais écrit, et qui, depuis qu'un télégraphiste
l'avait remis au concierge de Gilberte et qu'un domestique
l'avait porté jusqu'à sa chambre, était devenu cette chose

sans prix, un des petits bleus qu'elle avait reçus ce jour-là —
j'eus peine à reconnaître les lignes vaines et solitaires de mon
écriture sous les cercles imprimés qu'y avait apposés la poste,
sous les inscriptions qu'y avait ajoutées au crayon un des
facteurs, signes de réalisation effective, cachets du monde
extérieur, violettes ceintures symboliques de la vie, qui pour
la première fois venaient épouser, maintenir, relever, réjouir
mon rêve.

Et il y eut un jour aussi où elle me dit : « Vous savez, vous
pouvez m'appeler Gilberte, en tout cas moi, je vous appelle-
rai par votre nom de baptême. C'est trop gênant. » Pourtant
elle continua encore un moment à se contenter de me dire
« vous » et, comme je le lui faisais remarquer, elle sourit et,
composant, construisant une phrase comme celles qui dans
les grammaires étrangères n'ont d'autre but que de nous
faire employer un mot nouveau, elle la termina par mon petit
nom. En me souvenant plus tard de ce que j'avais senti alors,
j'y ai démêlé l'impression d'avoir été tenu un instant dans sa
bouche, moi-même, nu, sans plus aucune des modalités
sociales qui appartenaient aussi soit à ses autres camarades,
soit, quand elle disait mon nom de famille, à mes parents, et
dont ses lèvres — en l'effort qu'elle faisait, un peu comme son
père, pour articuler les mots qu'elle voulait mettre en valeur
— eurent l'air de me dépouiller, de me dévêtir, comme de sa
peau un fruit dont on ne peut avaler que la pulpe, tandis que
son regard, se mettant au même degré nouveau d'intimité
que prenait sa parole, m'atteignait aussi plus directement,
non sans témoigner la conscience, le plaisir et jusque la
gratitude qu'il en avait, en se faisant accompagner d'un
sourire.

Mais au moment même, je ne pouvais apprécier la valeur
de ces plaisirs nouveaux. Ils n'étaient pas donnés par la
fillette que j'aimais, au moi qui l'aimait, mais par l'autre, par
celle avec qui je jouais, à cet autre moi qui ne possédait ni le
souvenir de la vraie Gilberte, ni le cœur indisponible qui seul
aurait pu savoir le prix d'un bonheur, parce que seul il l'avait

désiré. Même après être rentré à la maison, je ne les goûtais pas, car chaque jour, la nécessité qui me faisait espérer que le lendemain j'aurais la contemplation exacte, calme, heureuse de Gilberte, qu'elle m'avouerait enfin son amour, en m'expliquant pour quelles raisons elle avait dû me le cacher jusqu'ici, cette même nécessité me forçait à tenir le passé pour rien, à ne jamais regarder que devant moi, à considérer les petits avantages qu'elle m'avait donnés non pas en eux-mêmes et comme s'ils se suffisaient, mais comme des échelons nouveaux où poser le pied, qui allaient me permettre de faire un pas de plus en avant et d'atteindre enfin le bonheur que je n'avais pas encore rencontré.

Si elle me donnait parfois de ces marques d'amitié, elle me faisait aussi de la peine en ayant l'air de ne pas avoir de plaisir à me voir, et cela arrivait souvent les jours mêmes sur lesquels j'avais le plus compté pour réaliser mes espérances. J'étais sûr que Gilberte viendrait aux Champs-Élysées et j'éprouvais une allégresse qui me paraissait seulement la vague anticipation d'un grand bonheur quand — entrant dès le matin au salon pour embrasser maman déjà toute prête, la tour de ses cheveux noirs entièrement construite et ses belles mains blanches et potelées sentant encore le savon — j'avais appris, en voyant une colonne de poussière se tenir debout toute seule au-dessus du piano et en entendant un orgue de Barbarie jouer sous la fenêtre *En revenant de la revue,* que l'hiver recevait jusqu'au soir la visite inopinée et radieuse d'une journée de printemps. Pendant que nous déjeunions, en ouvrant sa croisée, la dame d'en face avait fait décamper en un clin d'œil, d'à côté de ma chaise — rayant d'un seul bond toute la largeur de notre salle à manger — un rayon qui y avait commencé sa sieste et était déjà revenu la continuer l'instant d'après. Au collège, à la classe d'une heure, le soleil me faisait languir d'impatience et d'ennui en laissant traîner une lueur dorée jusque sur mon pupitre, comme une invitation à la fête où je ne pourrais arriver avant trois heures, jusqu'au moment où Françoise venait me chercher à

la sortie et où nous nous acheminions vers les Champs-
Élysées par les rues décorées de la lumière, encombrées par
la foule et où les balcons, descellés par le soleil et vaporeux,
flottaient devant les maisons comme des nuages d'or. Hélas !
aux Champs-Élysées je ne trouvais pas Gilberte, elle n'était
pas encore arrivée. Immobile sur la pelouse nourrie par le
soleil invisible qui çà et là faisait flamboyer la pointe d'un
brin d'herbe, et sur laquelle les pigeons qui s'y étaient posés
avaient l'air de sculptures antiques que la pioche du jardinier
a ramenées à la surface d'un sol auguste, je restais les yeux
fixés sur l'horizon, je m'attendais à tout moment à voir
apparaître l'image de Gilberte suivant son institutrice,
derrière la statue qui semblait tendre l'enfant qu'elle portait
et qui ruisselait de rayons, à la bénédiction du soleil. La
vieille lectrice des *Débats* était assise sur son fauteuil, toujours
à la même place, elle interpellait un gardien à qui elle faisait
un geste amical de la main en lui criant : « Quel joli
temps ! » Et la préposée s'étant approchée d'elle pour
percevoir le prix du fauteuil, elle faisait mille minauderies en
mettant dans l'ouverture de son gant le ticket de dix
centimes, comme si ç'avait été un bouquet pour qui elle
cherchait, par amabilité pour le donateur, la place la plus
flatteuse possible. Quand elle l'avait trouvée, elle faisait
exécuter une évolution circulaire à son cou, redressait son
boa et plantait sur la chaisière, en lui montrant le bout de
papier jaune qui dépassait sur son poignet, le beau sourire
dont une femme, en indiquant son corsage à un jeune
homme, lui dit : « Vous reconnaissez vos roses ! »

J'emmenais Françoise au-devant de Gilberte jusqu'à
l'Arc-de-Triomphe, nous ne la rencontrions pas, et je
revenais vers la pelouse persuadé qu'elle ne viendrait plus,
quand, devant les chevaux de bois, la fillette à la voix brève
se jetait sur moi : « Vite, vite, il y a déjà un quart d'heure
que Gilberte est arrivée. Elle va repartir bientôt. On vous
attend pour faire une partie de barres. » Pendant que je
montais l'avenue des Champs-Élysées, Gilberte était venue

par la rue Boissy-d'Anglas, Mademoiselle ayant profité du
beau temps pour faire des courses pour elle; et M. Swann
allait venir chercher sa fille. Aussi, c'était ma faute; je
n'aurais pas dû m'éloigner de la pelouse; car on ne savait
jamais sûrement par quel côté Gilberte viendrait, si ce serait
plus ou moins tard, et cette attente finissait par me rendre
plus émouvants, non seulement les Champs-Élysées entiers
et toute la durée de l'après-midi, comme une immense
étendue d'espace et de temps sur chacun des points et à
chacun des moments de laquelle il était possible qu'apparût
l'image de Gilberte, mais encore cette image elle-même,
parce que derrière cette image je sentais se cacher la raison
pour laquelle elle m'était décochée en plein cœur à quatre
heures au lieu de deux heures et demie, surmontée d'un
chapeau de visite à la place d'un béret de jeu, devant les
« Ambassadeurs » et non entre les deux guignols, je devinais
quelqu'une de ces occupations où je ne pouvais suivre
Gilberte et qui la forçaient à sortir ou à rester à la maison,
j'étais en contact avec le mystère de sa vie inconnue. C'était
ce mystère aussi qui me troublait quand, courant sur l'ordre
de la fillette à la voix brève pour commencer tout de suite
notre partie de barres, j'apercevais Gilberte, si vive et
brusque avec nous, faisant une révérence à la dame aux
Débats (qui lui disait : « Quel beau soleil, on dirait du feu »),
lui parlant avec un sourire timide, d'un air compassé qui
m'évoquait la jeune fille différente que Gilberte devait être
chez ses parents, avec les amis de ses parents, en visite, dans
toute son autre existence qui m'échappait. Mais de cette
existence, personne ne me donnait l'impression comme
M. Swann qui venait un peu après pour retrouver sa fille.
C'est que lui et Mme Swann — parce que leur fille habitait
chez eux, parce que ses études, ses jeux, ses amitiés
dépendaient d'eux — contenaient pour moi, comme Gilberte, peut-être même plus que Gilberte, comme il convenait
à des dieux tout-puissants sur elle, en qui il aurait eu sa
source, un inconnu inaccessible, un charme douloureux.

Tout ce qui les concernait était de ma part l'objet d'une préoccupation si constante que les jours où, comme ceux-là, M. Swann (que j'avais vu si souvent autrefois sans qu'il excitât ma curiosité, quand il était lié avec mes parents) venait chercher Gilberte aux Champs-Élysées, une fois calmés les battements de cœur qu'avait excités en moi l'apparition de son chapeau gris et de son manteau à pèlerine, son aspect m'impressionnait encore comme celui d'un personnage historique sur lequel nous venons de lire une série d'ouvrages et dont les moindres particularités nous passionnent. Ses relations avec le comte de Paris qui, quand j'en entendais parler à Combray, me semblaient indifférentes, prenaient maintenant pour moi quelque chose de merveilleux, comme si personne d'autre n'eût jamais connu les Orléans ; elles le faisaient se détacher vivement sur le fond vulgaire des promeneurs de différentes classes qui encombraient cette allée des Champs-Élysées et au milieu desquels j'admirais qu'il consentît à figurer sans réclamer d'eux d'égards spéciaux, qu'aucun d'ailleurs ne songeait à lui rendre, tant était profond l'incognito dont il était enveloppé.

Il répondait poliment aux saluts des camarades de Gilberte, même au mien quoiqu'il fût brouillé avec ma famille, mais sans avoir l'air de me connaître. (Cela me rappela qu'il m'avait pourtant vu bien souvent à la campagne ; souvenir que j'avais gardé, mais dans l'ombre, parce que depuis que j'avais revu Gilberte, pour moi Swann était surtout son père, et non plus le Swann de Combray ; comme les idées sur lesquelles j'embranchais maintenant son nom étaient différentes des idées dans le réseau desquelles il était autrefois compris et que je n'utilisais plus jamais quand j'avais à penser à lui, il était devenu un personnage nouveau ; je le rattachai pourtant par une ligne artificielle, secondaire et transversale à notre invité d'autrefois ; et comme rien n'avait plus pour moi de prix que dans la mesure où mon amour pouvait en profiter, ce fut avec un mouvement de honte et le regret de ne pouvoir les effacer que je retrouvai les années où,

aux yeux de ce même Swann qui était en ce moment devant
moi aux Champs-Élysées et à qui heureusement Gilberte
n'avait peut-être pas dit mon nom, je m'étais si souvent, le
soir, rendu ridicule en envoyant demander à maman de
monter dans ma chambre me dire bonsoir, pendant qu'elle
prenait le café avec lui, mon père et mes grands-parents, à la
table du jardin.) Il disait à Gilberte qu'il lui permettait de
faire une partie, qu'il pouvait attendre un quart d'heure et,
s'asseyant comme tout le monde sur une chaise de fer, payait
son ticket de cette main que Philippe VII avait si souvent
retenue dans la sienne, tandis que nous commencions à jouer
sur la pelouse, faisant envoler les pigeons dont les beaux
corps irisés qui ont la forme d'un cœur et sont comme les lilas
du règne des oiseaux, venaient se réfugier comme en des
lieux d'asile, tel sur le grand vase de pierre à qui son bec en y
disparaissant faisait faire le geste et assignait la destination
d'offrir en abondance les fruits ou les graines qu'il avait l'air
d'y picorer, tel autre sur le front de la statue qu'il semblait
surmonter d'un de ces objets en émail desquels la polychro-
mie varie dans certaines œuvres antiques la monotonie de la
pierre, et d'un attribut qui, quand la déesse le porte, lui vaut
une épithète particulière et en fait, comme pour une mortelle
un prénom différent, une divinité nouvelle.

Un de ces jours de soleil qui n'avait pas réalisé mes
espérances, je n'eus pas le courage de cacher ma déception à
Gilberte.

— J'avais justement beaucoup de choses à vous demander, lui dis-je. Je croyais que ce jour compterait beaucoup
dans notre amitié. Et aussitôt arrivée, vous allez partir !
Tâchez de venir demain de bonne heure, que je puisse enfin
vous parler.

Sa figure resplendit et ce fut en sautant de joie qu'elle me
répondit :

— Demain, comptez-y, mon bel ami, mais je ne viendrai
pas ! J'ai un grand goûter ; après-demain non plus, je vais
chez une amie pour voir de ses fenêtres l'arrivée du roi

Théodose, ce sera superbe, et le lendemain encore à *Michel Strogoff*, et puis après, cela va être bientôt Noël et lés vacances du jour de l'An. Peut-être on va m'emmener dans le Midi. Ce que ce serait chic ! Quoique cela me fera manquer un arbre de Noël ; en tous cas si je reste à Paris, je ne viendrai pas ici, car j'irai faire des visites avec maman. Adieu, voilà papa qui m'appelle.

Je revins avec Françoise par les rues qui étaient encore pavoisées de soleil, comme au soir d'une fête qui est finie. Je ne pouvais pas traîner mes jambes.

— Ça n'est pas étonnant, dit Françoise, ce n'est pas un temps de saison, il fait trop chaud. Hélas ! mon Dieu, de partout il doit y avoir bien des pauvres malades, c'est à croire que là-haut aussi tout se détraque.

Je me redisais en étouffant mes sanglots les mots où Gilberte avait laissé éclater sa joie de ne pas venir de longtemps aux Champs-Élysées. Mais déjà le charme dont, par son simple fonctionnement, se remplissait mon esprit dès qu'il songeait à elle, la position particulière, unique — fût-elle affligeante — où me plaçait inévitablement, par rapport à Gilberte, la contrainte interne d'un pli mental, avaient commencé à ajouter, même à cette marque d'indifférence, quelque chose de romanesque, et au milieu de mes larmes se formait un sourire qui n'était que l'ébauche timide d'un baiser. Et quand vint l'heure du courrier, je me dis, ce soir-là comme tous les autres : « Je vais recevoir une lettre de Gilberte, elle va me dire enfin qu'elle n'a jamais cessé de m'aimer, et m'expliquera la raison mystérieuse pour laquelle elle a été forcée de me le cacher jusqu'ici, de faire semblant de pouvoir être heureuse sans me voir, la raison pour laquelle elle a pris l'apparence de la Gilberte simple camarade. »

Tous les soirs je me plaisais à imaginer cette lettre, je croyais la lire, je m'en récitais chaque phrase. Tout d'un coup, je m'arrêtais effrayé. Je comprenais que si je devais recevoir une lettre de Gilberte, ce ne pourrait pas en tous cas être celle-là, puisque c'était moi qui venais de la composer.

Et dès lors, je m'efforçais de détourner ma pensée des mots que j'aurais aimé qu'elle m'écrivît, par peur, en les énonçant, d'exclure justement ceux-là, — les plus chers, les plus désirés — du champ des réalisations possibles. Même si par une invraisemblable coïncidence, c'eût été justement la lettre que j'avais inventée que de son côté m'eût adressée Gilberte, y reconnaissant mon œuvre, je n'eusse pas eu l'impression de recevoir quelque chose qui ne vînt pas de moi, quelque chose de réel, de nouveau, un bonheur extérieur à mon esprit, indépendant de ma volonté, vraiment donné par l'amour.

En attendant, je relisais une page que ne m'avait pas écrite Gilberte, mais qui du moins me venait d'elle, cette page de Bergotte sur la beauté des vieux mythes dont s'est inspiré Racine, et que, à côté de la bille d'agate, je gardais toujours auprès de moi. J'étais attendri par la bonté de mon amie qui me l'avait fait rechercher ; et comme chacun a besoin de trouver des raisons à sa passion, jusqu'à être heureux de reconnaître dans l'être qu'il aime des qualités que la littérature ou la conversation lui ont appris être de celles qui sont dignes d'exciter l'amour, jusqu'à les assimiler par imitation et en faire des raisons nouvelles de son amour, ces qualités fussent-elles les plus opposées à celles que cet amour eût recherchées tant qu'il était spontané — comme Swann autrefois, le caractère esthétique de la beauté d'Odette — moi, qui avais d'abord aimé Gilberte, dès Combray, à cause de tout l'inconnu de sa vie, dans lequel j'aurais voulu me précipiter, m'incarner, en délaissant la mienne qui ne m'était plus rien, je pensais maintenant comme à un inestimable avantage, que de cette mienne vie trop connue, dédaignée, Gilberte pourrait devenir un jour l'humble servante, la commode et confortable collaboratrice qui le soir, m'aidant dans mes travaux, collationnerait pour moi des brochures. Quant à Bergotte, ce vieillard infiniment sage et presque divin à cause de qui j'avais d'abord aimé Gilberte, avant même de l'avoir vue, maintenant c'était surtout à cause de Gilberte que je l'aimais. Avec autant de plaisir que les pages qu'il avait écrites sur Racine, je regardais le papier fermé de grands cachets de cire blancs et noué d'un flot de rubans mauves dans lequel elle me les avait apportées. Je baisais la bille d'agate qui était la meilleure part du cœur de mon amie, la part qui n'était pas frivole, mais fidèle, et qui bien que parée du charme mystérieux de la vie de Gilberte, demeurait près de moi, habitait ma chambre, couchait dans mon lit. Mais la beauté de cette pierre, et la beauté aussi de ces pages de Bergotte que j'étais heureux d'associer à l'idée de mon amour pour Gilberte, comme si dans les moments où celui-ci ne m'apparaissait plus que comme un néant, elles lui donnaient une sorte de consistance, je m'apercevais qu'elles étaient antérieures à cet amour, qu'elles ne lui ressemblaient pas, que leurs éléments avaient été fixés par le talent ou par les lois minéralogiques avant que Gilberte ne me connût, que rien dans le livre ni dans la pierre n'eût été autre si Gilberte ne m'avait pas aimé, et que rien par conséquent ne m'autorisait à lire en eux un message de bonheur. Et tandis que mon amour, attendant sans cesse du lendemain l'aveu de celui de Gilberte, annulait, défaisait chaque soir le travail mal fait de la journée, dans l'ombre de moi-même une ouvrière inconnue ne laissait pas au rebut les fils arrachés et les disposait, sans souci de me plaire et de travailler à mon bonheur, dans un ordre différent qu'elle donnait à tous ses ouvrages. Ne portant aucun intérêt particulier à mon amour, ne commençant pas par décider que j'étais aimé, elle recueillait les actions de Gilberte qui m'avaient semblé inexplicables et ses fautes que j'avais excusées. Alors les unes et les autres prenaient un sens. Il semblait dire, cet ordre nouveau, qu'en voyant Gilberte, au lieu qu'elle vînt aux Champs-Élysées, aller à une matinée, faire des courses avec son institutrice et se préparer à une absence pour les vacances du jour de l'An, j'avais tort de penser : « C'est qu'elle est frivole ou docile. » Car elle eût cessé d'être l'un ou l'autre si elle m'avait aimé, et si elle avait été forcée d'obéir, c'eût été avec le même désespoir que j'avais les jours où je ne

la voyais pas. Il disait encore, cet ordre nouveau, que je
devais pourtant savoir ce que c'était qu'aimer, puisque
j'aimais Gilberte ; il me faisait remarquer le souci perpétuel
que j'avais de me faire valoir à ses yeux, à cause duquel
j'essayais de persuader à ma mère d'acheter à Françoise un
caoutchouc et un chapeau avec un plumet bleu, ou plutôt de
ne plus m'envoyer aux Champs-Élysées avec cette bonne
dont je rougissais (à quoi ma mère répondait que j'étais
injuste pour Françoise, que c'était une brave femme qui nous
était dévouée), et aussi ce besoin unique de voir Gilberte qui
faisait que, des mois d'avance, je ne pensais qu'à tâcher
d'apprendre à quelle époque elle quitterait Paris et où elle
irait, trouvant le pays le plus agréable un lieu d'exil si elle ne
devait pas y être, et ne désirant que rester toujours à Paris
tant que je pourrais la voir aux Champs-Élysées ; et il n'avait
pas de peine à me montrer que ce souci-là, ni ce besoin, je ne
les trouverais sous les actions de Gilberte. Elle, au contraire,
appréciait son institutrice, sans s'inquiéter de ce que j'en
pensais. Elle trouvait naturel de ne pas venir aux Champs-
Élysées, si c'était pour aller faire des emplettes avec Mademoiselle, agréable, si c'était pour sortir avec ma mère. Et à
supposer même qu'elle m'eût permis d'aller passer les
vacances au même endroit qu'elle, du moins pour choisir cet
endroit elle s'occupait du désir de ses parents, de mille
amusements dont on lui avait parlé, et nullement que ce fût
celui où ma famille avait l'intention de m'envoyer. Quand
elle m'assurait parfois qu'elle m'aimait moins qu'un de ses
amis, moins qu'elle ne m'aimait la veille, parce que je lui avais
fait perdre sa partie par une négligence, je lui demandais
pardon, je lui demandais ce qu'il fallait faire pour qu'elle
recommençât à m'aimer autant, pour qu'elle m'aimât plus
que les autres ; je voulais qu'elle me dît que c'était déjà fait,
je l'en suppliais comme si elle avait pu modifier son affection
pour moi à son gré, au mien, pour me faire plaisir, rien que
par les mots qu'elle dirait, selon ma bonne ou ma mauvaise

conduite. Ne savais-je donc pas que ce que j'éprouvais, moi, pour elle, ne dépendait ni de ses actions, ni de ma volonté ?

Il disait enfin, l'ordre nouveau dessiné par l'ouvrière invisible, que si nous pouvons désirer que les actions d'une personne qui nous a peinés jusqu'ici n'aient pas été sincères, il y a dans leur suite une clarté contre quoi notre désir ne peut rien et à laquelle, plutôt qu'à lui, nous devons demander quelles seront ses actions de demain.

Ces paroles nouvelles, mon amour les entendait ; elles le persuadaient que le lendemain ne serait pas différent de ce qu'avaient été tous les autres jours ; que le sentiment de Gilberte pour moi, trop ancien déjà pour pouvoir changer, c'était l'indifférence ; que dans mon amitié avec Gilberte, c'est moi seul qui aimais. « C'est vrai, répondait mon amour, il n'y a plus rien à faire de cette amitié-là, elle ne changera pas. » Alors, dès le lendemain (ou attendant une fête s'il y en avait une prochaine, un anniversaire, le nouvel an peut-être, un de ces jours qui ne sont pas pareils aux autres, où le temps recommence sur de nouveaux frais en rejetant l'héritage du passé, en n'acceptant pas le legs de ses tristesses) je demandais à Gilberte de renoncer à notre amitié ancienne et de jeter les bases d'une nouvelle amitié.

J'avais toujours à portée de ma main un plan de Paris qui, parce qu'on pouvait y distinguer la rue où habitaient M. et Mme Swann, me semblait contenir un trésor. Et par plaisir, par une sorte de fidélité chevaleresque aussi, à propos de n'importe quoi, je disais le nom de cette rue, si bien que mon père me demandait, n'étant pas comme ma mère et ma grand'mère au courant de mon amour :

— Mais pourquoi parles-tu tout le temps de cette rue ? elle n'a rien d'extraordinaire, elle est très agréable à habiter parce qu'elle est à deux pas du Bois, mais il y en a dix autres dans le même cas.

Je m'arrangeais à tout propos à faire prononcer à mes parents le nom de Swann ; certes je me le répétais mentale-

ment sans cesse ; mais j'avais besoin aussi d'entendre sa
sonorité délicieuse et de me faire jouer cette musique dont la
lecture muette ne me suffisait pas. Ce nom de Swann
d'ailleurs, que je connaissais depuis si longtemps, était
maintenant pour moi, ainsi qu'il arrive à certains aphasiques
à l'égard des mots les plus usuels, un nom nouveau. Il était
toujours présent à ma pensée et pourtant elle ne pouvait pas
s'habituer à lui. Je le décomposais, je l'épelais, son ortho-
graphe était pour moi une surprise. Et en même temps que
d'être familier, il avait cessé de me paraître innocent. Les
joies que je prenais à l'entendre, je les croyais si coupables
qu'il me semblait qu'on devinait ma pensée et qu'on
changeait la conversation si je cherchais à l'y amener. Je me
rabattais sur les sujets qui touchaient encore à Gilberte, je
rabâchais sans fin les mêmes paroles, et j'avais beau savoir
que ce n'était que des paroles — des paroles prononcées loin
d'elle, qu'elle n'entendait pas, des paroles sans vertu qui
répétaient ce qui était, mais ne le pouvaient modifier —
pourtant il me semblait qu'à force de manier, de brasser ainsi
tout ce qui avoisinait Gilberte, j'en ferais peut-être sortir
quelque chose d'heureux. Je redisais à mes parents que
Gilberte aimait bien son institutrice, comme si cette proposition énoncée pour la centième fois allait avoir enfin pour effet
de faire brusquement entrer Gilberte, venant à tout jamais
vivre avec nous. Je reprenais l'éloge de la vieille dame qui
lisait les *Débats* (j'avais insinué à mes parents que c'était une
ambassadrice ou peut-être une altesse) et je continuais à
célébrer sa beauté, sa magnificence, sa noblesse, jusqu'au
jour où je dis que d'après le nom qu'avait prononcé Gilberte,
elle devait s'appeler Mme Blatin.

— Oh ! mais je vois ce que c'est, s'écria ma mère, tandis
que je me sentais rougir de honte. A la garde ! A la garde !
comme aurait dit ton pauvre grand-père. Et c'est elle que tu
trouves belle ! Mais elle est horrible et elle l'a toujours été.
C'est la veuve d'un huissier. Tu ne te rappelles pas, quand tu
étais enfant, les manèges que je faisais pour l'éviter à la leçon

de gymnastique où, sans me connaître, elle voulait venir me parler sous prétexte de me dire que tu étais « trop beau pour un garçon ». Elle a toujours eu la rage de connaître du monde et il faut bien qu'elle soit une espèce de folle comme j'ai toujours pensé, si elle connaît vraiment Mme Swann. Car si elle était d'un milieu fort commun, au moins il n'y a jamais rien eu que je sache à dire sur elle. Mais il fallait toujours qu'elle se fasse des relations. Elle est horrible, affreusement vulgaire, et avec cela faiseuse d'embarras. »

Quant à Swann, pour tâcher de lui ressembler, je passais tout mon temps à table, à me tirer sur le nez et à me frotter les yeux. Mon père disait : « Cet enfant est idiot, il deviendra affreux. » J'aurais surtout voulu être aussi chauve que Swann. Il me semblait un être si extraordinaire que je trouvais merveilleux que des personnes que je fréquentais le connussent aussi et que dans les hasards d'une journée quelconque on pût être amené à le rencontrer. Et une fois, ma mère, en train de nous raconter, comme chaque soir à dîner, les courses qu'elle avait faites dans l'après-midi, rien qu'en disant : « A ce propos, devinez qui j'ai rencontré aux Trois Quartiers, au rayon des parapluies : Swann », fit éclore au milieu de son récit, fort aride pour moi, une fleur mystérieuse. Quelle mélancolique volupté, d'apprendre que cet après-midi-là, profilant dans la foule sa forme surnaturelle, Swann avait été acheter un parapluie ! Au milieu des événements grands et minimes, également indifférents, celui-là éveillait en moi ces vibrations particulières dont était perpétuellement ému mon amour pour Gilberte. Mon père disait que je ne m'intéressais à rien parce que je n'écoutais pas quand on parlait des conséquences politiques que pouvait avoir la visite du roi Théodose, en ce moment l'hôte de la France et, prétendait-on, son allié. Mais combien en revanche, j'avais envie de savoir si Swann avait son manteau à pèlerine !

— Est-ce que vous vous êtes dit bonjour ? demandai-je.

— Mais naturellement, répondit ma mère qui avait

toujours l'air de craindre que, si elle eût avoué que nous
étions en froid avec Swann, on eût cherché à les réconcilier
plus qu'elle ne souhaitait, à cause de Mme Swann qu'elle ne
voulait pas connaître. C'est lui qui est venu me saluer, je ne
le voyais pas.

— Mais alors, vous n'êtes pas brouillés ?

— Brouillés ? mais pourquoi veux-tu que nous soyons
brouillés ? répondit-elle vivement comme si j'avais attenté à
la fiction de ses bons rapports avec Swann et essayé de
travailler à un « rapprochement ».

— Il pourrait t'en vouloir de ne plus l'inviter.

— On n'est pas obligé d'inviter tout le monde ; est-ce qu'il
m'invite ? Je ne connais pas sa femme.

— Mais il venait à Combray.

— Eh bien oui ! il venait à Combray, et puis à Paris il a
autre chose à faire, et moi aussi. Mais je t'assure que nous
n'avions pas du tout l'air de deux personnes brouillées. Nous
sommes restés un moment ensemble parce qu'on ne lui
apportait pas son paquet. Il m'a demandé de tes nouvelles, il
m'a dit que tu jouais avec sa fille, ajouta ma mère,
m'émerveillant du prodige que j'existasse dans l'esprit de
Swann, bien plus, que ce fût d'une façon assez complète,
pour que, quand je tremblais d'amour devant lui aux
Champs-Élysées, il sût mon nom, qui était ma mère, et pût
amalgamer autour de ma qualité de camarade de sa fille
quelques renseignements sur mes grands-parents, leur
famille, l'endroit que nous habitions, certaines particularités
de notre vie d'autrefois, peut-être même inconnues de moi.
Mais ma mère ne paraissait pas avoir trouvé un charme
particulier à ce rayon des Trois Quartiers où elle avait
représenté pour Swann, au moment où il l'avait vue, une
personne définie, avec qui il avait des souvenirs communs
qui avaient motivé chez lui le mouvement de s'approcher
d'elle, le geste de la saluer.

Ni elle d'ailleurs ni mon père ne semblaient non plus
trouver à parler des grands-parents de Swann, du titre

d'agent de change honoraire, un plaisir qui passât tous les autres. Mon imagination avait isolé et consacré dans le Paris social une certaine famille, comme elle avait fait dans le Paris de pierre pour une certaine maison dont elle avait sculpté la porte cochère et rendu précieuses les fenêtres. Mais ces ornements, j'étais seul à les voir. De même que mon père et ma mère trouvaient la maison qu'habitait Swann pareille aux autres maisons construites en même temps dans le quartier du Bois, de même la famille de Swann leur semblait du même genre que beaucoup d'autres familles d'agents de change. Ils la jugeaient plus ou moins favorablement selon le degré où elle avait participé à des mérites communs au reste de l'univers et ne lui trouvaient rien d'unique. Ce qu'au contraire ils y appréciaient, ils le rencontraient à un degré égal, ou plus élevé, ailleurs. Aussi après avoir trouvé la maison bien située, ils parlaient d'une autre qui l'était mieux, mais qui n'avait rien à voir avec Gilberte, ou de financiers d'un cran supérieur à son grand-père ; et s'ils avaient eu l'air un moment d'être du même avis que moi, c'était par un malentendu qui ne tardait pas à se dissiper. C'est que, pour percevoir dans tout ce qui entourait Gilberte, une qualité inconnue, analogue dans le monde des émotions à ce que peut être dans celui des couleurs l'infra-rouge, mes parents étaient dépourvus de ce sens supplémentaire et momentané dont m'avait doté l'amour.

Les jours où Gilberte m'avait annoncé qu'elle ne devait pas venir aux Champs-Élysées, je tâchais de faire des promenades qui me rapprochassent un peu d'elle. Parfois j'emmenais Françoise en pèlerinage devant la maison qu'habitaient les Swann. Je lui faisais répéter sans fin ce que, par l'institutrice, elle avait appris relativement à Mme Swann. « Il paraît qu'elle a bien confiance à des médailles. Jamais elle ne partira en voyage si elle a entendu la chouette, ou bien comme un tic-tac d'horloge dans le mur, ou si elle a vu un chat à minuit, ou si le bois d'un meuble, il a craqué. Ah ! c'est une personne très croyante ! » J'étais si amoureux de Gil-

berte que si sur le chemin j'apercevais leur vieux maître
d'hôtel promenant un chien, l'émotion m'obligeait à m'arrêter, j'attachais sur ses favoris blancs des regards pleins de
passion. Françoise me disait :

— Qu'est-ce que vous avez ?

Puis, nous poursuivions notre route jusque devant leur
porte cochère où un concierge différent de tout concierge et
pénétré jusque dans les galons de sa livrée du même charme
douloureux que j'avais ressenti dans le nom de Gilberte,
avait l'air de savoir que j'étais de ceux à qui une indignité
originelle interdirait toujours de pénétrer dans la vie mystérieuse qu'il était chargé de garder et sur laquelle les fenêtres
de l'entresol paraissaient conscientes d'être refermées, ressemblant beaucoup moins, entre la noble retombée de leurs
rideaux de mousseline, à n'importe quelles autres fenêtres
qu'aux regards de Gilberte. D'autres fois, nous allions sur les
boulevards et je me postais à l'entrée de la rue Duphot ; on
m'avait dit qu'on pouvait souvent y voir passer Swann se
rendant chez son dentiste ; et mon imagination différenciait
tellement le père de Gilberte du reste de l'humanité, sa
présence au milieu du monde réel y introduisait tant de
merveilleux que, avant même d'arriver à la Madeleine,
j'étais ému à la pensée d'approcher d'une rue où pouvait se
produire inopinément l'apparition surnaturelle.

Mais le plus souvent — quand je ne devais pas voir
Gilberte — comme j'avais appris que Mme Swann se
promenait presque chaque jour dans l'allée « des Acacias »,
autour du Grand Lac, et dans l'allée de la « Reine-Marguerite », je dirigeais Françoise du côté du Bois de Boulogne. Il
était pour moi comme ces jardins zoologiques où l'on voit
rassemblés des flores diverses et des paysages opposés, où
après une colline on trouve une grotte, un pré, des rochers,
une rivière, une fosse, une colline, un marais, mais où l'on
sait qu'ils ne sont là que pour fournir aux ébats de
l'hippopotame, des zèbres, des crocodiles, des lapins russes,
des ours et du héron, un milieu approprié ou un cadre

484   *A la recherche du temps perdu*

pittoresque; lui, le Bois, complexe aussi, réunissant des
petits mondes divers et clos — faisant succéder quelque
ferme plantée d'arbres rouges, de chênes d'Amérique,
comme une exploitation agricole dans la Virginie, à une
sapinière au bord du lac, ou à une futaie d'où surgit tout à
coup dans sa souple fourrure, avec les beaux yeux d'une bête,
quelque promeneuse rapide —, il était le Jardin des femmes;
et — comme l'allée de Myrtes de l'*Énéide* —, plantée pour
elles d'arbres d'une seule essence, l'allée des Acacias était
fréquentée par les Beautés célèbres. Comme, de loin, la
culmination du rocher d'où elle se jette dans l'eau, transporte
de joie les enfants qui savent qu'ils vont voir l'otarie, bien
avant d'arriver à l'allée des Acacias leur parfum qui,
irradiant alentour, faisait sentir de loin l'approche et la
singularité d'une puissante et molle individualité végétale,
puis, quand je me rapprochais, le faîte aperçu de leur
frondaison légère et mièvre, d'une élégance facile, d'une
coupe coquette et d'un mince tissu, sur laquelle des centaines
de fleurs s'étaient abattues comme des colonies ailées et
vibratiles de parasites précieux, enfin jusqu'à leur nom
féminin, désœuvré et doux, me faisaient battre le cœur, mais
d'un désir mondain, comme ces valses qui ne nous évoquent
plus que le nom des belles invitées que l'huissier annonce à
l'entrée d'un bal. On m'avait dit que je verrais dans l'allée
certaines élégantes que, bien qu'elles n'eussent pas toutes été
épousées, l'on citait habituellement à côté de Mme Swann,
mais le plus souvent sous leur nom de guerre; leur nouveau
nom, quand il y en avait un, n'était qu'une sorte d'incognito
que ceux qui voulaient parler d'elles avaient soin de lever
pour se faire comprendre. Pensant que le Beau — dans
l'ordre des élégances féminines — était régi par des lois
occultes à la connaissance desquelles elles avaient été
initiées, et qu'elles avaient le pouvoir de le réaliser, j'accep-
tais d'avance comme une révélation l'apparition de leur
toilette, de leur attelage, de mille détails au sein desquels je
mettais ma croyance comme une âme intérieure qui donnait

la cohésion d'un chef-d'œuvre à cet ensemble éphémère et mouvant. Mais c'est Mme Swann que je voulais voir, et j'attendais qu'elle passât, ému comme si ç'avait été Gilberte, dont les parents, imprégnés, comme tout ce qui l'entourait, de son charme, excitaient en moi autant d'amour qu'elle, même un trouble plus douloureux (parce que leur point de contact avec elle était cette partie intestine de sa vie qui m'était interdite), et enfin (car je sus bientôt, comme on le verra, qu'ils n'aimaient pas que je jouasse avec elle) ce sentiment de vénération que nous vouons toujours à ceux qui exercent sans frein la puissance de nous faire du mal.

J'assignais la première place à la simplicité dans l'ordre des mérites esthétiques et des grandeurs mondaines, quand j'apercevais Mme Swann à pied, dans une polonaise de drap, sur la tête un petit toquet agrémenté d'une aile de lopho-phore, un bouquet de violettes au corsage, pressée, traver-sant l'allée des Acacias comme si ç'avait été seulement le chemin le plus court pour rentrer chez elle et répondant d'un clin d'œil aux messieurs en voiture qui, reconnaissant de loin sa silhouette, la saluaient et se disaient que personne n'avait autant de chic. Mais, au lieu de la simplicité, c'est le faste que je mettais au plus haut rang, si, après que j'avais forcé Françoise, qui n'en pouvait plus et disait que les jambes « lui rentraient », à faire les cent pas pendant une heure, je voyais enfin, débouchant de l'allée qui vient de la Porte Dauphine — image pour moi d'un prestige royal, d'une arrivée souveraine, telle qu'aucune reine véritable n'a pu m'en donner l'impression dans la suite, parce que j'avais de leur pouvoir une notion moins vague et plus expérimentale — emportée par le vol de deux chevaux ardents, minces et contournés comme on en voit dans les dessins de Constantin Guys, portant établi sur son siège un énorme cocher fourré comme un cosaque, à côté d'un petit groom rappelant le « tigre » de « feu Baudenord », je voyais — ou plutôt je sentais imprimer sa forme dans mon cœur par une nette et épuisante blessure — une incomparable victoria, à dessein

un peu haute et laissant passer à travers son luxe « dernier
cri » des allusions aux formes anciennes, au fond de laquelle
reposait avec abandon Mme Swann, ses cheveux maintenant
blonds avec une seule mèche grise ceints d'un mince
bandeau de fleurs, le plus souvent des violettes, d'où
descendaient de longs voiles, à la main une ombrelle mauve,
aux lèvres un sourire ambigu où je ne voyais que la
bienveillance d'une Majesté et où il y avait surtout la
provocation de la cocotte, et qu'elle inclinait avec douceur
sur les personnes qui la saluaient. Ce sourire en réalité disait
aux uns : « Je me rappelle très bien, c'était exquis ! » ; à
d'autres : « Comme j'aurais aimé ! ç'a été la mauvaise
chance ! » ; à d'autres : « Mais si vous voulez ! Je vais suivre
encore un moment la file et dès que je pourrai, je couperai. »
Quand passaient des inconnus, elle laissait cependant autour
de ses lèvres un sourire oisif, comme tourné vers l'attente ou
le souvenir d'un ami, et qui faisait dire : « Comme elle est
belle ! » Et pour certains hommes seulement elle avait un
sourire aigre, contraint, timide et froid et qui signifiait :
« Oui, rosse, je sais que vous avez une langue de vipère, que
vous ne pouvez pas vous tenir de parler ! Est-ce que je
m'occupe de vous, moi ? » Coquelin passait en discourant au
milieu d'amis qui l'écoutaient et faisait avec la main, à des
personnes en voiture, un large bonjour de théâtre. Mais je ne
pensais qu'à Mme Swann et je faisais semblant de ne pas
l'avoir vue, car je savais qu'arrivée à la hauteur du Tir aux
pigeons elle dirait à son cocher de couper la file et de l'arrêter
pour qu'elle pût descendre l'allée à pied. Et les jours où je me
sentais le courage de passer à côté d'elle, j'entraînais
Françoise dans cette direction. A un moment, en effet, c'est
dans l'allée des piétons, marchant vers nous, que j'apercevais
Mme Swann laissant s'étaler derrière elle la longue traîne de
sa robe mauve, vêtue, comme le peuple imagine les reines,
d'étoffes et de riches atours que les autres femmes ne
portaient pas, abaissant parfois son regard sur le manche de
son ombrelle, faisant peu attention aux personnes qui

passaient, comme si sa grande affaire et son but avaient été de prendre de l'exercice, sans penser qu'elle était vue et que toutes les têtes étaient tournées vers elle. Parfois pourtant, quand elle s'était retournée pour appeler son lévrier, elle jetait imperceptiblement un regard circulaire autour d'elle.

Ceux mêmes qui ne la connaissaient pas étaient avertis par quelque chose de singulier et d'excessif — ou peut-être par une radiation télépathique, comme celles qui déchaînaient des applaudissements dans la foule ignorante aux moments où la Berma était sublime — que ce devait être quelque personne connue. Ils se demandaient : « Qui est-ce ? », interrogeaient quelquefois un passant, ou se promettaient de se rappeler la toilette comme un point de repère pour des amis plus instruits qui les renseigneraient aussitôt. D'autres promeneurs, s'arrêtant à demi, disaient :

— Vous savez qui c'est ? Mme Swann ! Cela ne vous dit rien ? Odette de Crécy ?

— Odette de Crécy ? Mais je me disais aussi, ces yeux tristes... Mais savez-vous qu'elle ne doit plus être de la première jeunesse ! Je me rappelle que j'ai couché avec elle le jour de la démission de Mac-Mahon.

— Je crois que vous ferez bien de ne pas le lui rappeler. Elle est maintenant Mme Swann, la femme d'un monsieur du Jockey, ami du prince de Galles. Elle est du reste encore superbe.

— Oui, mais si vous l'aviez connue à ce moment-là, ce qu'elle était jolie ! Elle habitait un petit hôtel très étrange avec des chinoiseries. Je me rappelle que nous étions embêtés par le bruit des crieurs de journaux, elle a fini par me faire lever.

Sans entendre les réflexions, je percevais autour d'elle le murmure indistinct de la célébrité. Mon cœur battait d'impatience quand je pensais qu'il allait se passer un instant encore avant que tous ces gens, au milieu desquels je remarquais avec désolation que n'était pas un banquier mulâtre par lequel je me sentais méprisé, vissent le jeune homme inconnu auquel ils ne prêtaient aucune attention, saluer (sans la connaître, à vrai dire, mais je m'y croyais autorisé parce que mes parents connaissaient son mari et que j'étais le camarade de sa fille) cette femme dont la réputation de beauté, d'inconduite et d'élégance était universelle. Mais déjà j'étais tout près de Mme Swann, alors je lui tirais un si grand coup de chapeau, si étendu, si prolongé, qu'elle ne pouvait s'empêcher de sourire. Des gens riaient. Quant à elle, elle ne m'avait jamais vu avec Gilberte, elle ne savait pas mon nom, mais j'étais pour elle — comme un des gardes du Bois, ou le batelier, ou les canards du lac à qui elle jetait du pain — un des personnages secondaires, familiers, anonymes, aussi dénués de caractères individuels qu'un « emploi de théâtre », de ses promenades au Bois. Certains jours où je ne l'avais pas vue allée des Acacias, il m'arrivait de la rencontrer dans l'allée de la Reine-Marguerite où vont les femmes qui cherchent à être seules, ou à avoir l'air de chercher à l'être; elle ne le restait pas longtemps, bientôt rejointe par quelque ami, souvent coiffé d'un « tube » gris, que je ne connaissais pas et qui causait longuement avec elle, tandis que leurs deux voitures suivaient.

Cette complexité du Bois de Boulogne qui en fait un lieu factice et, dans le sens zoologique ou mythologique du mot, un Jardin, je l'ai retrouvée cette année comme je le traversais pour aller à Trianon, un des premiers matins de ce mois de novembre où, à Paris, dans les maisons, la proximité et la privation du spectacle de l'automne qui s'achève si vite sans qu'on y assiste, donnent une nostalgie, une véritable fièvre des feuilles mortes qui peut aller jusqu'à empêcher de dormir. Dans ma chambre fermée, elles s'interposaient depuis un mois, évoquées par mon désir de les voir, entre ma pensée et n'importe quel objet auquel je m'appliquais, et tourbillonnaient comme ces taches jaunes qui parfois, quoi que nous regardions, dansent devant nos yeux. Et ce matin-là, n'entendant plus la pluie tomber comme les jours précédents, voyant le beau temps sourire aux coins des rideaux fermés comme aux coins d'une bouche close qui laisse échapper le secret de son bonheur, j'avais senti que ces feuilles jaunes, je pourrais les regarder traversées par la lumière, dans leur suprême beauté ; et ne pouvant pas davantage me tenir d'aller voir des arbres qu'autrefois, quand le vent soufflait trop fort dans ma cheminée, de partir pour le bord de la mer, j'étais sorti pour aller à Trianon, en passant par le Bois de Boulogne. C'était l'heure et c'était la saison où le Bois semble peut-être le plus multiple, non seulement parce qu'il est plus subdivisé, mais encore parce qu'il l'est autrement. Même dans les parties découvertes où l'on embrasse un grand espace, çà et là, en face des sombres masses lointaines des arbres qui n'avaient pas de feuilles ou qui avaient encore leurs feuilles de l'été, un double rang de marronniers orangés semblait, comme dans un tableau à peine commencé, avoir seul encore été peint par le décorateur qui n'aurait pas mis de couleur sur le reste, et tendait son allée en pleine lumière pour la promenade épisodique de personnages qui ne seraient ajoutés que plus tard.

Plus loin, là où toutes leurs feuilles vertes couvraient les arbres, un seul, petit, trapu, étêté et têtu, secouait au vent une vilaine chevelure rouge. Ailleurs encore c'était le premier éveil de ce mois de mai des feuilles, et celles d'un empelopsis, merveilleux et souriant comme une épine rose de l'hiver, depuis le matin même étaient tout en fleur. Et le Bois avait l'apparence provisoire et factice d'une pépinière ou d'un parc où, soit dans un intérêt botanique, soit pour la préparation d'une fête, on vient d'installer, au milieu des arbres de sorte commune qui n'ont pas encore été déplantés, deux ou trois espèces précieuses, aux feuillages fantastiques et qui semblent autour d'eux réserver du vide, donner de l'air, faire de la clarté. Ainsi c'était la saison où le Bois de Boulogne trahit le plus d'essences diverses et juxtapose le plus de parties distinctes en un assemblage composite. Et c'était aussi l'heure. Dans les endroits où les arbres gardaient encore

leurs feuilles, ils semblaient subir une altération de leur
matière à partir du point où ils étaient touchés par la lumière
du soleil, presque horizontale le matin, comme elle le
redeviendrait quelques heures plus tard, au moment où dans
le crépuscule commençant elle s'allume comme une lampe,
projette à distance sur le feuillage un reflet artificiel et chaud,
et fait flamber les suprêmes feuilles d'un arbre qui reste le
candélabre incombustible et terne de son faîte incendié. Ici,
elle épaississait, comme des briques, et, comme une jaune
maçonnerie persane à dessins bleus, cimentait grossièrement
contre le ciel les feuilles des marronniers, là au contraire les
détachait de lui, vers qui elles crispaient leurs doigts d'or. A
mi-hauteur d'un arbre habillé de vigne vierge, elle greffait et
faisait épanouir, impossible à discerner nettement dans
l'éblouissement, un immense bouquet comme de fleurs
rouges, peut-être une variété d'œillet. Les différentes parties
du Bois, mieux confondues l'été dans l'épaisseur et la
monotonie des verdures, se trouvaient dégagées. Des espaces
plus éclaircis laissaient voir l'entrée de presque toutes, ou
bien un feuillage somptueux la désignait comme une ori-
flamme. On distinguait comme sur une carte en couleur
Armenonville, le Pré Catelan, Madrid, le Champ de courses,
les bords du Lac. Par moments apparaissait quelque
construction inutile, une fausse grotte, un moulin à qui les
arbres en s'écartant faisaient place ou qu'une pelouse portait
en avant sur sa moelleuse plate-forme. On sentait que le Bois
n'était pas qu'un bois, qu'il répondait à une destination
étrangère à la vie de ses arbres ; l'exaltation que j'éprouvais
n'était pas causée que par l'admiration de l'automne, mais
par un désir. Grande source d'une joie que l'âme ressent
d'abord sans en reconnaître la cause, sans comprendre que
rien au dehors ne la motive. Ainsi regardais-je les arbres avec
une tendresse insatisfaite qui les dépassait et se portait à mon
insu vers ce chef-d'œuvre des belles promeneuses qu'ils
enferment chaque jour pendant quelques heures. J'allais vers
l'allée des Acacias. Je traversais des futaies où la lumière du

matin, qui leur imposait des divisions nouvelles, émondait les arbres, mariait ensemble les tiges diverses et composait des bouquets. Elle attirait adroitement à elle deux arbres ; s'aidant du ciseau puissant du rayon et de l'ombre, elle retranchait à chacun une moitié de son tronc et de ses branches et, tressant ensemble les deux moitiés qui restaient, en faisait soit un seul pilier d'ombre que délimitait l'ensoleillement d'alentour, soit un seul fantôme de clarté dont un réseau d'ombre noire cernait le factice et tremblant contour. Quand un rayon de soleil dorait les plus hautes branches, elles semblaient, trempées d'une humidité étincelante, émerger seules de l'atmosphère liquide et couleur d'émeraude où la futaie tout entière était plongée comme sous la mer. Car les arbres continuaient à vivre de leur vie propre et, quand ils n'avaient plus de feuilles, elle brillait mieux sur le fourreau de velours vert qui enveloppait leurs troncs ou dans l'émail blanc des sphères de gui qui étaient semées au faîte des peupliers, rondes comme le soleil et la lune dans *la Création* de Michel-Ange. Mais, forcés depuis tant d'années par une sorte de greffe à vivre en commun avec la femme, ils m'évoquaient la dryade, la belle mondaine rapide et colorée qu'au passage ils couvrent de leurs branches et obligent à ressentir comme eux la puissance de la saison ; ils me rappelaient le temps heureux de ma croyante jeunesse, quand je venais avidement aux lieux où des chefs-d'œuvre d'élégance féminine se réaliseraient pour quelques instants entre les feuillages inconscients et complices. Mais la beauté que faisaient désirer les sapins et les acacias du Bois de Boulogne, plus troublants en cela que les marronniers et les lilas de Trianon que j'allais voir, n'était pas fixée en dehors de moi dans les souvenirs d'une époque historique, dans des œuvres d'art, dans un petit temple à l'Amour au pied duquel s'amoncellent les feuilles palmées d'or. Je rejoignis les bords du Lac, j'allai jusqu'au Tir aux pigeons. L'idée de perfection que je portais en moi, je l'avais prêtée alors à la hauteur d'une victoria, à la maigreur de ces chevaux furieux et légers

comme des guêpes, les yeux injectés de sang comme les
cruels chevaux de Diomède, et que maintenant, pris d'un
désir de revoir ce que j'avais aimé, aussi ardent que celui qui
me poussait bien des années auparavant dans ces mêmes
chemins, je voulais avoir de nouveau sous les yeux, au
moment où l'énorme cocher de Mme Swann, surveillé par un
petit groom gros comme le poing et aussi enfantin que saint
Georges, essayait de maîtriser leurs ailes d'acier qui se
débattaient effarouchées et palpitantes. Hélas ! il n'y avait
plus que des automobiles conduites par des mécaniciens
moustachus qu'accompagnaient de grands valets de pied. Je
voulais tenir sous les yeux de mon corps, pour savoir s'ils
étaient aussi charmants que le voyaient les yeux de ma
mémoire, de petits chapeaux de femmes si bas qu'ils
semblaient une simple couronne. Tous maintenant étaient
immenses, couverts de fruits et de fleurs et d'oiseaux variés.
Au lieu des belles robes dans lesquelles Mme Swann avait
l'air d'une reine, des tuniques gréco-saxonnes relevaient avec
les plis des Tanagra, et quelquefois dans le style du
Directoire, des chiffons liberty semés de fleurs comme un
papier peint. Sur la tête des messieurs qui auraient pu se
promener avec Mme Swann dans l'allée de la Reine-Marguerite, je ne trouvais pas le chapeau gris d'autrefois, ni même
un autre. Ils sortaient nu-tête. Et toutes ces parties nouvelles
du spectacle, je n'avais plus de croyance à y introduire pour
leur donner la consistance, l'unité, l'existence ; elles passaient éparses devant moi, au hasard, sans vérité, ne
contenant en elles aucune beauté que mes yeux eussent pu
essayer comme autrefois de composer. C'étaient des femmes
quelconques, en l'élégance desquelles je n'avais aucune foi et
dont les toilettes me semblaient sans importance. Mais
quand disparaît une croyance, il lui survit, et de plus en plus
vivace, pour masquer le manque de la puissance que nous
avons perdue de donner de la réalité à des choses nouvelles,
un attachement fétichiste aux anciennes qu'elle avait ani-
mées, comme si c'était en elles et non en nous que le divin

résidait et si notre incrédulité actuelle avait une cause
contingente, la mort des Dieux.

Quelle horreur ! me disais-je : peut-on trouver ces automobiles élégantes comme étaient les anciens attelages ? je suis
sans doute déjà trop vieux, mais je ne suis pas fait pour un
monde où les femmes s'entravent dans des robes qui ne sont
pas même en étoffe. A quoi bon venir sous ces arbres, si rien
n'est plus de ce qui s'assemblait sous ces délicats feuillages
rougissants, si la vulgarité et la folie ont remplacé ce qu'ils
encadraient d'exquis ? Quelle horreur ! Ma consolation, c'est
de penser aux femmes que j'ai connues, aujourd'hui qu'il n'y
a plus d'élégance. Mais comment des gens qui contemplent
ces horribles créatures sous leurs chapeaux couverts d'une
volière ou d'un potager, pourraient-ils même sentir ce qu'il y
avait de charmant à voir Mme Swann coiffée d'une simple
capote mauve ou d'un petit chapeau que dépassait une seule
fleur d'iris toute droite ? Aurais-je même pu leur faire
comprendre l'émotion que j'éprouvais par les matins d'hiver
à rencontrer Mme Swann à pied, en paletot de loutre, coiffée
d'un simple béret que dépassaient deux couteaux de plumes
de perdrix, mais autour de laquelle la tiédeur factice de son
appartement était évoquée, rien que par le bouquet de
violettes qui s'écrasait à son corsage et dont le fleurissement
vivant et bleu en face du ciel gris, de l'air glacé, des arbres
aux branches nues, avait le même charme de ne prendre la
saison et le temps que comme un cadre et de vivre dans une
atmosphère humaine, dans l'atmosphère de cette femme,
qu'avaient dans les vases et les jardinières de son salon, près
du feu allumé, devant le canapé de soie, les fleurs qui
regardaient par la fenêtre close la neige tomber ? D'ailleurs il
ne m'eût pas suffi que les toilettes fussent les mêmes qu'en
ces années-là. A cause de la solidarité qu'ont entre elles les
différentes parties d'un souvenir et que notre mémoire
maintient équilibrées dans un assemblage où il ne nous est
pas permis de rien distraire ni refuser, j'aurais voulu pouvoir
aller finir la journée chez une de ces femmes, devant une

tasse de thé, dans un appartement aux murs peints de
couleurs sombres, comme était encore celui de Mme Swann
(l'année d'après celle où se termine la première partie de ce
récit) et où luiraient les feux orangés, la rouge combustion, la
flamme rose et blanche des chrysanthèmes dans le crépuscule de novembre, pendant des instants pareils à ceux où
(comme on le verra plus tard) je n'avais pas su découvrir les
plaisirs que je désirais. Mais maintenant, même ne me
conduisant à rien, ces instants me semblaient avoir en eux-
mêmes assez de charme. Je voulais les retrouver tels que je
me les rappelais. Hélas ! il n'y avait plus que des apparte-
ments Louis XVI tout blancs, émaillés d'hortensias bleus.
D'ailleurs, on ne revenait plus à Paris que très tard.
Mme Swann m'eût répondu d'un château qu'elle ne rentrerait qu'en février, bien après le temps des chrysanthèmes, si
je lui avais demandé de reconstituer pour moi les éléments de
ce souvenir que je sentais attaché à une année lointaine, à un
millésime vers lequel il ne m'était pas permis de remonter,
les éléments de ce désir devenu lui-même inaccessible comme
le plaisir qu'il avait jadis vainement poursuivi. Et il m'eût
fallu aussi que ce fussent les mêmes femmes, celles dont la
toilette m'intéressait parce que, au temps où je croyais
encore, mon imagination les avait individualisées et les avait
pourvues d'une légende. Hélas ! dans l'avenue des Acacias —
l'allée de Myrtes — j'en revis quelques-unes, vieilles, et qui
n'étaient plus que les ombres terribles de ce qu'elles avaient
été, errant, cherchant désespérément on ne sait quoi dans les
bosquets virgiliens. Elles avaient fui depuis longtemps, que
j'étais encore à interroger vainement les chemins désertés. Le
soleil s'était caché. La nature recommençait à régner sur le
Bois d'où s'était envolée l'idée qu'il était le Jardin élyséen de
la Femme ; au-dessus du moulin factice le vrai ciel était gris ;
le vent ridait le Grand Lac de petites vaguelettes, comme un
lac ; de gros oiseaux parcouraient rapidement le Bois, comme
un bois, et poussant des cris aigus se posaient l'un après
l'autre sur les grands chênes qui, sous leur couronne

druidique et avec une majesté dodonéenne, semblaient proclamer le vide inhumain de la forêt désaffectée, et m'aidaient à mieux comprendre la contradiction que c'est de chercher dans la réalité les tableaux de la mémoire, auxquels manquerait toujours le charme qui leur vient de la mémoire même et de n'être pas perçus par les sens. La réalité que j'avais connue n'existait plus. Il suffisait que Mme Swann n'arrivât pas toute pareille au même moment, pour que l'Avenue fût autre. Les lieux que nous avons connus n'appartiennent pas qu'au monde de l'espace où nous les situons pour plus de facilité. Ils n'étaient qu'une mince tranche au milieu d'impressions contiguës qui formaient notre vie d'alors ; le souvenir d'une certaine image n'est que le regret d'un certain instant ; et les maisons, les routes, les avenues, sont fugitives, hélas ! comme les années.

DU MÊME AUTEUR

A LA RECHERCHE DU TEMPS PERDU (15 vol.) :
  DU CÔTÉ DE CHEZ SWANN (2 vol.).
  A L'OMBRE DES JEUNES FILLES EN FLEURS (3 vol.).
  LE CÔTÉ DE GUERMANTES (3 vol.).
  SODOME ET GOMORRHE (2 vol.).
  LA PRISONNIÈRE (2 vol.).
  ALBERTINE DISPARUE.
  LE TEMPS RETROUVÉ (2 vol.).
PASTICHES ET MÉLANGES.
LES PLAISIRS ET LES JOURS.
CHRONIQUES.
JEAN SANTEUIL (3 vol.).
CONTRE SAINTE-BEUVE *suivi de* NOUVEAUX MÉLANGES.
LETTRES A REYNALDO HAHN.
LETTRES A LA N.R.F.
MORCEAUX CHOISIS.
TEXTES RETROUVÉS, présentés par Philip Kolb (*Cahiers Marcel Proust*, III).

*

Bibliothèque de la Pléiade

A LA RECHERCHE DU TEMPS PERDU (3 vol.).
CONTRE SAINTE-BEUVE, *précédé de* PASTICHES ET MÉLANGES *et suivi de* ESSAIS ET ARTICLES.
JEAN SANTEUIL, *précédé de* LES PLAISIRS ET LES JOURS.

*

Éditions illustrées

UN AMOUR DE SWANN (*Éditions illustrées par Laprade*).
A L'OMBRE DES JEUNES FILLES EN FLEURS (*Édition illustrée par J.-E. Laboureur et Jacques Boullaire*, 2 vol.).
ŒUVRES COMPLÈTES (*Coll. in-8º* « A la Gerbe », 18 vol.).
A LA RECHERCHE DU TEMPS PERDU (*Édition illustrée comprenant 107 gravures originales de Philippe Jullian*, 7 vol. Coll. « La Gerbe illustrée »).

COLLECTION FOLIO

Cet ouvrage
a été achevé d'imprimer par
l'imprimerie Bussière à Saint-Amand (Cher)
le 18 février 1982.
Dépôt légal : février 1982.
1ᵉʳ dépôt légal dans la collection : septembre 1976.
Imprimé en France (123)